KB181882

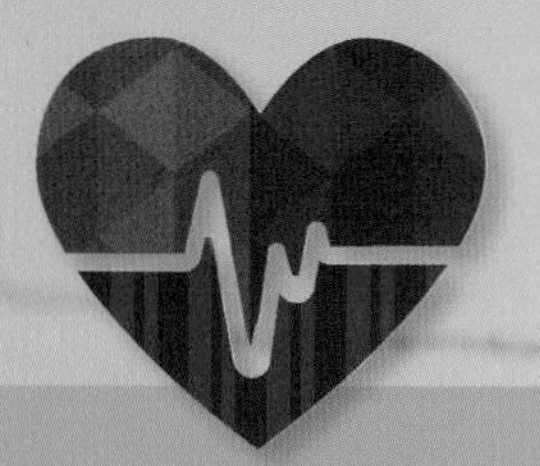

# 심폐소생술과 전문 심장소생술

황성오 · 임경수

Cardiopulmonary Resuscitation and Advanced Cardiovascular Life Support

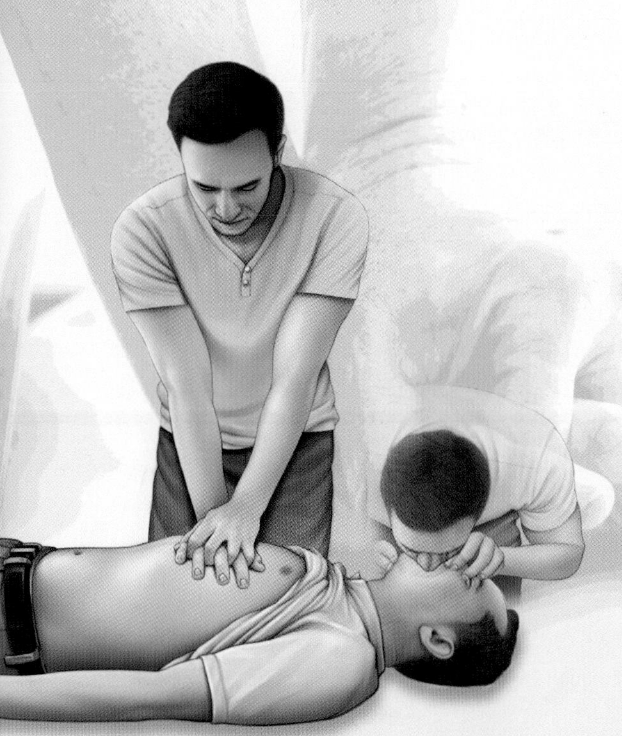

6th EDITION

# 심폐소생술과 전문 심장소생술 (6판)

첫째판 1쇄 발행 | 1997년 7월 10일
둘째판 1쇄 발행 | 2001년 9월 20일
둘째판 2쇄 발행 | 2002년 6월 30일
둘째판 3쇄 발행 | 2004년 2월 25일
셋째판 1쇄 발행 | 2006년 3월 07일
셋째판 2쇄 발행 | 2007년 2월 15일
셋째판 3쇄 발행 | 2009년 2월 05일
셋째판 4쇄 발행 | 2010년 3월 20일
넷째판 1쇄 발행 | 2011년 4월 15일
넷째판 2쇄 발행 | 2012년 8월 10일
넷째판 3쇄 발행 | 2014년 4월 01일
넷째판 4쇄 발행 | 2015년 3월 16일
다섯째판 1쇄 발행 | 2016년 3월 02일
다섯째판 2쇄 발행 | 2016년 4월 15일
다섯째판 3쇄 발행 | 2017년 2월 20일
다섯째판 4쇄 발행 | 2018년 2월 07일
여섯째판 1쇄 인쇄 | 2021년 2월 23일
여섯째판 1쇄 발행 | 2021년 3월 08일
여섯째판 2쇄 발행 | 2021년 7월 05일
여섯째판 3쇄 발행 | 2022년 3월 08일
여섯째판 4쇄 발행 | 2023년 1월 18일
여섯째판 5쇄 발행 | 2024년 3월 06일

지 은 이 황성오·임경수
발 행 인 장주연
출판기획 최준호
책임편집 권혜지
편집디자인 조원배
표지디자인 김재욱
일러스트 유학영
제작담당 황인우
발 행 처 군자출판사(주)
등록 제4-139호(1991. 6. 24)
본사 (10881) **파주출판단지** 경기도 파주시 회동길 338(서패동 474-1)
전화 (031) 943-1888 팩스 (031) 955-9545
홈페이지 | www.koonja.co.kr



ISBN 979-11-5955-677-7
정가 45,000원

# 심폐소생술과
# 전문 심장소생술

황성오 · 임경수

# 저자약력

## 황성오

연세대학교 원주의과대학 응급의학교실 교수
의학박사, 응급의학전문의, 내과전문의, 순환기내과분과전문의
대한심폐소생협회 이사장
한국심장정지연구컨소시엄 의장
Vice-President, Resuscitation Council of Asia
(역임) President, Asian Society for Emergency Medicine
(역임) 대한응급의학회 이사장

## 임경수

의학박사, 외과전문의, 응급의학전문의
울산대학교 의과대학 응급의학과 과장 및 응급의학교실 주임교수
서울아산병원 응급실장
대한심폐소생협회 이사
前 대한응급의학회 이사장
前 대한외상학회 회장
前 대한재난학회 회장
前 President, 8th Asia-Pacific Congress of Disaster Medicinef Disaster Medicine

# 머리말

응급의학에 발을 들여놓고 응급실에서만 환자를 진료하기 시작한 이후로 병원이외에서 심정지가 발생한 많은 환자들을 접하게 되었습니다. 자연히 심정지 환자에 대한 자료를 모으게 되었고, 그 자료들을 분석하다보니 국내의 심정지 환자 생존율이 외국에 비하여 무척 낮다는 사실을 알게 되었습니다. 심정지 환자에 대한 국내의 의료실정은 다른 의학 분야의 눈부신 발전에도 불구하고 원시적인 상황에 있다고 할 수 있습니다. 응급의료가 발달한 외국에서는 심정지가 발생한 현장에서도 제세동이 가능한 반면, 국내에서는 일반인에 의한 심폐소생술조차 기대할 수 없는 상황입니다. 또한 응급의료체계도 이제 시작단계로서 응급의료인에 의한 전문 심장소생술이 시행되려면 상당한 시간을 기다려야 할 것입니다. 병원 내에서 심정지가 발생하더라도 상황은 크게 다르지 않습니다. 병원 내에서도 전문 심장소생술이 시작되기 전까지는 기본 소생술이 시행되어야 하지만, 대부분의 병원에서는 의사가 도착할 때까지 환자에게 아무런 치료도 시작하지 않는 실정입니다. 또한 심폐소생술 방법이 표준화되어 있지 않으므로 의사에 따라 치료순서나 약물투여방법이 바뀌는 경우도 빈번한 실정입니다.

심정지가 발생한 환자뿐만 아니라 대부분 응급환자의 치료초기에는 질병의 진단보다는 응급처치가 우선되어야 합니다. 전문 심장소생술은 외상 이외의 원인에 의하여 심정지가 발생한 환자와 심정지가 발생할 가능성이 높은 응급질환이 동반된 환자에 대한 초기 응급치료의 과정입니다. 따라서 전문 심장소생술은 응급의료에 종사하는 모든 의료인에게 필수적인 지식이라고 생각합니다.

이 책자에는 심폐소생술과 전문 심장소생술에 대한 개괄적인 내용과 술기에 관하여 수록되어 있습니다. 국내에는 심폐소생술과 전문 심장소생술에 대한 고유의 지침이 없기 때문에 주로 외국의 서적과 문헌을 참고하였습니다. 이 책자가 응급의료에 종사하는 분들에게 조금의 도움이라도 드릴 수 있다면 그 동안의 노력이 헛되지는 않는다고 생각합니다.

그 동안 자료수집을 위하여 고생한 원주기독병원 응급의학과 전공의들과 저를 도와주신 모든 분들에게 감사드리며, 소중한 자료들을 챙겨주신 내과의 박금수 교수님께도 감사드립니다.

1995년 1월 30일

황 성 오

# 개정판을 내면서

4년 전인 1997년 초판을 발간하면서 이 책이 우리나라 심정지 환자의 치료에 기여하기를 기원하였었습니다. 심폐소생술과 전문 심장소생술에 대한 우리나라의 자료가 부족하였기에 주로 외국의 문헌을 참고할 수밖에 없었던 당시의 집필 환경에 대한 자조도 있었던 것으로 기억합니다. 4년이 지난 지금에도 당시에 비하여 심정지 환자의 치료에 획기적인 변화가 없고, 심폐소생술과 전문 심장소생술에 대한 국내의 자료도 아직까지 많이 부족한 상태입니다. 우리나라의 상황과는 달리 2000년도에 미국에서는 전 세계 국가가 참여하여 심폐소생술과 전문 심장소생술에 대한 국제적인 지침을 만들어 발표하였습니다. 국제적인 지침은 각 국가의 의료, 문화적인 배경을 고려하여 만들어졌지만, 상대적으로 참여도가 낮고 많은 자료를 제공하지 못한 아시아 국가에 적용하기에는 약간의 문제가 있습니다. 그러나 국제적인 지침의 발표는 아시아 국가에도 심폐소생술에 대한 국가적 관심을 고조시킴으로서, 각 국가별로 심폐소생술의 지침을 담당하는 기구를 만들어 가는 시발점의 역할을 하고 있습니다.

우리나라에는 아직 심폐소생술과 전문 심장소생술에 대한 지침이 없으며, 이를 담당하는 기구도 없습니다. '심폐소생술과 전문 심장소생술'의 개정판에는 2000년에 발표된 국제적 지침에서 변화된 내용을 주로 반영하였습니다. 이 개정판이 다시한번 우리나라에서 심폐소생술과 전문 심장소생술에 대한 일반인과 의료인의 관심을 불러일으키는 계기가 되기를 기원합니다.

이 책의 개정 작업을 위하여 고생을 아끼지 않은 연세대학교 원주의과대학 응급의학 교실원에게 감사의 마음을 전합니다.

2001년 8월 10일

황 성 오

# 두 번째 개정판을 내면서

우리는 가끔 철로에 떨어진 사람을 구하기 위해 철로에 뛰어들어 다른 사람의 생명을 구한 용감한 시민에 대한 뉴스를 들으며 감동합니다. 자신의 생명이 위험할 수 있는 상황에서 타인의 생명을 구하려 한 용감한 사람을 위해 진정한 박수를 보내곤 합니다. 우리 사회의 눈에 보이지 않는 곳에서는 많은 사람이 목숨을 잃고 있습니다. 갑작스런 심정지(돌연사)로 가정, 직장, 길거리 등에서 불행한 일을 당하는 사람의 수는 우리가 뉴스로 듣게 되는 불행한 사람의 수보다 훨씬 많습니다. 심정지를 당하는 사람 중 많은 사람이 심폐소생술 등의 응급치료를 받으면 살아날 수 있습니다. 그러나 우리나라에서는 심정지(돌연사)가 발생한 사람 10명 중 9명 이상은 주변에 있는 사람들의 도움을 전혀 받지 못하고 죽어가고 있습니다. 그나마 심정지로부터 소생되어 제게 입원해 있는 환자의 90%이상은 의식이 없습니다. 그들은 심정지가 발생하기 전까지는 우리와 다름없는 정상인이었습니다. 심정지가 발생하였다가 살아난 이분들은 심정지 동안에 발생한 뇌손상으로 인하여 지금은 의식이 없고 가족을 알아보지 못합니다. 만약 이분들이 현장에서 심폐소생술과 제세동술을 받았다면, 치료 후 가족과 더불어 일상 생활로 돌아갈 수 있었을 것입니다.

이 책을 처음 쓰기 시작하였던 1995년 초에는 우리나라에서 심폐소생술과 전문 심장소생술의 중요성에 대한 인식이 매우 낮았습니다. 그 이후 많은 의료인들의 노력으로 심폐소생술과 전문 심장소생술의 중요성에 대한 국민들과 의료인의 인식이 높아졌습니다. 최근 심폐소생술의 중요성을 전파하고 심폐소생술을 보급하기 위하여 대한심폐소생협회가 결성됨으로써, 우리나라에서 심폐소생술을 보급할 수 있는 체계적인 틀이 마련되고 있는 것은 참으로 다행스러운 일입니다.

이번 개정판에는 새로 개정된 심폐소생술 지침의 내용을 포함시켰습니다. 가능한 빠른 시간에 최신의 지식을 접하여야 하는 의료계의 현실을 고려하여 개정 작업을 서둘러 진행하였습니다. 아직도 부족한 내용이 많은 이 책이 현장 및 응급실에서 응급치료를 담당하는 응급의료종사자들에게 좋은 지침이 될 수 있기를 욕심내어 봅니다.

이 책의 개정에 바쁜 시간을 희생한 연세대학교 원주의과대학 응급의학교실원에게 감사의 마음을 전합니다.

2006년 1월 25일

황 성 오

# 제 4판을 내면서

얼마 전 운동시설에서 갑자기 심정지가 발생한 사람을 주변에 있던 목격자가 발견하여 심폐소생술을 하고 근처의 자동 제세동기를 사용하여 살렸다는 보도를 들었습니다. 공항이나 철도역과 같은 공공시설에 가면 자동 제세동기가 설치되어 있는 것을 종종 발견하게 됩니다. 제가 활동하고 있는 대한심폐소생협회에는 심폐소생술을 교육받으려는 분들의 연락이 많아졌고, 적십자, 소방, 응급구조사 단체, 군에서도 심폐소생술을 적극적으로 교육하고 있습니다. 이 책이 처음 출판된 1995년으로부터 15년이 지난 지금, 우리나라에는 심폐소생술과 전문소생술에 대한 교육과 인식이 이전과는 많이 달라졌습니다. 하지만 심정지에 대한 인프라의 변화에도 불구하고 우리나라에서 병원 전 심정지 환자의 생존율은 아직 3%에도 미치지 못하고 있습니다. 변화의 효과가 아직 나타나지 않은 것일까요?

얼마 전 일본을 여행하면서 자동판매기에 자동 제세동기가 설치되어 있는 것을 보았습니다. '자동'이라는 공통 단어가 사용되고 사람들이 많이 모이는 장소에 설치된다는 점이 자동판매기와 자동 제세동기의 공통점이라는 착상이 기발하였습니다. 지난 10년간 일본은 심폐소생술과 자동 제세동기의 보급에 많은 노력을 기울였습니다. 30만대 이상의 자동 제세동기가 일본에 설치되었고, 심폐소생술에 대한 교육 의무를 확대하였습니다. 그 결과로 일본의 병원 전 심정지 환자 생존율은 7%이상으로 증가하였습니다. 여러 측면에서 우리나라와 비슷한 환경에 있는 일본에서 이룩한 병원 전 심정지에 대한 획기적 발전은 우리에게 시사하는 바가 많습니다.

우리나라에서 병원 전 심정지가 발생하는 사람의 수는 연간 2만명에서 3만명 정도로 추산됩니다. 한 개의 소도시 인구가 매년 사라지는 셈입니다. 지금의 심폐소생술과 자동 제세동기의 보급률로는 매년 사라지는 2-3만명을 살릴 수 없습니다. 국민 모두의 관심과 국가 차원의 대책을 더 서둘러야 할 때입니다.

이번에 개정된 '심폐소생술과 전문 심장소생술'은 2010년에 발표된 '심폐소생술과 응급심장치료'에 대한 심폐소생술 국제연락위원회(International Liaison Committee on Resuscitation: ILCOR)의 지침의 내용이 포함되어 있습니다. 심폐소생술과 응급심장치료에 대한 지침이 5년마다 개정됨에 따라 이 책의 내용을 수정한 것입니다. 이 책이 우리나라에서 심폐소생술을 공부하는 응급의료 종사자에게 조금이나마 보탬이 된다면, 필자의 인생에 한 조각의 보람을 더하는 일이 될 것입니다.

2011년 2월 10일

황 성 오

# 제 5판을 내면서

이 책의 초판은 제가 미국에 연구출장을 하던 1995년에 저술되었습니다. 개정작업을 하는 동안, 이 책을 쓰기로 마음먹었던 20년 전의 기억이 새로운 감회로 다가왔습니다. 그 때는 일반인은 물론 의료인조차도 심정지와 심폐소생술에 관한 관심이 거의 없던 시기였습니다. 다른 사람보다 심폐소생술의 중요성을 조금 먼저 인식했던 저는 이 책을 통하여 심폐소생술을 소개함으로써 심폐소생술에 대한 국민들의 인식을 높이고자 했습니다. 이제 이 책의 다섯 번째 개정판을 발행하는 오늘, 저는 지난 20년 동안 우리나라에서의 변화를 돌아봅니다. 이제 심폐소생술이라는 용어는 일반국민들에게도 낯선 단어가 아닙니다. 심정지를 목격한 사람은 심폐소생술을 해야 생존율이 높아진다는 것도 알고 있습니다. 공공장소나 군중이 있는 곳에는 자동 제세동기(심장충격기)가 대부분 설치되어 있습니다. 심정지 환자의 생존율도 높아졌습니다. 20년 전에는 조사조차 되지 않았던 심정지 생존율이 매년 조사되고 있으며, 심정지 환자의 5%정도가 생존합니다. 그러나 심정지는 점점 더 중요한 국가보건문제가 되고 있습니다. 심정지 환자는 매년 증가하고 있으며, 지난 한해에만 우리나라에서는 3만 명의 병원 밖 심정지 환자가 발생했습니다. 심정지로부터 생존한 환자 중에서 사회에 다시 복귀할 수 있을 정도로 회복된 사람은 전체 심정지 환자의 2%에 불과합니다. 국가적인 노력에도 불구하고 심정지 환자의 98%는 살아나지 못하거나 사회로 복귀하지 못하고 있는 실정입니다.

심정지는 다양한 원인에 의하여 심장활동이 갑자기 중단되어 발생하는 일종의 증후군입니다. 심정지는 현내 의학이 해결하지 못하고 있는 증후군입니다. 응급의료의 수준이 최고인 국가에서도 심정지의 생존율은 20%를 넘지 못하고 있습니다. 심정지에 대한 획기적인 치료법이 절실히 필요한 상황입니다. 그리고 심정지 발생 후부터의 치료도 중요하지만, 심정지를 예방하는 것이 병원 밖 심정지에 의한 사망을 줄이는 더 좋은 방법입니다. 심정지의 치료에 대한 대책과 더불어 예방을 위한 정책이 필요합니다.

이번 개정판에는 2015년에 발표된 우리나라의 '심폐소생술 가이드라인'과 심폐소생술 국제연락위원회(International Liaison Committee on Resuscitation: ILCOR)의 '2015 심폐소생술과 응급심장치료'에서의 개정 내용을 반영하였습니다. 심폐소생술에 대한 많은 연구에 근거한 새로운 심폐소생술 가이드라인이 심정지 환자들의 생존에 기여할 것이라고 믿습니다.

이 책을 20년간 지켜오면서 많은 분들의 격려와 채찍을 받았습니다. 여러분들의 관심이 없었다면 이 책은 존재할 수 없었을 것입니다. 환자 진료에 바쁜 가운데에도 이 책의 개정에 도움을 준 연세대학교 원주세브란스기독병원의 응급의학과 동료들에게 감사드립니다. 그리고, 어려운 환경 속에서도 20년간 이 책을 발행해 주신 군자출판사 장주연 대표께도 감사드립니다.

이 책이 우리나라의 심정지 치료환경을 개선시키는 데 기여하고, 그 결과로 한 명이라도 더 많은 심정지 환자의 생명을 구할 수 있었다면, 개정 작업을 위해 보낸 밤들이 제 인생의 가장 보람 있는 시간으로 남을 것입니다.

2016년 1월 4일

황 성 오

# 제 6판을 내면서

지난해 작은 뉴스로 알려졌던 코로나 19 발생이 지금은 전 세계로 퍼져서 수십만 명이 생명을 잃고, 우리의 모든 생활에 영향을 주고 있습니다. 지난 2년에 걸쳐 진행된 우리나라 심폐소생술 가이드라인 개정 과정에서도 연구진과 전문가들이 서로 만나지도 못한 채 연구를 진행해야 했습니다. 코로나 유행은 심장정지 발생과 치료에도 큰 영향을 주었습니다. 코로나가 창궐한 지역에는 병원 밖 심장정지 발생이 증가했지만, 코로나 감염에 대한 두려움으로 심장정지가 효과적으로 치료되지 않고 있습니다. 사람들의 모임에 대한 제약으로 심폐소생술 교육도 위축되고 있는 상황입니다. 최근 심장정지 치료에 대한 획기적 발전이 이루어지고 있지 않은 상황에서 코로나의 장기 유행은 심장정지의 생존에 좋지 않은 영향을 줄 것으로 예측됩니다. 책을 개정하는 중에도 인류가 코로나를 얼른 극복해서 안전한 세상이 되기를 기원해 봅니다.

최근 발표된 우리나라의 병원 밖 심장정지 생존율은 8%를 넘어섰습니다. 그동안 전문가, 관련 단체, 지역사회와 국가가 함께 노력하여 심폐소생술을 교육하고 심장정지 치료 체계를 효율화한 결과가 생존율의 증가로 나타나고 있습니다. 그러나 아직 심장정지가 발생한 사람의 90% 이상이 생명을 잃고 생존한 사람의 반 정도는 심각한 신경학적 후유증으로 정상 생활로 돌아오지 못하고 있습니다. 심장정지 생존율을 획기적으로 향상할 수 있는 치료법이 개발되고 치료를 효율화할 수 있는 심장정지 치료 환경의 변화를 기대합니다.

심폐소생술과 전문심장소생술 제6판은 제5판 이후에 출간된 연구결과, 외국의 심폐소생술 가이드라인, 국제소생술교류위원회의 심폐소생술에 관한 과학적 합의와 치료 권고를 바탕으로 2020년 한국심폐소생술 가이드라인을 참조하여 개정되었습니다. 전반적인 내용에 대한 업데이트와 더불어 가능한 최신 지식과 경험이 개정판에 반영되도록 노력했습니다.

지난 30년 동안 저와 함께하고 지원해준 원주의과대학 응급의학교실의 모든 동료에게 감사드립니다. 이 책이 심장정지 치료와 관련 있는 의료종사자가 심폐소생술에 대한 이해와 지식을 높이는 데 조금이라도 이바지하기를 바랍니다.

2021년 1월 3일

황 성 오

# 목차

## 제1부 심정지와 심폐소생술

## 제14장 전문심장소생술 약물



## 제15장 특수 상황의 심장정지



## 제16장 소생후 통합 치료



## 제17장 응급치료가 필요한 부정맥

## 제23장 급성 심근경색(급성 관상동맥증후군)의 응급치료



## 제24장 뇌졸중의 응급치료

# 제 1 부

# 심장정지와 심폐소생술

심장정지(cardiac arrest)는 원인과 관계없이 심장 박동이 갑자기 중단되어 발생하는 임상 증후군이다. 심장정지가 발생하면 온몸으로의 혈액순환이 중단되어 각 인체 조직은 급격히 산소 및 에너지원의 결핍상태에 놓이게 된다. 심장정지가 발생한 후 4-5분 이내에 심장 박동이 회복되지 않으면, 각 인체 조직에 허혈에 의한 손상이 시작되어 심장정지로부터 회복되더라도 상당한 후유증이 남게 된다. 심장정지 상태가 계속되면 심폐소생술이 시행되더라도 조직으로의 관류량이 충분하지 않기 때문에 허혈성 손상이 계속된다. 자발순환이 회복되는 과정에서는 재관류로 인한 조직 손상으로 인하여 심장정지로부터 소생된 후에도 심장정지 후 증후군 등 다양한 전신성 변화가 발생한다.

심폐소생술은 심장정지가 발생한 사람에게 인공순환과 인공호흡을 제공하는 응급치료 방법이다. 심장정지를 발견한 목격자가 구조요청 후 신속히 심폐소생술을 하면 심장정지 환자의 생존율이 높아진다. 기본소생술은 심장정지의 목격자가 해야 할 응급치료행위로서, 기본소생술에는 심장정지의 인지 및 구조요청, 심장정지의 확인을 위한 평가, 심폐소생술 및 자동제세동 등 심장정지의 초기응급치료를 위한 행동 요령과 술기가 포함된다.

제1부에는 심장정지에 대한 이해를 돕기 위하여 원인 및 병태 생리를 포함한 심장정지에 대한 일반적인 내용과 심폐소생술의 원리, 새로운 심폐소생술 방법, 심폐소생술 중 혈역학적 감시를 포함한 심폐소생술에 관한 내용에 관하여 서술하였다. 또한, 심장정지를 발견했을 때의 행동 요령과 심폐소생술 술기를 포함한 기본 소생술, 심장정지로 인한 사망을 줄이기 위한 심장정지 생존환경, 심장정지 소생에 필수 요소인 생존 사슬, 심장정지 환자의 생존에 영향을 미치는 요소 등 심장정지 및 심폐소생술에 대한 필수 지식을 다루었다.

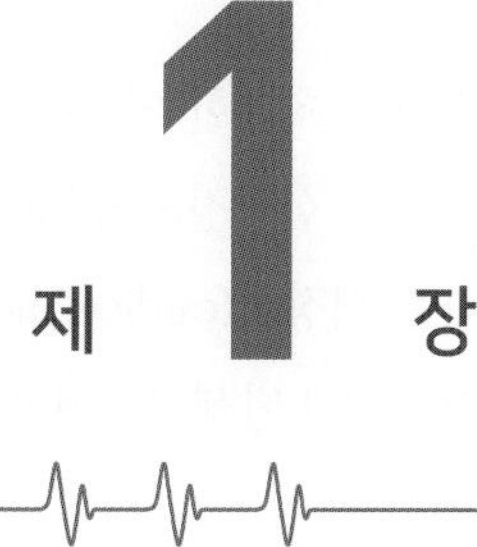


# 심장정지

심장정지는 원인과 관계없이 심장 박동이 갑자기 정지된 상태이다. 심장 박동이 정지되면 각 조직으로의 혈류가 중단되므로, 조직이 생체활동을 유지하는데 필수적인 산소와 영양소의 공급이 중단되어 조직의 기능이 정지된다. 조직으로의 혈류가 중단된 상태가 계속되면 세포가 손상되어 괴사하고 각 기관의 기능이 비가역적으로 상실되어 사망에 이르게 된다.

심장정지가 발생하면 심폐소생술을 포함한 의학적 수단을 동원하지 않고서는 생명현상을 유지할 수 없다. 심장정지와 심폐소생술에 의한 소생과정을 이해하려면, 심장정지의 원인과 발생과정, 심장정지에 의하여 인체에 발생하는 일련의 변화를 알아야 한다. 이 장에서는 급사를 초래하는 심장정지의 원인, 심장정지의 발생과정, 심장정지와 연관된 심전도 소견 및 사망의 과정에 관하여 서술하였다.

## 1. 심장정지의 원인

심장정지는 매우 다양한 원인으로 발생한다. 병원 밖 심장정지가 발생한 사람의 90% 이상이 사망하기 때문에 심장정지를 유발한 구체적 원인을 규명하기는 어렵다. 최근의 심장정지 보고에 관한 국제 지침에서는 심장정지의 원인을 질병성 심장정지[medical, 심장정지의 원인이 심장질환으로 추정되는 경우, 심장정지가 질환(아나필락시스, 천식, 위장관 출혈 등)에 의한 경우, 심장정지의 명백한 원인이 없는 경우]와 외상성 심장정지(신체에 가해진 외상에 의한 심장정지), 약물 중독, 익수, 감전, 질식(이물에 의한 기도폐쇄, 목맴 등 질식을 초래한 외부 요인이 있는 경우)에 의한 심장정지로 구분하도록 권고했다. 임상적으로는 심장정지의 발생 원인을 일차적으로 심장기능의 장애로 인하여 심장정지가 발생하는 심장성(cardiogenic) 심장정지와 심장질환 이외의 다른 질환에 의한 합병증으로서 심장정지가 발생하는 비심장성(non-cardiogenic) 심장정지로 구분할 수 있다(표 1-1).

### 1) 심장성 심장정지

심장성 심장정지는 임상적으로 급성 심장사(sudden cardiac death)의 형태로 나타난다. 급성 심장사는 심장이 원인이 되어 발생하는 사망으로서, 심혈관 상태의 변화가 발생한 지 1시간 이내에 사망에 이르는 임상 상태이다. 급성 심장사는 예측되지 않은 심장정지의 가장 흔한 원인이다.

#### (1) 심장성 심장정지의 원인

심장성 심장정지의 주요 기저 원인은 관상동맥병이다. 죽상동맥경화에 의한 관상동맥병이 진행하면서 불안정형 협심증, 급성 심근경색이 발생하면, 치명적인 부정맥 또는 심장성 쇼크에 의한 심장정지가 발생할 수 있다. 관상동맥 연축을 포함한 비-동맥경화성 관상동맥병도 심장정지의 원인이다. 그 외에도 심근의 비후 또는 확장을 유발하는 심근질환, 대동맥판 협착 또는 폐쇄부전 등 심장판막질환, 급격히 심박출량 또는 전신혈관 저항의 감소를 초래하는 질환(폐색전증, 심장눌림증, 긴장성 기흉, 대동맥류 파열로 인한 출혈, 중증 아나필락시스, 심근경색증 후 심장파열), 전해질 불균형 등으로 초래되는 치명적 부정맥, 유전질환(선천성 긴 QT 증후군, 부정맥성 우심실 형성 이상: arrhythmogenic right ventricular dysplasia, Brugada 증후군) 등이 심장정지를 유발한다.

##### ① 관상동맥병

심장정지와 관련이 있는 가장 흔한 심장질환은 죽상경화성 관상동맥병이다. 심장 기능이 정상인 사람도 주요 관상동맥이 갑자기 폐쇄되면 심근허혈이 발생하여 수 초에서 수 분 이내에도 치명적인 부정맥인 심실세동에 의한 심장정지로 사망할 수 있다. 과거에 심근경색증을 앓은 후 생긴 심근 손상이 원인이 되어 발생한 심실부정맥으로 심장정지가 발생할 수도 있다. 급사환자를 부검한 결과, 75%에서 심근경색의 흔적이 관찰되었으며, 20-30%에서는 급성 심근경색이 발생하였던 것으로 알려져 있다. 그 외에도 관상동맥의 선천성 기형, 관상동맥으로의 혈전 전색, 관상동맥염, 관상동맥박리, 관상동맥연축 등 심근으로의 혈류를 기계적 또는 기능적으로 폐쇄 또는 제한하는 질환이 심장정지의 원인이 될 수 있다.

표 1-1. 심장정지의 주요 원인

| 심장정지의 원인 분류 | 원인질환 | |
|---|---|---|
| 심장성 심장정지 | 관상동맥질환 | 급성 관상동맥증후군(관상동맥 죽상경화, 관상동맥 색전증)<br>관상동맥 연축<br>관상동맥염<br>관상동맥 박리 |
| | 심근의 비대를 초래하는 질환 | 비대심근병증<br>고혈압<br>본태성 또는 이차성 폐동맥 고혈압 |
| | 심부전을 초래하는 질환 | 울혈성 심장근육병증<br>허혈성 심장근육병증<br>심근경색<br>급성 심실중격결손<br>급성 승모판 폐쇄부전<br>심근염 |
| | 심장판막질환 | 대동맥판 협착증<br>대동맥판 폐쇄부전<br>승모판 탈출증<br>심장내막염<br>인공판막 기능부전 |
| | 선천성 심장질환 | 폐동맥 고혈압을 초래하는 단락 질환<br>선천성 관상동맥질환 |
| | 부정맥을 유발하는 질환 | 선도계 질환(Lenegre씨 병, Lev씨 병)<br>긴 QT 증후군<br>Brugada 증후군<br>조기흥분증후군<br>중추신경 장애<br>약물 중독 |
| 비 심장성 심장정지 | 호흡부전을 초래하는 질환 | 이물에 의한 기도폐쇄<br>급성 호흡부전<br>만성 폐색성 폐질환<br>패혈증<br>익수<br>목맴 |
| | 순환혈액량의 감소를 초래하는 질환 | 외상<br>위장관 출혈<br>탈수 |
| | 중추신경계 질환 | 외상성 뇌출혈<br>뇌출혈<br>뇌졸중<br>중추신경계 감염 |
| | 대사 질환 | 당뇨케톤산증<br>약물 중독 |
| | 정맥 환류의 급격한 감소를 초래하는 질환 | 심장눌림증<br>긴장성 기흉<br>폐색전증<br>폐동맥 고혈압에 의한 우심실 부전 |
| | 체온 이상 | 저체온증(32℃ 이하)<br>고체온증(41℃ 이상) |

② 심근병증, 심부전

대동맥판 협착 등 심장판막질환, 비대심근병증(hypertrophic cardiomyopathy), 고혈압 등으로 심근의 비대가 초래되는 경우에도 부정맥이 발생하거나 심박출량이 급격히 감소함으로써 심장정지가 발생할 수 있다. 좌심실 유출로의 폐쇄가 동반된 비대심근병증에서는 심실성 부정맥이 급사의 원인이 될 수 있을 뿐 아니라, 심방세동 등의 심실상 부정맥이 발생해도 심장정지가 초래될 수 있다. 증상이 없던 젊은 사람이 급성 심장사 하였을 때는 비대심근병증의 가능성이 있다. 비대심근병증에서 급성 심장사의 가족력, 원인불명의 재발성 실신, 비지속성 심실빈맥(non-sustained ventricular tachycardia), 중증 심실비대(severe ventricular hypertrophy)가 있으면 심장정지가 발생할 가능성이 크다. 비허혈성 확장심근병증(dilated cardiomyopathy)도 심장정지의 주요 원인이다. 심부전을 유발한 원인과 관계없이 만성 심부전 환자의 반수 정도가 급사형태로 사망한다. 급성 심부전이 발생한 환자에서 심부전이 치료되지 않으면, 순환장애나 이차적으로 발생하는 부정맥에 의하여 심장정지가 발생한다.

③ 기타 심장질환

선천성 대동맥판 협착, 승모판 탈출증, 부정맥성 우심실 형성 이상, 활로네증후, 폐동맥협착 등 선천성 심장질환이 있는 환자는 급성 심장정지의 가능성이 있다. 적절한 치료를 받지 않은 대동맥판 협착 환자의 반수 이상이 급사의 형태로 사망하며, 대동맥 판막 치환술이 시행된 후에도 부정맥으로 인한 급사의 가능성이 있다. 승모판 탈출증 환자에게서도 심실성 부정맥이 흔히 발생하며 드물지만, 급사의 가능성이 있다. 대동맥 폐쇄부전, 인공판막 기능부전이 있는 환자에게서도 급격한 심박출량의 감소로 급사가 발생할 수 있다. 우-좌 단락(right-to-left shunt)이 있는 선천성 심장질환 환자가 적절한 치료를 받지 않으면 폐동맥 고혈압이 진행되어 급사의 가능성이 커진다.

④ 구조적 이상이 없는 심장질환

선천성 원인에 의하여 발생하는 긴 QT 증후군(long QT syndrome)은 비틀림 심실빈맥(torsades de pointes)을 포함한 심각한 심실성 부정맥을 유발할 수 있다. 심장의 전기 전도계에 발생하는 질환은 방실 차단을 초래하거나 심장 자율성에 장애를 초래함으로써 서맥성 부정맥에 의한 심장정지의 원인이 될 수 있다. 카테콜아민(catecholamine)의 급격한 증가 또는 뇌출혈, 지주막하출혈 등 중추신경 질환에 의한 빈맥성 부정맥으로 심장정지가 발생할 수 있다. 조기흥분증후군(Wolff-Parkinson-White 증후군 등), Brugada 증후군, 카테콜아민성(catecholaminergic) 다형 심실빈맥 등 심장의 전도계 또는 전기활동의 이상을 초래하는 질환은 심장정지의 원인이 된다.

### ⑤ 약물 또는 전해질 이상에 의한 부정맥

모든 항부정맥제는 부정맥을 유발하는 작용(proarrhythmic effect)이 있다. 심장질환의 치료에 사용되지 않는 약물 중 일부도 부정맥을 유발함으로써 심장정지를 초래할 수 있다. 항생제(trimethoprim-sulfamethoxazole, erythromycin, pentamidine, fluoroquinolones), 항히스타민제(terfenadine, astemizole), azole계 항진균제(ketoconazole, fluconazole, itraconazole), 위장제(cisapride), 항우울증제(amitriptyline, imipramine, doxepine), phenothiazine계(chlorpromazine, thioridazine), 항정신병 약물(haloperidol, risperidone)은 QT 간격을 연장해 부정맥을 유발할 수 있다. 코카인은 직접 부정맥을 초래하기도 하고, 관상동맥 연축에 의한 심근 허혈을 일으키므로 심장정지의 원인이 된다. 심장의 전기활동에 영향을 주는 전해질(칼륨, 칼슘)의 혈중농도에 이상이 발생한 경우(고칼륨혈증/저칼륨혈증, 저마그네슘혈증, 저칼슘혈증 등)에 부정맥이 유발되어 심장정지가 발생한다.

### (2) 심장성 심장정지의 발생과정과 임상 양상

심장성 심장정지는 통상 당뇨, 고혈압, 고지혈증, 흡연, 스트레스, 가족력 등 관상동맥 질환을 포함한 심장질환의 고위험 요소가 있는 사람에서 심근 손상, 죽상경화반 파열 또는 심근 비대 등으로 기질적 변화가 초래된 심장에 심근허혈, 급격한 혈역학적 변화, 중추신경계 손상에 의한 심혈관계 영향, 환경적 요인 등 유발인자가 작용함으로써 발생한다.

심장성 심장정지 발생의 임상 양상은 전구증상, 유발증상, 심장정지 발생으로 구분될 수 있다. 전구증상은 흉통, 두근거림, 호흡곤란, 전신 쇠약감 등과 같이 심장정지를 유발할 수 있는 질환이 발생하여 임상 증상으로 발현되는 과정이다. 이러한 전구증상은 심장정지가 발생하기 수일이나 수개월 전부터 발생할 수도 있다. 유발증상은 신체기능의 급격한 변화를 유발하는 임상 증상으로서 부정맥, 저혈압 또는 쇼크, 호흡곤란 또는 흉통의 악화와 같은 형태로 나타난다. 심장정지가 발생하는 과정에서 기록된 심전도에서는 심장정지가 발생하기 수분 또는 수 시간 전에 심박수의 증가, 심실 조기수축의 심도와 빈도의 증가, 지속성 또는 비지속성 심실빈맥이 관찰된다. 심장정지 유발증상이 나타난 후에는 언제든지 심장정지가 발생할 수 있다. 심장정지 발생 직전에 호흡곤란, 두근거림, 기좌호흡(orthopnea), 현기증의 증상이 나타나는 경우가 있지만, 많은 경우에는 선행 경고 증상이 뚜렷이 없다가 갑자기 심장정지 상태에 빠진다. 심장정지는 주로 유발증상에 의하여 발생한 심실세동, 무수축 등의 부정맥에 의하여 유발되지만, 부정맥이 발생하지 않고 심박출량의 급격한 감소를 초래하는 전기-기계 해리(electromechanical dissociation) 때문에 발생하기도 한다.

모든 심장성 심장정지가 전구증상-유발증상-심장정지의 순서로 진행되는 것은 아니다. 예를 들면 관상동맥질환이 있는 환자에서 심장정지가 발생할 때도 여러 가지 양상으로 심장정지가 발생할 수 있다. 전구증상으로서 흉통이 발생한 후 수주 또는 수개월이 지난 후 급성 심근경색이 발생하고, 심근경색에 합병된 부정맥에 의하여 심장정지가 초래되는 때도 있지만, 흉통 등의 전구증상 없이 관상동맥질환의 첫 임상 양상으로서 심실세동이 발생하여 심장정지 상태에 이르는 예도 있다.

### 2) 비 심장성 심장정지

비심장정 심장정지는 심장이 정상적인 기능을 유지하더라도 다른 장기의 기능부전에 의하여 이차적으로 심장정지가 유발되는 경우를 말한다.

이차적으로 심장정지를 유발하는 흔한 원인으로는 폐 질환이나 기도폐쇄에 의한 호흡부전을 들 수 있다. 특히 소아에서는 기도폐쇄에 의한 질식이나 급성 영아사망 증후군이 심장정지의 흔한 원인이다. 외상, 위장관 출혈, 대동맥 파열 등으로 인한 급격한 혈액손실은 심박출량을 감소시켜 이차적으로 심장정지를 초래한다. 뇌출혈, 뇌졸중 등 중추신경계 질환은 대뇌 기능을 모두 손상하거나 이차 호흡부전을 유발함으로써 심장정지를 초래할 수 있다. 당뇨성 케톤산증이나 약물 중독에 의하여 발생하는 대사성 산증도 심장정지를 일으킬 수 있다. 심장으로의 정맥 환류를 감소시키는 심장눌림증, 긴장성 기흉, 대량의 폐색전증, 폐동맥 고혈압에 의한 우심실 부전은 무맥성 전기활동을 초래하여 심장정지를 일으킨다. 신부전에 의한 대사성 산증, 고칼륨혈증도 심장정지의 원인이 된다. 32℃ 이하의 저체온증이나 41℃ 이상의 고체온증과 같이 체온이 급격히 변화하여도 심장정지가 발생할 수 있다. 베타 교감신경 수용체 차단제, 칼슘 통로 길항제의 과다 복용 또는 중독 등 약물에 의해 심장정지가 발생할 수 있다.

## 2. 심장정지 발생빈도와 발생 양상

심장정지 발생빈도는 조사하기 어려울 뿐만 아니라, 인종, 국가, 지역에 따라 다르다. 이차적 원인이 선행되는 비심장성 심장정지는 각 원인질환이 진행하면서 심장정지가 발생하므로 별도의 발생 빈도를 평가하는 것이 무의미하다.

통상 급성 심장사는 심장질환에 의하여 임상 증상이 발현된 후 1시간 이내에 의식이 소실되어 사망에 이르는 자연사로 정의된다. 법의학적 측면에서는 24시간 이전까지 정상적으로 활동하던 사람이 사망한 상태로 발견된 경우에도 급사의 정의를 사용할 수 있다. 급성 심장사의 정의를 증상의 발현으로부터 2시간 이내에 심장정지가 발생한 경우로 하면 전체 사망환자의 12%가 급사형태인 것으로 알려져 있다. 급성 심장사 환자의 80% 이상에서 심장질환이 있는 것으로 알려졌다. 또한, 관상동맥질환이 있는 환자가 사망하는 경우의 50%는 급성 심장사 형태의 심장정지가 발생한다. 그러나 급성 심장사의 대부분은 비교적 건강한 사람에게서 첫 임상 증상으로 나타나는 경우가 많다. 급성 심장정지의 발생 가능성은 중증 심장질환이 있는 사람에서 높지만, 전체 인구에서 심장질환자가 차지하는 비율이 낮으므로, 급성 심장정지가 발생한 사람 중 2/3 정도는 심혈관 질환의 위험요인이 없거나 낮은 위험도를 가진 사람이다. 즉, 전체 급성 심장정지 환자 중에는 중증 심혈관 질환이 있는 경우보다 위험도가 낮거나 위험요인이 없는 경우가 더 많으며, 이를 심장정지의 역학적 역설(epidemiological paradox)이라고 한다.

병원 밖 심장정지의 발생빈도는 인구 100,000명당 약 30-180명 정도로 알려져 있다. 우리나라에서는 연간 약 30,000명 정도의 병원밖 심장정지 환자가 발생하며 생존퇴원율은 8-9%, 뇌기능 회복률은 5% 내외이다. 미국에서는 연간 약 350,000명 이상의 병원밖 심장정지 환자가 발생하며 생존퇴원율은 지역에 따라 다르지만 7-15%이다.

심장정지는 나이에 따라 발생률이 다르다. 소아에서는 영아기에 급성 영아사망 증후군 등으로 인하여 심장정지의 발생률이 높고, 성인에서는 30대 이후에 발생률이 높아진다. 30대가 지나면서부터 급사의 발병률은 증가하는데, 40대 이후부터는 발병률이 급격히 증가하기 시작하여 70대 이후에는 기하급수적으로 증가한다. 30대에서 돌연사가 발생할 확률은 10만 명 당 30명 정도에 불과하지만 60대에서는 300명, 70대에서는 700명, 80대에서는 800명으로 급증한다. 하루 중에는 잠에서 깨어난 후 약 두, 세 시간 이내에 가장 많이 발생하는 것으로 알려져 있다. 특히 오전 7시부터 10시 사이에서의 발생률이 다른 시간대보다 급사의 발생률이 2.5배 정도 높다.

## 3. 심장정지에서 관찰되는 부정맥

심장정지가 발생한 사람의 심전도는 다양한 양상으로 관찰될 수 있으나, 심실세동(ventricular fibrillation) 및 무맥성 심실빈맥(pulseless ventricular tachycardia), 무수축(asystole), 무맥성 전기활동(pulseless electrical activity)으로 분류할 수 있다. 심폐소생술 중에는 심장정지의 원인을 알 수 없는 경우가 많으므로, 심전도에서 관찰되는 부정맥에 따라 심장정지를 치료한다. 심실세동과 무맥성 심실빈맥을 치료하려면 반드시 제세동이 시행되어야 하므로, 심실세동과 무맥성 심실빈맥을 '충격 필요 리듬(shockable rhythm)'이라고 통칭한다. 무수축과 무맥성 전기활동은 치료 과정에서 제세동이 필요하지 않으므로, '충격 불필요 리듬(non-shockable rhythm)'이라고 한다. 이에 따라 심장정지의 치료 과정은 관찰되는 심전도 소견에 따라 충격 필요 리듬의 치료 과정과 충격 불필요 리듬의 치료 과정으로 구분된다.

### 1) 충격 필요 리듬: 심실세동과 무맥성 심실빈맥

심장성 심장정지가 발생한 환자 중 심전도 기록 장치를 하고 있던 환자에게서 심장정지 발생 시의 심전도 기록을 확인한 결과, 심장성 심장정지 환자의 60-85%에서 심장정지가 발생할 때 심실세동 또는 무맥성 심실빈맥이 관찰되었다. 병원 이외의 장소에서 심실세동 또는 무맥성 심실빈맥이 발생한 경우, 심전도를 기록할 때까지 상당한 시간이 지나가게 된다. 따라서 실제 심장정지 환자에서 심실세동 또는 무맥성 심실빈맥이 관찰되는 경우는 15-40%에 불과하다.

심실세동 또는 무맥성 심실빈맥 등 치명적인 빈맥성 부정맥의 발생 원인은 다양하지만, 심근허혈이 빈맥성 부정맥을 유발하는 가장 중요한 원인으로 알려져 있다. 즉 관상동맥경화, 관상동맥 연축, 심근경색 또는 심장질환에 의한 심근의 손상, 심근의 비대가 있는 상태에서 심근의 산소 요구량이 증가하거나 심근으로의 혈류가 감소하면 허혈이 발생한다. 심근이 허혈 상태에 있거나 허혈 후 재관류 되는 동안에는 세포막 안정 전위, 탈분극 기간 등 심근의 전기생리학적 특성이 변화면서 부정맥이 유발된다. 이러한 부정맥이 유발인자가 되어 심근의 여러 곳에서 다수의 회귀로가 발생하면 심실세동이나 심실빈맥 등 치명적 빈맥성 부정맥이 발생한다. 정상인의 심장에서는 일시적으로 발생하는 심실 조기수축이 심실세동이나 심실빈맥으로 진행되는 경우는 매우 드물다. 그러나 심근허혈 등으로 인하여 심근이 전기적으로 불안정한 상태에서는 일시적으로 발생하는 심실 조기수축에도 다수의 회귀로가 형성되어 심실세동이나 심실빈맥으로 진행할 가능성이 크다.

심실상 빈맥이 심장정지의 원인이 될 수도 있다. 일반적으로 심방세동이나 발작성 심실상 빈맥 등의 심실상 빈맥이 발생하더라도 심장의 기능이 정상이면 심장정지가 발생하지 않는다. 그러나 좌심실기능부전이 동반된 환자에서 심실상 빈맥이 발생하면 즉시 혈압이 하강하며, 저혈압 상태가 지속하면 심장정지가 발생할 수 있다. 조기흥분 증후군 환자에게서도 심방세동 또는 회귀성 심실상 빈맥에 의하여 심실빈맥이나 심실세동이 발생할 수 있다.

## 2) 충격 불필요 리듬: 무수축과 무맥성 전기활동

무수축은 심전도에서 심장의 전기활동이 전혀 관찰되지 않는 상태를 말하며, 무맥성 전기활동은 심전도에서 심장의 전기활동이 관찰되지만, 맥박이 없는 상태를 말한다. 무수축과 무맥성 전기활동은 치료 과정에서 제세동이 필요하지 않기 때문에 충격 불필요 리듬이라고 한다. 무수축 또는 무맥성 전기활동에 의한 심장정지는 전체 심장정지 환자의 약 60-80%를 차지한다.

### (1) 서맥성 부정맥에 의한 무수축

서맥성 부정맥이나 무수축에 의한 심장정지는 심장의 자율성이 손상되거나 전도체계의 장애로 발생한다. 무수축에 의한 심장정지는 기저 심장질환이 있는 환자에서 주로 발생한다. 허혈에 의하여 심장의 자율성을 조절하는 심박조율 세포(pacemaker cell)가 기능을 잃거나 저산소증, 산증, 쇼크, 신부전, 외상, 저체온증 등으로 세포 외 칼륨(K+) 농도가 증가하면, 심장의 자율성이 소실되어 심각한 서맥이나 무수축이 발생할 수 있다. 동방결절, 방실결절 등 전도체계가 손상되어 서맥 또는 무수축이 발생할 수도 있다. 부교감신경흥분제의 복용 또는 투여, 목동맥 굴 과민 증후군(carotid sinus hypersensitivity syndrome) 등 부교감신경작용이 지나치게 항진된 상태에서도 서맥이나 무수축이 발생할 수 있다.

### (2) 생물학적 사망 과정으로서의 무수축

심실세동이 오래 계속되어 심근이 수축하는 데 필요한 에너지가 고갈되면 무수축 상태가 된다. 심실세동의 세동파가 소실된 후 발생하는 무수축 상태는 생물학적 사망 과정이므로, 심폐소생술을 하더라도 심장 박동이 회복될 가능성은 매우 낮다. 이처럼 심장정지의 원인과 관계없이 심장정지가 계속되어 심근의 전기활동이 완전히 소실되면 무수축 상태가 된다. 이러한 형태의 무수축은 심장의 생물학적 사망을 시사하는 소견이다.

### (3) 무맥성 전기활동

무맥성 전기활동은 심전도에서 심장의 전기활동이 관찰되지만, 심박출량이 없거나 너무 적어 맥박이 만져지지 않는 상태(또는 혈압이 생성되지 않는 상태)를 말한다. 무맥성 전기활동은 전기-기계 해리(electromechanical dissociation)로 발생한다. 전기-기계 해리는 심장의 전기활동은 있으나 심장이 기계적으로 수축하지 않는 상태를 말한다. 그러나 임상적으로는 심장이 수축하는지를 직접 확인하기 어려우므로, 심전도에서 전기활동이 관찰되면서 목동맥에서 맥박이 만져지지 않는 상태(또는 혈압이 측정 또는 관찰되지 않는 상태)

를 지칭하는 무맥성 전기활동이라는 용어를 사용한다.

무맥성 전기활동은 두 경우에 의해 발생한다. 진성(true) 전기-기계 해리에 의한 무맥성 전기활동은 심장의 전기활동은 있으나 실제적으로는 심장이 수축하지 않아 심박출량이 없는 상태이다. 진성 무맥성 전기활동은 중증의 심근경색, 칼슘 통로 차단제 또는 베타 교감신경 수용체 차단제 중독, 심한 산독증, 고칼륨혈증 또는 저칼륨혈증 등에서 관찰된다. 가성(pseudo) 전기-기계 해리에 의한 무맥성 전기활동은 심근의 전기활동과 기계적 수축은 정상적으로 유지되고 있지만, 정맥 환류가 급격히 제한됨으로써 심박출량이 없는 상태이다. 가성 전기-기계 해리에 의한 무맥성 전기활동은 대량의 폐색전증, 인공심장 판막 기능부전 또는 폐쇄, 대량 실혈, 심장눌림증, 긴장성 기흉, 대동맥류 파열 등으로 발생한다.

## 4. 심장정지 발생기전과 세포 손상과정

개체를 이루고 있는 세포는 외부의 자극에 적절히 반응하여 적응함으로써 생존을 이어간다. 세포가 외부자극에 대하여 적절히 대응하지 못하거나 외부자극이 지나치게 강하면, 기계적으로 손상되거나 정상적인 기능을 할 수 없게 된다. 세포의 기능장애가 회복되지 않고 점차 진행되면, 세포는 기능을 잃게 되고 나아가서는 비가역적인 손상을 받게 된다. 주요 세포의 비가역적 손상은 개체의 생물학적 사망을 초래할 수 있다. 생물학적 사망을 초래할 수 있는 가장 중요한 병리 현상은 조직의 저산소증(hypoxia)과 순환정지(circulatory arrest)이다.

### 1) 심장정지 발생 기전

심장정지는 저산소증의 지속 또는 혈액순환량 감소의 결과로서 발생한다. 저산소증을 유발하는 원인은 혈액의 산소농도가 정상이지만 순환혈류량이 감소하는 경우, 순환혈류량이 정상이지만 혈액의 산소농도가 낮은 경우, 혈액 내 산소농도와 순환혈류량이 모두 낮은 경우로 나눌 수 있다. 부정맥, 심부전, 심장눌림증, 긴장성 기흉, 쇼크 등이 생기면 혈액 내 산소량은 정상이지만 조직으로의 혈류량이 부족하여 세포가 저산소증에 빠질 수 있다. 호흡부전, 질식, 일산화탄소중독이 있는 경우에는 조직으로의 혈류량은 정상이지만 혈액 내 산소량이 감소하여 세포의 저산소증을 초래한다. 호흡부전과 쇼크가 동반되는 경우와 같이 순환량과 혈액 내 산소량이 모두 감소하여 저산소증이 발생할 수 있다. 혈액순환량은 심근 수축력, 혈액량의 급격한 감소를 초래하는 질환이나 심박출량의 치명적 감소를 초래하는 부정맥에 의해 급격히 줄어들 수 있다. 체혈관 저항이 급격히 감소해도 조직으로의 관류압이 유지되지 않는 순환부전 상태가 초래된다. 순환혈액량 또는 체혈관 저항의 지속적 감소는 결국 심장 허혈을 초래함으로써, 심장정지를 발생시킨다.

#### (1) 저산소증에 의한 심장정지

조직에 산소가 부족하면 포도당의 혐기성 대사로 젖산이 축적되고, ATP가 감소하므로 세포가 정상 기능을 수행할 수 없다. 산소 부족 상태(저산소증)가 해소되지 않고 지속하면 신체 각 장기는 기능을 유지하지 못하고 결국 심장정지 상태에 이르게 된다. 저산소증으로 발생한 심장정지는 지속적 산소 부족 상태의 결과로 심장정지가 발생하므로, 심장정지가 발생하기 전까지 심장 박동이 계속되어 순환혈류량이 충분히 유지되었더라도 이미 조직 손상이 진행된 경우가 많다. 즉, 저산소증에 의한 심장정지에서는 갑작스러운 순환정지에 의한 심장정지 때와 다른 결과가 초래된다. 조직으로의 산소와 포도당 공급이 갑자기 동시에 차단되는 순환정지에 의한 심장정지와는 달리, 저산소증에 의해 발생하는 심장정지는 심장정지가 발생하기 전에 이미 장시간 조직이 저산소 상태에 놓여있었으므로, 심장정지로부터 소생되더라도 여러 장기의 기능부전을 동반하는 경우가 많다.

#### (2) 순환정지에 의한 심장정지

순환정지에 의한 심장정지는 대부분의 심장성 심장정지 환자에서 발생한다. 즉 심실세동 등 부정맥이 발생하여 조직으로의 혈류가 갑자기 중단되면 조직의 산소는 신속히 고갈된다. 순환이 정지되면 대뇌의 산소는 10초 이내에 고갈되며, 5분이 경과하면 ATP의 고갈로 인하여 비가역적 뇌 손상이 시작된다. 따라서 4-10분 이내에 순환정지 상태가 교정되지 못하면 심장 박동이 회복되더라도 심각한 뇌 손상이 남는다. 순환이 정지되면 조직이 저산소 상태에 빠질 뿐 아니라, 조직으로의 에너지원(포도당 등) 공급도 중지되므로 혐기성 대사조차 금방 중단된다. 따라서 순환정지에 의한 심장정지가 발생하면 저산소증에 의한 심장정지와는 달리, 세포 내 젖산의 축적량이 많지 않지만, ATP는 급격히 고갈된다. 그러나 순환정지로 심장정지가 발생한 환자에서는 심장정지가 발생하기 전까지 비교적 조직 혈류량이 정상으로 유지된 경우가 많으므로, 심장 박동이 회복되면 조직의 기능이 회복될 가능성이 크다.

### 2) 심장정지에 의한 조직의 손상과정

세포에서 발생하는 비가역적 손상의 기전은 완전히 규명되지 않았지만, 세포가 비가역적 손상을 받았을 때 발생하는 형태학적 변화에 대해서는 비교적 잘 알려져 있다. 세포에 나타나는 비가역적 손상 중 가장 먼저 발생하는 것은 세포 부종이다. 즉 조직으로의 혈류가 정지되어 ATP가 고갈되면 세포막에 있는 Na/K 펌프(sodium/potassium pump)의 활동이 중지되면서 $K^+$이 세포 밖으로 나가고 $Na^+$은 세포로 유입된다. $Na^+$의 세포 내 유입은 세포 내 삼투압을 급격히 증가시켜 세포 부종을 초래한다. 세포 내 $Na^+$의 증가는 Na-Ca 교환을 촉진하여 세포 내 칼슘의 농도가 급격히 상승한다. 증가한 세포 내 칼슘은 세포막과 세포 내 기관의 손상을 초래하게 된다.

세포 괴사 과정에서 가장 중요한 변화는 세포막 손상이다. 세포막의 인지질(phospholipid)이 세포 내 칼슘 증가로 활성화된 인지질 효소(phospholipase)에 의하여 대사되면, 세포막은 생명현상을 유지하는 고유의 기능을 잃어버리게 된다. 결국, 조직의 비가역적 손상은 허혈로 인한 ATP 생성 중단, 세포 내 칼슘 증가, 세포막의 기능상실 및 기계적 파괴로 유발된다. 순환정지가 발생하더라도 비가역적 손상이 발생하기 전에 조직을 재관류시키면 대부분 조직이 기능을 되찾을 수 있다. 그러나 재관류 되지 않고 순환정지가 계속되면 조직의 손상이 진행하게 된다.

허혈이 시작된 후 세포 괴사가 발생할 때까지의 시간은 각 조직에 따라 다르다. 뇌세포는 5분 정도의 허혈에 의하여 비가역적 손상이 시작되지만, 심근세포는 30-40분, 간세포는 1-2시간의 허혈에도 세포 기능을 회복할 수 있다. 이처럼 조직에 따라 허혈에 견딜 수 있는 시간이 다르므로, 심장정지 환자에서 심폐소생술로 심장 박동이 회복되더라도 일부 조직의 기능이 회복되지 않을 수 있다. 심폐소생술로 심장정지로부터 소생된 환자에서 뇌 손상이 가장 중요한 후유증으로 남는 이유는 뇌세포는 다른 장기에 비하여 짧은 시간의 허혈에도 손상되기 때문이다.

## 5. 심장정지 발생 직후의 경과와 심폐소생술

심장정지가 발생한 직후의 경과는 심장정지 발생 후로부터의 시간 경과에 따라 구분할 수 있다. 심실세동에 의한 심장정지는 급성 심장정지의 전형적 형태로서, 심장정지 발생 후 경과를 시간에 따라 세 단계로 나눈다. 첫 단계는 전기 시기(electrical phase)로서, 심장정지가 발생한 후부터 약 4-5분까지의 시기이다. 이 시기는 심장정지가 발생하였지만, 아직 조직 손상이 발생하지 않은 시기로서 심장 박동이 회복되면 아무런 후유증 없이 회복될 수 있다. 이 시기에는 제세동이 가장 중요한 치료이며, 심폐소생술과 제세동으로 치료했을 때 생존율이 가장 높다. 심실세동이 발생한 후 매 1분이 지날 때마다 제세동 성공률이 7-10%씩 감소한다. 따라서 병원밖 심장정지 환자에게 목격자가 즉시 심폐소생술을 할 수 있도록 교육하고, 신속히 제세동이 시행될 수 있도록 일반인 제세동 프로그램(public access program)을 확산해야 한다. 두 번째 단계는 순환 시기(circulatory phase)로서, 심장정지가 발생한 후 4-5분부터 10분 정도까지의 시기이다. 이 시기에는 조직 내 ATP가 급격히 고갈되고, 허혈에 의한 조직 손상이 시작되는 시기이다. 따라서 심폐소생술(특히 가슴압박)을 시행하여 조직으로의 산소 공급을 유지하는 것이 가장 중요한 치료이다. 또한, 약물투여 등 전문소생술을 시행하여 조직으로의 관류압을 유지해 주어야 한다. 세 번째 단계는 대사 시기(metabolic phase)로서 심장정지로부터의 경과 시간이 10분 이후의 시기이다. 이 시기에는 허혈에 의한 조직 손상, 심폐소생술에 의한 재관류 손상으로 인하여 다양한 대사성 합병증이 발생한다. 허혈-재관류에 대한 반응, 파종 혈관 내 응고(disseminated intravascular coagulation), 장내 세균의 혈액 내 전이 등으로 인하여 혈액 내로 유출된 여러 가지 물질(사이토킨; cytokines)에 의하여 전신성 염증반응 증후군(systemic inflammatory response syndrome)과 유사한 형태의 전신 반응이 발생한다. 이 시기의 치료로서 산소-환기 조절, 조직 관류압의 유지, 뇌 및 조직 손상을 줄이기 위한 다양한 약제의 투여 등이 시도되고 있으나, 아직 획기적인 치료방법은 없다. 소생 후에는 목표체온유지치료(targeted temperature management) 등으로 뇌 손상을 줄이는 시도가 효과적이다.

## 6. 사망 과정

사망 과정은 심장정지가 발생한 이후부터 시작된다. 심장정지가 발생한 직후의 상태를 임상적 사망(clinical death)이라 하며, 조직이 비가역적으로 손상되어 회복될 수 없는 상태를 생물학적 사망(biological death)이라 한다(그림 1-1). 임상적 사망상태에서는 조직의 비가역적 손상이 발생하지 않았거나 손상이 시작되는 시기이므로 심폐소생술을 포함한 응급치료로써 소생시킬 수 있다.

### 1) 임상적 사망

임상적 사망은 마지막 호흡이나 마지막 심장의 수축으로부터 시작된다. 임상적 사망은 호흡과 순환이 중단되었지만, 조직의 비가역적 손상이 완전히 진행되지 않아 심장 박동을 회복시켰을 때 다시 생존할 수 있는 상태를 말한다.

심장정지가 발생한 직후에는 심장정지 호흡(또는 임종 호흡)과 같은 비정상 호흡이 관

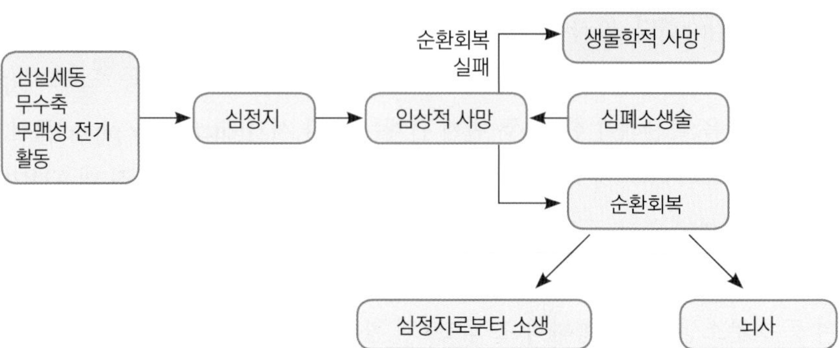


그림 1-1. **사망의 과정과 심폐소생술.** 심장정지가 발생한 직후를 임상적 사망이라고 하며, 심폐소생술로 소생될 수 있는 가역적 상태이다. 임상적 사망상태에서 심폐소생술이 시행되지 않거나 심폐소생술로 순환이 회복되지 않으면 생물학적 사망에 이르게 된다.

찰될 수 있으며, 일시적으로 발작이 발생할 수도 있다. 그러나 통상적으로 임상적 사망상태에 있는 환자는 외부의 자극에 반응하지 않고 동공이 확장되며, 반사 기능이 소실되어 외견상 사망한 것처럼 보인다. 임상적 사망상태에서 심폐소생술 등 조직으로의 관류를 위한 치료가 시작되지 않으면 생물학적 사망으로 진행하게 된다.

임상적 사망의 지속시간은 심장정지가 발생하기 전까지의 신체 상태와 심장정지를 유발한 원인 또는 환경에 따라 달라진다. 예를 들면, 차가운 물에 빠져서 심장정지가 발생한 경우에는 체온 저하로 인하여 30분 이상 심장정지 상태에 있었음에도 회복되는 예도 있다. 심장정지가 발생하기 전에 만성질환을 앓고 있었거나 고령인 환자는 이미 조직의 손상이 진행된 상태에서 심장정지가 발생하였으므로, 심장정지 후 이른 시간 내에 생물학적 사망으로 진행할 수 있다. 일반적인 원인에 의한 심장정지 상태에서는 임상적 사망상태가 10분 이상 지속한 경우에는 소생되더라도 뇌 손상을 포함한 비가역적 후유증이 남게 될 가능성이 크다. 따라서 심장정지 환자에서 심폐소생술을 얼마나 오랫동안 시행할 것인가를 결정할 때에는 환자의 질병 상태, 나이, 체온 등을 고려한다.

### 2) 생물학적 사망 및 뇌사

생물학적 사망은 개체 내 세포 대부분이 비가역적 손상을 받아 다시 소생될 수 없는 상태를 말한다. 각 조직의 비가역적 손상은 개체의 생물학적 사망을 초래하게 된다. 특히 뇌는 다른 조직보다 심장정지의 초기부터 손상이 시작되므로, 심폐소생술로 소생된 후 뇌 이외 장기의 기능은 회복되고 뇌 기능은 영구히 회복될 수 없는 상태가 발생할 수 있다. 원인과 관계없이 뇌 이외 장기의 기능은 유지되고 있으나 대뇌가 비가역적으로 손상된 상태를 뇌사(brain death)라 한다.

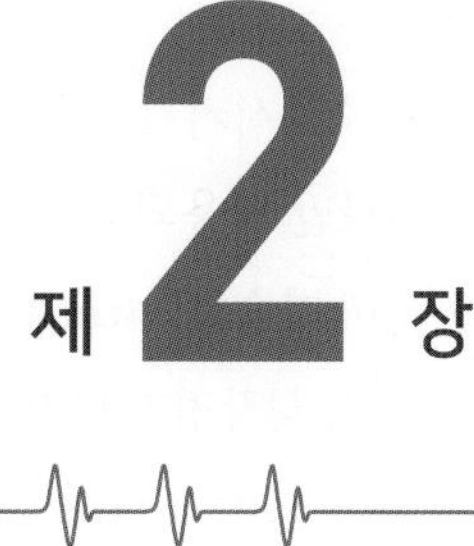


# 심폐소생술의 단계와 원리

심폐소생술(cardiopulmonary resuscitation: CPR)이 도입되기 이전에는 병원 이외의 장소에서 발생한 심장정지는 곧 죽음을 의미하였다. 1960년에 심장정지가 발생한 사람에게 가슴압박을 하면 순환을 유지할 수 있다는 사실이 알려지면서, 가슴압박과 인공호흡을 하는 현재의 심폐소생술이 심장정지의 치료에 도입되었다. 심폐소생술이 대중에게 보급되면서 환자가 발생한 장소에서부터 심폐소생술이 시행됨으로써, 병원 이외의 장소에서 심장정지가 발생한 환자(병원밖 심장정지 환자)를 소생시킬 수 있게 되었다. 그 후 심폐소생술은 의료인뿐 아니라 일반인도 반드시 익혀두어야 할 중요한 응급치료 술기가 되었고, 심폐소생술이 광범위하게 보급되면서 병원밖 심장정지 환자 중 상당수가 생존할 수 있게 되었다.

심장정지로부터 소생하려면 심장정지가 발생한 후 신속히 산소화된 혈액을 조직에 공급하여 비가역적 손상을 방지해야 한다. 심폐소생술은 인공순환과 인공호흡으로 조직으로의 산소 공급이 유지되도록 함으로써, 심장정지로 인한 주요 장기의 비가역적 손상을 방지하고 궁극적으로는 심장 박동을 회복시켜 심장정지 환자를 소생시키는 치료 술기이다.

이 장에서는 심폐소생술 용어의 정의, 심폐소생술의 단계 및 원리에 관하여 서술하였다.

## 1. 심폐소생술 용어의 정의

현대적 개념의 심폐소생술이 처음으로 도입되었을 당시, 심폐소생술은 "심장정지 환자를 소생시키기 위하여 환자의 가슴을 압박하고 인공호흡을 하는 치료 술기"를 의미하는 용어로만 사용되었다. 점차 심장정지 환자를 치료하는 방법이 발달하면서 심폐소생술은 단순히 가슴압박(chest compression)과 인공호흡(artificial ventilation)만을 의미하는 용어가 아니라, 심장정지 환자를 소생시키기 위한 모든 치료방법을 의미하는 용어가 되었다. 따라서 넓은 의미의 심폐소생술은 가슴압박과 인공호흡을 포함하는 기본 소생 술기뿐 아니라, 제세동(defibrillation), 약물투여, 소생후 치료 등 심장정지 치료를 위한 모든 과정을 포괄하는 용어로 사용되고 있다.

심폐소생술 개념의 변화는 용어의 사용에 약간의 혼란을 초래하였다. 과거에는 심폐소생술이 기본 소생술만을 포함하고 있었으므로, 심폐소생술이 기본소생술과 같은 개념으로 사용되었다. 최근에는 심장정지 환자의 소생에 관계되는 의료 술기를 모두 심폐소생술로 정의하고 있으므로, 심폐소생술의 개념에는 기본소생술과 전문심장소생술의 내용이 포함된다. 따라서 심폐소생술이라는 용어는 상황에 따라 다양한 범위의 개념으로 사용된다. 예를 들면 일반인의 심폐소생술은 기본소생술을 말하며, 의료인의 심폐소생술은 기본소생술과 전문심장소생술을 모두 포함하는 용어가 된다. 최근 자동제세동기 기술이 진보함에 따라 일반인도 제세동을 시행할 수 있게 됨으로써, 자동제세동기사용 과정이 기본 소생술에 포함되었다(그림 2-1).

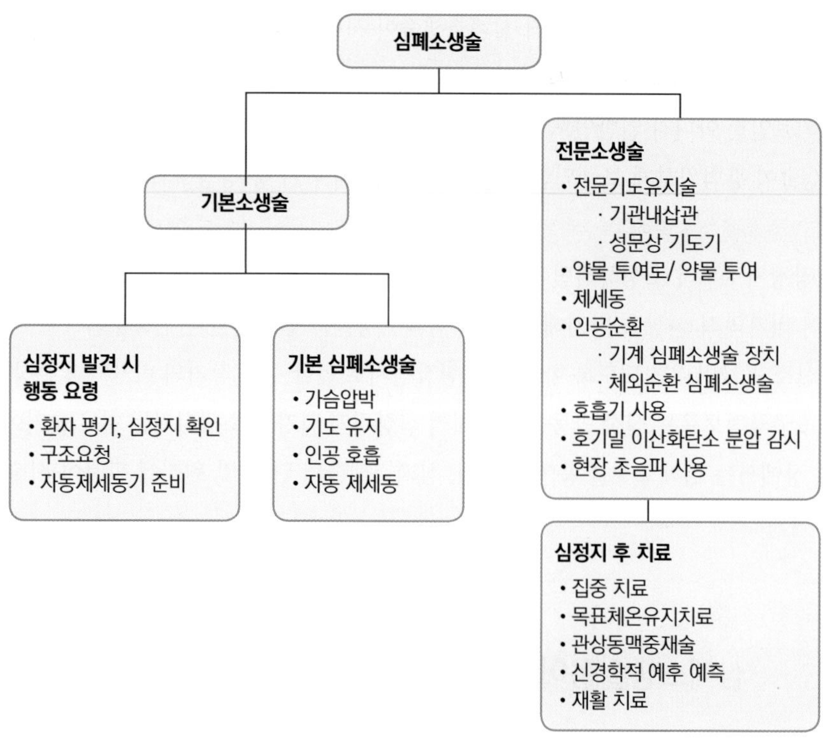


그림 2-1. 심폐소생술의 범위

## 2. 심폐소생술의 단계

심폐소생술 과정은 세 가지의 기능적 단계로 구성되어 있다(그림 2-2). 첫 번째 단계는 심장정지를 발견한 사람(목격자)이 심장정지의 발생을 응급의료체계에 알리고, 심장정지 환자에 대한 응급조치로서 인공호흡과 가슴압박을 하여 산소 공급을 유지하는 기본소생술(basic life support: BLS)이다. 두 번째 단계는 자발순환(spontaneous circulation)을 회복시키기 위하여 혈관수축제, 항부정맥제 등 약물을 투여하고 심전도 감시 및 제세동을 포함한 전문 치료를 하는 전문소생술(advanced life support: ALS)이다. 전문소생술은 외상에 의한 심장정지 환자에게 적용되는 전문 외상소생술(advanced trauma life support: ATLS)과 외상 이외의 성인 심장정지 환자에게 적용되는 전문심장소생술(advanced cardiac life support: ACLS) 및 소아에게 적용되는 전문 소아소생술(pediatric advanced life support: PALS)로 구분된다. 세 번째 단계는 자발순환이 회복된 후 집중 감시 및 치료, 뇌 손상을 최소화시키기 위한 목표체온유지치료(targeted temperature management), 심장정지의 재발을 방지하기 위한 급성 관상동맥증후군에 대한 중재를 포함한 전문 치료를 수행하는 소생후 치료(post-cardiac arrest care) 단계이다. 심폐소생술의 단계는 심장정지 발생으로부터 시작되는 일련의 과정이지만, 다수의 구조자 또는 의료인이 치료에 참여하는 경우에는 여러 단계의 치료가 동시에 시행된다.

기도유지, 인공호흡 및 인공순환방법에서 전문소생술이 기본소생술과 다른 점은 전문소생술에서는 해당 의료행위를 과정에 의료장비와 전문 의료지식이 필요하다는 것이다. 즉 기본소생술은 의료인이 아니라도 간단한 훈련을 받으면 할 수 있는 의료행위만으로 구성되지만, 전문소생술은 전문 의료지식을 갖춘 의료인이 의료장비를 사용하여서 할 수 있

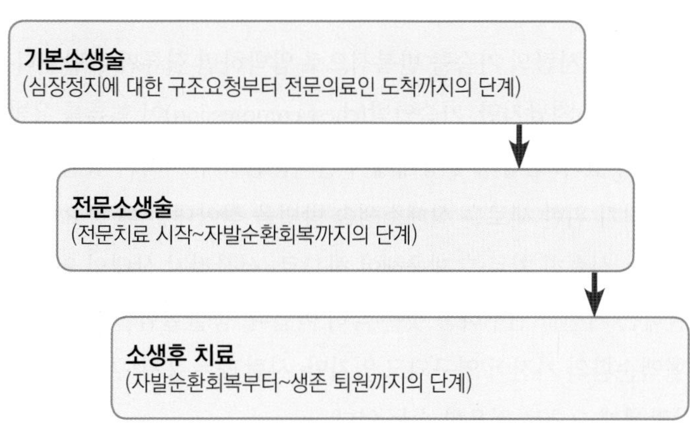


그림 2-2. 심폐소생술의 단계

는 의료행위를 말한다. 예를 들면 머리기울임-턱들어올리기(head-tilt chin-lift maneuver)에 의한 기도유지방법은 기본소생술에 속하지만, 기관내삽관에 의한 기도유지방법은 전문소생술에 속한다.

## 3. 심폐소생술의 원리

### 1) 구조자의 날숨에 의한 인공호흡

구조자의 날숨(또는 호기, expired air)으로 하는 인공호흡은 심장정지 환자가 소생할 수 있는 충분한 산소를 제공하며, 체내 이산화탄소를 제거할 수 있는 충분한 환기량을 유지할 수 있다.

정상인의 날숨에는 15% 정도의 산소가 포함되어 있다. 구조자가 인공호흡을 할 때는 평상시보다는 다소 많은 폐 환기량(성인에게 인공호흡을 할 때의 1회 호흡량은 500-600 mL)으로 인공호흡을 하므로, 호기 내 산소함유량은 약 16-18%가 된다. 따라서 구조자의 호기에는 환자에게 제공할 충분한 산소가 남아있다.

호흡이 없는 환자를 구조자의 날숨으로 인공호흡 하면, 환자의 동맥혈 산소압은 75 mmHg 이상, 동맥혈 산소포화도는 90% 이상으로 유지된다. 환자의 동맥혈 이산화탄소 분압은 환기량의 증가로 인하여 30-40 mmHg 정도로 낮아져 약간의 호흡성 알칼리혈증이 발생한다.

### 2) 가슴압박에 의한 혈액순환 기전

심장정지가 발생한 사람의 가슴을 반복적으로 압박하면 혈류가 유발된다는 사실이 알려진 이후 60년 이상이 지났지만, 가슴압박(chest compression)이 혈류를 유발하는 기전에 대해 아직도 논란이 있다. 심장정지 상태에서 혈액순환을 유지하는 방법을 알아내는 것은 혈류량을 증가시키기 위한 새로운 심폐소생술 방법을 찾아내는 데 중요하다. 심장정지가 발생한 사람에게는 신속히 치료를 제공해야 하므로, 심장정지 상태의 인체에서 가슴압박이 혈류를 유발하는 기전을 연구하는 것은 극히 어렵다. 동물실험을 통하여 가슴압박에 의해 발생하는 혈액순환의 기전이 연구되고 있지만, 사람과는 흉곽 구조가 다른 동물에서의 연구결과를 사람에게 그대로 적용할 수는 없다.

가슴압박에 의한 혈액순환 기전으로 제시되고 있는 이론에는 심장 펌프 기전(cardiac

pump mechanism)과 흉강 펌프 기전(thoracic pump mechanism)이 있다. 이 이론은 동물실험 결과와 일부 인체 관찰 연구결과를 바탕으로 제시되었지만, 대부분의 연구가 해당 이론에 대한 명백한 증거를 제시하지는 못하고 있다. 두 이론 사이의 주요 논란은 가슴압박에 의하여 심장이 압박되는가에 초점이 있다. 가슴압박에 의하여 유발되는 혈류량은 여러 요소의 영향을 받는다. 현재까지는 가슴을 압박할 때 심장 펌프와 흉강 펌프가 동시에 작용하여 혈류가 유발되는 것으로 설명하고 있다. 그리고, 환자의 흉곽의 크기 또는 모양, 흉곽의 탄성도, 심장정지로부터의 경과 시간, 구조자의 압박 강도 또는 방법에 따라 심장 펌프와 흉강 펌프의 작용 정도가 변화하는 것으로 추정된다. 각 혈액순환 기전에 대한 이해는 심폐소생술 중 심박출량을 증가시키기 위하여 새롭게 개발되는 방법을 이해하는 기초 지식으로 활용할 것을 권장한다.

### (1) 심장 펌프 기전

심장 펌프 기전은 구조자가 가슴을 압박하면 흉골과 척추 사이의 가장 큰 장기인 심장이 압박되고, 특히 심실이 압박됨으로써 증가한 심실 내 압력에 의하여 순환이 이루어진다는 것이다(그림 2-3). 즉 좌심실과 우심실이 압박되면 심실 내 압력의 증가로 승모판과 삼첨판이 폐쇄되고 대동맥판과 폐동맥판이 열리면서 체순환과 폐순환이 이루어진다는 것이다. 이 이론은 가슴압박에 의한 심폐소생술이 처음 고안되었을 때 혈류가 발생하는 기전으로 제시되었다. 실제로 소아나 흉곽의 전후 두께가 매우 작은 환자에서는 가슴압박에 의하여 심장이 압박되어 혈류가 유발될 수 있다. 경식도 심초음파로 심폐소생술 중 심장을 관찰한 연구결과에서 대부분 성인에서는 가슴압박에 의하여 우심방과 우심실이 압박되지만, 좌심실은 일부만 압박되었으며, 좌심실의 일부 또는 좌심실 유출로, 좌심방이 압박되

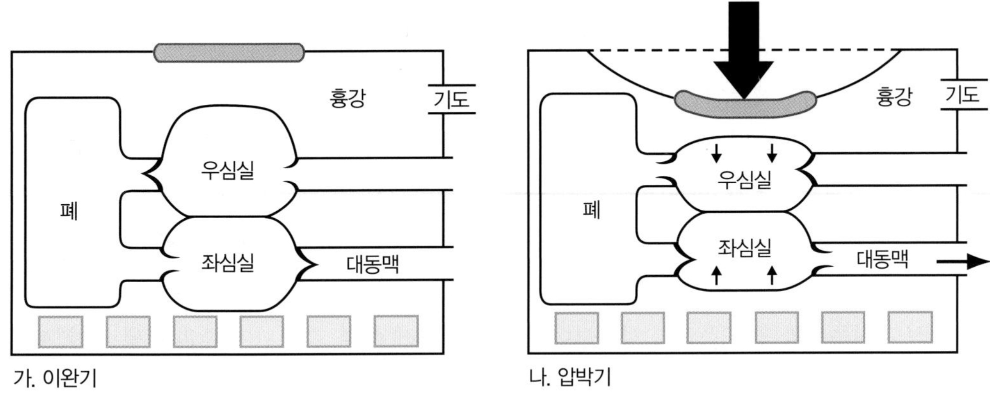


그림 2-3. 심장 펌프. 심장 펌프는 가슴 압박기에 심장이 눌려서 혈류가 발생하는 기전을 말한다.

는 것으로 보고되었다.

① 심장 펌프 기전의 증거

동물실험에서의 관찰에 의하면, 압박 수축기(compression systole)에 좌심실의 지름이 감소하고 승모판이 닫히는 것으로 알려졌다. 또한, 가슴을 압박하는 방향에 따라 심장이 압박되는 방향이 달라지는 것으로 알려졌다. 이러한 관찰은 가슴이 압박될 때 심장이 물리적으로 눌린다는 것을 시사하는 소견이다. 또한, 압박 수축기와 압박 이완기(compression diastole)의 비율을 변화시켜도 1회 심박출량(stroke volume)은 변화하지 않는다. 즉 심폐소생술 중에는 가슴압박에 의한 심장의 변형으로 심장 박출이 발생하므로 가슴 압박 기간을 증가시켜도 심박출량은 증가하지 않는다. 반면에 가슴압박 횟수를 높이면 심박출량은 비례적으로 증가한다. 이러한 소견은 가슴압박은 심장의 물리적 압박을 초래하며, 심장이 눌리면서 발생하는 심장 용적의 차이로 혈류가 발생한다는 것을 시사하는 소견이다.

심장정지가 발생한 사람의 일부에서 심폐소생술 동안 경식도 심초음파로 심장을 관찰하면 삼첨판과 승모판이 닫히는 것을 관찰할 수 있다(그림 2-4). 즉 흉곽을 압박할 때 삼첨판과 승모판이 닫히는 것은 좌심실과 우심실의 압력이 각각 좌심방과 우심방의 압력보다 높아진다는 것을 시사하는 소견이다. 또한, 도플러 초음파로 심장 내 혈류를 관찰하면 압박 수축기 동안 승모판 역류가 관찰되어 좌심실 압력이 좌심방 압력보다 높다는 것을 간접적으로 알 수 있다. 경식도 초음파관찰에 의하면, 심실의 해부학적 위치상 심폐소생술 동안 우심실은 비교적 많이 압박되는 반면 좌심실은 적게 압박되는 것으로 알려졌다. 가슴압박 동안 획득한 경식도 심초음파 영상으로 계산한 좌심실 박출률(ejection fraction)은 20% 미만이지만, 우심실 박출률은 60% 이상인 것으로 보고되고 있다. 심장정지 환자의 심폐소생술 중에 좌심실에 도자를 삽입한 후 초음파 조영제를 사용하여 좌심실 조영 심초음파를 관찰한 결과, 좌심실로부터 대동맥으로 조영제가 박출됨과 동시에 좌심실로부터 좌심방으로 역류가 함께 관찰되었다. 이러한 관찰 결과는 심폐소생술이 진행되는 동안 좌심실의 압력이 좌심방 및 대동맥보다 높아진다는 심장 펌프 기전의 증거가 될 수 있다. 또한, 경식도 심초음파로 대동맥을 관찰하면, 심장 뒤쪽에 있는 하행 흉부대동맥이 압박기에 압박되며, 압박된 근위부의 흉부대동맥 단면적이 이완기와 비교하면 압박기에 증가한다(그림 2-5). 압박 수축기 동안 근위부 흉부대동맥의 팽창은 심장으로부터 박출된 혈액에 의해 대동맥이 충만함으로써 발생하는 효과이므로 심장 펌프 기전의 증거이다. 심폐소생술 중 경식도 심초음파 및 도플러를 사용하여 승모판의 폐쇄 여부, 승모판 혈류의 발생 시기, 폐정맥 혈류의 방향을 측정한 결과, 압박 수축기에 승모판이 폐쇄되는 현상이 관찰된 예가 있었으며, 일부의 환자에서 압박기에 승모판이 열리면서 폐정맥으로 역류가 발생하는 현상

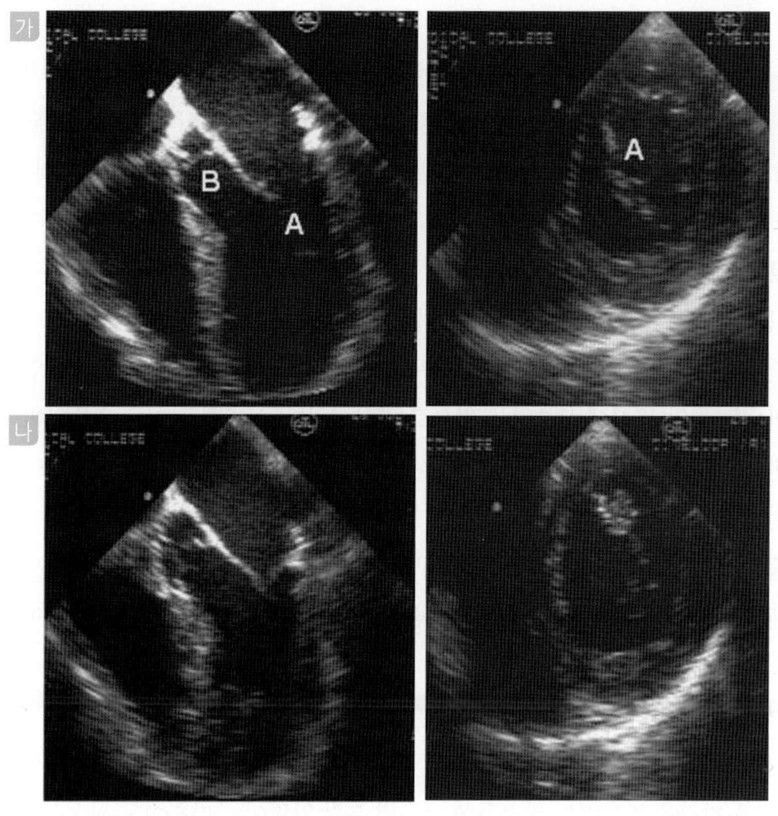


그림 2-4. 심폐소생술 중 경식도 심초음파로 관찰한 심장. 이완기(가)에는 승모판**(A)**이 개방되고 대동맥판 **(B)**이 폐쇄되어 있으며, 압박기(나)에는 승모판이 폐쇄되고 대동맥판이 개방되어 있다.

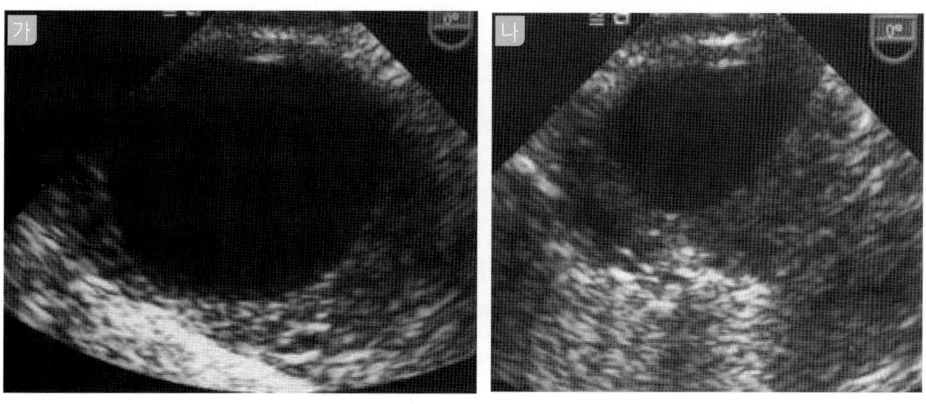


그림 2-5. 심폐소생술 중 경식도 심초음파로 관찰한 대동맥 단면의 변화. 이완기(가)에는 대동맥이 정상 모양이지만, 압박기(나)에는 눌려서 찌그러진다.

이 관찰되었다. 이 관찰 결과는 좌심방압이 좌심실압 및 폐정맥압보다 높아지는 현상을 반영하는 것으로서, 가슴압박에 의하여 좌심방압이 가장 높게 상승하여 혈류가 발생하는 "좌심방 펌프"를 시사하는 관찰이다. 이러한 관찰 연구결과들은 심장의 어느 부위가 압박되는지에 관계없이 가슴압박에 의하여 심장 펌프가 발생한다는 것을 보여주는 것이다.

② 심장 펌프 기전에 대한 반대증거

일부 동물실험연구에서는 심폐소생술의 압박기와 이완기 동안 심실의 크기가 변하지 않았다고 보고했다. 또한, 심폐소생술 중 측정한 심실과 심방 및 흉강 내 혈관의 압력은 흉곽이 압박되는 동안 동시에 상승하는 것으로 관찰되었다. 이러한 관찰은 가슴압박이 심장을 포함한 흉강에 있는 모든 혈관의 압력을 동시에 상승시키며, 가슴압박이 심장만을 선택적으로 압박하는 것이 아니라는 것을 시사한다. 즉, 가슴이 압박되면 흉강 압력이 전체적으로 상승하며, 심장은 흉강의 다른 혈관 구조물과 함께 단순히 혈액이 지나가는 통로 역할만을 한다는 것이다. 동물에서 심폐소생술 중 대동맥 조영술을 시행한 결과, 대동맥 시작부가 가슴압박 시 척추 쪽으로 밀려가는 것이 관찰되었다. 즉 가슴압박 시 심장이 흉골과 척추 사이에서 눌리는 것이 아니라, 흉골에 밀려서 척추 쪽으로 움직이므로 압박되지 않는다는 것이다.

흉강 펌프 기전을 주장하는 학자들에 따르면 흉강 압력이 증가하여도 좌심실과 좌심방 사이에 압력 차이가 발생하여 승모판이 닫힐 수 있다. 따라서 심장 펌프 기전을 주장하는 학자들이 관찰한 승모판의 폐쇄 여부는 심장이 압박된다는 증거가 될 수 없다는 것이다.

심장 펌프 기전의 반론으로 제시된 또 다른 증거는 폐기종과 다발성 늑골골절에서의 심폐소생술이다. 심장 펌프 기전에 따르면 폐기종에 의하여 흉곽의 전후 두께가 커지면 가슴압박에 의하여 심장이 압박될 수 없으므로, 심폐소생술 중 혈류가 유발되지 않을 것이다. 그러나 폐기종에서도 심폐소생술 중 다른 환자와 유사한 혈류량이 유발되는 것으로 알려졌다. 심장 펌프 기전에 따르면, 다발성 늑골골절이 발생하면 흉곽이 쉽게 압박되므로 심장이 많이 압박되어 혈류량이 증가할 것이 예상된다. 그러나 늑골골절이 고정되지 않으면 오히려 혈류량은 감소하는 것으로 알려졌다.

### (2) 흉강 펌프 기전

흉강 펌프 기전은 가슴을 압박하면 심장이 눌리는 것이 아니라 흉강 압력이 상승하면서 상승한 흉강 내부 압력과 흉강 외부 압력의 차이에 의하여 순환이 이루어진다는 이론이다(그림 2-6).

흉강 펌프 기전에 의한 혈류발생기전은 다음과 같다. 가슴을 압박하면 허파꽈리(폐포)

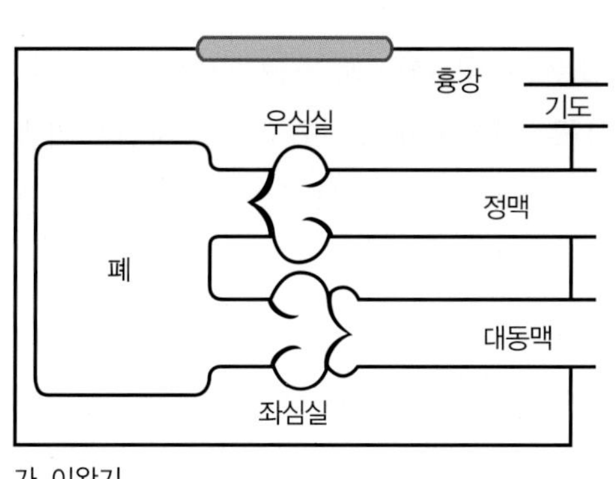


가. 이완기

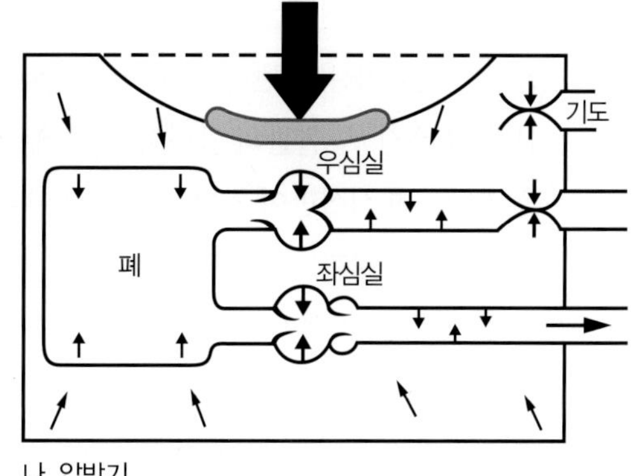


나. 압박기

그림 2-6. 흉강 펌프. 흉강 펌프는 가슴을 압박하면 흉강 내압의 증가로 혈류가 발생하는 기전을 말한다.

가 압박되면서 폐포 에 있는 공기가 빠른 속도로 기관지 방향으로 흐른다. 허파꽈리로부터의 빠른 공기 흐름은 소 기관지에서 저항을 유발하여 일시적으로 허파꽈리 속의 공기가 기관 방향으로 배출되지 못하는 현상을 유발한다. 그 결과, 허파꽈리 내 압력이 증가하여 흉강 내 압력이 증가한다. 흉강 압력이 증가하면 흉강에 있는 심장과 혈관의 압력이 상승하여 흉강 외부의 혈관 압력보다 높아지므로, 흉강으로부터 흉강 외부로 혈류가 발생한다. 가슴압박에 의한 혈류는 흉곽을 중심으로 동맥 방향과 정맥 방향으로 모두 유발되지만, 같은 양의 혈액이 유입되더라도 동맥이 정맥보다 저항이 크므로 동맥의 압력이 정맥의 압력보다 높아진다. 따라서 동맥과 정맥 사이의 압력 차이에 의하여 전신으로 혈류가 발생한다. 또한 목정맥(jugular vein)에는 하대정맥과는 달리 역류를 방지하는 판막이 있으므로 가슴압박에 의한 혈액의 역류가 정맥 방향에서는 차단된다. 따라서 목동맥(carotid artery)과 목정맥(jugular vein) 사이의 압력 차이에 의하여 혈액이 뇌로 순환한다. 하대정맥에는 역류를 방지할 만한 판막이 없으므로 혈액이 역류하여 대동맥과 하대정맥 사이의 압력 차이는 매우 낮아져, 심폐소생술 중 횡격막 하부에 있는 조직으로의 혈액순환은 매우 적을 것으로 예측된다. 그러나 가슴압박에 의하여 우심방압이 급격히 증가하면 혈액이 하대정맥으로 급격히 역류할 때 발생하는 소위 “Starling resistor” 현상에 의하여 하대정맥으로의 역류가 감소하므로, 대동맥과 하대정맥 사이의 압력 차이가 발생하여 혈류가 일부 유지된다.

### ① 흉강 펌프 기전의 증거

흉강 펌프 기전은 1970년대 중반에 심도자 검사 중 심실세동이 유발된 환자에게 반복적으로 기침을 하도록 유도한 결과, 수축기 혈압을 100 mmHg 이상 유지할 수 있었다는 보고에서 비롯되었다. 즉 가슴을 압박하지 않고도 기침으로 흉강 압력의 상승을 유발하여도 혈류가 유발된다는 것이 알려졌다. 심장정지 상태의 동물에서도 인위적으로 기침을 유발하면 혈류가 유발된다는 것이 증명되었다. 또한, 동물실험에서 가슴을 압박하면 심실, 심방 및 흉강 속 혈관의 압력이 동시에 상승한다는 것이 관찰되었다. 이러한 사실은 가슴을 압박하면 심실만이 압박되는 것이 아니라 흉강 속 모든 구조물의 압력이 동시에 상승한다는 것을 시사한다.

흉강 펌프 기전에 따르면, 심폐소생술 중 심박출량을 증가시키려면 가슴압박 기간을 증가시켜야 한다. 일부 동물실험 연구결과에 따르면 가슴압박 횟수와는 관계없이 가슴압박 기간이 증가하면 심박출량이 증가하는 것으로 알려졌다. 또한, 각 조직의 관류압은 압박 수축기의 우심방압과 비례한다는 것이 관찰되었다. 압박 수축기의 우심방압은 주로 흉강 압력의 상승으로 증가하므로, 순환량을 증가시키려면 흉강 압력을 증가시켜야 한다는 것이다. 공기 조끼를 사용하여 환자의 가슴 전체에 높은 압력을 가하면 흉골 부위를 압박하는 것보다 더 많은 순환량을 유발할 수 있다는 연구결과도 심폐소생술 중 흉강 압력의 상승이 순환을 유발한다는 증거이다.

**② 흉강 펌프 기전에 대한 반대증거**

최근 경식도 심초음파가 심폐소생술연구에 사용되기 시작하면서, 심폐소생술 중 압박 수축기에 승모판과 삼첨판이 닫히고 판막을 통한 역류가 관찰된다는 보고가 다수 발표되었다. 이러한 결과는 심실의 압력이 심방의 압력보다 높다는 것을 시사하므로 가슴압박에 의하여 심장이 직접 압박된다는 증거이다.

흉강 압력의 상승이 혈류를 유발한다는 흉강 펌프 기전대로라면 흉강 압력이 좌심실 또는 우심실압과 같아야 하지만, 가슴압박 중 흉강 압력을 측정하면 좌심실 또는 우심실의 압력보다 낮다. 이러한 소견은 가슴압박에 의하여 심장이 압박된다는 심장 펌프 기전에 대한 증거가 될 수 있다.

## 4. 심폐소생술 중 관상동맥 관류압과 뇌 혈류

심폐소생술 중 관상동맥 관류압(coronary perfusion pressure)과 뇌 혈류(cerebral blood flow)는 심장정지 환자의 소생 여부를 결정하는 가장 중요한 요소이다. 적절한 관상동맥 관류압이 유지되지 않으면 자발 순환(spontaneous circulation)이 회복되지 않으며, 적절한 뇌 혈류가 유지되지 않으면 뇌 손상이 발생한다.

### 1) 관상동맥 관류압

심폐소생술 중 관상동맥으로의 혈류는 주로 압박 이완기에 발생한다. 관상동맥 관류압은 대동맥 이완기압과 우심방 이완기압의 차이에 의하여 유발된다. 관상동맥 관류압은 심근으로의 혈류를 유지하는 데 가장 중요한 요소이다. 심장정지 환자에서 자발순환이 다시 시작되려면 심폐소생술이 진행되는 동안 관상동맥 관류압이 20 mmHg 이상으로 유지되어야 한다. 보통 우심방 이완기압이 5-10 mmHg 정도이므로, 심폐소생술 중 적절한 관상동맥 관류압을 유지하려면 대동맥 이완기압이 25-30 mmHg 이상으로 유지되어야 한다.

심장정지 상태에서는 혈관(동맥)의 수축이 유지되지 않아 체혈관 저항이 낮으므로, 가슴압박 중에는 수축기압이 높게 유지될 수 있지만, 이완기압은 매우 낮다. 실제로 에피네프린, 바소프레신 등 혈관수축제가 투여되지 않은 상태의 대동맥 이완기압은 우심방압과 거의 같아지기 때문에 심폐소생술 중에는 관상동맥 관류압이 정상 순환상태보다 매우 낮다. 혈관수축제가 투여되면 대동맥 이완기압이 상승하면서 관상동맥 관류압이 상승한다. 따라서 혈관수축제가 투여되지 않은 상태에서 심폐소생술만 계속한다면 자발순환의 회복은 기대하기 어렵다.

### 2) 관상동맥질환과 심폐소생술

심장정지가 발생한 환자는 관상동맥질환을 앓고 있을 가능성이 크다. 관상동맥질환이 있는 환자에서는 심폐소생술 중 관상동맥 혈류가 분포하는 양상이 관상동맥질환이 없는 환자와 다르다. 동물실험 결과 심폐소생술 중에는 20-30% 정도의 가벼운 관상동맥 협착이 있어도 협착이 있는 관상동맥으로의 혈류가 극도로 감소하는 것으로 알려졌다. 심장정지 상태에서는 체내에서 분비되는 아데노신이 증가하므로 관상동맥이 최대로 이완된다. 그러나 협착이 있는 부위의 관상동맥은 이완되지 않으므로, 혈류가 협착이 없는 관상동맥으로 주로 흐르게 되어 협착이 있는 부위로의 혈류는 오히려 감소한다.

### 3) 뇌 혈류

심폐소생술 중 뇌 혈류는 압박 수축기 동안 발생하는 목동맥과 목정맥의 압력 차이로 유발된다. 즉, 압박 수축기에 속목정맥(internal jugular vein)에 있는 판막(Niemann's valve)이 흉강으로부터의 혈액 역류를 막아주므로, 목동맥과 속목정맥 사이에 압력 차이가 발생하여 순환이 유발된다.

혈관수축제(에피네프린)를 투여하지 않고 심폐소생술을 하면, 속목동맥(internal carotid artery)보다는 외목동맥(external carotid artery)으로 더 많은 혈류가 흐른다. 극단적으로 말하면 외목동맥에서 혈류를 받는 혀로의 혈류량이 속목동맥에서 혈류를 받는 뇌로의 혈류량보다 많아질 수 있다. 혈관수축제를 투여하면 피부, 근육, 장으로의 혈류를 감소시키므로, 속목동맥으로의 혈류를 증가시킬 수 있다. 또한, 심폐소생술 초기에는 대동맥압과 목동맥압의 압력이 동등하게 유지되지만, 시간이 지남에 따라 목동맥압이 대동맥압보다 낮아진다. 이러한 현상은 심장정지 시간이 길어짐에 따라 목동맥이 허탈 되는 현상(carotid collapse)이 발생하기 때문이며, 그 결과로서 목동맥으로의 혈류는 점차 감소하게 된다. 혈관수축제를 투여하면 목동맥의 허탈 현상을 방지할 수 있으므로 심폐소생술 시간이 지나더라도 뇌 혈류를 유지할 수 있게 된다. 따라서 심폐소생술 동안 뇌(속목동맥)로의 혈류량을 증가시키려면 반드시 에피네프린 등 혈관수축제를 투여한다. 뇌 혈류량은 뇌 관류압에 비례하므로, 심폐소생술 동안에는 뇌 관류압이 30 mmHg 이상으로 유지되어야 뇌 손상을 줄일 수 있다. 임상적으로는 심장정지 초기부터 심폐소생술이 시작되었다면, 심장정지가 발생한 후 최초 10분 이내에는 뇌 관류압이 15-20 mmHg 이상으로 유지되어도 뇌 손상을 줄일 수 있을 것으로 예측된다.

뇌 관류압에 영향을 주는 또 다른 요소는 두개내압(intracranial pressure)이다. 심장정지가 발생하더라도 머리에 외상을 받지 않았으면 두개내압이 증가하지 않는다. 그러나 동물실험에서 심폐소생술 중에는 흉강 압력의 일부가 뇌척수액 또는 척추 근처의 정맥을 따라 두개 내 공간으로 전달되어 뇌압을 상승시킨다고 알려졌다. 따라서 심폐소생술 중 흉강 압력이나 복압이 증가하면 두개내압이 상승할 가능성이 있다. 따라서 새로운 심폐소생술 방법 중 흉강 압력이나 복압을 증가시키는 방법은 뇌 관류압을 감소시킬 수 있다.

# 제 3 장

# 심폐소생술 중 모니터링

심폐소생술 중 모니터링은 심폐소생술 동안 구조자가 심폐소생술을 적절히 수행하고 있는지, 심폐소생술이 심장정지 환자에게 효과적인 생리학적 효과를 유발하고 있는지를 평가하는 것이다. 심폐소생술 술기를 평가하고 효과적인 심폐소생술을 유도하는 심폐소생술 되먹임(피드백) 장치(feedback device)는 심폐소생술 질 향상에 도움을 준다. 심폐소생술 중 환자의 임상징후나 생리학적 지표를 측정하면 심폐소생술이 효과적인지를 평가할 수 있다. 심폐소생술 중 순환량을 평가할 수 있으면 심폐소생술이 효과적으로 시행되고 있는지를 가장 잘 알 수 있다. 그러나 실제 심폐소생술 현장에서 환자의 생리학적 지표를 평가하기는 쉽지 않다.

심폐소생술 동안 술기(가슴압박, 인공호흡)를 감시하는 다양한 형태의 되먹임 장치가 개발되어 상용화되어 있다. 되먹임 장치의 사용은 심폐소생술의 질을 높이는 데 도움이 되지만, 심장정지 환자의 생존율을 향상시키는 지에 대해서는 논란이 있다. 최근 가이드라인에서는 되먹임 장치를 통상적으로 심폐소생술 과정에 사용하는 것은 권고하지 않았으며, 현재 되먹임 장치를 사용하고 있는 진료현장에서는 계속 사용하도록 권고했다. 심폐소생술 중 환자에게 유발되는 순환량을 평가하는 방법에는 순환량에 따라 변동되는 지수를 측정하여 간접적으로 순환량을 예측하는 방법, 혈관에 도자를 삽입하여 압력을 측정하는 방법, 심초음파로 심장을 관찰하는 방법이 있다(표 3-1). 최근의 가이드라인에서는 심폐소생술 중 순환상태를 판단할 수 있는 생리적 지표로서 파형 호기말 이산화탄소 분압, 관상동맥 관류압, 이완기 동맥압, 중심정맥 산소포화도를 활용할 것을 권고했다.

표 3-1. 심폐소생술 중 순환상태를 평가하는 생리학적 지표

| 비침습적 방법 | 침습적 방법 |
|---|---|
| • 호기말 이산화탄소 분압 측정<br>• 국소 뇌 산소포화도 측정<br>• 동공 확인<br>• 심초음파 또는 경식도 심초음파<br>• 기타: 맥박 확인, 목동맥 도플러, 맥박 산소포화도 측정 | • 침습적 혈압측정: 수축기, 이완기 혈압, 관상동맥 관류압<br>• 중심정맥 산소포화도 측정 |

## 1. 심폐소생술 되먹임(피드백) 장치

심폐소생술 되먹임 장치는 움직임 센서(motion sensor) 등으로 측정한 가슴압박의 속도와 깊이, 압박 위치, 인공호흡의 빈도와 주기, 가슴압박이 중단된 기간, 압박 분율(compression fraction, 심폐소생술을 한 총 시간 중 가슴압박 시간이 차지하는 비율)을 포함한 구조자의 심폐소생술 술기와 관련된 지표를 산출하여 시각적 또는 청각적으로 되먹임을 제공한다.

심폐소생술 되먹임 장치는 교육용 마네킹에 장착되어 교육생의 술기를 평가하고 되먹임을 주는 데 사용되어왔다. 최근 제세동기와 연동하여 사용할 수 있는 되먹임 장치가 개발됨으로써, 심폐소생술이 실제 진행되는 과정에서 구조자에 의한 심폐소생술 술기를 측정, 분석하여 실시간 되먹임을 제공하는 데 사용된다.

상용화된 되먹임 장치는 흉골과 구조자의 손 사이에 장치를 놓고 가슴압박을 하면 심폐소생술 술기와 관련된 지표가 산출되어 모니터에 표기되는 방식으로 작동된다(그림 3-1). 산출된 지표는 실시간 시각적, 청각적 되먹임을 거쳐 구조자가 심폐소생술을 효율적으로 하도록 유도한다. 특히 가슴압박에 대한 실시간 되먹임은 구조자의 가슴압박을 효율화하는 데 도움을 줄 수 있다. 심폐소생술 되먹임 장치는 단순히 청각적 피드백만을 주는 장치에서부터 제세동기와 모니터에 연동되어 측정된 지표를 구조자 또는 소생팀이 확인할 수 있도록 하고 적절한 술기를 하도록 유도하는 기능을 가진 장치까지 다양하다.

심장정지 환자에게 되먹임 장치를 사용할 때 생존율이 향상되는지에 대해서는 논란이 있다. 심장정지 환자를 대상으로 피드백 장치의 유용성을 평가하기 위하여 시행된 무작위 대조군 연구는 아직 없다. 일부 관찰연구에서도 되먹임 장치의 사용이 심장정지 환자의 생존율을 높인다는 근거가 부족하다. 현재 되먹임 장치를 사용하고 있는 병원밖 및 병원내 진료현장에서는 심장정지 환자에게 심폐소생술을 하는 동안에 되먹임 장치를 사용하도록 권고되고 있다. 반면, 현재 되먹임 장치를 사용하지 않는 진료현장에서는 되먹임 장치를

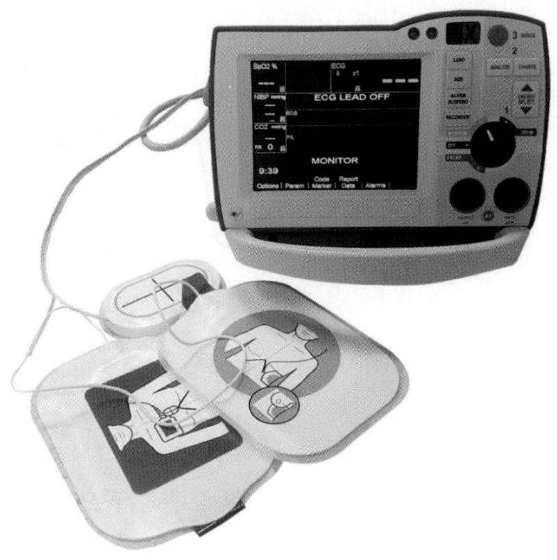


그림 3-1. **심폐소생술 되먹임 장치.** 가슴에 올려놓는 형태의 되먹임 장치가 사용되며, 제세동기에 연결되어 사용되기도 한다.

새로 구매하여 사용하도록 권장되지 않는다. 따라서 되먹임 장치를 이미 사용하고 있다면, 심폐소생술의 효율성을 높이기 위해 되먹임 장치를 사용한다.

심폐소생술을 교육하는 과정에서 되먹임 장치를 사용할 수 있다. 가슴압박 깊이 및 속도, 가슴 이완의 정도, 손의 위치를 포함한 교육생의 심폐소생술 술기에 대한 교육과 평가에 되먹임 장치를 사용하면, 되먹임 장치를 사용하지 않을 때보다 효율적인 심폐소생술 교육이 가능하다.

## 2. 생리학적 지표의 감시

심폐소생술 중 가슴압박을 포함한 소생술 행위가 심장정지 환자에게 적절한 순환혈류량을 유발하고 있는지를 평가하는 것은 환자의 소생에 중요하다. 그러나 긴급한 치료가 필요한 심장정지 환자에게 심폐소생술을 하면서 직접 치료 행위에 포함되지 않는 진단적 방법을 적용하기는 어렵다. 심장정지 상태에서는 정상 순환상태보다 동맥 또는 정맥에 도관을 삽관하는 것이 훨씬 어렵고, 도관을 삽관한 후에도 동맥과 정맥 중 어디에 삽관되었는지를 알 수 없는 때도 있다. 따라서 심폐소생술 중 생리학적 지표의 모니터링은 비침습적 방법인 호기말 이산화탄소 분압 측정을 사용하는 것이 권고된다. 이미 동맥 또는 중심 정맥 내 도관이 삽관된 경우에는 혈압 또는 중심 정맥 산소포화도를 지표로 사용할 수 있다.

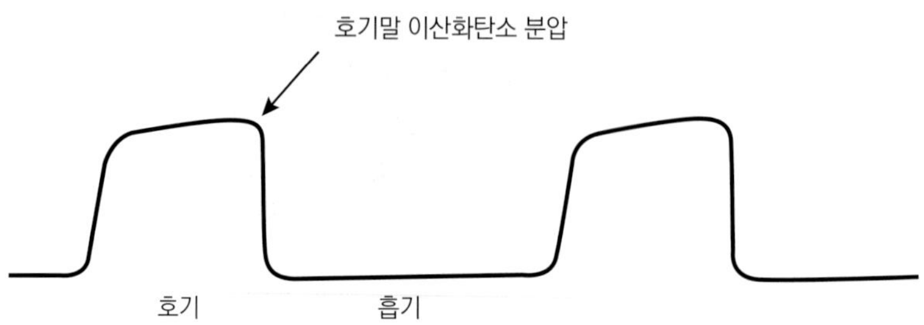


그림 3-2. 호기말 이산화탄소 분압. 호기말 이산화탄소 분압은 호기의 마지막에 측정된 이산화탄소 분압이다.

혈압측정 또는 중심 정맥 산소포화도 감시를 위한 도관 삽관으로 심폐소생술이 방해받거나 지연되지 않도록 한다.

## 1) 호기말 이산화탄소 분압 측정

호기말 이산화탄소 분압(end tidal CO2: ETCO2)은 환자의 호기(날숨)의 마지막 부분에 포함된 이산화탄소의 압력이다(그림 3-2). 체내에서 생성된 이산화탄소는 정맥혈류를 따라 폐로 이동하고, 허파꽈리로 확산한 이산화탄소는 폐가 환기되면서 체외로 배출된다. 따라서 호기말 이산화탄소 분압은 체내에서 생성되는 이산화탄소의 양, 폐로 관류 되는 혈류량, 폐 환기량의 영향을 받는다. 허파꽈리의 이산화탄소를 호기에서 측정하면, 호기의 초기에는 기관, 기관지, 후두, 구강 속의 이산화탄소가 섞여 측정되다가 호기의 마지막 부분에는 주로 허파꽈리의 이산화탄소가 측정된다. 따라서 호기말에 측정한 이산화탄소 분압은 허파꽈리의 이산화탄소 분압에 근접하게 된다.

심폐소생술로 유발되는 심박출량은 정상 심박출량의 1/4-1/3에 불과하다. 혈류량이 매우 적은 상태에서는 체내에서 생성된 이산화탄소 중 소량만이 폐로 이동하므로, 호기말 이산화탄소 분압은 매우 낮게 유지된다. 심폐소생술이 효과적으로 되거나 순환회복이 이루어지면, 폐 혈류량이 증가하여 혈류를 따라 폐로 이동하는 이산화탄소량이 증가하므로 호기말 이산화탄소 분압이 상승한다. 즉, 심폐소생술 중에는 가슴압박에 의하여 발생하는 폐 혈류량에 따라 호기말 이산화탄소 분압이 변화하므로, 호기말 이산화탄소 분압을 측정하면 심폐소생술로 발생한 순환량을 간접적으로 알 수 있다.

### (1) 호기말 이산화탄소 분압과 순환회복

동물 및 임상연구에 의하면 호기말 이산화탄소 분압의 변화는 심폐소생술 중 심박출량

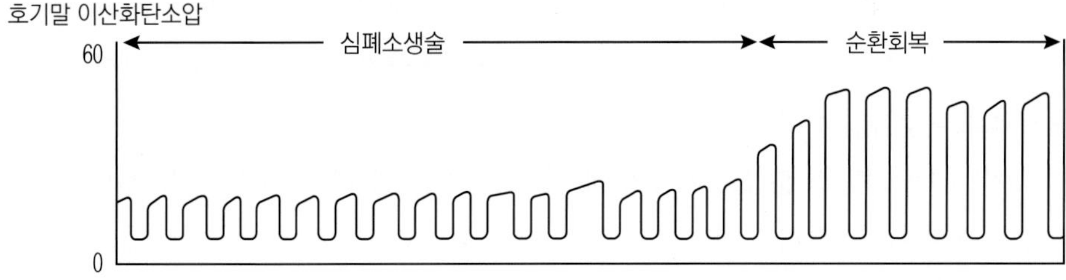


그림 3-3. 순환상태에 따른 호기말 이산화탄소 분압의 변화. 심폐소생술 중 순환이 회복되면 호기말 이산화탄소 분압이 급격히 증가한다.

및 관상동맥 관류압의 변화와 비례하는 것으로 알려졌다. 따라서 심폐소생술 중에는 호기말 이산화탄소 분압이 낮은 상태로 유지되다가 순환이 회복되면 호기말 이산화탄소 분압이 40 mmHg 이상으로 급격히 증가한다(그림 3-3).

호기말 이산화탄소 분압은 환자의 생존과도 연관이 있는 것으로 알려져 있다. 심폐소생술 중 심박출량과 관상동맥 관류압이 높은 환자에서는 호기말 이산화탄소 분압이 높고 생존 가능성이 크지만, 심박출량과 관상동맥 관류압이 낮은 환자는 호기말 이산화탄소 분압이 낮고 생존 가능성이 작다. 심폐소생술 중 호기말 이산화탄소 분압이 계속 10 mmHg 이하인 환자에서는 생존을 기대하기 어렵고, 호기말 이산화탄소 분압이 10 mmHg 이상으로 유지되어야 환자의 생존을 기대할 수 있다. 심폐소생술로 호기말 이산화탄소 분압이 20 mm Hg 이상으로 유지되는 경우에는 심폐소생술이 효율적으로 진행되고 있다고 판단할 수 있으며, 환자의 생존 가능성도 크다.

### (2) 호기말 이산화탄소 분압의 임상 적용

심폐소생술 중 호기말 이산화탄소 분압을 측정하는 것은 소생팀이 심장정지 환자에 대한 임상적 판단을 하는 데 도움이 된다.

심폐소생술이 시행되는 동안 호기말 이산화탄소 분압이 지속해서 낮으면 순환량이 적다는 것을 시사하므로, 심폐소생술이 적절히 시행되고 있는지를 확인하여야 한다. 반면에 심폐소생술 중 호기말 이산화탄소 분압이 높게 유지되면 심폐소생술이 적절히 시행되고 있다고 판단할 수 있다. 따라서 심폐소생술 중 호기말 이산화탄소 분압이 계속 10 mmHg 이하로 유지되면, 가슴압박의 적절성을 재평가한다.

무맥성 전기활동(pulseless electrical activity)으로 판단된 환자에서 측정한 호기말 이산화탄소 분압이 높으면, 심박출량은 있으나 혈압이 낮거나 말초혈관이 심하게 수축하여서 맥박이 만져지지 않는 것으로 판단한다. 임상적으로 무맥성 전기활동으로 진단된 환자의 일부에서는 동맥에 도자를 삽입하여 혈압을 직접 측정하면 40-80 mmHg 정도의 혈압이 기록되는 때도 있다. 따라서 무맥성 전기활동환자에서 호기말 이산화탄소 분압이 높다면, 동맥에 도자를 삽입하여 혈압을 기록해 보아야 한다.

호기말 이산화탄소 분압은 환자의 예후를 예측하는 데에도 도움이 된다. 무맥성 전기활동이 관찰되는 심장정지 환자에서 심폐소생술 후 20분이 지난 상황에서 호기말 이산화탄소 분압이 10 mmHg 이하이면, 생존을 기대할 수 없다. 장시간(20-30분) 심폐소생술을 시행한 후에도 순환이 회복되지 않고 호기말 이산화탄소 분압이 계속 낮은 상태(10 mmHg 미만)로 유지되는 환자에서는 소생 가능성이 매우 낮으므로, 심폐소생술 중단을 결정하는 다른 요소와 함께 호기말 이산화탄소 분압을 심폐소생술 중단 판단의 요소로 고려할 수 있다. 그러나 심폐소생술 중 호기말 이산화탄소 분압이 10 mmHg 이하로 유지되었던 환자 중에도 소생되어 생존한 예가 있으므로, 심폐소생술 중단 여부를 호기말 이산화탄소 분압으로만 결정하여서는 안 된다.

호기말 이산화탄소 분압을 측정하여 기관내삽관 후 기관 튜브가 기관 내에 있는지를 확인할 수 있다. 기관 속에는 위 또는 식도와 비교하면 이산화탄소 분압이 훨씬 높다는 것을 이용하여 기관내삽관을 시행한 기관 튜브에서 이산화탄소 분압을 측정하면, 기관으로 튜브가 삽입되었는지를 즉시 확인할 수 있다. 최근에는 이산화탄소 분압이 상승하면 색깔이 변하는 장치를 튜브 끝에 부착한 일회용 호기말 이산화탄소 분압 측정기가 개발되어 사용되고 있다. 이 장치는 삽관 후 이산화탄소 분압이 0.5% 이하에서 2.5-5% 정도로 증가하면 색깔이 변하게 되어있으므로, 튜브가 기관으로 올바르게 삽관되었는지를 즉시 확인할 수 있다.

### (3) 호기말 이산화탄소 분압에 영향을 주는 요소

호기말 이산화탄소 분압은 폐 관류량 이외에도 폐 환기량 및 이산화탄소 발생량의 영향을 받는다. 심폐소생술 중 폐 환기량이 증가하면 호기말 이산화탄소 분압이 함께 증가하며, 혈액 내 이산화탄소량이 증가하면 호기말 이산화탄소 분압이 증가한다. 따라서 심폐소생술 중 호기말 이산화탄소 분압을 감시하는 경우에는 가능한 폐 환기량을 일정하게 유지하여야 시간 경과에 따라 호기말 이산화탄소 분압을 비교할 수 있다. 중탄산나트륨(sodium bicarbonate)을 투여하면 이산화탄소의 생성량이 증가하므로, 호기말 이산화탄소 분압이 1분 이내에 증가하며, 증가 효과는 2분 정도 계속된다. 따라서 중탄산나트륨을 투여한 후 수 분 동안의 호기말 이산화탄소 분압 변화는 중탄산나트륨 투여에 의한 효과이며 심폐소생술에 의한 혈류량 변화와는 별개로 생각해야 한다. 에피네프린(epinephrine) 등 혈관수축제를 투여하면 폐의 환기-관류장애가 발생하고, 심장의 후부하 상승으로 심박출

표 3-2. 심폐소생술 중 호기말 이산화탄소 분압에 영향을 주는 요소

| 호기말 이산화탄소 분압이 증가하는 경우 | 호기말 이산화탄소 분압이 감소하는 경우 |
|---|---|
| 심장 박동의 회복<br>중탄산나트륨의 투여<br>폐 환기량의 증가 | 가슴압박이 부적절한 경우<br>에피네프린의 투여<br>폐 환기량의 감소 |

량이 감소하여 호기말 이산화탄소 분압이 감소한다. 따라서 심폐소생술 중 에피네프린이 투여된 후에는 호기말 이산화탄소 분압이 환자의 순환상태를 적절히 반영하지 못한다(표 3-2).

## 2) 국소 뇌 산소포화도 측정

근적외선(near-infrared light)은 피부와 뼈에 흡수되지 않고 조직을 잘 통과한다. 조직을 통과된 근적외선은 혈액의 산소혈색소(oxyhemoglobin, HbO2)와 탈산소혈색소(deoxyhemoglobin, HbR)에 흡수되므로, 조직 내 산소혈색소와 탈산소혈색소에서의 근적외선 흡수량의 차이로 국소 산소포화도(regional O2 saturation, rSO2)를 측정할 수 있다. 따라서 근적외선 분광기(near-infrared spectroscopy, NIRS)를 사용하면 조직(또는 국소)의 산소포화도를 비침습적으로 측정할 수 있다. 근적외선 분광기를 뇌에 적용하면 국소 뇌 산소포화도를 측정할 수 있다. 근적외선 분광기에 의해 측정된 국소 뇌 산소포화도는 뇌 혈류량에 비례하여 변하므로, 뇌 혈류량의 간접지표로서 국소 뇌 산소포화도를 활용할 수 있다. 국소 뇌 산소포화도는 머리에 부착하는 전극(탐촉자)과 근적외선 분광기 모니터를 사용하여 쉽게 측정할 수 있으므로 심폐소생술 중 뇌 혈류량의 지표로써 활용된다. 심폐소생술이 시행되고 있는 동안 근적외선 탐촉자를 심장정지 환자의 이마에 부착하여 전두엽 부위의 산소포화도를 측정하는 방법이 시도되고 있다. 몇몇 연구에 의하면 심폐소생술 중 국소 뇌 산소포화도가 높게 유지된 환자에서 순환회복 가능성이 크다고 알려졌다. 심폐소생술 중 국소 뇌 산소포화도를 측정하는 것이 심장정지 환자의 생존 가능성을 높이는지는 아직 알려지지 않았다. 생존 가능성을 높이기 위한 국소 뇌 산소포화도의 적정값이 명확히 제시되지 않았지만, 심폐소생술 중 가슴압박의 효율성을 평가하기 위하여 국소 뇌 산소포화도를 감시하는 것이 권고된다. 또한, 국소 뇌 산소포화도 수치는 자발순환 회복의 예측과 임상의사의 치료 결정에 참조할 수 있다. 순환이 회복된 후 조직으로의 관류가 충분히 이루어지고 있는지를 평가하는 데에도 국소 뇌 산소포화도 감시가 사용될 수 있다.

### 3) 혈역학적 감시

심폐소생술이 시행되는 동안 동맥 내 도자를 통하여 혈압을 직접 측정할 수 있으면, 심폐소생술이 적절히 시행되고 있는지를 알 수 있다. 이 경우에는 수축기압뿐 아니라 이완기압을 직접 측정할 수 있으므로, 관상동맥 관류압을 높이기 위한 치료를 시도하고 그 효과를 관찰할 수 있다. 특히 이완기 동맥압은 관상동맥 관류압(이완기 동맥압과 이완기 우심방압의 차이로 산출)과 직접 연관이 있으므로, 이완기 동맥압이 높이 유지되는 것이 중요하다. 이완기 동맥압이 25-30 mm Hg 이상 또는 관상동맥 관류압이 20 mm Hg 이상으로 유지되어야 순환회복의 가능성이 크다. 심폐소생술 중 비록 동맥압과 우심방압이 동시에 측정되고 있더라도 실시간으로 관상동맥 관류압을 산출하기는 거의 불가능하다. 따라서 가슴 이완기 동안 우심방압이 약 5 mm Hg 내외라고 가정하면, 관상동맥 관류압을 20 mm Hg 이상으로 유지하기 위해 이완기 동맥압을 25 mm Hg 이상으로 유지하는 것이 필요하다.

심폐소생술 중에는 동맥 내 삽관을 하기 어려우므로 혈역학적 감시에 의한 혈류량의 평가는 심장정지 이전에 혈역학적 감시가 시행되고 있던 환자에게 적용할 수 있다. 동맥 내 도자 삽관에 훈련된 충분한 의료 인력이 있는 기관에서는 심폐소생술 중 혈역학적 감시를 임상적으로 적용할 수 있다. 그러나 혈역학적 감시용 도자 삽관 등으로 인하여 심폐소생술이 중단되거나 방해받지 않아야 한다.

### 4) 심초음파에 의한 관찰

경식도 심초음파(transesophageal echocardiography)를 사용하면 심폐소생술 중 심장을 관찰할 수 있으며, 도플러 초음파를 사용하여 혈류량을 측정할 수도 있다. 경식도 심초음파는 경흉 심초음파(transthoracic echocardiography)에 비하여 선명한 영상을 제공하며, 가슴압박 등 심폐소생술 중 시행되는 조작에 영향을 주지 않고, 심폐소생술 중에도 계속 심장을 관찰하는 것이 가능하다는 점에서 종종 사용된다. 또한, 도플러 초음파로 승모판에서의 혈류를 측정할 수 있으므로, 다양한 방법의 심폐소생술에 의한 혈류량을 측정하여 서로 비교할 수도 있다.

심전도상 무맥성 전기활동이 관찰되는 환자에서는 경식도 심초음파로 심장의 수축이 있는지를 확인할 수도 있다. 일부의 심장정지 환자에서는 경식도 심초음파로 심장눌림증, 폐색전증 등 심장정지의 원인을 찾아낼 수 있으므로 심폐소생술 중에도 심장정지의 원인을 치료할 수 있다.

심폐소생술 중 가슴압박이 시행되는 동안에 경흉 초음파로 심장을 관찰할 수 있다. 다만, 경흉 초음파 심폐소생술 중 경흉 심초음파로 심장을 관찰하려면 늑골하 창(subcostal window)을 통하여 심장을 관찰하여야 심폐소생술을 방해하지 않을 수 있다.

### 5) 기타 방법

#### (1) 동공 확인

심장정지가 발생하면 동공은 최대로 확장된다. 일부 관찰연구에서 심폐소생술 중 동공의 크기가 줄어들거나 동공반사가 있는 심장정지 환자에서 순환회복의 가능성이 크다고 알려졌다. 또한, 심폐소생술 동안 동공 크기의 역동적 변화와 관상동맥 관류압과는 연관이 있었다. 즉, 심폐소생술 중 충분한 관류압이 발생하면 뇌 혈류가 유지됨으로써 동공 크기의 변화와 동공반사가 생기는 것으로 추정된다. 따라서 심폐소생술 중 동공을 관찰하면 심폐소생술의 생리학적 효과를 간접적으로 알 수 있다.

#### (2) 맥박 확인

심폐소생술 중 혈관의 맥박을 만져보면 가슴압박이 효과적인지를 추정할 수 있다. 즉 심폐소생술이 시행되는 동안 맥박이 만져지지 않는다면, 가슴압박이 효과적이지 않다는 것을 시사한다. 그러나 맥박의 강도는 대동맥의 수축기압과 이완기압의 차이가 클수록 강하게 만져지므로, 대동맥 이완기압에 의하여 결정되는 관상동맥 관류압을 반영하지는 않는다. 예를 들면, 이완기압이 낮으면 맥박은 더 강하게 만져지지만, 관상동맥 관류압은 오히려 낮아질 수 있다. 하대정맥에는 판막이 없으므로 심폐소생술 중 넓적다리부에서 만져지는 맥박은 하대정맥에서부터 대퇴정맥으로 전달된 압력에 의하여 만져지는 것이다. 따라서 심폐소생술 중에는 넓적다리부의 맥박을 확인하는 것보다 목동맥의 맥박을 확인하는 것이 심폐소생술의 효율성을 평가하는 데 유리하다. 맥박 확인은 순환회복을 확인하는 데에는 유용한 방법이며, 심폐소생술의 효율성을 평가하는 방법으로 맥박을 확인하는 것은 권장되지 않는다.

#### (3) 목동맥 도플러

심폐소생술에서 유발된 혈류를 동맥에서 도플러 초음파(Doppler ultrasound)를 사용하여 측정할 수도 있다. 도플러 초음파는 특히 심전도상 무맥성 전기활동이 관찰되는 환자에서 혈류의 유무를 확인하는 데 매우 유용하다. 심폐소생술 중에도 목동맥 근처에 도플러 탐촉자를 대고 목동맥의 혈류를 측정하거나 머리에서 transcranial Doppler를 사용하여 뇌 혈류를 측정할 수 있다.

### (4) 동맥혈 산소포화도

심폐소생술 중에는 말초 조직으로의 혈류가 매우 적기 때문에 말초에서 맥박산소측정기로 측정한 동맥혈 산소포화도는 심폐소생술에 의한 심박출량을 예측하는 데 도움이 되지 않는다.

### (5) 중심정맥혈 산소포화도

중심정맥혈 산소포화도(central venous oxygen saturation)는 상대정맥에 산소포화도 측정 센서가 장착된 중심정맥관을 삽관하여 측정한다. 중심정맥혈 산소포화도는 동맥혈에 포함된 산소가 조직에서 소모된 후 정맥혈로 돌아온 후 중심정맥에 모였을 때 측정된 산소포화도로서, 동맥혈 산소량, 조직의 산소소모량, 순환 혈액량에 의해 영향을 받는다. 정상 순환상태에서의 중심정맥혈 산소포화도는 60-80%로 유지되지만, 심폐소생술 중에는 25-35% 정도로 유지된다. 심폐소생술 중 낮은 중심정맥혈 산소포화도는 부적절한 조직 관류량을 시사한다. 따라서 심폐소생술 중 중심정맥혈 산소포화도를 측정하면 심폐소생술의 적절성을 알 수 있다. 심폐소생술 중 중심정맥혈 산소포화도를 30% 이상으로 유지하는 것이 순환회복의 가능성을 높이는 것으로 알려졌다. 중심정맥혈 산소포화도 측정은 중심정맥 삽관을 해야 하므로, 이미 중심정맥혈 산소포화도 측정 도자가 삽관되어 있거나 심폐소생술 중 중심정맥 삽관이 가능한 경우에만 시행한다.

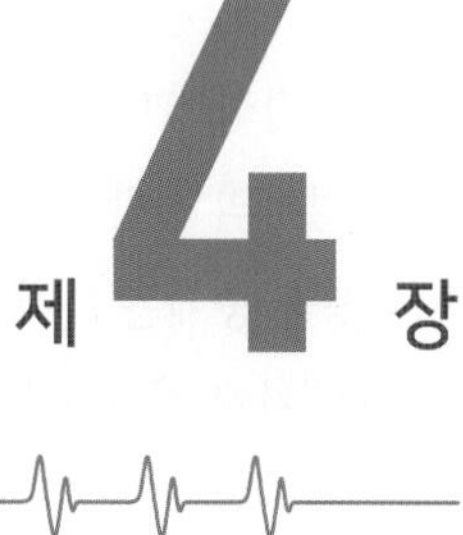


# 기본소생술

대부분 심장정지는 발생을 예측할 수 없고 병원밖 심장정지의 60-80%는 가정, 직장, 길거리 등 의료시설 이외의 장소에서 발생한다. 심장정지가 발생한 후 4-5분이 지나면 뇌 손상이 시작되므로, 심장정지 발생을 처음 목격한 사람이 즉시 심폐소생술을 시작하여야 심장정지 환자의 생명을 구할 수 있다. 심장정지 발생현장에서부터 심폐소생술이 시작되면심장정지 환자가 임상적 사망상태에서 생물학적 사망으로 진행되는 것을 지연시킬 수 있다. 목격자에 의하여 심폐소생술이 적절히 시행된 경우에는 심폐소생술이 시행되지 않은 경우보다 심장정지 환자의 생존율이 2-3배 높은 것으로 알려졌다. 또한, 목격자가 심장정지의 발생 사실을 신속히 인지하여 응급의료체계에 알려야 제세동 등의 전문심장소생술이 빨리 시작될 수 있다. 즉, 심장정지의 치료 과정에서 최초 목격자는 현장에서의 응급처치로부터 의료인에 의한 전문 치료를 연결하는 역할을 한다. 따라서 일반인에게 기본소생술을 전파, 보급하여 목격자가 심장정지 상황에 적합한 행동을 하도록 하는 것은 심장정지 환자의 생존율을 높이기 위한 필수 조건이다.

심장질환의 증가와 노인 인구 비율의 상승으로 인하여 최근 급사와 심폐소생술에 관한 관심이 높아지고 있다. 우리나라에서도 심폐소생술에 대한 체계적인 보급과 교육이 시작되어 심폐소생술이 일반인에게 널리 퍼지고 있다. 최근 119 구급상황요원이 목격자에게 전화 도움 심폐소생술을 하도록 유도하면서 목격자가 심폐소생술을 시작하는 지역에서는 목격자 심폐소생술 시행률이 40%를 넘어서고 있다. 높은 목격자 심폐소생술 시행률은 생존율 개선으로 나타나고 있다.

목격자가 심폐소생술을 시도하더라도 심폐소생술이 적절히 시행되었는지에 따라 소생률에 차이가 발생한다. 우리나라에서 일반인 또는 의료인에 의하여 시행되는 심폐소생술의 적절성에 대한 구체적인 질 평가 결과는 없지만, 외국의 조사에서는 심폐소생술이 시행된 경우의 절반 이상에서 심폐소생술이 적절하게 시행되지 않았던 것으로 나타났다. 심폐소생술 중에는 특히 가슴압박이 환자의 소생에 가장 중요하다. 그러나 가슴압박의 횟수가 지나치게 적거나 충분한 깊이로 압박하지 않는 경우, 부적절하게 중단되는 경우 등 가슴압박이 부적절하게 시행되는 경우가 실제로는 많이 발생한다.

병원 밖 심장정지 환자의 20% 내외에서 초기 심전도 소견상 충격필요리듬(심실세동 또는 무맥성 심실빈맥)이 관찰된다. 신속한 제세동(defibrillation)은 심실세동/무맥성 심실빈맥의 치료에서 가장 중요하다. 특히 심실세동이 발생한 후 첫 4-5분 동안에는 제세동만으로도 환자를 소생시킬 수 있으므로, 응급의료인이 현장에 도착하기 이전에 심장정지를 발견한 목격자가 제세동해야 한다. 최근에는 심장정지 환자가 발생하면 누구나 사용할 수 있도록 심장정지의 발생 가능성이 큰 공공장소에 자동제세동기를 비치하도록 권장하고 있다. 의료인이 아닌 심장정지 목격자가 사용할 수 있도록 자동제세동기를 공공장소 등에 설치하는 것을 일반인 제세동 프로그램(public access defibrillation: PAD)이라고 한다. 심장정지가 발생한 현장에서 일반인 또는 일차반응자에 의하여 제세동이 시행된 경우에 심실세동에 의한 심장정지 환자의 생존율은 49-75%에 이르고 있다.

최근 다수의 임상연구에서 인공호흡은 하지 않고 가슴압박만 하는 가슴압박 소생술(compression-only CPR 또는 hands only CPR)이 심폐소생술을 전혀 하지 않은 경우보다 심장정지 환자의 생존율을 높이는 것으로 나타났다. 따라서 심폐소생술 교육을 받지 않은 사람이나 인공호흡을 하고 싶지 않은 사람에게는 가슴압박 소생술을 하도록 권장하고 있으며, 가슴압박 소생술의 보급은 목격자 심폐소생술 시행률을 높일 수 있는 중요한 방법이다.

기본소생술은 심장정지가 의심되는 쓰러진 환자를 발견한 후 구조를 요청하고, 가슴압박, 기도 유지, 인공호흡 및 자동제세동을 시행하는 심폐소생술의 초기 단계이다. 기본소생술의 목적은 환자가 발생한 상황을 응급의료체계에 알려 전문소생술이 빨리 시행되도록 하고, 인공호흡과 인공순환을 시도하여 환자의 자발순환이 회복될 때까지 뇌와 심장에 산소를 공급하는 것이다. 또한, 충격필요리듬을 치료하기 위하여 주변에 있는 자동제세동

표 4-1. 기본소생술에 포함된 행위

| |
|---|
| 1. 심장정지가 의심되는 사람을 발견하였을 때의 행동 요령 |
| 2. 반응 확인과 구조요청 |
| 2. 가슴압박과 인공호흡을 포함한 심폐소생술 술기 |
| 3. 자동제세동기를 사용한 제세동 |
| 4. 이물에 의한 기도폐쇄의 응급치료 |

기를 사용하여 제세동하는 과정이 기본소생술에 포함된다(표 4-1). 따라서 기본소생술은 "생존 사슬"에서 첫 세 개의 단계인 심장정지의 조기 인지 및 구조요청-심폐소생술-제세동을 포함하는 과정이 되었다.

이 장에서는 국제소생술 교류위원회(International Liaison Committee on Resuscitation: ILCOR)가 발표한 심폐소생술 및 심혈관 응급치료에 관한 과학적 합의 및 치료 권고(International Consensus on Cardiopulmonary Resuscitation and Emergency Cardiovascular Care Science with Treatment Recommendations)의 주요 내용과 2020년 한국심폐소생술 가이드라인의 내용을 반영하여 기본소생술을 기술하였다.

## 1. 심폐소생술에서 성인과 소아의 구분

성인과 소아의 심장정지는 주요 원인이 다르므로 기본소생술 과정에서 약간의 차이가 있다. 그러나 심폐소생술 측면에서 소아와 성인을 구분하는 분명한 나이 또는 과학적 정의에 대해서는 논란이 있다. 2005년 이후의 심폐소생술 지침에서는 성인과 소아에 대한 정의를 구조자에 따라 다르게 정하였다. 즉 소아의 정의를 일반인에게는 1세부터 8세까지(또는 몸무게 25 kg 이하 또는 키 127 cm 이하)인 경우로 정하였으며, 의료제공자(healthcare providers)는 1세부터 청소년기 또는 사춘기의 시작(12-14세까지 또는 이차성징이 나타나기 전까지)으로 정하였다. 남성에서는 액모, 여성에서는 유방으로 이차성징을 확인한다. 신생아(newborn)는 분만 후 첫 몇 시간(분만실에서 퇴원하기 전까지) 이내의 소아를 말한다. 영아(infant)는 1세 이하의 소아를 말한다. 소아병원 또는 소아 중환자실에서는 소아의 정의를 지역 또는 기관에 따라 16-18세로 정의할 수 있도록 하였다. 심장정지의 원인이 뚜렷이 구분되는 특정 나이가 알려지지 않았기 때문에 우리나라 심폐소생술 가이드라인에서는 교육의 단순화를 위하여 소아와 성인을 구분하는 나이를 8세를 기준으로 한다. 즉, 우리나라 심폐소생술 가이드라인에서의 나이 구분은 신생아는 분만 후 생후 4주까지, 영아는 신생아기 이후부터 1세 미만까지, 소아는 1세부터 8세 미만까지, 성인은 8세 이상으로 정의한다. 그러나 심장정지가 발생한 사람을 발견했을 때 나이를 특정하기가 어렵고 나이에 따라 심폐소생술 과정을 구분하는 것이 생존율에 미치는 영향에 대한 과학적 근거가 부족하다. 따라서 현장에서 심폐소생술을 할 때는 구조자가 환자의 체구 등으로 나이를 유추하여 적합한 심폐소생술 방법을 적용한다.

심폐소생술에서 나이를 구분하는 이유는 다음과 같다. 성인과 소아는 체구가 다르고 체구와 체내 장기 크기의 비율이 다르므로 심폐소생술을 하는 방법에 차이가 있다. 특히,

가슴압박의 위치, 깊이, 압박 방법을 포함한 가슴압박 술기가 성인과 소아 사이에 차이가 있다. 성인의 경우에는 심장정지의 원인이 심장질환이 원인(심장성, cardiogenic)인 경우가 많아 심실세동의 빈도가 소아에 비하여 높으므로, 제세동이 가장 우선적인 치료방법이다. 따라서 심장정지가 의심되는 성인을 발견하였을 때는 제세동기가 현장에 일찍 도착할 수 있도록 응급의료체계에 환자의 발생을 신고하는 것이 우선되어야 한다. 반면, 소아에서는 심장질환에 의한 심장정지보다는 호흡성(또는 질식성) 심장정지가 많으므로, 인공호흡을 포함한 심폐소생술을 일찍 시작해야 한다. 이러한 성인과 소아 심장정지의 원인 차이에도 불구하고 심폐소생술 가이드라인에서는 휴대전화 보급률이 높아지는 현실을 반영하여 성인과 소아 모두에서 심장정지를 발견했을 때 구조요청을 먼저 하도록 권고하고 있다.

심폐소생술과 구조요청과의 순서에 있어서 몇 가지 예외적인 경우가 있다. 보건의료인의 경우, 소아 환자가 갑자기 의식을 잃었을 때는 심장성 심장정지가 의심되기 때문에 먼저 응급의료체계에 구조를 요청하고 자동제세동기를 사용한다. 성인이라도 기도폐쇄에 의한 심장정지가 의심되는 경우에는 심폐소생술을 먼저 시행한 후 응급의료체계 구조요청을 한다. 익수(near-drowning)환자에서는 호흡 정지로 심장정지가 발생하는 경우가 많으므로 나이와 관계없이 심폐소생술을 먼저 시행한 후 응급의료체계에 연락한다. 외상에 의한 심장정지가 의심되는 환자에서는 심실세동에 의한 심장정지의 가능성이 작을 뿐 아니라 두부 손상 등으로 의식 소실 또는 혈액, 구토물 등에 의한 기도폐쇄가 발생할 수 있으므로, 환자의 나이와 관계없이 구조요청에 앞서 심폐소생술을 한다. 약물 중독에 의한 심장정지가 의심되는 환자에게서도 심실세동의 가능성보다는 호흡 정지에 의한 심장정지의 가능성이 크므로, 나이와 관계없이 구조요청보다는 심폐소생술을 먼저 한다. 반면, 소아 중에서 심장질환을 앓고 있는 환자에서는 부정맥에 의한 심장정지의 가능성이 크므로 성인에서처럼 구조요청이 우선된다. 두 명 이상의 구조자가 환자를 발견한 경우에는 심폐소생술을 할 수 있는 사람은 환자에게 심폐소생술을 하고, 다른 한 명은 구조를 요청한다.

우리나라는 국민 대다수가 휴대전화를 가지고 있고 인구밀도가 매우 높다는 점을 고려하여 심장정지가 의심되는 환자의 나이와 관계없이 응급 전화를 먼저 하도록 권장한다. 심장정지를 목격한 사람이 2인 이상일 경우에는 한 사람은 즉시 심폐소생술을 하고 다른 사람은 환자 발생을 신고하고 자동제세동기를 가져오도록 한다.

## 2. 성인 심장정지의 기본소생술(성인 기본소생술)

성인 기본소생술은 구조자가 심장정지가 의심되는 사람을 발견한 후 구조를 위하여

해야 하는 일련의 과정으로서, 현장 안전확인-환자평가-구조 및 자동제세동기 요청-심폐소생술 및 자동제세동기사용으로 구성된다. 심폐소생술 능력에 따라 구조자를 심폐소생이 가능하지 않은 일반인, 심폐소생술이 가능한 일반인, 의료종사자로 구분할 수 있으며, 구조자에 따라 기본소생술의 내용이 다소 달라진다. 특히 일반인 구조자는 가능한 휴대전화의 스피커폰 기능이나 핸즈프리 기능을 사용하여 구급상황요원의 도움을 받아야 하며, 심폐소생술을 할 줄 모를 때에는 구급상황요원의 도움을 받아 전화 도움 심폐소생술(dispatcher assisted cardiopulmonary resuscitation: DA-CPR)을 한다.

### 1) 기본소생술 순서

2명 이상의 구조자가 심장정지 환자를 치료할 때는 심폐소생술의 여러 과정이 동시에 수행될 수 있다. 1인의 구조자가 심장정지 환자를 치료할 때는 동시에 여러 과정을 시행할 수 없으므로, 심폐소생술의 순서를 따르도록 권장한다.

이 장에서는 심장정지가 발생한 장소(병원 밖 심장정지, 병원 내 심장정지)와 구조자(일반인, 의료종사자)에 따라 기본소생술 과정을 구분하여 서술하였다.

#### (1) 병원 밖 심장정지의 기본소생술

병원 밖 심장정지의 목격자는 주로 일반인(가족, 직장 동료, 행인 등)이므로, 심장정지 상황에 익숙하지 않다. 따라서 병원 밖 심장정지의 목격자는 기본소생술 과정에서 구급상황요원과의 전화 연락을 유지하면서 도움을 받는 것이 중요하다. 병원 밖 심장정지의 기본소생술 과정은 현장 안전확인-반응 확인-구조(119 신고) 및 자동제세동기 요청-심장정지의 확인-심폐소생술 및 자동제세동기사용으로 구성된다.

#### ① 일반인이 성인 심장정지를 발견하였을 경우

의료종사자가 아닌 사람(일반인)이 병원 밖 심장정지를 목격한 경우에는 구조요청을 한 후 구급상황요원과 전화통화를 유지하면서 도움을 받아야 한다. 또한, 목격자가 심폐소생술을 할 수 있는지, 인공호흡을 할 의지가 있는지에 따라 가슴압박과 인공호흡을 모두 할 것인지 또는 가슴압박만 할 것인지가 결정된다(그림 4-1).

#### 가. 일반인 목격자가 심폐소생술 교육을 받지 않았거나 심폐소생술을 정확히 수행할 확신이 없는 경우

반응이 없고, 호흡이 없거나 비정상적인 호흡(심장정지 호흡: agonal respiration 또는

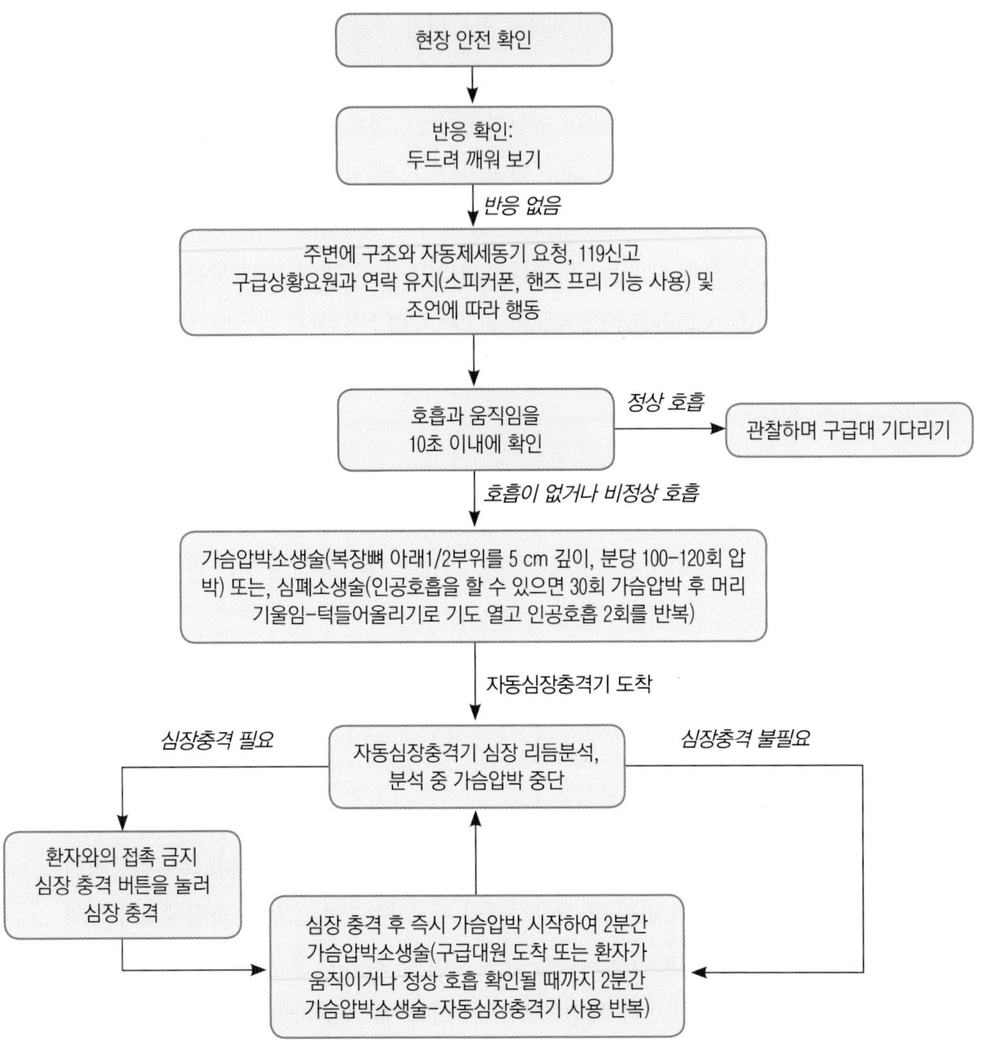


그림 4-1. 병원밖 심장정지의 일반인 구조자 기본소생술 과정

agonal gasps)을 하는 환자를 발견한 경우에는 환자 주변이 안전한지를 확인한 후, 주변 사람에게 도움 요청(자동제세동기 요청 포함)과 응급의료체계(119구급대) 전화 연락을 하고, 즉시 가슴압박소생술(compression-only CPR)을 시작한다. 구급상황요원과 전화 연결을 유지(스피커폰 기능 또는 핸즈프리 기능 사용)하고, 구급상황요원의 지도에 따라 가슴의 가운데를 "세게, 빠르게, 압박"한다. 자동제세동기가 도착하여 제세동이 준비될 때까지, 또는 구조 요원이 도착하여 환자를 인계받을 때까지 가슴압박을 계속한다. 이를 위하여 구급상황요원은 일반인 구조자가 심장정지 발생 여부를 판단하고 가슴압박소생술을 시행할 수 있도록 지도할 수 있는 능력을 갖추어야 한다. 자동제세동기가 작동하면 자동제

세동기의 음성 지시를 따른다.

### 나. 심폐소생술을 할 수 있는 일반인 목격자의 경우

반응이 없고, 호흡이 없거나 비정상적인 호흡(심장정지 호흡 포함)을 하는 환자를 발견한 경우, 환자 주변이 안전한지를 확인한 후, 주변 사람에게 도움 요청(자동제세동기 요청 포함)과 응급의료체계(119구급대) 전화 연락을 한다. 구급상황요원과 전화 연결을 유지(스피커폰 기능 또는 핸즈프리 기능 사용)하면서, 즉시 30:2의 가슴압박 대 인공호흡 비율로 심폐소생술을 시작한다. 인공호흡을 할 의지가 없는 경우에는 가슴압박심폐소생술을 한다. 현장이나 근처에 자동제세동기가 있다면, 가능한 한 신속하게 자동제세동기를 사용한다. 자동제세동기가 작동하면 자동제세동기의 음성 지시를 따른다. 구조자가 여러 명이면 자동제세동기 패드(pad 또는 electrode)가 부착되고, 리듬 분석이 시작되기 직전까지 가슴압박을 계속한다.

### ② 의료종사자가 성인 심장정지를 구조하는 경우

의료종사자(의료인 또는 응급구조사)가 심장정지가 의심되는 환자를 직접 목격한 경우에는 환자의 나이와 관계없이 응급의료체계(119구급대)에 연락하고 자동제세동기를 가져오도록 요청한다. 심폐소생술을 시작하기 전에는 반드시 환자의 상태를 평가한다. 심장정지가 의심되는 환자에서는 반응의 유무(unresponsiveness), 호흡 상태(breathlessness, 호흡 여부 또는 상태를 눈으로 확인) 및 심장 박동 유무(pulselessness, 목동맥 맥박을 확인)를 동시에 확인한다. 10초 이내에 명백하게 맥박이 확인되지 않으면, 즉시 심폐소생술을 시작한다. 자동제세동기가 도착하면, 신속히 자동제세동 과정을 수행한다(그림 4-2). 기관내 삽관 등 전문기도유지술이 시행되기 전까지는 30회의 가슴압박과 2회의 인공호흡을 제공한다. 전문기도유지술이 시행된 이후에는 인공호흡을 위하여 가슴압박을 중단할 필요가 없으며, 6초마다 1회(1분에 10회)의 인공호흡을 한다. 2020년 한국 기본소생술 가이드라인에서는 구급대원이 병원 밖 심장정지 환자에게 심폐소생술을 하는 과정에서 기본소생술만이 가능한 상황이라면 6분간 현장 심폐소생술을 한 후 환자를 병원으로 이송하거나 이송 시점에 대해 지도 의사의 직접 의료 지도를 받아 결정하도록 권고했다.

### (2) 병원 내 성인 심장정지의 기본소생술

병원 내에서도 예측되지 않은 심장정지가 발생한다. 병원 내에서는 조기 경고체계와 신속 대응팀을 운영함으로써 병원 내 심장정지를 최대한 예방할 수 있다. 병원 내에서 심장정지의 조기 경고 징후가 관찰되거나 심장정지가 발생하면, 즉시 병원 내 심장정지 연

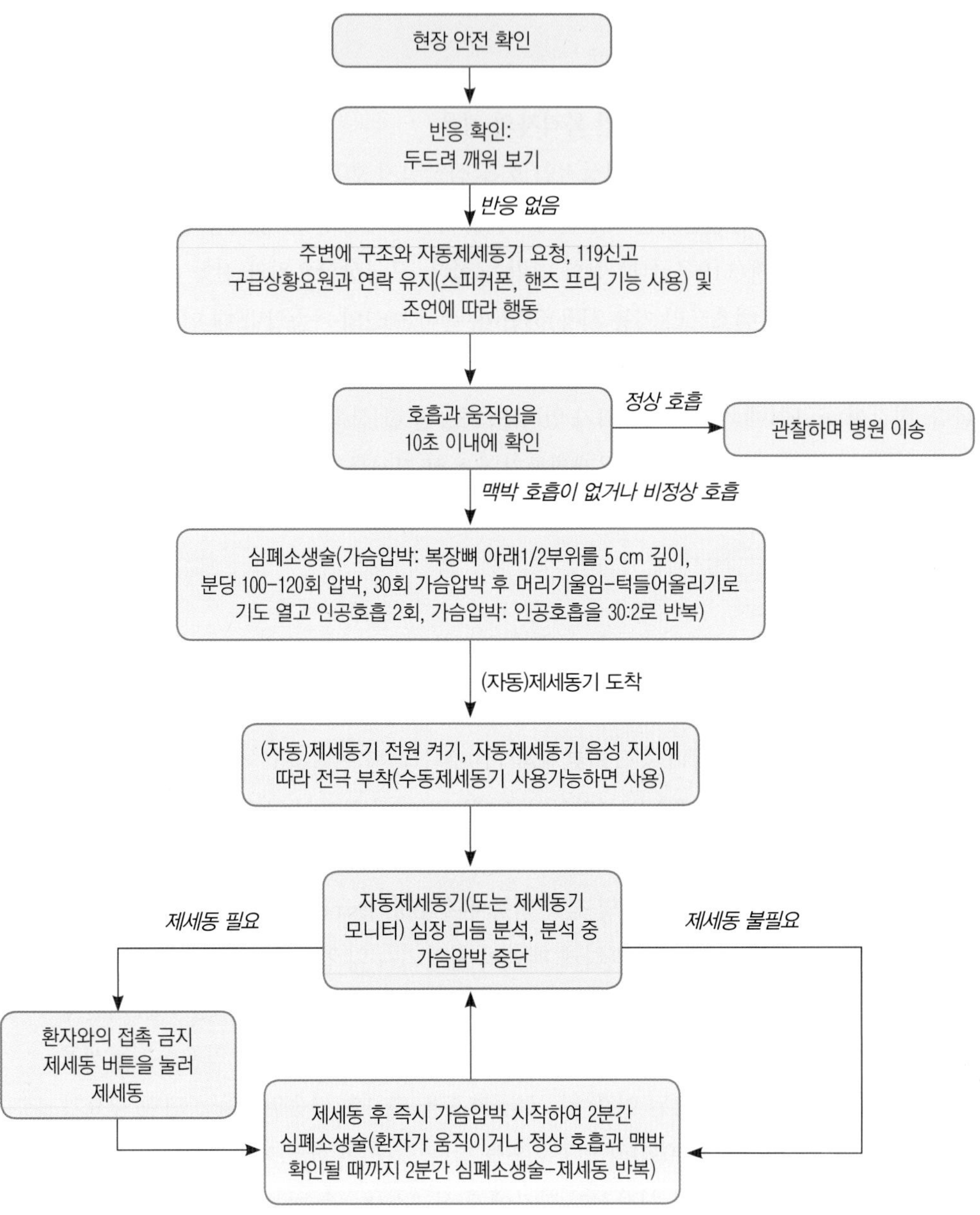


그림 4-2. 병원밖 심장정지의 의료종사자 구조자 기본소생술 과정

락체계를 통해 구조를 요청(동시에 자동제세동기 요청)하여 전문소생술팀이 현장에 올 수 있도록 한다. 병원 내 심장정지에 대한 기본소생술 과정은 병원 밖 심장정지에서와 크게 다르지 않다(그림 4-3).

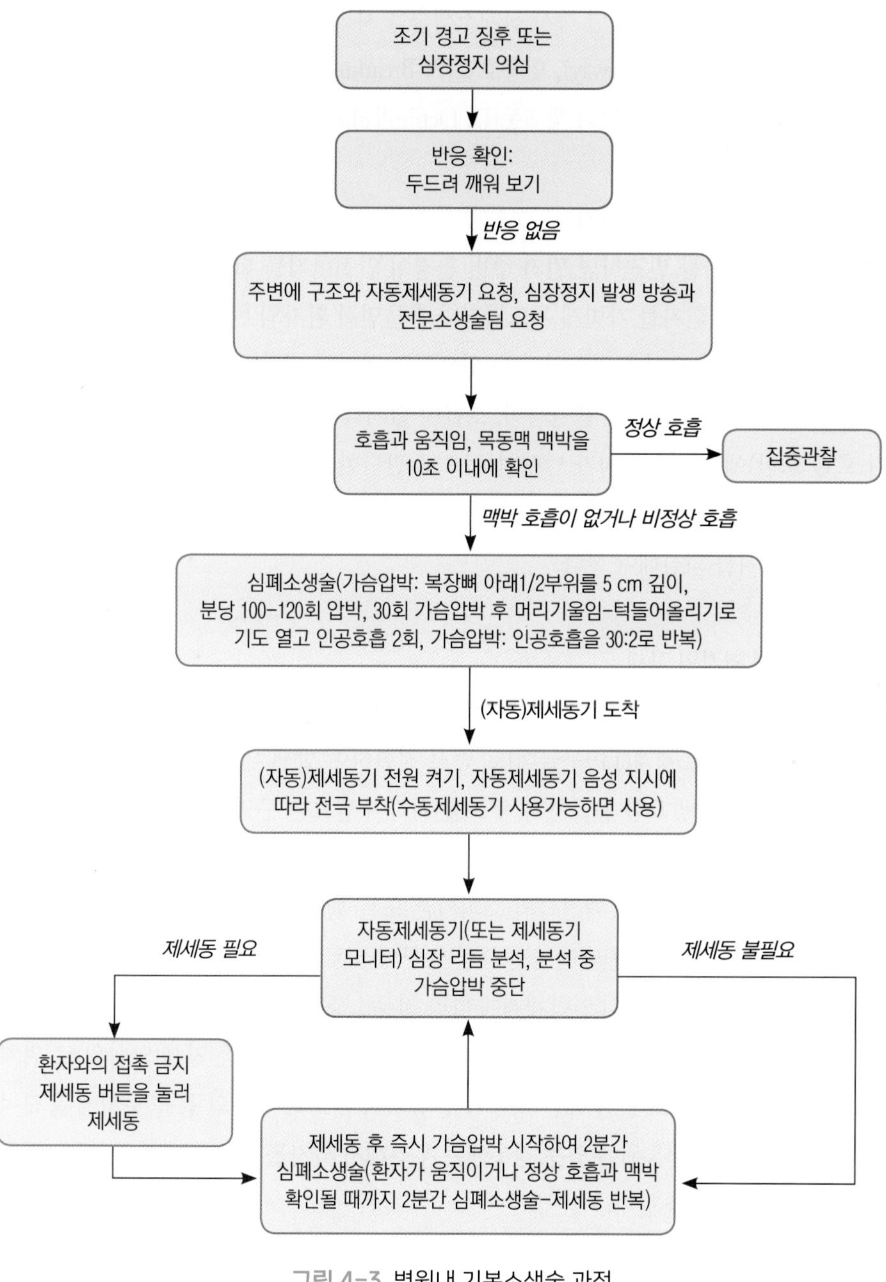


그림 4-3. 병원내 기본소생술 과정

## 2) 성인 기본소생술의 각 단계

의식이 없는 환자를 발견하면 환자 주변의 안전을 확인한 다음, 의식 상태를 알아보기 위해 환자의 반응을 확인한다. 환자가 반응이 없으면 호흡 상태와 맥박을 확인하여 심장정지 또는 호흡 정지가 확인되면 즉시 심폐소생술을 시작한다. 심폐소생술은 인공순환(C: Circulation), 기도 개방(A: Airway), 인공호흡(B: Breathing)으로 구성되며, 기본소생술 과정에서 자동제세동기를 사용하여 제세동(D: Defibrillation)을 한다.

### (1) 반응 확인 및 심장정지의 인지

쓰러져 있는 환자를 발견하면 먼저 주변 환경이 안전한지를 확인한다. 의식이 있는지를 확인하기 위하여 환자를 가볍게 두드리거나 흔들면서 환자의 반응을 관찰한다. 사고에 의한 환자에서는 경추손상을 악화시킬 수 있으므로 환자를 지나치게 흔들지 않는다. 환자의 반응을 살피는 동안 호흡을 관찰하여, 호흡이 없거나 비정상 호흡을 보이는 경우(심장정지 호흡 포함)에는 심장정지가 발생한 것으로 판단한다. 일부의 심장정지 환자에서는 심장정지가 발생한 직후에 일시적인 경련이 발생할 수 있으므로, 경련으로 인한 움직임이 있을 때 심장정지를 의심해야 한다.

### (2) 구조요청 및 환자의 자세

병원 이외의 장소에서 심장정지가 의심되는 사람을 발견하면, 주변에 큰 소리로 도움을 요청하고, 응급의료체계(119구급대)로 즉시 전화하여 발생 위치, 연락하고 있는 곳의 전화번호, 발생 상황, 필요한 응급처치, 구조를 위하여 필요한 구조자의 수, 환자에게 시행되고 있는 응급처치내용 등에 관하여 알린다(표 4-2). 구조자가 혼자일 때는 구급상황요원과의 전화통화를 유지하고 휴대전화의 스피커폰 또는 핸즈프리 기능을 사용하여 구급상황요원의 도움을 받는다. 병원내에서도 주변에 큰 소리로 도움을 요청한 후, 원내 심장정지 코드 방송 등 각 병원에서의 연락체계에 따라 전문소생술 팀을 호출한다.

구조를 요청한 후에는 편평하고 바닥이 단단한 곳에 환자를 누운 자세(앙와위)로 위치한다. 환자를 누운 자세로 돌릴 때는 경추가 손상되지 않도록 머리와 몸을 동시에 움직여 주어야 한다. 환자가 침대 위에 있는 경우에는 무리해서 환자를 바닥으로 옮기지 말고, 침대 위에서 심폐소생술을 한다.

표 4-2. 구조자가 구급상황요원에게 알려야 할 사항

| |
|---|
| 1. 심장정지 발생 위치 |
| 2. 발생 상황 |
| 3. 환자의 상태 |
| 4. 시행한 응급처치 내용 |
| 5. 자동제세동기가 현장에 있는지 여부 |
| 6. 그 외 특별히 환자 구조에 필요한 사항 |

### (3) 심장정지의 확인

일반인 구조자에게는 심장정지를 확인하기 위하여 "맥박 확인" 과정을 권고하지 않는다. 의식 상태 확인 과정에서 의식 없이 자극에 반응이 없고, 호흡이 없거나 정상적인 호흡을 보이지 않을 때는 심장정지 상태로 판단하고 즉시 심폐소생술을 시작한다. 환자의 호흡이 있는지 판단할 수 없거나 확신할 수 없는 경우에도 호흡이 없는 것으로 판단하여 가슴압박을 시작한다. 심장정지가 발생한 첫 수분 이내에는 심장정지 호흡이 나타날 수 있으므로, 정상 호흡과는 감별해야 한다. 심장정지 호흡은 환기 효과는 없으면서 느리고 불규칙하며, 헐떡거리는 양상(코골이, 헐떡임, 드물게 나타나는 호흡, 꺽꺽거리는 소리로 표현됨)으로 나타난다. 일반인에게 심폐소생술을 교육할 때에도 구조자가 정상 호흡이 있다는 것을 확인할 수 없다면 호흡이 없는 것으로 판단하도록 교육한다.

의료인 혹은 응급구조사는 심장정지의 확인 과정에서 10초 이내에 호흡의 여부 및 비정상 호흡 여부와 맥박 유무를 동시에 확인한다. 맥박으로 심장정지를 확인하려면, 목의 측면으로 주행하는 목동맥(carotid artery)의 맥박을 확인한다. 목동맥은 기관과 흉쇄유돌근 사이에 있으므로 구조자의 둘째와 셋째 손가락을 사용하여 기관과 흉쇄유돌근 사이의 함몰부를 10초 이내로 만져서 맥박이 있는지 확인한다(그림 4-4). 동맥의 맥박을 만져서 심장정지를 확인하는 것은 부정확하므로, 맥박이 분명하게 만져지지 않을 때는 맥박이 없다고 판단한다. 노동맥(radial artery), 발등동맥(dorsalis pedis artery), 대퇴동맥을 포함한 말초동맥에서는 혈압이 낮으면 심장정지 상태가 아니라도 맥박이 만져지지 않는 경우가 있으므로, 1세 이상의 환자에서 심장정지를 확인하려면 반드시 목동맥의 맥박을 확인한다. 소

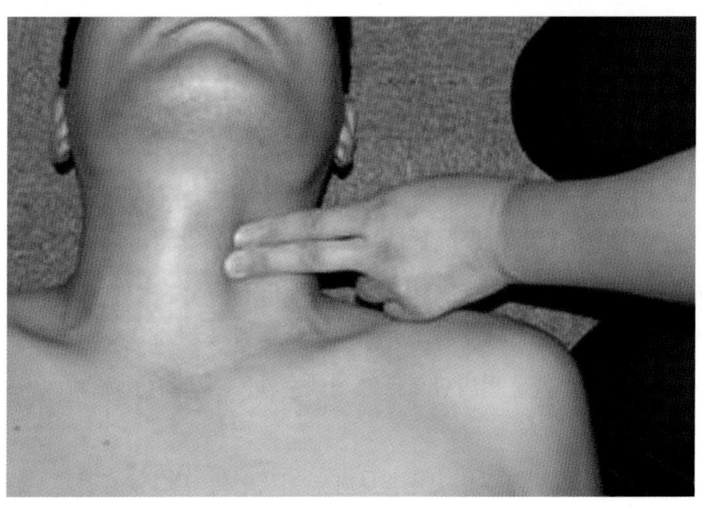

그림 4-4. 목동맥 맥박을 확인하는 방법. 기관과 흉쇄유돌근 사이에서 목동맥을 10초 이내에 확인한다.

표 4-3. 심장정지를 판단하는 방법

| **1. 일반인 또는 일차반응자:**<br>1) 반응 여부와 호흡 상태를 확인한다.<br>2) 호흡이 없거나 비정상 호흡(심장정지 호흡 등)이 관찰되면 심장정지로 판단하고 가슴압박을 시작한다.<br><br>**2. 의료종사자:**<br>1) 반응 여부와 호흡 상태를 확인하면서 동시에 동맥(성인: 목동맥, 소아: 목동맥 또는 대퇴동맥, 영아: 상완동맥)의 맥박을 10초 이내에 확인한다.<br>2) 맥박이 확실히 만져지지 않으면 즉시 심폐소생술을 시작한다. |
|---|

아에서는 대퇴동맥에서 맥박을 확인할 수도 있다. 1세 이하의 소아에서는 목동맥의 맥박을 확인하기 어려우므로 상완동맥의 맥박을 확인한다(표 4-3).

호흡과 맥박을 확인하는 과정은 10초 이내에 마쳐야 하며, 이 과정으로 인하여 가슴압박의 시작이 지연되지 않도록 한다.

일차반응자(first responder)가 심장정지가 발생한 환자의 목동맥 맥박을 확인하였을 때 심장 박동 여부를 판단하는 정확도는 65%에 불과하였으며, 특히 10초 이내에 목동맥 맥박의 유무로 심장 박동 여부를 판단하는 것은 부정확하다고 알려졌다. 따라서 일반인이 환자의 목동맥을 만져서 심장정지 유무를 판단하는 것은 권장되지 않는다. 의료종사자는 동맥의 맥박이 10초 이내에 확실하게 만져지지 않으면, 심장정지로 판단하고 심폐소생술을 시작한다.

호흡이 있고 외상의 흔적이 없으면 구토로부터 기도를 보호하기 위하여 옆(측와위)으로 눕혀 회복 자세(recovery position)를 취해준다(그림 4-5). 여러 형태의 회복 자세가 소개되었으나 가장 이상적인 회복 자세에 대해서는 논란이 있다. 회복 자세를 할 때 흡인 가능성의 최소화, 경추 손상의 방지, 혈액순환에 대한 주의사항을 고려한다(표 4-4).

### (4) 인공순환(가슴압박)

심장정지 환자에서 인공순환의 목적은 적절한 뇌 혈류 및 관상동맥 혈류를 유지하는 것이다. 뇌 혈류의 유지는 심장정지 환자의 소생 및 뇌 손상의 정도를 결정하게 되며, 관상동맥 혈류량은 자발순환의 회복과 밀접한 관계가 있다.

심장정지 환자에서 인공순환을 유지하는 방법은 흉곽을 절개하지 않고 흉골(복장뼈)의 아래쪽을 적절한 강도로 반복 압박함으로써 혈액순환을 유발하는 가슴압박(external chest compression) 방법이다.

심장정지가 발생한 직후에는 인공호흡보다는 가슴압박이 더 중요하다. 즉 심장정지가 발생한 후 초기 몇 분 동안은 동맥혈 산소농도가 급격히 감소하지 않으며, 심폐소생술 중

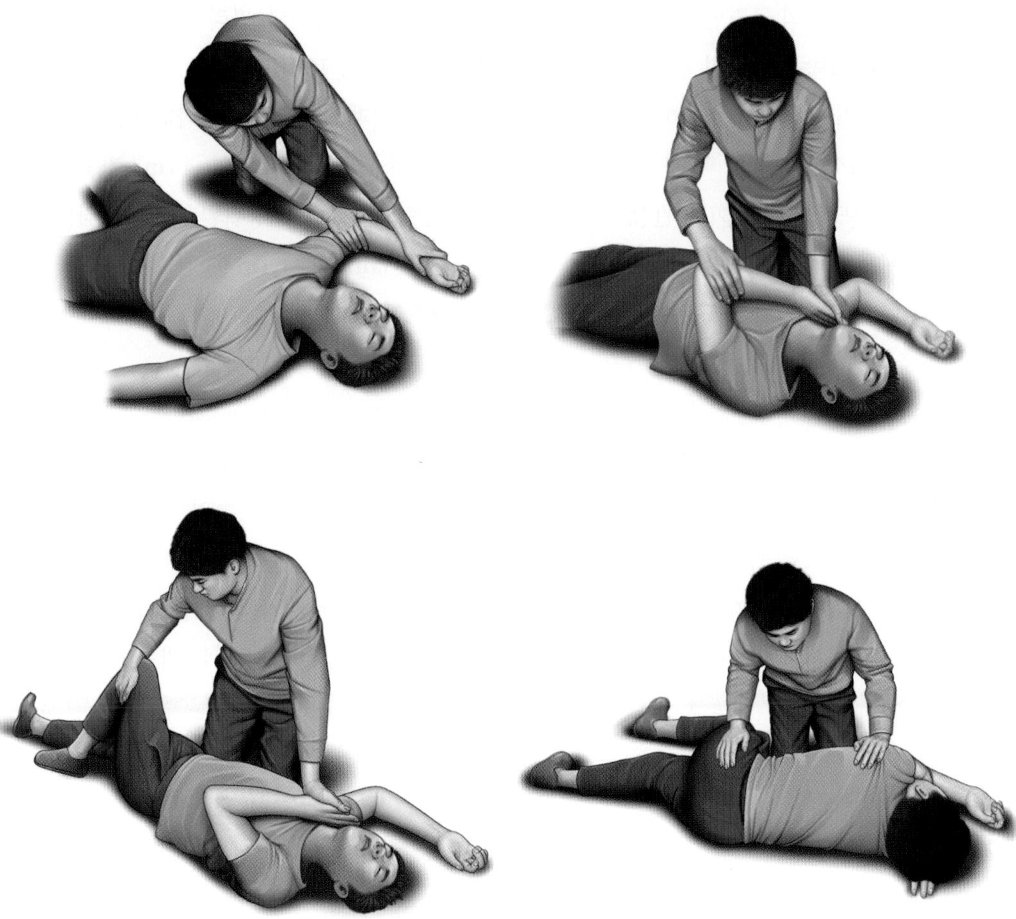

그림 4-5. 회복 자세. 호흡이 있으면 한쪽 팔을 머리 아래에 넣고 다리를 굽혀주어 측와위 상태가 유지되도록 한다.

표 4-4. 회복 자세의 주의사항

| |
|---|
| 1. 구강 내 분비물이 자연 배액 될 수 있어야 한다.<br>2. 호흡 기능에 장애를 초래하지 않도록 흉부에 압박이 가해지지 않아야 한다.<br>3. 기도가 유지되고 있는지 쉽게 평가할 수 있는 자세이어야 한다.<br>4. 심장정지의 발생에 대비하여 환자를 쉽게 똑바른 자세(앙와위)로 눕힐 수 있어야 한다.<br>5. 30분 이상 회복 자세를 취해야 할 때는 반대편으로 측와위를 취해주어야 한다.<br>6. 손상이 의심되면 경추 손상이 악화하지 않도록 주의한다. |

에는 정상 심박출량의 약 1/4-1/3 정도만이 유지되기 때문에 폐의 환기/관류 비율이 매우 높다. 따라서 인공호흡보다는 가능한 가슴압박을 충분히 하여 조직으로의 산소 공급량을 증가시키는 것이 생존율을 높인다. 또한, 가슴압박이 10초 이상 중단되면 대동맥압과 관

상동맥 관류압의 급격한 저하를 초래하여 생존 가능성이 작아진다. 따라서 심폐소생술 중에는 가슴압박을 충분한 깊이(약 5 cm)와 충분한 횟수(분당 100-120회)로 시행해야 하며, 가슴압박의 중단을 최소화하도록 노력한다. 우리나라 심폐소생술 가이드라인에서는 성인에게 심폐소생술을 할 때 가슴압박 깊이는 약 5 cm (소아: 4-5 cm, 영아: 4 cm), 가슴압박 속도는 분당 100-120회를 권장하고 있다. 미국심장협회와 유럽소생위원회 가이드라인은 성인에게 심폐소생술을 할 때 가슴압박 깊이는 최소 5 cm, 최대 6 cm 미만(소아: 5 cm, 영아: 4 cm), 가슴압박 속도는 분당 100-120회를 권고하고 있다.

#### ① 환자의 자세

가슴압박을 하려면 환자를 똑바로 누운 자세(앙와위)로 해야 한다. 환자의 머리가 심장보다 높게 위치하면 뇌 혈류량이 감소할 수 있으므로 환자의 자세는 수평을 유지한다. 가슴이 효과적으로 압박될 수 있도록 바닥이 단단한 곳에 환자를 눕히거나 환자가 침대 위에 있는 경우에는 등에 딱딱한 판자를 대는 것이 좋다. 이 경우 판자를 대기 위하여 가슴압박을 지체해서는 안 된다. 병원내에서는 매트리스의 단단함을 증가시키는 기능이 있는 침

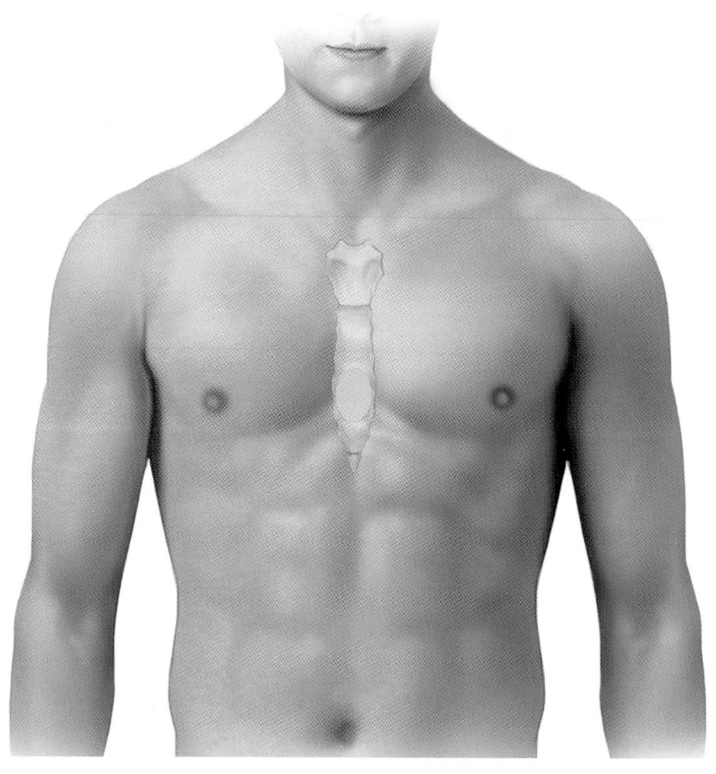

그림 4-6. 가슴압박 위치. 성인에서 가슴압박 위치는 복장뼈(흉골)의 아래쪽 중간 부위이다.

대에서 심장정지가 발생한 경우에는 이 기능을 사용한다. 최근 일부 연구에서 상체를 일정 각도로 높이면 뇌 혈류량을 증가시킨다고 보고하고 있지만, 특별한 장치를 사용하여 심폐소생술을 한 결과이므로 통상적으로 적용할 수는 없다.

### ② 압박 위치의 결정

가슴압박을 할 때는 적절한 부위를 압박하여야 효과적인 순환량을 유지하고 합병증을 줄일 수 있다. 압박 위치는 가슴의 가운데(흉골의 아래쪽 중간)이다(그림 4-6). 즉, 흉골을 이등분한 후 아래쪽의 중간 부위가 압박 위치이다. 현재 권장되고 있는 가슴압박의 위치가 혈류를 유발하는 데 가장 적절한지에 대한 논란이 있다. 흉부 단층촬영과 경식도 심초음파 관찰에 따르면 현재 권장되고 있는 가슴압박의 위치는 심장의 기저부를 압박하는 것으로 나타났다. 향후 적절한 압박 위치에 관한 추가 연구가 필요하다. 압박 위치를 결정할 때 사용되던 방법인 양측 유두를 연결하는 선과 흉골이 만나는 위치는 일부 환자에서 사용하기에 부적절한 것으로 나타나 가슴압박 위치를 결정하는 방법으로써 권장되지 않는다.

### ③ 압박 방법

가슴압박을 할 때는 압박 위치의 흉골 위에 구조자의 한쪽 손바닥 뒤꿈치를 올려놓고 다른 한 손을 그 위에 겹쳐 놓는다. 손가락이 흉곽에 닿지 않도록 주의하면서 흉골을 척추

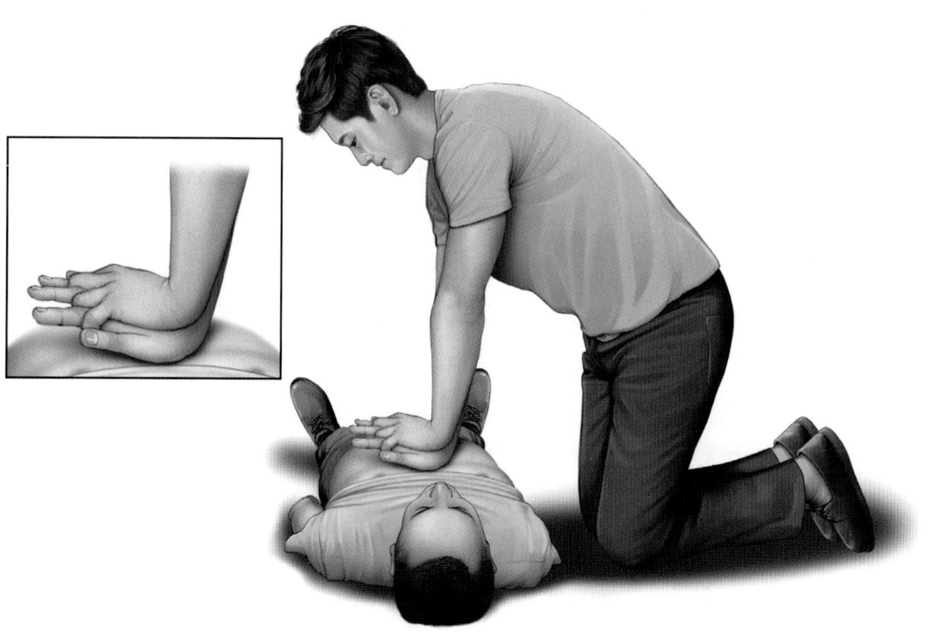

그림 4-7. 가슴압박 방법. 구조자의 상체가 압박 위치의 바로 위쪽에 위치하도록 하며, 팔꿈치 관절을 곧게 펴고 손가락이 환자의 흉곽에 닿지 않도록 주의한다.

쪽으로 압박한다. 성인에서는 흉골이 약 5 cm (압박 깊이가 6 cm를 넘으면 가슴압박에 의한 골절 등의 합병증이 증가한다)가 압박될 정도의 강도로 압박하고, 소아에서는 가슴 앞뒤 두께의 최소 1/3(소아에서는 4-5 cm, 유아에서는 4 cm)만큼 눌리도록 압박한다. 압박할 때에는 구조자의 상체를 압박 부위의 바로 위쪽에 위치하도록 하고, 체중을 실어 압박할 수 있도록 팔꿈치를 곧게 편다(그림 4-7). 이완기에는 정맥 환류가 이루어져야 하므로, 환자의 가슴에 구조자의 체중이 실리지 않도록 충분히 이완시켜야 한다. 구조자가 충분히 이완시키지 않고 반복하여 압박하면 흉강 내압이 상승함으로써 정맥 환류량이 줄어들어 가슴압박에 의한 혈류량이 감소한다. 최근에는 압박하는 손의 뒤꿈치를 환자의 가슴에서 약간 떨어지도록 하는 방법이 완전한 흉곽 이완에 도움이 된다는 마네킹 실험 결과가 보고되기도 하였다.

가슴압박 중에는 구조자의 손가락이 환자의 가슴에 가능한 한 닿지 않도록 하여야 가슴압박에 의한 합병증을 줄일 수 있다. 심폐소생술 후에는 흉골 및 갈비뼈의 골절, 심장막 또는 흉강으로의 출혈, 비장 또는 간의 파열, 심장 손상 등의 합병증이 생길 수 있다. 이러한 합병증의 원인은 대부분 잘못된 가슴압박 위치, 손의 모양, 가슴압박 자세에서 기인한다. 심장정지 상태로 오인되어 부적절하게 가슴압박이 시행되더라도 환자에게 중대한 위해가 가해지지는 않으므로, 심장정지가 의심될 때 가슴압박을 주저할 필요는 없다.

#### ④ 가슴압박 속도 및 동작 분율, 가슴압박과 인공호흡의 비율

가슴압박 속도는 분당 100-120회를 유지한다. 인체에서 적정한 가슴압박 속도에 대한 무작위 대조군 연구는 없다. 대규모 관찰연구를 통하여 가슴압박 속도가 분당 100-120회 사이로 유지되었을 때 다른 압박 속도와 비교하면 순환회복률이 높다고 알려졌다. 압박기와 이완기의 비율(동작 분율, duty cycle)은 1회의 가슴압박에서 압박기와 이완기의 비율을 말한다. 순환량을 최대화할 수 있는 압박 분율에 대해서는 명확한 연구결과가 없으며, 통상 압박기와 이완기의 비율을 50:50 정도로 유지한다. 기관내삽관 되어있지 않은 환자에게는 구조자의 수와 관계없이 가슴압박:인공호흡의 비율을 30:2로 하고, 기관내삽관 되어 있는 환자에게는 가슴압박을 중단하지 않고 계속하면서 분당 10회로 인공호흡을 한다.

통상 가슴압박을 1분 이상하면 자신도 모르는 사이에 가슴압박의 효율이 낮아지는 것으로 알려져 있다. 특히 심폐소생술을 시작한 후 1.5-3분 사이에 가슴압박 깊이가 낮아진다. 따라서 구조자가 2인 이상일 때에는 2분마다 반드시 압박하는 사람을 교대하여 가슴압박의 효율이 낮아지지 않도록 해야 한다. 통상 가슴압박과 인공호흡이 30:2로 시행되므로, 5주기의 가슴압박과 인공호흡이 시행된 후 압박하는 사람을 교대하는 것이 권장된다.

#### ⑤ 가슴압박 중단의 최소화와 가슴압박 분율

가슴압박 중에는 압박이 중단되는 시간을 최소화해야 한다. 가슴압박을 하다가 중단한 뒤, 다시 가슴압박을 시작하면 압박에 의한 혈역학적 효과가 감소하는 것으로 알려졌다. 가슴압박을 중단한 시간이 10초 이상 지나면 생존율 감소로 이어진다. 따라서 심장 리듬 또는 맥박 확인, 인공호흡 등 가슴압박 중단이 필요한 때에도 가능한 10초 이상 가슴압박이 중단되지 않도록 한다.

심폐소생술 전체 시간에서 가슴압박 시간이 차지하는 비율을 압박 분율(compression fraction)이라고 한다. 심폐소생술 중 가슴압박 중단 시간이 길어지면 압박 분율이 감소한다. 심폐소생술 중에는 압박 분율을 최소 60% 이상 유지하도록 권장된다.

#### ⑥ 가슴압박소생술

가슴압박소생술은 가슴압박만을 하고 인공호흡을 하지 않는 심폐소생술을 말한다. 입-입 인공호흡이 비교적 안전하다고 알려졌지만, 구조자 중에는 환자에게 입-입 인공호흡을 하지 않으려는 경우가 있다. 이러한 생각을 하는 구조자는 인공호흡뿐 아니라 가슴압박조차도 시도하지 않는 경향이 있다. 일련의 연구에서 인공호흡은 하지 않고 가슴압박만을 시행해도 심폐소생술을 전혀 하지 않는 것보다는 생존율을 높일 수 있으며, 특히 심장성 심장정지 환자에서는 가슴압박소생술과 인공호흡과 가슴압박을 함께 시행한 심폐소생술의 생존결과가 유사하다고 알려졌다. 구조자가 입-입 인공호흡을 하고 싶지 않거나, 인공호흡을 하는 방법을 모르는 경우, 심장정지를 목격한 사람이 심폐소생술 하는 방법을 모르는 상태에서 구급상황요원이 전화로 심폐소생술을 지도하는 경우에는 가슴압박소생술을 하도록 한다. 우리나라 가이드라인에서는 일반인 구조자는 우선 가슴압박소생술을 하도록 권고하고 있다. 물론, 심폐소생술을 교육받아 인공호흡을 수행할 수 있는 구조자는 인공호흡을 포함한 심폐소생술을 한다.

### (5) 기도 열기

인공호흡을 하려면 먼저 기도(airway)를 열어주어야 한다. 의식이 없는 환자에서는 이물질(foreign body)에 의한 기도폐쇄가 없는 경우에도 혀와 인두를 구성하고 있는 근육이 이완되어 인두와 후두 부위가 좁아지고 혀에 의하여 기도가 폐쇄된다. 혀는 아래턱뼈(하악골)에 부착된 구조물이므로 아래턱뼈를 들어주면 혀가 끌려 올라가 혀에 의한 기도폐쇄가 경감된다. 의식이 없는 환자에서는 연구개와 후두개가 판막과 같은 역할을 하여 숨을 내쉬거나 들이쉴 때 기도를 폐쇄할 수 있다.

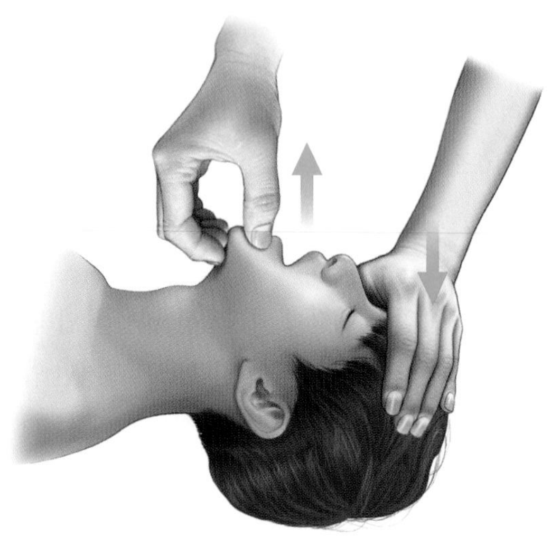

그림 4-8. 머리기울임-턱들어올리기. 머리를 등 쪽으로 신전시키고 턱을 들어 올리면 혀와 인두로 좁아졌던 기도가 열린다.

① 머리기울임-턱들어올리기

의식이 없는 환자의 기도를 개방하려면 머리를 등 쪽으로 신전시키고 턱을 받쳐주는 방법인 머리기울임-턱들어올리기(head-tilt chin-lift maneuver)가 가장 유용하다(그림 4-8). 즉 구조자가 한 손으로 환자의 이마를 등 쪽으로 밀어주고 다른 한 손의 검지와 중지를 사용하여 환자의 턱을 받쳐준다. 이때 턱을 받쳐주는 손가락이 턱 주위의 연조직을 압박하면 오히려 기도가 폐쇄될 수 있으므로 반드시 아래턱뼈를 받쳐주도록 주의하여야 하며 엄지손가락으로 턱을 밀어서는 안 된다.

② 턱 밀어올리기와 삼중기도조작

기도확보의 다른 방법으로 환자의 머리 쪽에서 두 손을 사용하여 환자의 아래턱뼈 각(mandibular angle)을 받쳐주어 아래턱뼈가 앞쪽으로 밀려나도록 하는 턱 밀어올리기(하악견인법: jaw thrust maneuver)가 이용될 수 있다. 턱 밀어올리기는 일반인이 시행하기가 어려우므로 일반인에게는 교육하지 않는다. 다만, 외상환자에서 경추손상이 의심될 때, 응급의료종사자가 경추를 보호하기 위하여 머리기울임(head tilt)은 시행하지 않고 턱 들어올리기(chin lift)로 기도를 유지할 수 있다. 특히 얼굴 손상이 있거나 글라스고 혼수 점수(Glasgow Coma Scale)가 8점 미만인 환자에서는 경추 손상의 가능성을 반드시 고려한다. 이때, 경추 고정 장치는 오히려 기도유지를 방해할 수 있으므로, 응급처치 초기에는 구조

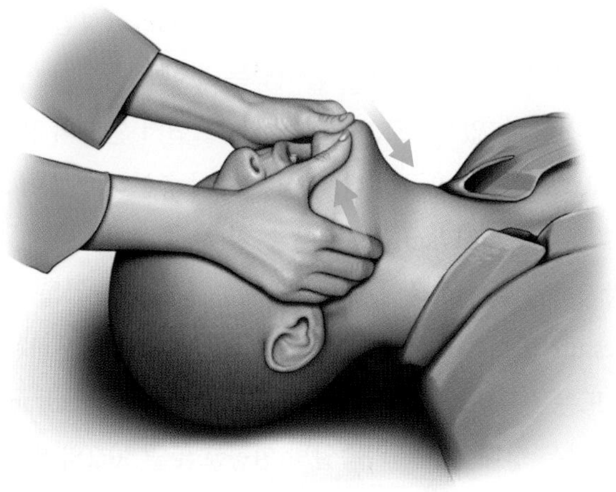

그림 4-9. 삼중기도조작. 환자의 머리 쪽에서 두 손으로 머리젖히기를 시행하면서 아래턱 각 부분을 들어 올리면서 엄지손가락으로 아래턱을 밀어서 입을 열어준다.

자의 양손을 이용한 도수척추고정법(manual spinal motion restriction)으로 경추를 고정한다. 경추 손상이 의심되는 심장정지 환자에서 턱 밀어올리기로 기도유지와 환기 보조가 어려운 경우, 머리기울임-턱들어올리기로 적절한 환기를 제공해 주어야 한다.

환자가 호흡이 있거나, 다른 구조자가 인공호흡을 할 수 있으면, 환자의 머리 쪽에서 두 손으로 머리 젖히기를 시행하면서 턱 밀어올리기와 더불어 엄지손가락으로 입을 열어주는(open mouth) 삼중기도조작(triple airway maneuver)으로 기도를 유지할 수도 있다(그림 4-9).

### (6) 인공호흡

정상인의 호기가 인공호흡에 적합하다는 사실이 알려진 후, 구조자가 환자의 입을 통하여 인공호흡 하는 입-입 인공호흡(mouth-to-mouth ventilation)이 응급 상황에서 가장 적절한 호흡 보조방법으로 자리 잡게 되었다.

입-입 인공호흡법은 기본소생술을 하는 과정에서 가장 빠르고 효율적으로 환자의 호흡을 보조하는 방법이다. 입-코 인공호흡법은 입을 열 수 없거나 구강이 폐쇄된 환자, 심한 구강 내 손상 또는 이물질에 의한 구강폐쇄가 있는 환자에게서만 시행한다. 기관절개술 후 기관 창(stoma)을 통하여 호흡하는 환자에게는 기관 창으로 흡기시켜 주어야 하므로 입-창 인공호흡(mouth-to-stoma ventilation)을 한다.

인공호흡을 할 때 20 cm $H_2O$ 이상의 압력으로 환자를 호흡시키면 환자의 위(stomach)로 공기가 들어가 위를 팽만 시킬 수 있다. 위가 팽만 되면 위 내용물이 역류하거나 구토가 유발될 수도 있다. 인공호흡을 할 때 1회 호흡량은 6-7 mL/kg(성인에서는 500-600 mL)가 권장되며, 낮은 압력으로 1.0초에 걸쳐서 불어넣는 것이 권장된다. 인공호흡 중에는 1회 호흡량을 정확히 유지할 수 없으므로, 숨을 불어 넣으면서 환자의 흉곽이 충분히 부풀어 오를 정도의 호흡량으로 인공호흡을 한다. 통상 가슴이 충분히 부풀어 오를 정도의 호흡량을 제공하면 1회 호흡량(6-7 mL/kg)을 충족할 수 있다.

위의 팽만을 방지하기 위하여 목의 중앙부에 있는 윤상연골 위를 압박하는 윤상연골압박수기(cricoid pressure 또는 Sellick maneuver)를 통상적으로 사용하는 것은 권장되지 않는다. 기관내삽관 또는 후두마스크 기도기 등의 전문기도유지술(advanced airway management)이 시행되지 않은 상태에서는 가슴압박:인공호흡을 30:2의 비율로 한다. 전문기도유지술이 시행된 후에는 분당 10회(6초에 1회)의 속도로 인공호흡을 한다. 순환이 유지되고 있는 환자에서는 분당 10-12회(5-6초에 1회)로 인공호흡을 한다.

심폐소생술이 진행되는 동안에는 구조자가 과도하게 폐 환기를 하는 경향이 있다. 특히 전문기도유지술이 시행된 후에 폐 환기(분당 12회 이상)가 과도하게 시행되면 소위 '자가 호기말 양압 현상(auto-positive end expiratory pressure)'을 초래하여 허파꽈리 압력을 상승시킴으로써 흉강내압을 높이고, 흉강내압의 상승은 정맥 환류의 감소를 유발하여 심박출량과 관상동맥 관류압을 감소시킬 수 있다. 실제로 과도한 폐 환기가 시행된 심장정지 환자의 생존율을 낮추는 것으로 알려졌다.

#### ① 입-입 인공호흡

입-입 인공호흡을 할 때는 머리기울임-턱들어올리기로 환자의 기도를 유지한 후, 한 손으로 환자의 코를 막고 턱을 받쳤던 손으로 환자의 입을 연 다음, 공기가 새지 않도록 구조자의 입을 환자의 입에 완전히 밀착시킨 후 서서히 공기를 불어 넣어주어야 한다. 구조자는 통상적으로 흡기를 한 후 흡기된 양만큼의 공기로 인공호흡을 한다. 지나치게 깊은 호흡으로 호흡량을 증가시키면, 환자에게 과호흡을 유발할 수 있다. 인공호흡 중에는 환자의 가슴이 부풀어 오르는지를 지속해서 관찰한다. 환자의 가슴이 충분히 부풀어 오를 때까지 공기를 불어 넣은 후에는 환자의 입에서 구조자의 입을 떼고 막았던 코를 놓아주어 호기가 이루어지도록 한다. 호기가 이루어지는 동안에도 환자의 코와 입 사이에 구조자의 귀를 댄 후 공기가 배출되는 것을 확인한다(그림 4-10).

#### ② 입-코 인공호흡

입-코 인공호흡에서는 환자의 입을 막고 환자의 코를 통하여 인공호흡을 시행한다는 점을 제외하면 입-입 인공호흡과 같은 방법으로 인공호흡을 시행한다.

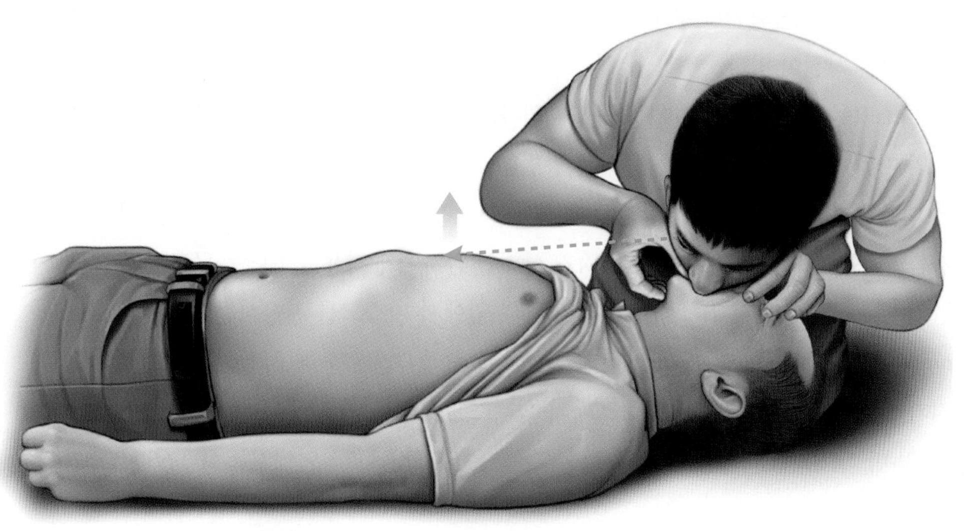

그림 4-10. 입-입 인공호흡. 머리기울임-턱들어올리기로 환자의 기도를 유지한 후, 한 손으로 환자의 코를 막고 턱을 받쳤던 손으로 환자의 입을 연 다음, 공기가 새지 않도록 구조자의 입을 환자의 입에 완전히 밀착시킨 후 1초에 걸쳐 공기를 불어 넣는다.

입-코 인공호흡을 하려면 한 손으로 환자의 턱을 잡고 엄지손가락으로 환자의 입이 열리지 않도록 막는다. 숨을 들이쉰 후 구조자의 입으로 환자의 코 주위를 둘러싸고 구조자의 호기를 환자의 코로 불어넣는다. 인공호흡 후에는 환자의 입을 열어주어 호기가 될 수 있도록 한다.

### ③ 입-창 인공호흡

기관절개술을 받은 환자에서는 기관의 창(stoma)을 통하여 인공호흡을 한다. 입-창 인공호흡을 할 때는 구조자의 한 손으로 환자의 입과 코를 막고 환자의 목 앞부분에 있는 기관 창에 구조자의 입을 밀착시킨 후 입-입 인공호흡에서와같이 환자의 흉곽이 부풀어 오를 때까지 불어넣은 후 입을 떼고 호기 시키면 된다. 일부 증례 연구에서 소아용 안면 마스크를 사용하여 기관절개창으로 환기를 제공한 사례가 보고되기도 하였다.

### ④ 입-마스크 인공호흡

마스크는 구조자가 환자의 입과 직접 접촉하지 않고 인공호흡을 할 수 있는 유용한 기구이다. 특히 일 방향 밸브(one-way valve)가 달린 마스크는 환자의 호기가 구조자에게 노출되지 않고 대기로 빠져나가도록 고안되어 있으므로, 인공호흡에 의한 전염성 질환의 감염에 대한 구조자의 두려움을 없애줄 수 있는 인공호흡 기구이다. 그뿐만 아니라, 마스크를 통하여 산소를 공급할 수도 있으므로 환자에게 고농도의 산소가 포함된 인공호흡을 할 수 있다는 장점이 있다.

마스크를 사용하는 방법에는 구조자의 위치에 따라 두 가지 방법이 있다. 구조자가 환자의 머리 쪽에서 마스크를 사용하는 방법(cephalic technique)은 구조자가 두 손을 사용하여 마스크를 환자의 얼굴에 고정해야 사용할 수 있으므로, 환자가 호흡만 정지되어 있어 가슴압박이 필요하지 않거나, 심장정지 상태인 환자에게 사용할 때에는 구조자가 두 명 이상일 때 사용할 수 있다(그림 4-11A). 환자의 옆에서 마스크를 사용하는 방법(lateral technique)은 한 명의 구조자가 환자에게 인공호흡과 가슴압박을 제공할 수 있으므로, 심장정지가 발생한 환자에게 한 명의 구조자가 심폐소생술을 할 때 사용된다(그림 4-11B).

입-마스크 인공호흡을 할 때도 1회 호흡량은 6-7 mL/kg(성인에서는 500-600 mL)를 유

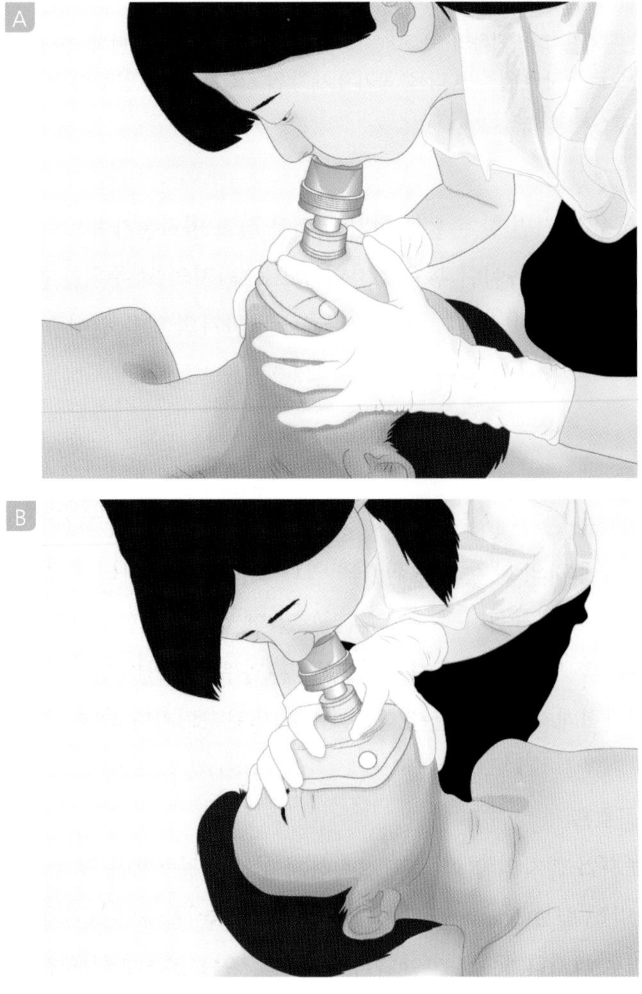


그림 4-11. 입-마스크 인공호흡. **A.** 머리 쪽에서 마스크를 사용하는 방법, **B.** 옆에서 마스크를 사용하는 방법

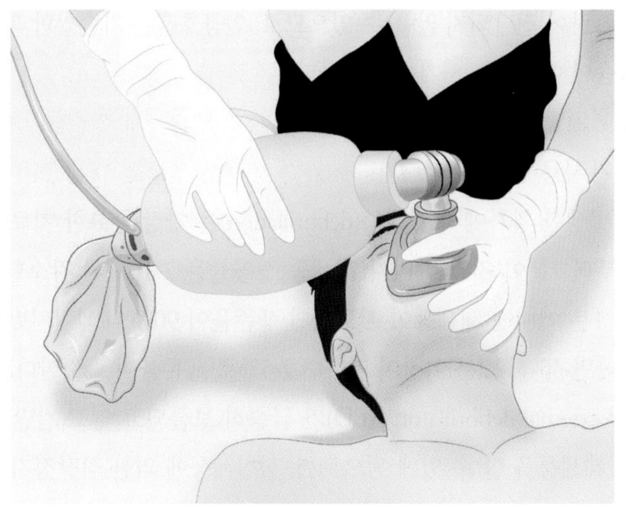

그림 4-12. 백-마스크 인공호흡. 얼굴에 마스크를 고정한 상태에서 백을 압박하여 인공호흡을 한다.

지하며, 1초에 걸쳐 인공호흡을 한다.

⑤ 백-마스크 인공호흡

백-마스크 인공호흡기(bag-mask device)는 안면 마스크에 인공호흡용 백이 연결된 기구이다(그림 4-12). 백-마스크 인공호흡기를 사용할 때에는 마스크를 환자의 얼굴에 고정한 상태에서 백을 압박하여 인공호흡을 한다. 백-마스크 인공호흡기는 숙련된 한 명의 구조자가 할 수도 있으나, 효과적인 인공호흡을 하려면 두 명의 구조자가 함께 사용한다. 백-마스크 인공호흡을 할 때는 한 명의 구조자는 환자의 머리 쪽에서 두 손을 사용하여 환자의 얼굴에 마스크를 밀착시키고, 다른 한 명의 구조자는 백을 눌러주어 인공호흡을 한다.

백-마스크 인공호흡을 할 때는 최소한 분당 10-12 L의 산소를 투여함으로써 가능한 높은 농도(40% 이상)의 산소가 환자에게 공급되도록 한다. 인공호흡을 할 때도 1회 호흡량은 6-7 mL/kg(성인에서는 500-600 mL)를 유지하며, 1초에 걸쳐 인공호흡을 한다. 적절한 호흡량을 유지하려면 1 L 백을 사용할 때는 백의 1/2-2/3 정도를 압박하며, 2 L 백을 사용할 때는 백의 1/3 정도를 압박하여 인공호흡을 한다.

⑥ 전문기도기 삽관 후의 인공호흡

기도유지를 위하여 전문기도유지술(기관내삽관, 성문상 기도기 삽관)이 시행되면 인공호흡을 위하여 가슴압박을 중단할 필요가 없다. 즉, 분당 100-120회의 속도로 가슴압박 계속하면서 6초에 1회씩(분당 10회) 인공호흡을 한다. 가슴이 압박되는 동안에 인공호흡을 하면 적절한 호흡량이 전달되지 않을 수 있으므로, 인공호흡은 가슴압박과 동시에 이루어지지 않도록 가슴이 이완되는 시기에 시행한다.

### (7) 자동제세동기 사용

심실세동이 발생한 환자에서 제세동(defibrillation)은 가장 중요한 치료방법이다. 심실세동 발생으로부터 1분이 지날 때마다 제세동 성공률은 7-10%씩 감소한다. 즉, 심실세동이 발생한 후 1분 이내에 제세동이 시도되면 생존율이 90% 내외이지만, 5분이 지나면 50%, 7분이 지나면 30%, 12분 이상이 지나면 2-5%로 생존율이 감소한다. 최근 자동제세동기(automated external defibrillator: AED)가 급속히 보급되고 있고 간단한 교육을 받으면 누구나 쉽게 제세동을 할 수 있게 됨으로써, 심실세동에 의한 심장정지 환자의 생존율을 높일 수 있는 계기가 마련되고 있다. 우리나라는 자동제세동기를 등록하여 관리하고 있으며, 자동제세동기의 위치 정보를 인터넷이나 지리정보시스템으로 제공하고 있다. 구조자가 휴대전화 앱을 사용하거나 구급상황요원으로부터 도움을 받아 자동제세동기 위치를 알아낼 수 있다.

자동제세동기는 심전도 분석 시스템과 제세동을 유도하는 시스템을 갖춘 제세동기를 말한다. 자동제세동을 할 때는 가슴에 부착하도록 고안되어 있는 두 개의 접착성 패드(pad 또는 전극, electrode)를 사용한다. 자동제세동기는 심전도 전위의 빈도, 진폭, 경사도, 파형 모양을 분석함으로써 심실세동과 심실빈맥을 진단한다.

제세동기는 사용되는 제세동 파형에 따라 심실세동의 제세동에 필요한 에너지양이 차이가 있다. 단상 파형(monophasic waveform; 통상 monophasic damped sine wave: MDS) 자동제세동기는 제세동 에너지로서 360 J (Joule)이 사용되며, 이상 파형(biphasic waveform) 자동제세동기에서는 120-200 J의 에너지가 사용된다. 현재 사용되고 있는 제세동기는 대부분 이상파형을 사용하고 있다. 파형에 따른 제세동 성공률의 차이는 없는 것을 알려졌다.

자동제세동기를 사용하기 전에 반드시 확인하여야 할 사항이 있다. 환자의 몸이 젖어 있을 때는 수건 등으로 가슴을 닦아낸 후 패드를 부착한다. 피부에 부착하는 방법으로 투약받는 환자에서 패드를 부착할 부위에 투약물질이 붙어있으면 제거한다. 체내형 제세동기가 있는 경우, 환자의 흉부 근육이 수축하는 것을 관찰할 수 있으므로, 체내형 제세동기가 작동되고 있는 상태에서는 약 30-60초 정도 체내형 제세동기가 작동할 수 있는 시간이 지나간 후 자동제세동기를 작동한다. 체내형 제세동기나 심박조율기를 가진 환자에게 패드를 부착할 때는 가능한 삽입 부위를 피해서 부착한다. 다만, 이 경우에도 전극을 재배치하기 위해 제세동을 지체하지 않도록 주의한다.

1세 이상 8세 이하의 소아에서 자동제세동기를 사용할 때는 소아용 충격량 감쇠기(전극에 장착되어 있거나, 제세동기에 선택 스위치가 있음)를 적용한다. 자동제세동기에 소아용 충격량 감쇠기가 없으면 성인용 패드를 사용하여 성인에서와같이 자동제세동기를 사용한다.

1세 미만의 영아에게는 수동제세동기를 사용하는 것이 좋다. 수동제세동기를 사용할 수 없으면 소아용 감쇠 장치를 이용하여야 하지만, 만일 두 가지 모두 이용할 수 없다면 성인용 자동제세동기 패드를 사용할 수 있다. 소아나 영아에게 자동제세동기를 사용할 때에는 패드가 서로 닿지 않도록 하여야 한다. 가슴의 전후에 패드를 부착하면 패드가 서로 닿는 것을 방지할 수 있다.

① 전원을 켠다

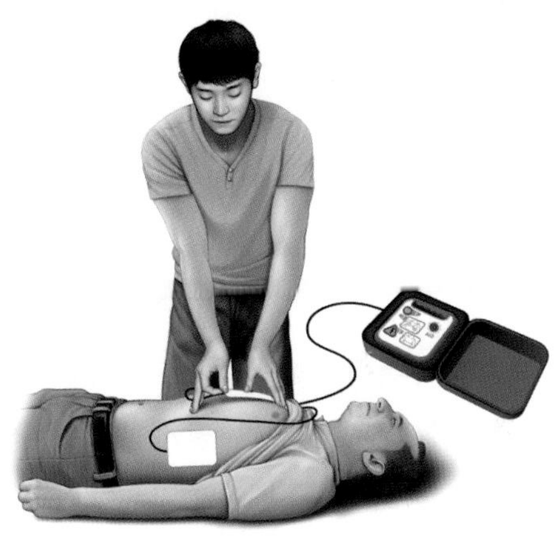

② 두 개의 패드 부착

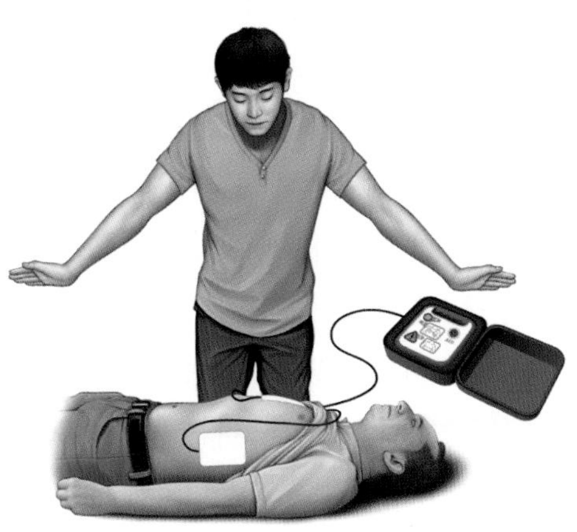

③ 심장리듬 분석

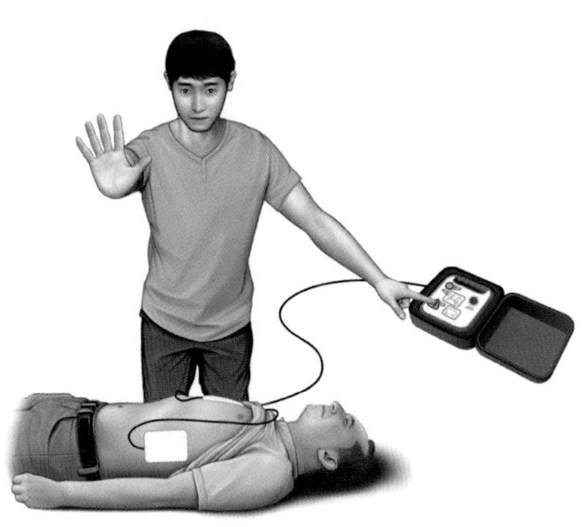

④ 제세동 시행

그림 4-13. 자동제세동기 사용법. 자동제세동기 작동방법은 전원 켜기(Power on the AED), 전극 부착(Attach electrode pads), 심전도 분석(Analyze the rhythm), 제세동(press the shock button)의 과정으로 구성된다

① 자동제세동기 사용법

심장정지가 의심되는 사람을 발견하여 구조를 요청한 후 심폐소생술을 하는 과정에서 자동제세동기가 현장에 도착하면 즉시 자동제세동기를 사용한다. 현장 근처에 자동제세동기가 있다면, 심폐소생술을 시작하기 전에 자동제세동기를 가져와 패드를 환자에게 부착한 후 자동제세동 과정에 따라 환자를 치료한다. 심폐소생술 도중에 자동제세동기가 도착하면 즉시 자동제세동기를 사용한다. 심장정지가 의심되는 소아(1세부터 8세까지)를 한 명의 구조자가 구조하는 경우에는 2분 동안 심폐소생술을 한 후 자동제세동기를 사용한다.

일반적으로 자동제세동기의 작동방법은 전원 켜기(power on the AED), 전극 부착(attach electrode pads), 심전도 분석(analyze the rhythm), 제세동(press the shock button)의 과정으로 구성되어 있다(그림 4-13).

패드를 붙일 때는 통상적으로 우측 빗장뼈 중간의 아래에 한 개를 붙이고, 다른 한 개의 패드를 좌측 유두의 외측(겨드랑이로부터 약 7 cm 아래)에 부착한다(전-외 부착법, anterolateral placement). 전극을 양측 겨드랑이 아래의 가슴 양쪽 측면에 각각 붙이는 방법(양측 부착법, bilateral placement), 또는 한 패드를 심첨부에 붙이고 다른 패드를 등(back)의 좌측 또는 우측에 붙이는 방법도 사용할 수 있다(전-후 부착법, anteroposterior placement). 소아에서는 패드끼리 서로 닿지 않도록 유의해야 한다.

전극의 부착상태가 좋지 않으면, 패드를 확인하라(check electrodes)는 음성 신호가 나오게 된다. 흉곽에 털이 많은 환자에서는 패드의 부착상태가 불량할 수가 있다. 반복하여 패드를 확인하라는 음성 신호가 나오면 패드를 세게 떼어내어 흉곽의 털이 뽑혀나가도록 한 후, 전극을 다시 붙이거나 면도날 등을 사용하여 털을 제거한 후 전극을 붙인다. 그 후에도 음성 신호가 반복되면, 전극이 잘 부착되는 위치로 전극을 옮겨 붙인다. 패드를 붙이면 자동제세동기가 자동으로 심전도 분석상태로 들어가면서 음성 메시지가 나온다(자동으로 분석되지 않는 자동제세동기는 분석 스위치를 눌러 심전도가 분석되도록 한다). 심전도가 분석되는 동안에는 심폐소생술을 포함한 모든 조작을 중단한다. 심전도의 분석에는 5-10초가 소요된다. 자동제세동기가 분석을 완료한 후 충격필요리듬(심실세동 또는 심실빈맥)이 확인되면 자동으로 충전되면서(충전되는 과정에서 "충전(charging)"이라는 음성 신호가 나오기도 한다) "환자와 접촉하지 마시오(clear)"라는 음성 신호가 나오고, 이어서 "제세동 하라(press to shock)"는 음성 신호가 나온다. 이때, 구조자는 먼저 자신이 환자와 접촉되어 있지 않은지 확인하고(I clear), 다른 사람이 접촉되어 있는지를 확인한 다음(you clear), 모든 사람이 환자와 접촉되어 있지 않은지를 확인(everybody clear)한 후, 제세동 스위치를 눌러 제세동한다.

### ② 심폐소생술과 자동제세동 과정

자동제세동기로 심실세동을 치료할 때에는 심폐소생술 중단을 최소화하기 위하여 1회의 제세동과 2분의 심폐소생술을 반복하는 심폐소생술-제세동-심폐소생술 방법으로 자동제세동한다(그림 4-14). 심전도 분석이 끝나고 제세동기가 충전되는 동안에도 가슴압박을 한다. 제세동을 시행한 후에는 맥박 확인을 하지 않고, 즉시 가슴압박을 시작하여 2분간 심폐소생술을 한다. 환자의 자발순환이 회복되었다는 징후(의식회복, 자발적 움직임)가 관찰되는 경우 이외에는 환자의 상태를 확인하기 위하여 심폐소생술을 중단하지 않는다.

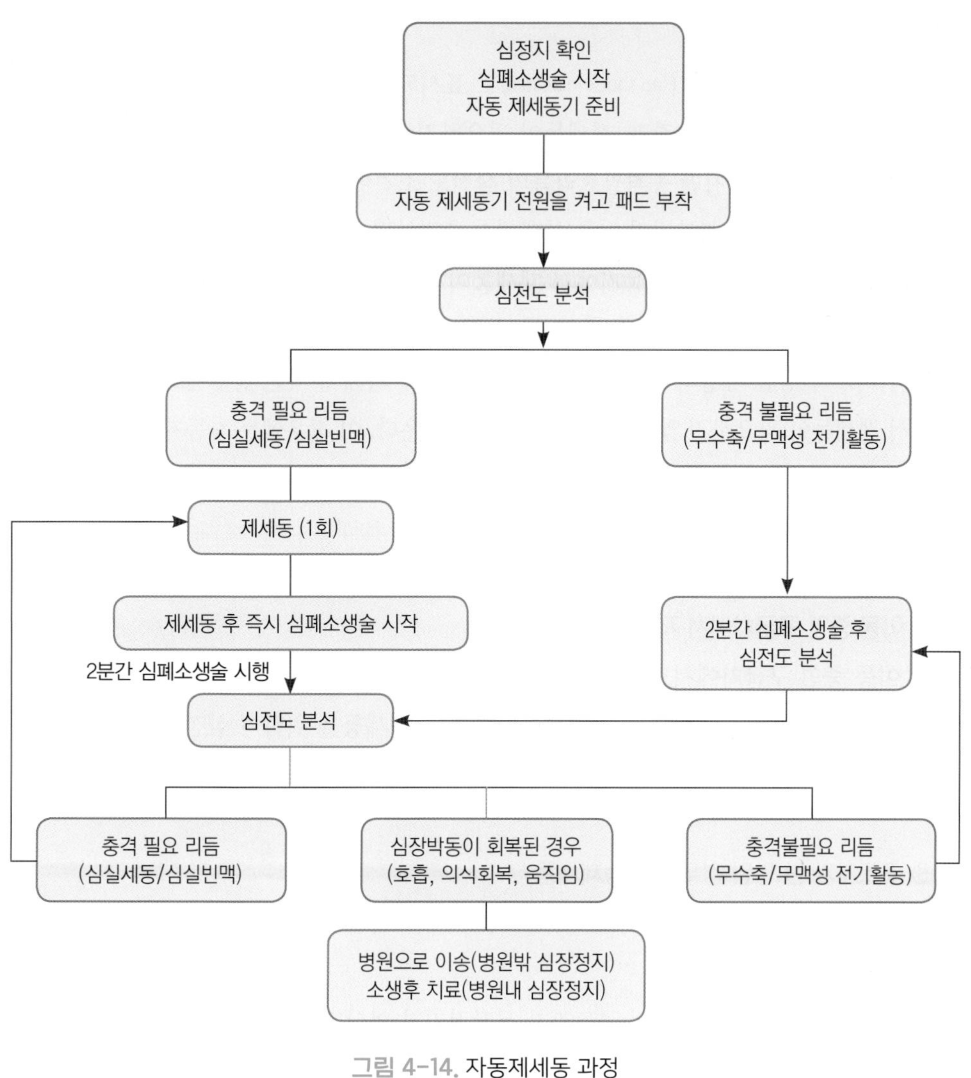


그림 4-14. 자동제세동 과정

### ③ 자동제세동 후 결과에 따른 행동 요령

제세동을 시행한 후에는 즉시 2분 동안 심폐소생술을 한 후 심전도를 분석한다. 심전도 분석 결과에 따라 자동제세동기의 음성 지시를 따른다.

#### 가. 충격필요리듬이 계속되는 경우(shock indicated)

제세동 후 2분 동안 심폐소생술을 한 후, 심전도 분석 결과에서 충격필요리듬이 계속되면 다시 제세동 하라(shock indicated)는 표시 또는 음성 신호가 나온다. 제세동하라는 메시지가 나오면 계속 자동제세동 방법에 따라 다시 1회씩 반복하여 제세동한다. 매회의 제세동 사이에는 2분 동안 심폐소생술을 한다.

#### 나. 제세동할 필요가 없다(no shock indicated)고 표시되는 경우

자동제세동기의 분석 결과, 제세동이 필요하지 않다고 표시되는 경우는 두 가지가 있다. 심장정지 상태이지만 충격필요리듬의 심전도 소견이 없는 경우에는 제세동이 필요하지 않다. 자발순환이 회복되지 않은 상태에서 충격불필요리듬(무수축 또는 무맥성 전기활동)으로 분석되면, 자동제세동기에서 제세동이 필요하지 않다는 메시지가 나온다. 이 경우에는 2분 동안 심폐소생술을 한 후 다시 심전도 분석을 한다. 환자의 자발순환이 회복되어 비교적 정상 파형의 심전도가 자동제세동기에 의해 분석된 경우에도 자동제세동기에서 제세동이 필요하지 않다는 음성 메시지가 나온다. 이 경우에는 자동제세동기의 패드는 그대로 둔 채, 환자의 맥박과 호흡을 확인하고 맥박과 호흡이 있으면 회복 자세(recovery position)를 취해준다.

### ④ 이동 중인 구급차에서 자동제세동기 사용

이동 중인 구급차에서도 자동제세동기를 사용하여 환자의 심전도를 감시할 수 있다. 그러나 이동 중에는 심전도 분석이 부정확하므로, 제세동을 위하여 심전도를 분석하여야 할 때는 구급차를 정차한 후 분석한다.

### ⑤ 구조자가 한 명인 경우의 자동제세동

#### 가. 구조자가 일반인인 경우

심장정지를 목격한 일반인 구조자가 심장정지가 의심되는 성인을 구조하는 경우에 만약 자동제세동기가 즉시 사용 가능하다면, 심폐소생술을 시작하는 것보다 자동제세동기를 사용하는 것이 우선된다. 즉, 환자의 의식과 반응을 확인하고, 응급의료체계(119구급대)에 환자의 발생을 연락하고, 즉시 자동제세동기의 패드를 환자에게 부착한 후 자동제세동 과정에 따라 환자를 치료한다.

심장정지가 의심되는 소아(1세부터 8세까지)를 한 명의 구조자가 구조하는 경우에는 2분 동안 심폐소생술을 한 후 자동제세동기를 사용한다.

### 나. 구조자가 의료종사자인 경우

심장정지가 의심되는 성인을 한 명의 의료종사자가 구조하는 경우에 만약 자동제세동기가 즉시 사용 가능하다면, 일반인에 의한 구조에서와같이 심폐소생술을 시작하는 것보다 자동제세동기를 사용하는 것이 우선된다. 심장정지가 발생한 환자를 위하여 출동하였을 때(심장정지로부터 4-5분 이상이 지난 경우)에도 자동제세동기를 즉시 사용한다. 자동제세동기를 사용할 준비가 될 때까지는 심폐소생술을 한다. 의료종사자가 환자의 심장정지를 직접 목격한 경우에는 자동제세동기를 먼저 사용한다.

심장정지가 의심되는 소아(1세부터 8세까지)를 한 명의 구조자가 구조하는 경우에는 2분 동안 심폐소생술을 한 후 자동제세동기를 사용한다. 다만, 의료종사자가 심장성 심장정지가 의심되는 소아의 심장정지 과정(갑작스러운 의식소실 등)을 목격한 때는 자동제세동기를 우선 사용한다.

### ⑥ 자동제세동기를 사용하는 동안에 발생하는 문제와 해결

자동제세동기로 심장정지 환자를 효율적으로 치료하려면, 자동제세동기를 사용하는 동안에 발생하는 문제를 알아야 한다. 각각의 문제점들에 대한 가능한 원인과 해결 방안이 기재된 책자나 인쇄물을 활용한다.

### 가. 피부와 패드 사이의 부적절한 접촉

자동제세동기는 피부에 접촉해 있는 두 개의 패드 사이에 전류를 흘려보내 저항을 측정함으로써, 패드의 접촉이 적절한지를 확인한다. 만약 제세동기의 패드가 적절하게 연결되지 않았다면, 제세동기에서 패드를 확인하라(check electrode)는 경고신호가 나온다. 이러한 경고신호가 울리면 다음과 같은 시도를 하거나 확인해야 한다.

- 가슴에 부착된 패드를 눌러서 잘 부착되도록 한다.
- 패드와 연결된 연결선, 제세동기 본체와의 연결 부위를 확인한다.
- 가슴에 털이 많이 있는 경우, 땀이나 물 또는 액체로 피부가 젖어 있는 경우, 패드를 접착하기에 가슴 표면이 너무 불규칙한 경우 등을 생각해야 한다.

**나. 충격필요리듬(심실세동 또는 심실빈맥)의 심전도가 관찰되었는데에도 제세동하라는 음성 신호가 나오지 않거나, 제세동 스위치를 눌렀는데에도 제세동기의 충격이 전달되지 않는 경우**

구조자가 심전도 장치에서 충격필요리듬을 관찰하였는데에도 불구하고, 제세동하라는 음성 신호가 나오지 않거나 제세동이 되지 않을 때는 다음과 같이 분석과정과 제세동 과정에 장애가 발생한 경우이다.

- 자동분석장치가 분석하고 작동하는데 시간이 불충분하였을 경우
- 자동장비 스위치의 고장
- 제세동기로 심장 리듬을 분석하는 동안에 심폐소생술을 하거나, 환자를 움직인 경우
- 자동분석장치의 결함
- 부적절하게 충전된 배터리나 방전된 배터리

수동제세동이 가능한 자동제세동기를 사용하고 있는 경우에 자동제세동기 기능이 수행되지 않으면 즉시 수동제세동 패드를 사용하여 제세동한다.

### ⑦ 특수 상황에서의 자동제세동기 사용

**가. 소아**

소아는 성인보다 심실세동의 발생빈도가 낮다. 현재 사용되고 있는 자동제세동기는 성인을 기준으로 제작되어 있으며, 소아용 전극 또는 전환 스위치 등을 사용하여 제세동 에너지를 변환해 줌으로써 소아에게도 사용할 수 있다. 1세 이상 8세 이하의 소아에서는 가능한 소아용 에너지 변환 시스템(충격량 감쇠기)이 갖추어져 있는 자동제세동기를 사용한다. 그러나 소아용 에너지 변환 시스템이 갖추어져 있는 자동제세동기가 없는 경우에는 성인용 자동제세동기를 사용할 수 있다.

1세 미만의 소아에서는 심실세동의 발생빈도가 매우 낮고, 이 나이에서의 자동제세동기 사용에 대한 보고가 적다. 1세 미만의 영아에서 심실세동이 발생하면 수동제세동기를 사용하는 것이 권장된다. 수동제세동기를 사용할 수 없고 자동제세동기를 사용하여야 할 때는 소아용 충격량 감쇠기를 사용한다. 소아용 충격량 감쇠기를 사용할 수 없을 때는 성인용 자동제세동기를 사용할 수 있다.

**나. 체내 삽입형 제세동기를 가지고 있는 환자**

체내 삽입형 제세동기를 가지고 있는 환자에서 심실부정맥이 발생하면, 체내에 있는 제세동기가 작동을 시작한다. 체내 삽입형 제세동기가 작동할 때에는 환자의 근육이 수축

하므로 외부에서 제세동기의 작동을 알 수 있다. 체내 삽입형 제세동기가 작동하는 동안에는 작동을 마칠 때까지(통상 30-60초 정도 소요된다) 기다렸다가 자동제세동기를 작동시킨다. 체내 삽입형 제세동기는 대개 좌측 흉부에 삽입되어 있으나, 우측 흉부 또는 복부에 삽입하는 예도 있다. 이러한 환자에서 자동제세동기를 사용할 때에는 체내 삽입형 제세동기가 삽입된 부위를 피하여(1인치; 2.5 cm 이상 떨어진 부위) 자동제세동기의 전극을 부착한다.

### ⑧ 일반인 제세동

응급의료체계의 발전에도 불구하고 심실세동이 발생한 환자에게 즉각적인 제세동을 시행하기는 매우 어렵다. 심실세동이 발생한 환자에게 즉시 제세동이 시행되려면, 심실세동이 발생한 장소에 제세동기가 준비되어 있어야 하며 누구든지 제세동기를 사용할 수 있어야 한다. 일반인에 의한 제세동 프로그램(public access defibrillation)은 공공장소에 제세동기를 준비하고 의료인이 아닌 사람도 제세동기를 다룰 수 있도록 함으로써, 어느 곳에서 심장정지 환자가 발생하더라도 즉시 제세동기가 사용될 수 있도록 하는 프로그램이다. 미국, 유럽, 일본에서는 일반인에 의한 제세동 프로그램을 도입하여 병원밖 심장정지 환자의 생존율이 높아졌다고 보고하고 있다.

일반인에 의한 제세동 프로그램은 크게 두 가지 요소가 준비되어야 한다. 첫 번째는 제세동기의 준비(공공장소에 제세동기를 비치하는 것)와 응급의료체계와의 연관성을 유지하는 것이며, 두 번째는 제세동을 시행할 수 있도록 국민을 교육하는 것이다. 먼저 일반인에 의한 제세동 프로그램은 심장정지의 발생빈도가 높은 지역, 구조요청으로부터 제세동까지의 시간이 5분 이상 걸리는 지역, 일반인 또는 일차반응자에 대한 교육과 제세동기의 비치를 통하여 구조요청으로부터 제세동까지의 시간을 5분 이내로 단축할 수 있는 지역에서 시행하는 것이 권장된다. 일반인 제세동 프로그램의 효과를 평가하기 위한 연구에서는 2년 이내에 한 번 이상 심장정지 환자가 발생한 지역에 자동제세동기를 배치했으며, 유럽소생위원회는 5년 이내에 한 번 이상 심장정지 환자가 발생한 장소에 자동제세동기를 설치하도록 권고했다. 자동제세동기 교육 대상자는 다음과 같이 몇 단계로 나눌 수 있다. 일차적으로 경찰, 소방대원, 경비요원, 스키장 또는 해상 안전요원, 항공기 승무원 등 기본적으로 응급 상황의 발생에 반응하여야 하는 인력이 우선 교육대상이다. 이차적으로는 산업안전요원, 심장질환자의 가족 등 응급 상황에 통상적으로 노출되지 않지만, 일반인과 비교하면 응급 상황에 노출될 가능성이 큰 인력이다. 마지막으로 학생을 포함한 일반인이 교육대상이 된다.

심장정지는 주로 가정, 직장에서 발생하기 때문에 공공장소에 자동제세동기를 설치하는 것이 전체적인 심장정지 환자의 생존율을 높이는 데에는 한계가 있다는 의견이 있다. 각 국가 또는 지역에서는 심장정지 발생에 대한 역학조사를 통하여 일반인에 의한 제세동의 효율을 증대시킬 방안을 모색해야 한다.

#### ⑨ 자동제세동기 관리

자동제세동기를 항상 사용하도록 하려면 주기적인 관리가 필요하다. 자동제세동기는 건전지로 작동되므로 건전지 수명에 따라 주기적으로 건전지를 교체해야 한다. 자동제세동기에는 전원 상태 표시등이 있어서 건전지의 작동상태를 알 수 있으므로, 전원 상태를 주기적으로 확인한다. 제세동에 사용되는 전극(패드)에는 전극의 부착과 전기 전달을 위한 젤(gel)이 있으며, 시간이 지남에 따라 젤의 효용성이 감소한다. 따라서 전극의 교체 주기에 따라 전극을 교체해야 한다. 건전지 수명과 전극의 유효 기간은 제조업체에 따라 다소 차이가 있다.

### (8) 심폐소생술 중 환자의 재평가

심폐소생술 중 환자의 호흡이나 의식이 회복되지 않았다면 환자에 대한 재평가는 의미가 없다. 따라서 환자의 자발순환이 회복되었다는 증거(호흡 또는 의식회복)가 없으면 심폐소생술을 계속한다. 순환회복의 증거가 있으면, 즉시 동맥의 맥박을 확인하고 맥박이 분명히 만져지면 호흡을 평가한다. 충분한 폐 환기가 이루어질 정도로 호흡이 회복되었으면 환자를 회복 자세로 취해준다. 혈액순환은 회복되었으나 호흡이 회복되지 않았으면 분당 10-12회의 속도로 인공호흡을 계속하면서 환자의 순환상태를 주기적으로 확인한다. 자발순환의 회복이 불분명한 경우에는 심폐소생술을 계속한다.

### (9) 심폐소생술의 합병증

심폐소생술이 시행된 환자의 약 25%에서 심각한 합병증이 발생하며, 약 3%에서는 치명적인 손상이 발생할 수 있다. 심폐소생술 중 발생하는 합병증은 주로 가슴압박에 의하여 발생한다. 가장 흔히 발생하는 합병증은 늑골골절로서 약 60-80%에서 발생한다. 늑골골절과 연관되어 기흉, 심장눌림증, 폐출혈, 폐 좌상이 발생할 수 있다. 흉골 골절도 흔히 발생하는 합병증이다. 특히 자동기계 심폐소생술 장치 등의 기구를 사용할 때는 흉골 골절이 발생할 가능성이 크다. 그 외에도 대동맥 손상, 심근 좌상, 식도 또는 위장 점막의 열상, 위 파열, 간 열상, 비장 파열 등이 심폐소생술 중에 발생할 수 있다(표 4-5).

심폐소생술 중 발생하는 늑골골절이나 흉골 골절은 심폐소생술이 정상적으로 시행되어도 발생할 수 있는 합병증이다. 그러나 상부 늑골 또는 하부 늑골의 골절, 복부 장기의 손

표 4-5. 심폐소생술의 합병증

| 가슴압박이 적절하여도 발생하는 합병증 | 늑골골절<br>흉골 골절<br>심장 좌상<br>폐 좌상 |
|---|---|
| **부적절한 가슴압박으로 발생하는 합병증** | 상부 늑골 또는 하부 늑골의 골절<br>기흉<br>간 또는 비장의 손상<br>심장파열<br>심장눌림증<br>대동맥 손상 또는 박리<br>식도 또는 위점막의 파열 |
| **인공호흡에 의하여 발생하는 합병증** | 위 내용물의 역류<br>구토<br>폐 흡인 |

상, 심장 및 혈관의 손상은 부적절한 심폐소생술 때문에 발생한다. 실제로 심폐소생술 중 발생하는 심각한 손상 중 20% 정도는 심폐소생술이 부적절하게 시행되어 발생하는 것으로 알려져 있다. 심폐소생술의 주요 합병증은 부적절한 심폐소생술에 의한 것이므로, 심폐소생술의 합병증에 대한 두려움으로 인하여 심폐소생술의 시도가 제한되도록 교육해서는 안 된다.

의식이 없는 환자를 심장정지로 오인하여 가슴압박을 시행했을 때, 가슴 부위의 통증, 늑골골절, 쇄골 골절 등이 보고된 바는 있으나, 내부 장기 손상과 같은 중대한 합병증은 발생하지 않는다고 알려졌다. 따라서 심장정지가 의심되는 사람에게 심폐소생술을 함으로써, 가슴압박에 의한 손상을 입힐 가능성은 작다.

### (10) 이송 중 심폐소생술

미국 등 일부 국가에서는 심폐소생술을 한 후 소생되지 않을 때는 응급구조사가 의사의 의료 지도를 받아 현장에서 사망을 선언할 수 있다. 따라서 이들 국가의 응급구조사는 심장정지 환자를 치료할 때 가능한 이송하지 않고 현장에서 기본 및 전문소생술을 계속한다. 그러나 우리나라는 의사 이외의 의료종사자에 의한 사망 선언이 인정되지 않고 모든 구급차가 전문소생술 능력을 갖추고 있지 않으므로, 심폐소생술을 하면서 심장정지 환자를 이송해야 하는 경우가 발생한다. 우리나라 심폐소생술 가이드라인에서는 현장 소생술 팀의 심폐소생술 수준에 따라 현장 심폐소생술 기간을 정하고 있다. 즉, 지도 의사의 직접 의료 지도를 받는 상황이라면 지도 의사의 조언에 따라 현장 심폐소생술 시간과 이송 시점을 결정하되, 기본소생술만이 가능한 상황이면 현장 심폐소생술을 6분간 한 후 환자 이송을 고려하고, 현장에서 전문소생술이 가능한 상황이면 현장 심폐소생술을 10분간 한 후 환자 이송을 고려하도록 권고하고 있다.

심폐소생술을 하면서 환자를 이송해야 할 경우에도 심폐소생술을 중단하는 시간을 최소화하도록 노력해야 한다. 계단을 통하여 환자를 이송할 때에는 계단이 시작되기 전에 심폐소생술을 한 후, 계단을 통하여 환자를 재빨리 옮긴 후 다음 계단이 시작되기 전에 다시 심폐소생술을 하는 방법을 반복하면서 환자를 이송한다. 들것을 사용하여 환자를 이송할 때에는 가능한 높이가 낮은 들것을 사용하여 심폐소생술이 중단되지 않도록 해야 하며, 높이가 높은 들것을 사용해야 할 때는 가슴압박을 하는 구조자가 들것 위에 올라가 심폐소생술을 계속하면서 환자를 이송한다. 자동으로 심폐소생술을 수행하는 자동기계 심폐소생술 장치를 사용하면 이송 중에도 심폐소생술을 계속할 수 있다는 장점이 있다.

#### (11) 기타 방법의 소생술

심실세동에 의한 심장정지가 발생한 직후에는 일시적으로 환자의 의식이 유지될 수 있다. 심혈관조영실에서 심실세동에 의하여 심장정지가 발생한 직후 환자의 의식이 있는 상태에서 기침하도록 하면 일시적으로 동맥압이 유지될 수 있다. 따라서 심혈관조영실, 중환자실 등의 장소에서 동맥 혈압이 감시되고 있다면, 심장정지 직후 의식이 있는 환자에게 기침하도록 유도하는 기침 심폐소생술(cough CPR)을 할 수 있다. 따라서 기침 심폐소생술은 심전도와 동맥 혈압이 감시되고 있는 상황에서 심장정지가 임박했거나, 심장정지가 발생한 직후 환자의 의식이 명료한 경우에만 일시적으로 시행할 수 있다. 그러나 기침 심폐소생술은 일시적으로만(통상 30초 내외) 혈압을 유지할 수 있으므로, 가슴압박을 포함한 심폐소생술을 대체할 수 없다.

## 3. 소아 기본소생술

심폐소생술에서는 만 8세 미만의 환자(몸무게 25 kg 이하, 키 127 cm 이하)를 소아로 분류하며 만 1세 미만의 환자는 유아로 분류한다. 따라서 일반인이 심폐소생술을 할 때 8세 이상의 환자는 성인과 같은 방법으로 심폐소생술을 하며, 8세 미만의 환자는 소아 심폐소생술을 한다. 전술한 바와 같이 의료종사자는 이차성징의 유무에 따라 성인과 소아를 구분할 수도 있다.

심장성 원인에 의한 심장정지가 흔한 성인에서와 달리, 소아에서는 질식 등에 의한 호흡 부전이 심장정지의 주요 원인이므로, 소아에서는 심폐소생술 과정 중 인공호흡이 중요하다. 심폐소생술 가이드라인에서는 심폐소생술 교육과 훈련의 단순화를 위하여 소아에서도 성인에서와같이 심장정지가 확인되면 심폐소생술 순서를 C-A-B (가슴압박-기도 유지-인공호흡)의 순서로 하도록 권장하고 있다.

### 1) 소아 기본소생술 순서

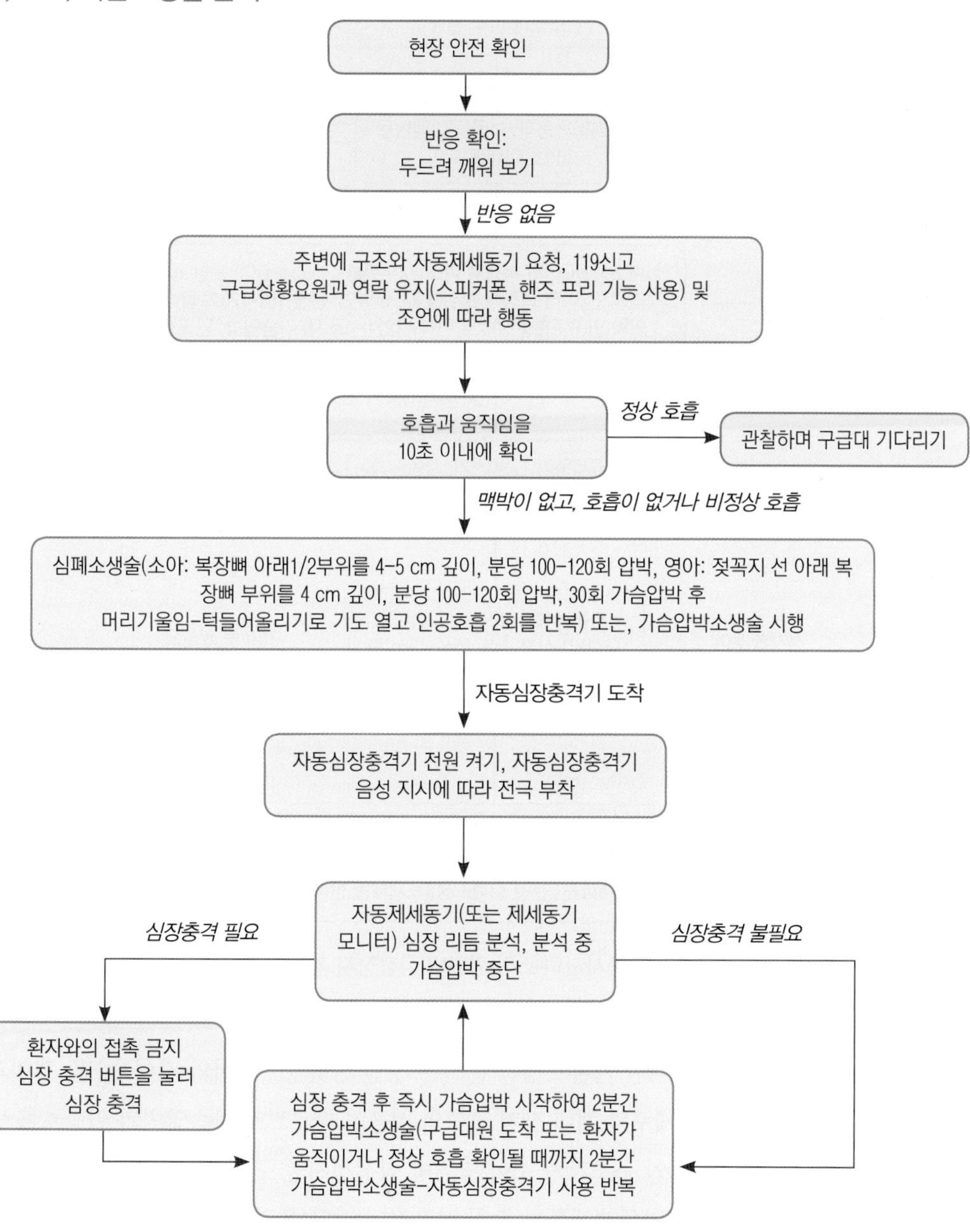


그림 4-15. 일반인 구조자의 소아 병원밖 심장정지 기본소생술 순서

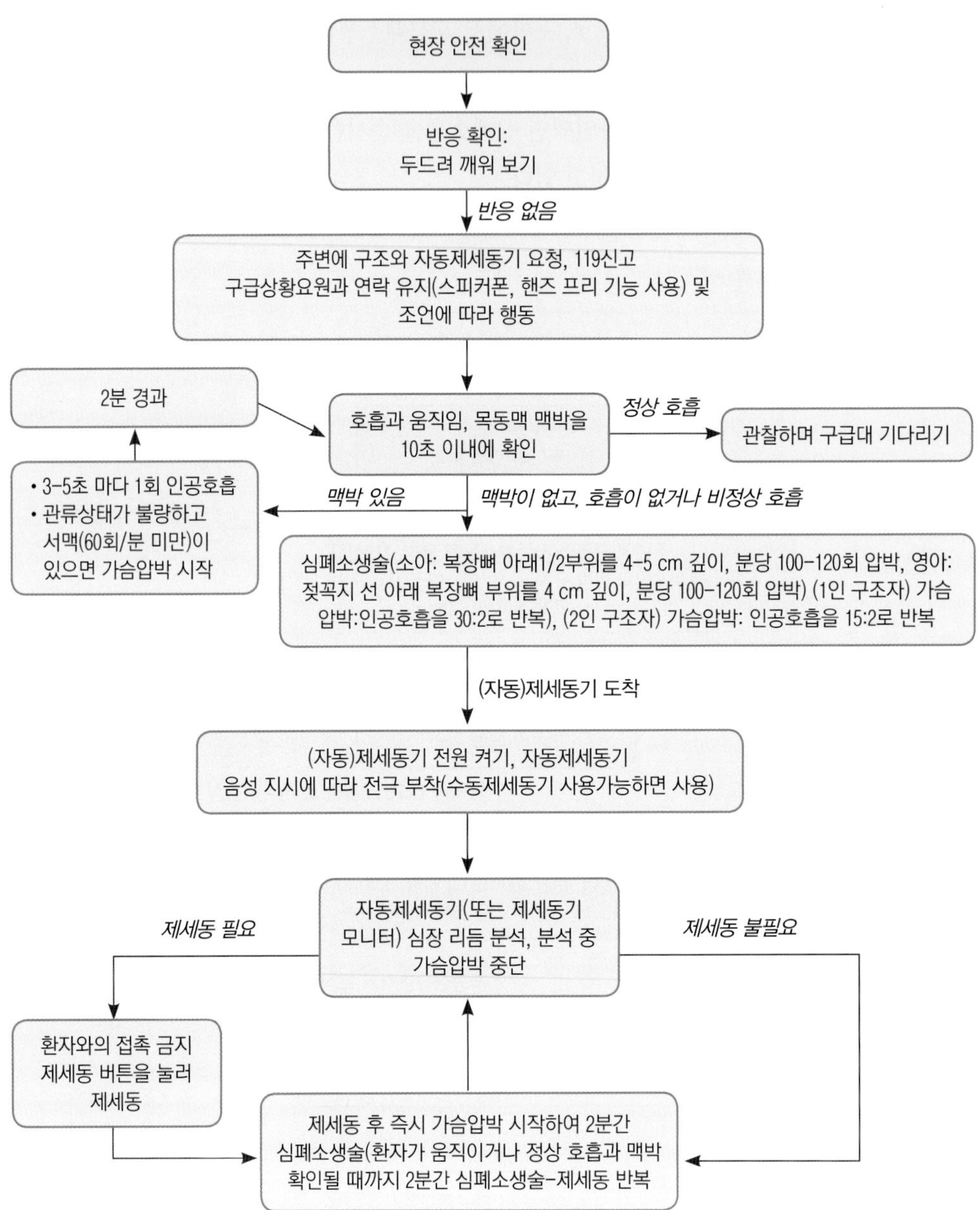


그림 4-16. 의료종사자의 소아 병원밖 심장정지 기본소생술 순서

소아 심장정지에서 대한 기본소생술 순서는 성인 심장정지에서와 같다. 다만, 성인과 소아는 체구가 다르고 체구와 체내 장기 크기의 비율이 다르므로 가슴압박과 인공호흡 방법에 차이가 있다. 일반인 구조자가 소아 병원밖 심장정지를 구조할 때는 현장 안전확인-반응 확인-구조요청 및 자동제세동기 요청-심장정지 판단(움직임과 호흡 확인)-심폐소생술(가슴압박-기도 유지-인공호흡)-자동제세동기 사용의 순서로 기본소생술을 한다(그림

4-15). 의료종사자가 소아 병원밖 심장정지를 구조할 때는 현장 안전확인-반응 확인-구조 요청 및 자동제세동기 요청-심장정지 판단(움직임과 호흡 및 맥박 확인)-심폐소생술(가슴 압박-기도 유지-인공호흡)-자동제세동기 사용의 순서로 기본소생술을 한다(그림 4-16). 병원내에서는 성인에서와 마찬가지로 조기 경고 징후가 발견되거나 심장정지가 확인되면 전문소생술팀을 호출하고 즉시 심폐소생술을 시작한다(그림 4-17).

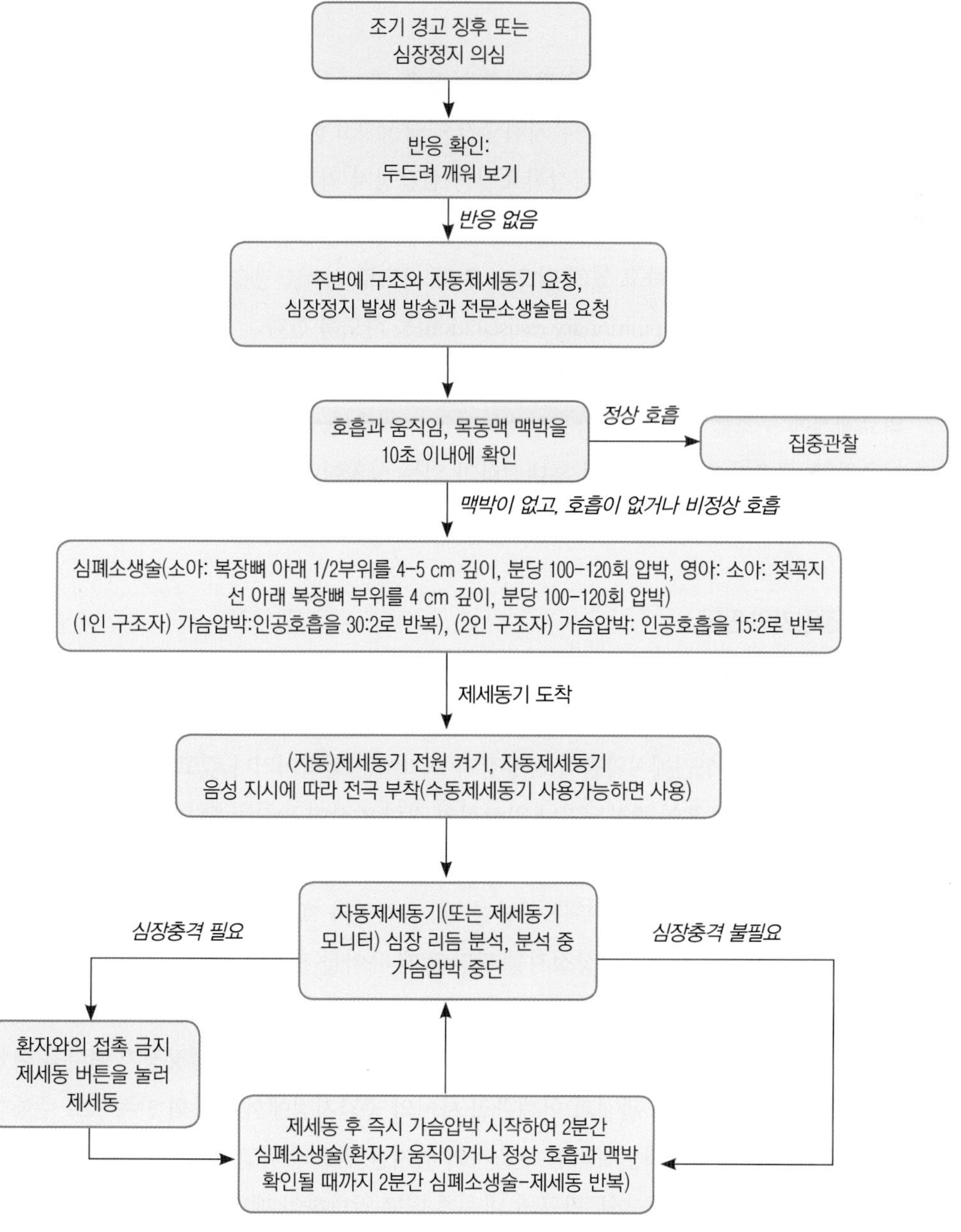


그림 4-17. 소아 병원내 심장정지 기본소생술 순서

## 2) 소아 기본소생술의 각 단계

### (1) 반응 확인과 구조요청

심장정지가 의심되는 소아를 발견하면 먼저 주변이 안전한지를 확인한 후, 아이를 흔들면서 큰 소리로 반응을 확인(두드려 깨워보기)한다. 반응이 없으면 주변에 큰 소리로 도움을 요청한다. 주변에 다른 사람이 있으면 119구급대에 구조요청을 하고 주변에 있는 자동제세동기를 가져오도록 한다.

일반인 구조자는 구급상황요원과 전화 연결 후, 휴대전화의 스피커폰을 켜거나 핸즈프리 기능을 사용하여 통화상태를 유지하면서 구급상황요원의 도움을 받는다. 심장정지 환자에 대한 구조요청을 받은 구급상황요원은 심장정지 인지 프로토콜을 사용하여 목격자가 심장정지를 인지하도록 도움을 준다. 또한, 목격자가 심폐소생술을 하고 있는지를 확인한 후, 심폐소생술을 하고 있지 않으면 전화 지도로 심폐소생술(전화 도움 심폐소생술, dispatcher assisted cardiopulmonary resuscitation)을 하도록 한다.

두 명 이상의 구조자가 있을 때는 한 명은 심폐소생술을 시작하고, 다른 한 명은 응급의료체계에 구조를 요청하고 자동제세동기를 가져온다. 자동제세동기가 도착하면 즉시 사용한다. 구조자가 혼자이면서 휴대전화가 없는 상황이라면, 2분간 심폐소생술을 한 후 119구급대에 신고하고 주변의 자동제세동기를 가져와 사용한다.

### (2) 심장정지의 판단

구조요청 후 즉시, 아이를 살펴서 움직임과 호흡 상태를 관찰하여 움직임과 호흡이 없거나 비정상 호흡(심장정지 호흡)이 관찰되면 심장정지로 판단하고 즉시 가슴압박을 시작한다. 소아에서도 성인에서와같이 심장정지 초기에는 헐떡이거나 깊고 느린 호흡으로 관찰되는 심장정지 호흡이 관찰되거나 일시적인 경련 발작이 관찰될 수 있다. 따라서 심장정지 호흡이나 일시적 경련이 관찰되는 것을 심장정지가 아닌 상황으로 판단해서는 안 된다.

의료종사자는 심장정지 여부를 판단할 때, 움직임과 호흡을 확인하는 동시에 동맥의 맥박을 확인한다. 소아에서 심장정지를 판단할 때 유아를 제외하고는 목동맥 또는 대퇴동맥의 맥박을 확인한다. 유아는 목이 비교적 짧고 연한 조직이 많아 목동맥의 맥박을 확인하기가 어렵다. 유아에서는 위팔동맥(상완동맥)에서 맥박을 만져서 심장정지 여부를 확인한다. 위팔동맥은 팔꿈치 관절과 어깨관절 사이의 중간지점에서 위팔의 안쪽으로 주행한다. 따라서 위팔동맥을 확인하려면 구조자의 엄지를 위팔의 바깥쪽에 두고 둘째, 셋째 손가락(검지와 중지)의 끝을 이두박근의 내측에 대고 압박하여 맥박을 확인한다. 맥박을 확인하는 데 걸리는 시간은 10초 이상을 소요하지 않도록 한다. 호흡이 없는 소아에서 10초 이내에 맥박을 분명히 확인할 수 없는 경우에는 순환이 유지되지 않다고 판정하여 즉시 심폐소생술을 시작한다. 맥박수가 분당 60회 미만인 소아에서 청색증이 나타나는 등 순환상태가 불량하면 가슴압박을 시작한다.

일반인이 심장정지가 의심되는 소아를 발견하였을 때에는 호흡이 없고, 움직이지 않으면 순환 평가를 할 필요 없이 즉시 심폐소생술을 시작한다.

맥박수가 분당 60회 이상이면서 관류상태가 양호(맥박이 잘 만져지는 경우)하지만, 호흡이 정상적으로 유지되고 있지 않으면, 분당 12-20회의 속도(3-5초 당 1회)로 인공호흡을 한다. 2분마다 맥박을 확인하여 관류상태를 재평가한다.

### (3) 가슴압박

심장정지로 판단되면 즉시 가슴압박을 시작한다. 소아에서는 심장정지 상태에서뿐 아니라 맥박수가 분당 60회 미만이면서 혈액순환 장애의 증상(청색증, 창백한 피부)이 있으면 가슴압박을 시작한다.

#### ① 가슴압박 위치의 선정

소아와 영아에서는 나이에 따라 가슴의 크기가 다르다. 소아에서 압박 위치는 성인과 같이 흉골을 반으로 나누었을 때, 흉골의 아래쪽 절반 부위이다. 영아에서는 젖꼭지 사이의 가상선과 흉골이 만나는 지점의 바로 아래 부위를 압박한다(그림 4-18). 검상돌기 또는

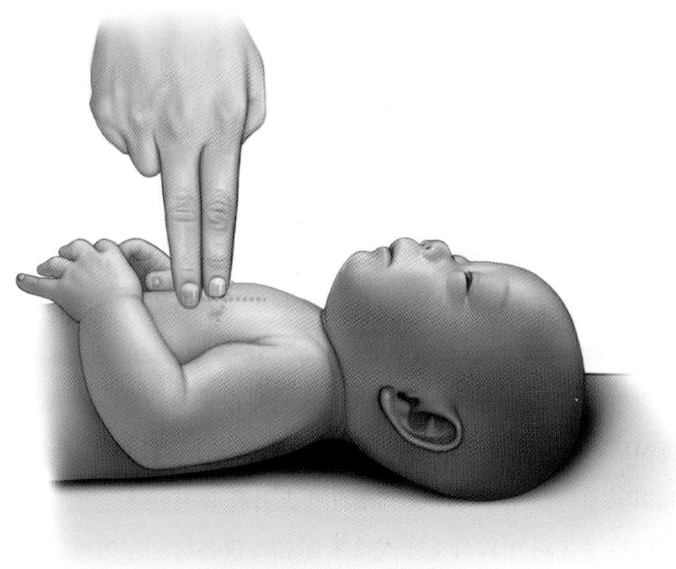

그림 4-18. 영아에서 가슴압박 위치

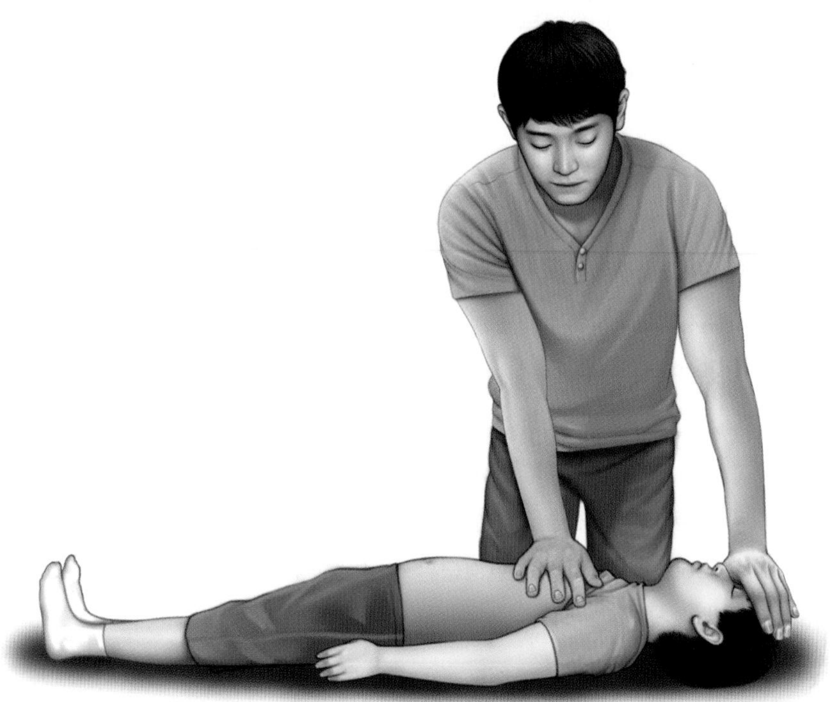

그림 4-19. 소아의 가슴압박 방법. 손바닥 또는 두 손으로 복장뼈가 4-5 cm 압박되도록 누른다.

늑골을 누르지 않도록 주의한다.

② 가슴압박 방법

소아의 가슴은 성인보다 크기가 작고 약하므로, 성인에서와같이 두 손으로 체중을 실어 압박할 필요가 없다(그림 4-19). 유아에서는 두 손가락을 사용하여 압박한다(두 손가락 가슴압박법, two-finger technique)(그림 4-20A). 소아의 체구가 크면 한 손 또는 두 손을 모두 사용한다. 구조자가 두 명이고 환자의 체구가 작으면 두 손으로 환자의 가슴을 감싼 후 양손의 엄지손가락으로 가슴압박을 하는 방법(양손 감싼 두 엄지 가슴압박법, two thumb-encircling hands technique)을 사용할 수 있다(그림 4-20B). 가슴압박의 깊이는 가슴의 앞뒤 두께의 1/3 정도를 압박하며, 이는 유아에서는 4 cm, 소아에서는 4-5 cm에 해당한다.

소아는 가슴압박의 속도가 심박출량을 좌우하기 때문에 가슴압박의 속도를 적절히 유지한다. 소아에서도 성인에서와같이 분당 100-120회의 속도로 가슴압박을 한다. 신생아에서는 분당 90회의 가슴압박과 분당 30회의 인공호흡을 유지한다.

가슴압박 후에는 충분히 이완시켜서 정맥혈 환류가 충분히 이루어지도록 한다. 충분한 깊이의 가슴압박을 유지하며, 가슴압박의 중단을 최소화한다.

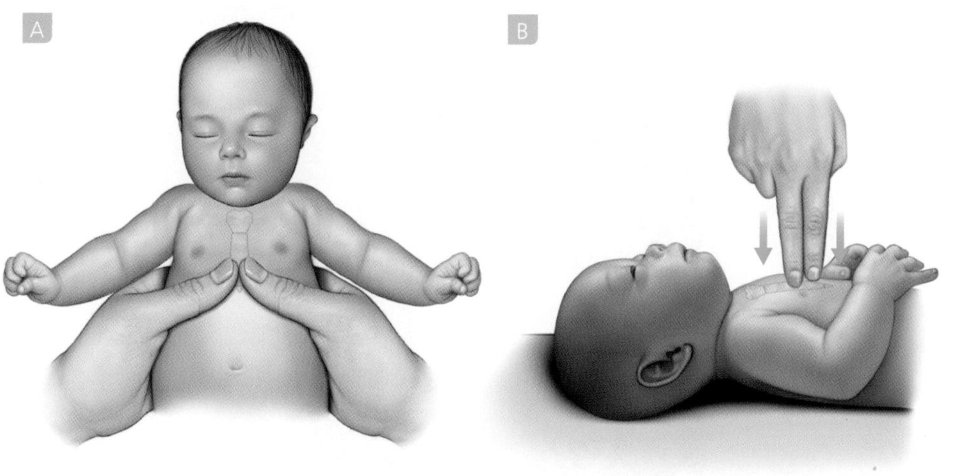

그림 4-20. 영아의 가슴압박. **A.** 양손 감싼 두 엄지 가슴압박법. 두 손으로 가슴을 감싼 후 양손 엄지손가락으로 압박한다. **B.** 두 손가락 가슴압박법. 두 손가락으로 흉골 하반부를 4 cm 깊이로 압박한다.

유아의 간과 비장은 횡격막의 바로 아래에 위치하며, 복부에서 차지하는 비율이 성인에서보다 크다. 따라서 부적절한 위치(특히 검상돌기 부분)에서 가슴압박이 시행될 때는 간과 비장을 손상할 수 있으므로 유의한다.

### (4) 기도 유지

소아는 혀와 후두부가 체구에 비하여 크며, 후두와 후두개가 성인보다 앞쪽에 있고, 기도의 지름이 상대적으로 작다. 따라서 소아에서는 기도가 쉽게 폐쇄되므로, 성인에서보다 기도 유지가 중요하다.

소아에서의 기도 유지 방법도 성인에서와같이 머리기울임-턱들어올리기로 기도를 유지한다(그림 4-21). 외상이 의심되는 경우에는 의료종사자에 한하여 턱 밀어올리기를 시도한다. 그러나 턱 밀어올리기로 기도 유지가 불가능하면 언제든지 머리기울임-턱들어올리기를 시도한다.

병원 밖에서 의료종사자가 소아에게 심폐소생술을 할 때는 기관내삽관 또는 후두상 기도기의 사용보다는 백-마스크 인공호흡(bag-mask ventilation)이 추천된다. 병원밖에서는 기관내삽관 또는 후두상 기도기 삽관의 실패율이 높고 삽관을 위해 가슴압박을 중단해야 하며, 전문기도유지술을 하는 것이 백-마스크 인공호흡과 비교하면 생존율을 높인다는 증거가 없기 때문이다.

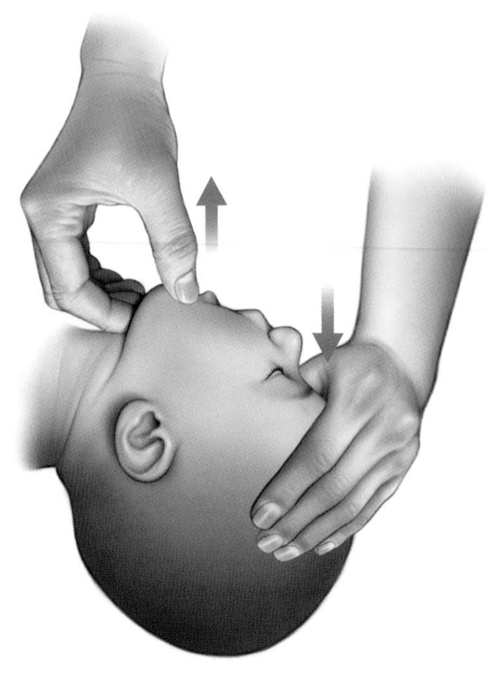

그림 4-21. 소아의 기도 유지. 성인과 같이 머리기울임-턱들어올리기로 기도를 연다

### (5) 인공호흡

소아에서는 구조자의 입으로 환아의 입과 코를 동시에 덮어 인공호흡 한다(그림 4-22). 만약 구조자의 입으로 환아의 코와 입을 동시에 막을 수 없으면 성인에서와같이 입-입 또는 입-코 인공호흡을 시도한다. 입-입 및 입-코 인공호흡의 방법은 성인에서와 같다.

소아의 폐는 어른에 비하여 작으므로 효과적인 호흡을 위하여 필요한 공기의 양도 어른보다 적다. 소아의 기도는 지름이 가늘어서 공기의 흐름에 대한 저항도 성인보다 크다. 소아에서 인공호흡을 할 때는 낮은 압력으로 1초에 걸쳐서 숨을 불어넣어야 한다. 빠른 속도로 인공호흡 하거나 높은 압력으로 인공호흡을 시도하면 위의 팽창을 가져와 구토 또는 위 내용물의 역류를 초래할 수 있다.

기관내삽관 또는 후두 마스크 기도기 삽관 등 전문기도유지술이 시행되지 않은 상태에서는 30회(구조자가 1인인 경우) 또는 15회(구조자가 2인인 경우)의 가슴압박을 한 후 2회의 인공호흡을 한다. 전문기도유지술이 시행된 경우에는 가슴압박을 중단할 필요 없이 분당 10회(6초에 1회)의 인공호흡을 한다. 자발순환이 회복(의식회복, 움직임, 맥박이 만져지는 경우)되면 분당 12-20회(3-5초 당 1회)의 속도로 인공호흡을 한다. 1회 호흡량은 환아의 흉곽이 충분히 부풀어 오를 정도(6-7 mL/kg)로 유지한다.

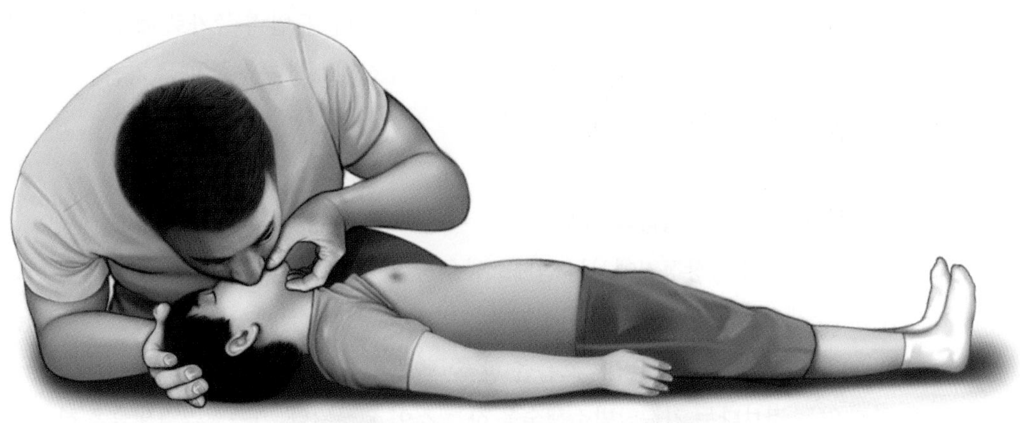

그림 4-22. 소아의 인공호흡, 머리기울임-턱들어올리기로 기도를 연 후, 구조자의 입과 소아의 입 또는 입과 코-입을 밀착한 후 인공호흡을 한다.

성인에서와같이 인공호흡을 할 때, 환아와 구조자의 직접 접촉을 막기 위한 보호 기구(barrier, shield, 마스크 등)를 사용할 수 있다. 백-마스크 인공호흡을 할 때는 최소 450-500 mL 이상의 용량을 가진 팽창 백을 사용하여야 호흡량을 충분히 유지하고 인공호흡에 걸리는 시간을 줄일 수 있다. 체구가 큰 소아나 청소년에게는 성인용 자가팽창 백(1L)을 사용한다. 인공호흡 중 충분한 산소를 공급하려면, 저장소가 달린 백을 사용한다. 저장소가 달린 소아용 백을 사용할 때에는 분당 10-15 L, 저장소가 달린 성인용 백을 사용할 때에는 분당 15L 이상의 산소를 연결해야 고농도의 산소를 공급할 수 있다. 심폐소생술을 하는 동안에는 최대한 높은 농도(100%)로 산소를 공급한다.

성인에서와같이 소아에서도 과호흡할 때는 흉강 내압 상승으로 인하여 정맥 환류가 감소함으로써, 관상동맥 관류압과 심박출량의 감소를 초래한다. 또한, 과호흡은 허파꽈리 내 압력을 상승시켜 허파꽈리의 압력 손상을 초래할 수 있다. 과호흡을 방지하려면 손으로 압박하는 백을 사용할 때, 가슴이 부풀어 오를 정도의 호흡량으로 인공호흡을 한다.

### (6) 가슴압박 대 인공호흡의 비율

일반인 구조자가 심폐소생술을 할 때는 구조자의 수와 관계없이 가슴압박과 인공호흡의 비율은 30:2를 유지한다. 의료종사자가 전문기도유지술(기관내삽관 또는 성문상 기도기 삽관)이 시행되지 않은 상황에서 심폐소생술을 할 때는 구조자 수가 한 명이면 가슴압박 대 인공호흡 비를 30:2로 하고, 구조자 수가 두 명 이상이면 15:2를 유지한다. 전문기도유지술이 시행된 경우에는 가슴압박을 분당 100-120회의 속도로 시행하면서, 가슴압박을 중단하지 않은 상태에서 분당 10회의 인공호흡을 한다.

가슴을 압박하면서 동시에 인공호흡을 하면 허파꽈리 내 압력 증가로 폐 손상이 발생할 수 있으므로, 전문기도유지술이 시행된 소아에서 심폐소생술을 할 때는 가슴압박과 동시에 인공호흡이 시행되지 않도록 유의한다.

### (7) 소아/영아에서의 가슴압박소생술

소아 또는 영아 심장정지에서는 심폐소생술 중 인공호흡을 하지 않고 가슴압박만 하는 가슴압박소생술보다 인공호흡과 가슴압박을 병행하는 표준 심폐소생술을 하는 것이 생존율이 높다. 그러나 구조자가 인공호흡을 할 줄 모르거나 할 의지가 없는 때는 심폐소생술을 하지 않는 것보다는 가슴압박소생술을 하는 것이 권장된다. 가슴압박소생술을 하면 심폐소생술을 하지 않는 것보다 생존율을 높일 수 있다.

### (8) 제세동

소아 병원밖 심장정지의 주요 원인은 손상 또는 질식이므로, 성인과 비교하면 심실세동의 빈도가 낮다. 소아 심장정지 시 심실세동의 발생률에 대해서는 명확히 알려지지 않았으며, 나이에 따른 발생빈도의 차이가 크다. 선천성 심장질환 또는 긴 QT 증후군 등 심장 부정맥의 발생 가능성이 큰 환자에서는 심실세동에 의한 심장정지의 가능성이 크다.

성인에게서와같이 소아에서도 심실세동의 가장 중요한 치료는 제세동이다. 일반적으로 소아 또는 영아에게는 의료종사자가 심전도 리듬을 확인한 후 수동제세동기를 사용하여 제세동하는 것이 권장된다. 병원밖 현장에서는 대부분 수동제세동기를 사용할 수 없는 상황이므로, 심폐소생술 중 자동제세동기가 현장에 도착하면 즉시 자동제세동기를 사용한다. 수동제세동기를 사용할 때는 첫 제세동 에너지로 2 J/kg를 사용한다. 두 번째 이후의 제세동에는 4 J/kg를 사용하되 최대 제세동 에너지가 성인의 경우를 넘지 않도록 한다.

1세 이상 8세 미만의 소아에게 자동제세동기를 사용할 때는 소아용 충격량 감쇠기(전극에 장착되어 있거나, 제세동기에 선택 스위치가 있음)가 있는 자동제세동기를 사용한다. 자동제세동기에 충격량 감쇠기가 없으면 성인용 패드를 사용하여 성인에서와같이 자동제세동기를 사용한다.

1세 미만의 영아에게는 수동제세동기를 사용하는 것이 좋다. 수동제세동기를 사용할 수 없으면 소아용 충격량 감쇠기가 있는 자동제세동기를 사용해야 하지만, 만일 두 가지 모두 이용할 수 없다면 성인용 자동제세동기와 패드를 사용할 수 있다. 소아나 영아에게 자동제세동기를 사용할 때에는 패드가 서로 닿지 않도록 하여야 한다. 가슴의 전후에 패드를 부착하면 패드가 서로 닿는 것을 방지할 수 있다.

심장정지가 의심되는 소아(1세부터 8세까지)를 한 명의 구조자가 구조하는 경우에는 2

분 동안 심폐소생술을 한 후 자동제세동기를 사용한다. 다만, 의료종사자가 심장성 심장정지가 의심되는 소아의 심장정지 과정(갑작스러운 의식 소실 등)을 목격한 때는 자동제세동기를 우선 사용한다.

자동제세동기의 일반적인 사용방법은 성인에서와 같다.

### 3) 기본소생술에서 성인과 소아의 차이

소아는 성인보다 체구가 작고, 심장정지를 유발하는 원인이 성인과 다르므로 심폐소생술 방법이 성인과 약간 차이가 있다(표 4-6).

소아에서 심장정지의 주요 원인은 호흡 정지에 의한 저산소증이다. 심장정지가 발생한

표 4-6. 성인과 소아에서 기본소생술 차이점

| 심폐소생술 수기 \ 나이 구분 | | 성인 | 소아 | 영아 |
|---|---|---|---|---|
| 응급의료체계 활성화 순서 | | 구조요청 후 심폐소생술 | | |
| 기도 유지 | | 머리기울임-턱들어올리기 | | |
| 1회 인공호흡량 | | 6-7 mL/kg | | |
| 의료종사자에 의한 인공호흡 (호흡만 보조하는 경우) | | 10-12회/분 | 12-20회/분 | |
| 의료종사자에 의한 인공호흡 (전문기도기가 삽관된 경우) | | 10회/분 | | |
| 이물에 의한 기도폐쇄 | | 등 두드리기-하임리히법 | | 등 두드리기 및 가슴 밀기(back slaps and chest thrusts) |
| 맥박 확인 | 일반인 | 확인 안 함 | | |
| | 의료종사자 | 목동맥 | 목동맥 또는 대퇴동맥 | 상완동맥 |
| 가슴압박 위치 | | 흉골의 아래쪽 반 부분 | | 젖꼭지 연결선과 흉골이 만나는 곳의 바로 아래 |
| 압박 방법 | | 두 손으로 압박 | 한 손 또는 성인과 같은 방법 | 2개의 손가락 또는 두 엄지손가락 |
| 압박 깊이 | | 약 5 cm | 가슴 전후 두께의 1/3 (4-5 cm) | 가슴 전후 두께의 1/3 (4 cm) |
| 압박 속도 | | 분당 100-120회 | | |
| 압박-호흡 비율 | | 30:2 | 30:2(일반인 또는 의료종사자 1인)<br>15:2(의료종사자 2인 이상) | |
| 자동제세동 | | 성인용 패드 사용 | 소아용 충격량 감쇠기 사용 | 수동제세동기 사용 권장 |

소아 환자에서는 주로 무수축이 발생하며 심실세동의 빈도는 성인에 비하여 낮으므로 소아 심장정지 환자를 치료할 때에는 제세동보다는 인공호흡을 포함한 심폐소생술을 우선한다. 그러나 심폐소생술 가이드라인에서는 심폐소생술 교육과 훈련을 고려하여 성인과 소아/영아에서의 기본소생술의 순서를 같게 하도록 권장하고 있다.

## 4. 감염병 유행 상황에서의 기본소생술

심폐소생술을 하는 과정에서 구조자는 심장정지가 발생한 환자와 인공호흡, 가슴압박 등 밀접한 접촉을 해야 한다. 특히 인공호흡 과정에서는 구조자가 환자와 입-입 접촉과 호흡을 통하여 호흡기 전염이 발생할 수 있다. 가슴압박은 허파꽈리의 압력을 높임으로써 환자의 호기가 에어로졸 형태로 입을 통하여 배출됨으로써, 환자 주변의 공기에 환자가 배출한 에어로졸이 존재하게 된다. 공기를 매개로 하지 않는 감염질환이 심폐소생술 과정에서 구조자에게 전염되었다는 보고는 극히 드물다.

입-입 인공호흡이나 심폐소생술 실습용 마네킹을 통하여 후천성 면역결핍 증후군, 바이러스 간염 등 바이러스성 전염 질환의 전염은 보고된 바 없다. 그러나 매우 드물지만, 세균성 질환이 전염된 증례가 보고된 예가 있으므로, 입-입 또는 입-코 인공호흡을 할 때 환자와 구조자 사이의 접촉에 의한 전염성 질환의 감염을 방지하기 위하여 보조기구(barrier, mask)를 소지하고 있는 경우에는 보조기구를 사용한다.

최근 사스(systemic acute respiratory syndrome, SARS), 메르스(Middle East respiratory syndrome, MERS), 중증열성혈소판감소증후군(severe fever with thrombocytopenia syndrome, SFTS)에 감염된 후 심장정지가 발생한 환자에게 심폐소생술을 한 의료인이 해당 감염질환에 걸린 예가 보고되었다. 코로나 19(COVID-19) 유행 상황에서는 코로나 19에 감염되었거나 감염된 사람에게 심폐소생술을 해야 하는 상황에 마주할 가능성이 있다. 최근 세계보건기구(World Health Organization: WHO)는 심폐소생술을 에어로졸 발생 술기로 분류하고 심폐소생술 중에는 감염을 막기 위한 개인 보호장비를 하도록 권고했다. 따라서 전염력이 높은 질환에 걸렸거나 감염 가능성이 있는 심장정지 환자에게 심폐소생술을 할 때, 구조자는 감염되지 않도록 감염관리수칙을 준수해야 한다.

### 1) 감염 경로

코로나 19를 포함한 바이러스는 직접전파, 접촉전파, 에어로졸 전파의 경로로 감염될 수 있다. 환자의 입에서 나오는 작은 물방울 형태인 비말에 섞인 바이러스가 구조자의 눈이나 코에 묻어서 감염되는 경우는 직접전파에 해당하며, 구조자의 손에 비말이 묻은 뒤 오염된 손으로 눈이나 코를 만져서 감염되는 경우는 접촉전파에 해당한다. 일반적으로 비말은 입자의 크기가 5-10 μm로 비교적 크고 무거워 2m 이내로 분사된다. 반면 환자의 기침 또는 가슴압박 시 빠른 공기 흐름에 의하여 발생하는 에어로졸은 1 μm 내외의 크기로 비말보다 작고 가벼워서 공기 중에 72시간까지 떠 있을 수 있으므로, 호흡에 의한 바이러스 전염을 유발할 수 있다.

심폐소생술 중에는 구조자가 환자와의 접촉을 통한 접촉전파, 환자의 분비물 또는 비말에 의한 직접전파, 가슴압박 등으로 발생하는 에어로졸 전파가 모두 발생할 수 있다.

### 2) 심폐소생술 중 에어로졸을 발생시키는 술기

가슴압박, 인공호흡, 기도유지술, 제세동을 포함한 심폐소생술 술기가 에어로졸을 발생시키는지는 잘 알려지지 않았다. 최근의 메타분석 연구에서도 심폐소생술이 에어로졸 발생과 관련하여 구조자를 감염시켰다는 증거를 찾을 수 없다고 했다. 그러나 일부 마네킹과 시신을 사용한 연구에서 가슴압박이 에어로졸을 발생시키는 것으로 보고되었다. 또한, 감염환자에게 심폐소생술을 시행한 구조자 중 일부에서 감염된 사례가 보고되고 있다. 따라서 심폐소생술 중 환자로부터 구조자로의 에어로졸 전파에 대한 직접 증거가 없더라도, 가슴압박이 구조자에게 에어로졸 전파를 일으킬 가능성이 있다. 제세동과 에어로졸 전파와의 연관성에 대해서는 알려지지 않았다. 이에 대부분 가이드라인에서는 제세동을 에어로졸 비 유발 술기(non-aerosol procedure)로 분류하여 제세동기를 사용할 수 있는 상황에서는 제세동을 우선하도록 권고하고 있다. 그러나 최근 마네킹을 사용한 연구에서는 제세동하는 순간 에어로졸이 발생하는 것으로 보고되었으므로, 향후 제세동과 에어로졸 발생과의 연관성에 관한 추가 연구가 필요하다. 기도 유지를 위하여 기관내삽관을 할 때는 구조자가 환자의 호기에 노출될 가능성이 크므로, 가능하면 비디오 후두경을 사용한다.

### 3) 감염병 상황에서 기본소생술 순서

코로나-19 등 전염성 질환에 감염되었거나 감염이 의심되는 환자에게 심폐소생술을 할 때는 감염 노출을 줄이기 위해 구조자의 수를 최소화해야 한다. 일반인 구조자는 가능한 보호장구를 착용함으로써 감염 전파를 차단한다. 일반인 구조자는 마스크를 쓰고 의료종사자는 전신 가운, 장갑, 마스크 보안경을 착용한 후 심폐소생술을 한다. 구조자(또는 의

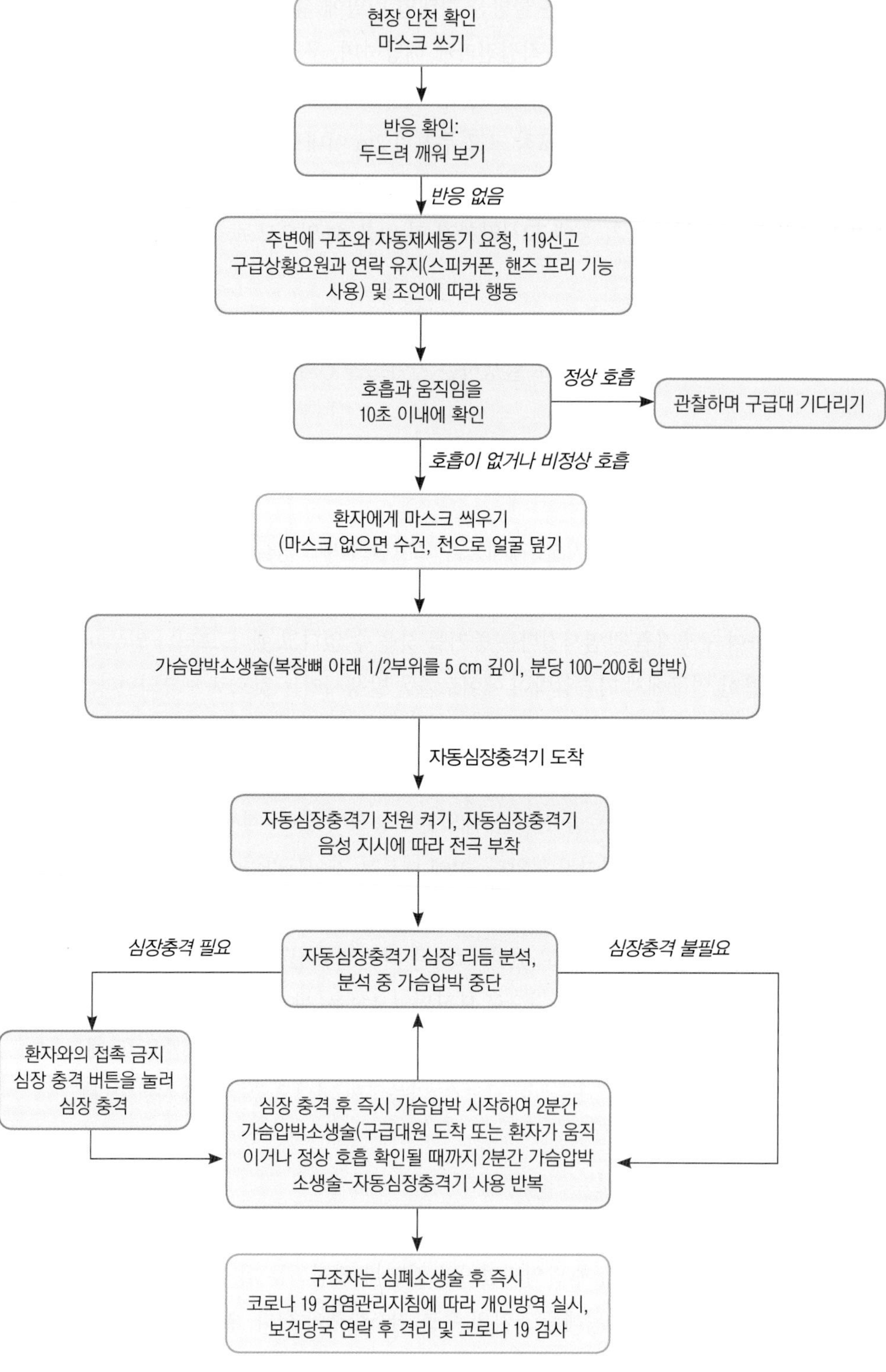


그림 4-23. 전염성 질환에 감염되었거나 감염이 의심되는 병원밖 심장정지의 일반인 구조자 기본소생술 순서

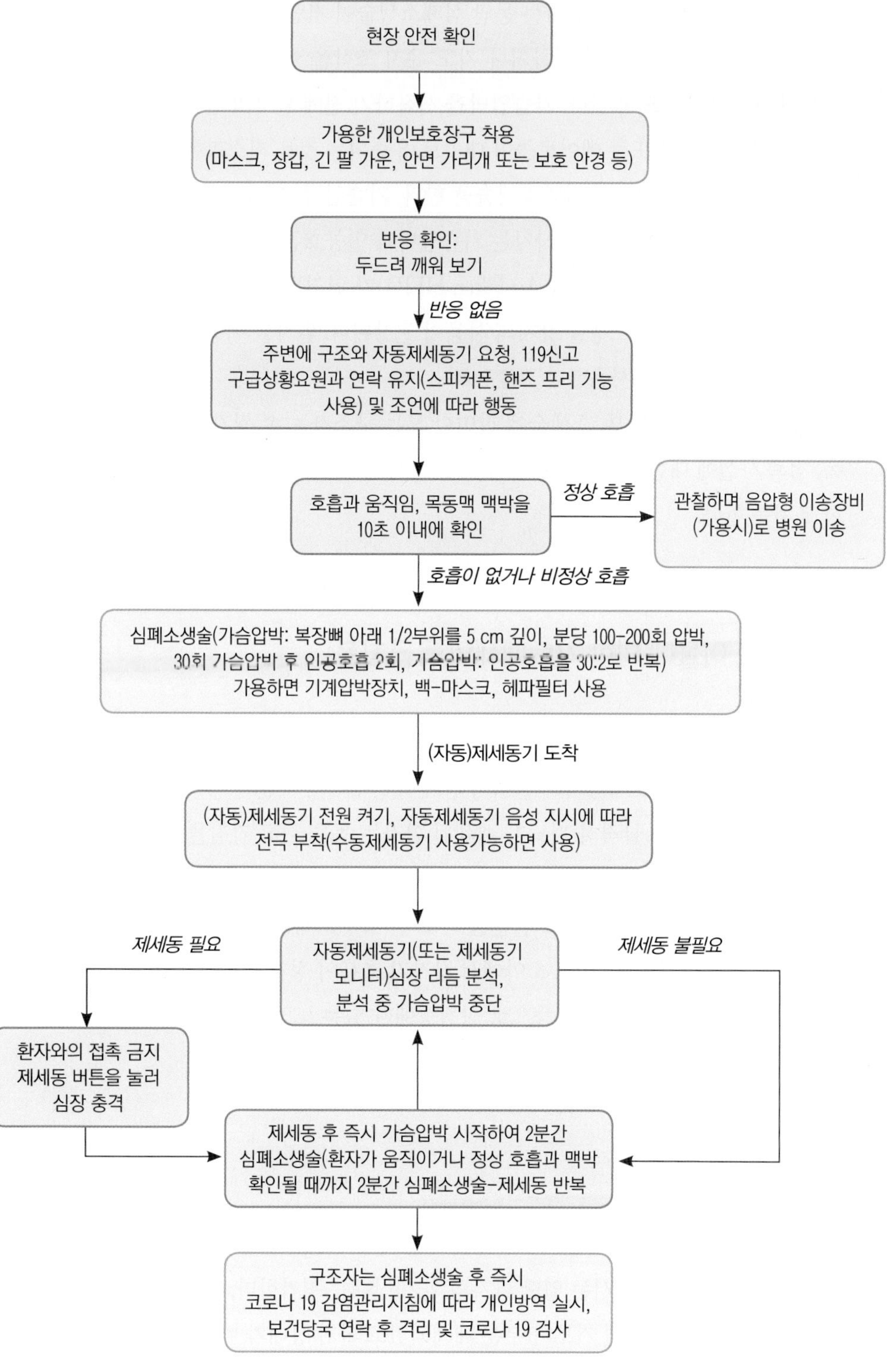


그림 4-24. 전염성 질환에 감염되었거나 감염이 의심되는 병원밖 심장정지의 의료종사자 기본소생술 순서

료종사자)가 보호장구를 착용하는 동안 심폐소생술이 지연 시작되는 것이 허용된다.

환자의 반응과 호흡을 확인하거나 기도 유지 조작을 할 때도 구조자는 환자의 얼굴에 가까이 다가가지 않도록 한다. 가슴압박을 시작하기 전에 환자의 얼굴에 마스크나 천 또는 수건을 씌워서 비말 또는 에어로졸이 대기로 유출되는 것을 최소화한다. 일반인 구조자는 인공호흡을 하지 않고 가슴압박소생술을 한다. 가슴압박 중 자동제세동기가 도착하면 즉시 사용한다(그림 4-23). 의료종사자는 가슴압박과 인공호흡을 모두 하되, 인공호흡은 헤파 필터(High Efficiency Particulate Air Filter: HEPA)가 연결된 백-마스크를 사용한다. 가슴압박을 위하여 기계 심폐소생술 장치의 사용이 권장된다. 환자를 이송할 때는 음압형 이송장치와 음압형 구급차를 사용한다(그림 4-24).

심폐소생술을 마친 후, 소생술에 참여한 모든 구조자는 손 씻기를 포함한 개인위생, 소독, 접촉 사실에 대한 신고, 격리, 감염 여부 검사 등 국가 방역 수칙에 따라 감염 방지를 위한 조치를 한다.

## 5. 이물에 의한 기도폐쇄의 응급치료

기도의 완전폐쇄는 수 분 내에 사망을 초래할 수 있는 중요한 응급 상황이다. 이물질에 의한 기도폐쇄는 주로 식당이나 놀이터 등에서 발생하기 때문에 부모나 가족에 의하여 목격되는 경우가 많다. 급격히 기도가 폐쇄된 환자는 목을 쥐고 기침을 하는 소위 "universal choking sign"이 관찰된다. 환자가 목을 쥐고 기침을 하고 있으면, 구조자는 '목에 뭐가 걸렸느냐? 또는 숨이 막히느냐?'고 질문을 하고 환자가 고개를 끄덕거림으로써 이물질에 의한 기도폐쇄를 확인할 수 있다. 소아에서 갑자기 호흡이 정지되고 청색증이 발생하면서 의식이 소실되는 경우나 뇌졸중 등으로 삼킴장애가 있는 노인에서 급격히 청색증과 무호흡이 발생한 때도 이물질에 의한 기도폐쇄를 의심해야 한다.

### 1) 기도폐쇄의 구분

이물(foreign body)에 의한 기도폐쇄는 부분폐쇄와 완전폐쇄로 나눌 수 있다. 기도가 부분적으로 폐쇄된 환자에서는 일단 환자의 환기 상태를 평가한다. 환자가 의식이 있고 말을 할 수 있거나 기침을 하면 기도가 부분 폐쇄되었고 환기 상태가 비교적 양호하다고 판단할 수 있다. 그러나 의식이 없거나 발성이나 기침이 불가능할 때, 청색증이 발생하였을 때는 기도가 완전폐쇄되어 있거나 환기 상태가 불량하다고 판단할 수 있다(표 4-7).

표 4-7. 기도폐쇄가 의심되는 환자에서 환기 상태의 판단

| | |
|---|---|
| **환기 상태가 비교적 양호한 경우** | 의식이 있는 환자<br>발성이나 기침이 가능한 환자<br>청색증이 관찰되지 않는 환자 |
| **환기 상태가 불량한 경우** | 의식이 없거나 잃어가는 환자<br>청색증이 관찰되는 환자<br>발성이나 기침이 불가능한 환자 |

환기 상태가 양호하고 의식이 있는 환자에서는 환자의 상태를 관찰하면서 계속 기침을 하도록 유도한다. 지속적인 기침 후에도 이물질이 배출되지 않는 경우, 발성이 불가능해지는 경우, 흡기 시에 고음의 소리가 들리는 경우, 기침이 점차 약해지는 경우, 청색증이 발생하는 경우, 의식이 혼미해지는 경우에는 완전폐쇄로 진행되는 것으로 판단한다. 기도의 폐쇄가 완전폐쇄로 진행되는 것이 의심되면 즉시 응급의료체계에 구조를 요청한다. 환기 상태가 불량한 부분폐쇄 환자는 완전폐쇄 환자와 같은 방법으로 응급처치를 한다.

### 2) 이물에 의한 기도폐쇄의 응급조치 방법

전술한 바와 같이 이물질에 의한 기도폐쇄가 발생하였을 때 가장 효과적인 치료는 환자가 기침하는 것이다. 기침을 효율적으로 하고 있다면, 구조자는 자발적인 기침을 하도록 두고 환자의 상태를 자세히 관찰한다. 반복적인 기침으로도 이물질이 빠져나오지 않고 환자의 환기 상태가 불량해지면, 목격자 또는 구조자가 이물질을 제거하는 응급조치를 시도한다.

이물에 의한 기도폐쇄를 치료하는 방법은 다양하게 소개되어 있으나, 방법에 따른 치료 효과의 차이는 뚜렷하지 않다. 이물에 의한 기도폐쇄의 응급처치 방법에는 등 두드리기(back blow or slap), 복부 밀어내기(하임리히법, Heimlich maneuver), 가슴 밀기(chest thrust)가 소개되고 있다.

영아(1세 미만)를 제외한 모든 환자에서 이물질 제거를 위하여 권장되는 첫 번째 방법은 등 두드리기이다. 이전의 가이드라인에서는 복부 밀어내기가 가장 먼저 권장되었다. 그러나 이물 제거의 효율성 측면에서 등 두드리기와 복부 밀어내기 사이에 차이가 없는 반면, 복부 밀어내기는 복부 장기를 손상할 가능성이 크다고 알려졌다. 따라서 2020년 가이드라인부터는 이물에 의한 기도폐쇄에 대한 첫 응급처치로서 등 두드리기가 권장된다. 영아에서는 아이의 머리가 아래쪽으로 향하도록 한 손으로 아이를 들고 등 두드리기와 가슴 밀어내기를 반복하는 것이 권장된다. 이물에 의하여 기도폐쇄가 발생한 환자의 치료방법

중에서 특정 방법이 더 효과적이라는 보고는 없으며, 오히려 한 방법을 사용한 경우보다 한 가지 이상의 방법을 사용하였을 때가 더 효과적인 것으로 알려졌다. 기도의 완전폐쇄가 의심되는 환자에게는 이물 제거 시도를 하다가 환자의 의식이 없어지면 즉시 심폐소생술을 시작한다.

### (1) 입속 이물의 제거

이물질이 입속에 위치하여 기도가 폐쇄된 환자에 대한 응급처치로서 환자의 입속에 구조자의 손가락을 넣어 이물질을 제거하는 방법(finger sweep)이 있다. 이 방법은 의식이 없는 환자에서 이물질이 구조자의 시야에 보일 때만 시행한다. 맨눈으로 확인되지 않거나 고형이 아닌 이물을 손가락으로 제거하는 것(맹목적 손가락 훑기)은 권장되지 않는다. 손가락으로 이물을 제거할 때에는 가능하면 물림 보호대를 사용하는 것이 안전하다. 환자가 의식이 있을 때는 절대로 손가락으로 이물질을 제거하려 시도해서는 안 된다. 훈련된 의료인이면 이물질을 제거할 수 있는 보조기구(Kelly clamp 또는 Magill forceps)를 사용할 수도 있다.

### (2) 등 두드리기

등 두드리기는 의식이 있는 기도폐쇄 환자(성인 또는 소아)에서 이물 제거를 위한 응

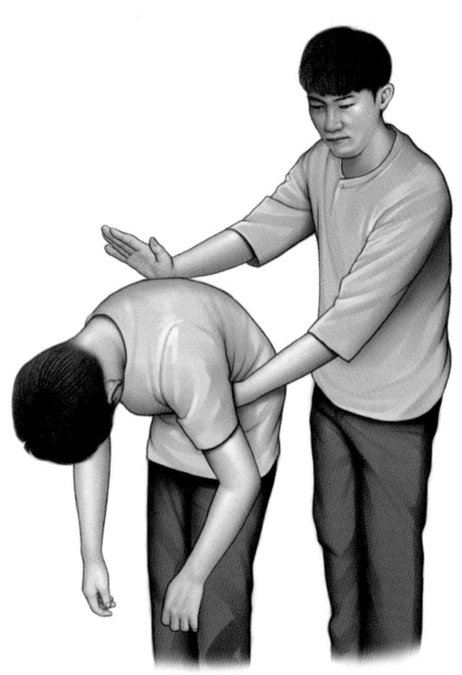

그림 4-25. 기도폐쇄의 응급처치로서 등 두드리기. 손바닥으로 양쪽 어깨뼈 사이의 등을 강하게 5번 친다.

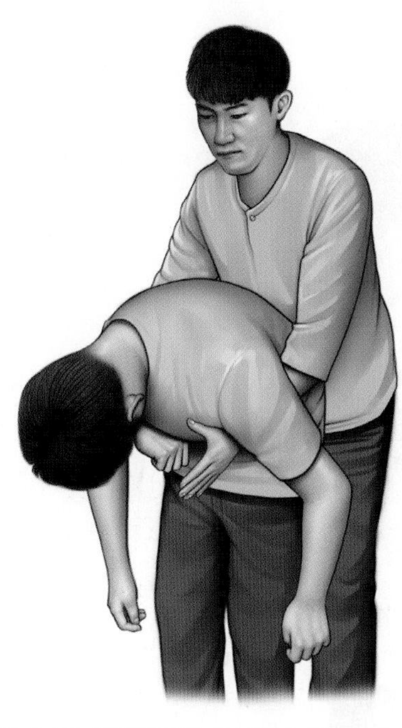
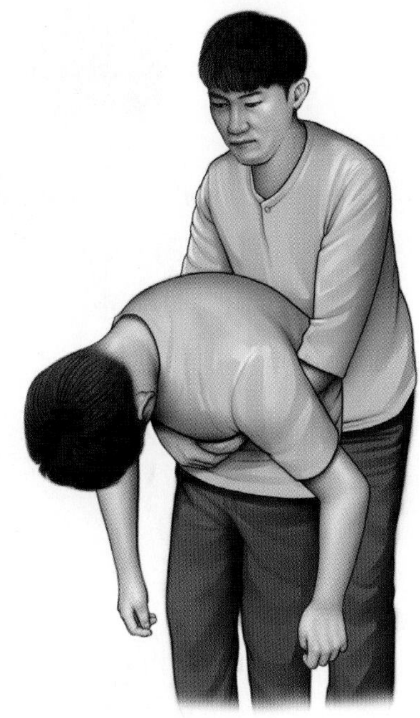

그림 4-26. 하임리히법. 검상돌기 하부에 한 손을 주먹 쥔 채로 대고 다른 한 손으로 그 위를 잡은 후, 후 상방으로 복부를 강하게 5번 압박한다.

급처치로써 가장 먼저 권장되는 방법이다. 등 두드리기는 구조자의 손바닥으로 환자의 양쪽 어깨뼈(견갑골) 사이의 등을 강하게 치는 방법이다. 등 두드리기를 할 때는 중력으로 이물이 나올 수 있도록 환자에게 허리를 굽혀 머리를 기도보다 낮게 유지하도록 한다(그림 4-25).

### (3) 복부 밀어내기(하임리히법)

복부 밀어내기는 의식이 있는 기도폐쇄 환자에서 이물 제거를 위하여 등 두드리기를 한 후 이물 제거에 실패했을 때 권장되는 방법이다. 복부 밀어내기는 횡격막을 급격히 상승시킴으로써 기도 내 압력을 증가시켜 기도 내에 있는 이물이 밀려 나오게 하는 조작이다. 복부 밀어내기는 환자의 검상돌기 하부에 한 손을 주먹 쥔 채로 대고 다른 한 손으로 그 위를 잡은 후, 후 상방으로 복부를 강하게 압박하는 방법이다(그림 4-26). 등 두드리기를 할 때와 마찬가지로 중력으로 이물이 나올 수 있도록 환자에게 허리를 굽혀 머리를 기도보다 낮게 유지하도록 한다.

### (4) 가슴 밀어내기

복부 팽만으로 인하여 복부 밀어내기가 불가능한 임산부나 고도 비만이 있는 사람의

그림 4-27. 가슴 밀어내기. 등 쪽에서 가슴을 감싸 안은 후 한 손의 주먹을 흉골 중앙에 놓은 상태에서 강하게 뒤쪽으로 5번 압박한다.

기도폐쇄에 대한 응급처치로서 등 두드리기를 한 후 등 두드리기로 이물이 제거되지 않으면 가슴 밀어내기(chest thrust)를 한다. 가슴 밀어내기는 구조자가 환자의 등 쪽에서 환자의 가슴을 감싸 안은 후 한 손의 주먹을 환자의 흉골 중앙에 위치시킨 상태에서 강하게 뒤쪽으로 압박하는 방법이다(그림 4-27). 환자를 껴안을 수 없는 상태이면, 심폐소생술의 가슴압박과 같이 흉골의 중앙부를 압박하여 이물질을 제거할 수도 있다.

### 3) 기도폐쇄가 의심되는 환자의 응급조치 순서

의식이 있는 환자에서는 환기 상태를 관찰하면서 기침을 계속하도록 유도한다. 환자가 기침을 비효율적으로 하거나 환기 상태가 나빠지면 즉시 등 두드리기를 5회 한다. 등 두드리기에도 이물이 제거되지 않으면 복부 밀어내기를 5회 한다. 복부 밀어내기에도 이물이 제거되지 않으면 다시 등 두드리기(5회)와 복부 밀어내기(5회)를 반복한다. 환자가 의식을 잃으면, 환자를 바닥에 눕힌 후, 응급의료체계에 연락하고, 즉시 심폐소생술을 시작한

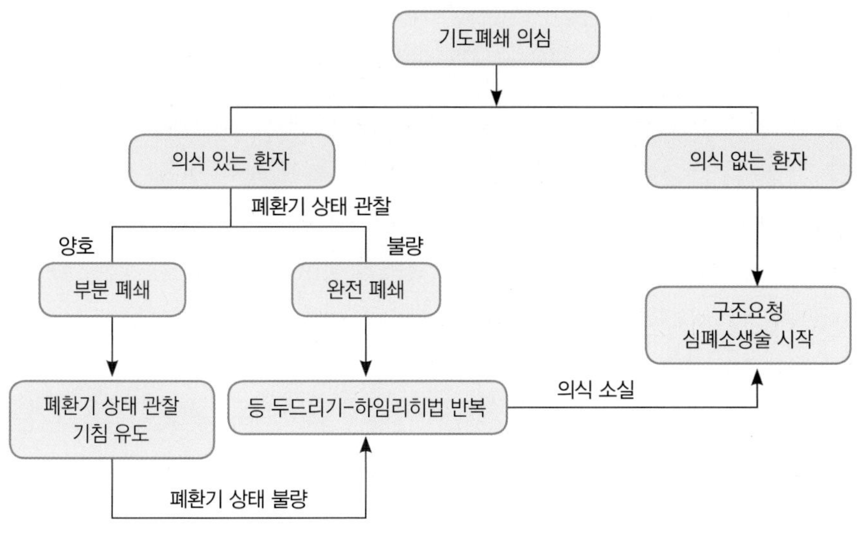


그림 4-28. 기도폐쇄가 의심되는 환자의 응급조치 순서

다. 30회의 가슴압박을 시행한 후, 인공호흡을 시도할 때마다 눈으로 입속을 관찰하여 이물이 빠져나왔는지를 확인한다. 입안에 이물이 발견되면 손가락으로 이물질을 제거한다. 이물이 보이지 않으면, 인공호흡을 시도한다. 인공호흡이 불가능하면 기도 유지 조작을 다시 한번 정확히 시행한 후, 인공호흡을 1-2회 시도한다(그림 4-28). 인공호흡이 계속 불가능하면 기도가 계속 폐쇄된 것으로 판단한다. 이물이 빠져나와 환자의 자발 호흡이 시작되거나, 응급구조사 혹은 의료인이 도착하여 환자를 인계받을 때까지 응급조치를 반복한다.

# 제 5 장

# 가슴압박 이외의 순환방법과 기계 심폐소생술 장치



심장정지 환자의 가슴을 반복적으로 압박하는 방법이 혈류를 유발하는 방법으로 도입된 이후 현재까지 60년 이상 같은 방법이 심폐소생술에 사용되고 있다. 심폐소생술 중 가슴압박에 의하여 유발되는 혈류량은 정상 심박출량의 1/3 내외에 불과하다. 또한, 가슴압박으로 유발되는 관상동맥 관류압은 10 mmHg 정도에 불과하여 심장정지 환자의 자발순환을 회복시키기 위한 관상동맥 관류압(20 mmHg 이상)을 유지할 수 없다. 현재의 심폐소생술 방법보다 혈류량을 증가시킬 수 있는 다양한 방법이 연구되었으나, 가슴압박을 대체할 만한 새로운 심폐소생술 방법은 개발되지 않고 있다.

표준 심폐소생술 이외의 혈류유발 방법으로는 중간-복부 압박 심폐소생술(interposed abdominal compression CPR: IAC-CPR)과 같이 보조기구를 사용하지 않는 대체 심폐소생술 방법(alternative CPR)과 자동 흉부압박기(mechanical compressor), 능동압박-감압 심폐소생술(active compression decompression CPR: ACD-CPR), 하중분산밴드 심폐소생술(load-distributing band CPR), 동시흉골흉강 심폐소생술(simultaneous sternothoracic CPR: SST-CPR), 단계적 흉부복부 압박-감압 심폐소생술(phased thoracic-abdominal compression-decompression CPR: PTACD-CPR), 저항역치밸브(impedance threshold device: ITD) 등과 같이 기계 심폐소생술 장치 또는 보조기구를 사용하는 방법이 있다(표 5-1). 새로운 심폐소생술 방법 중에는 동물실험을 통하여 표준 심폐소생술과 비교하면 혈류량을 증가시키는 것으로 증명된 예도 있으나, 임상연구에서 생존율을 증가시키는 것으로 증명된 방법은 많지 않다. 또한, 대부분의 새로운 심폐소생술 방법이 새로운 기구를 사용해야 하므로, 사용방법을 교육받아야 하며 환자에게 적용할 때 시간이 소요되는 점 때문에 실제 임상 적용에 어려움이 있다. 그러나 인체에 쉽게 적용할 수 있고 혈류량을 획기적으로 증가시키는

표 5-1. 대체 심폐소생술과 기계 심폐소생술 방법

| 혈류유발 방법 | | 필요 기구 또는 시술 |
|---|---|---|
| 비침습적 방법 | 기침 심폐소생술(cough CPR) | 필요 없음 |
| | 엎드린 자세 심폐소생술(prone CPR) | 필요 없음 |
| | 중간-복부압박 심폐소생술(interposed abdominal compression CPR: IAC-CPR) | 필요 없음 |
| | 자동 흉부압박기(mechanical compressor), | 기계 장치 사용 |
| | 능동압박-감압 심폐소생술(active compression decompression CPR: ACD-CPR) | 기계 장치 사용 |
| | 하중분산밴드 심폐소생술(load-distributing band CPR) | 기계 장치 사용 |
| | 동시흉골흉강심폐소생술(simultaneous sternothoracic CPR: SST-CPR) | 기계 장치 사용 |
| | 단계적 흉부복부압박-감압 심폐소생술(phased thoracic-abdominal compression-decompression CPR: PTACD-CPR) | 고유 장치 사용 |
| | 저항역치밸브(impedance threshold device: ITD) | 고유 장치 사용 |
| 침습적 방법 | 개흉 심폐소생술(open-chest CPR) | 개흉술 |
| | 체외순환 심폐소생술(extracorporeal CPR) | 체외순환장치 사용 |

방법이 개발된다면, 심장정지 환자의 생존율을 높이는 데 이바지할 수 있을 것이다.

## 1. 비침습적 대체 심폐소생술 방법

### 1) 보조기구를 사용하지 않는 심폐소생술 방법

#### (1) 기침 심폐소생술

기침 심폐소생술(cough cardiopulmonary resuscitation)은 심장정지가 발생하였으나 아직 의식이 있는 특수한 경우의 환자에게 반복적으로 기침을 하도록 유도하는 방법이다. 기침하면 흉강 내압이 상승하면서 혈류가 발생하여 일시적으로 뇌 혈류를 유지할 수 있다. 심혈관검사실, 중환자실 등 심전도가 감시되고 있는 상황에서 심실세동이나 심실빈맥이 발생한 경우에는 환자가 의식을 잃기 전에 의료진이 심장정지 발생을 먼저 알 수 있다. 이때 환자에게 1-3초 간격으로 계속 기침을 하도록 하면 일시적으로(최대 90초 정도) 환자의 의식을 유지할 수 있다. 이 방법은 병원에서 심전도 감시 중인 환자에게 심실빈맥 또는 심실세동이 발생하였을 때 의료진이 시도하는 방법이다.

### (2) 중간-복부압박 심폐소생술

중간-복부압박 심폐소생술(interposed abdominal compression CPR: IAC-CPR)은 가슴압박과 더불어 다른 한 명의 구조자가 복부를 압박하되 흉부와 복부를 번갈아 압박하는 방법이다(그림 5-1). 이 방법은 복부를 압박하면 하대정맥으로의 혈액 역류와 복부 대동맥으로의 혈류가 차단되어, 관상동맥과 목동맥으로의 혈류를 증가시킨다는 생각에서 시작되었다. 처음에는 심폐소생술 동안 한 명의 구조자가 복부를 지속해서 압박하는 방법(지속복부압박 심폐소생술: continuous abdominal compression-CPR)이나 심폐소생술 동안 복부를 둘러싸는 띠(band)로서 복부를 눌러주는 방법(CPR with abdominal banding)이 시도되었다. 그러나 복부를 압박하더라도 대동맥을 압박할 수 없으므로, 복부를 계속 압박하는 것보다는 가슴압박의 이완기에 복부를 압박함으로써 심장으로의 혈액 환류를 증가시키도록 고안된 중간-복부압박 심폐소생술이 시작되었다.

중간-복부압박 심폐소생술을 할 때는 압박기에는 복부를 압박하지 않고, 이완기에 복부를 약 100 mmHg 정도의 압력으로 압박한다. 복부 압박 부위는 제대(배꼽)와 검상돌기의 중간 부분이다. 압박 위치가 부적절하면 복부 장기의 손상이 발생할 수 있으므로 유의한다.

중간-복부압박 심폐소생술은 동물실험에서 표준 심폐소생술 방법보다 수축기 및 이완

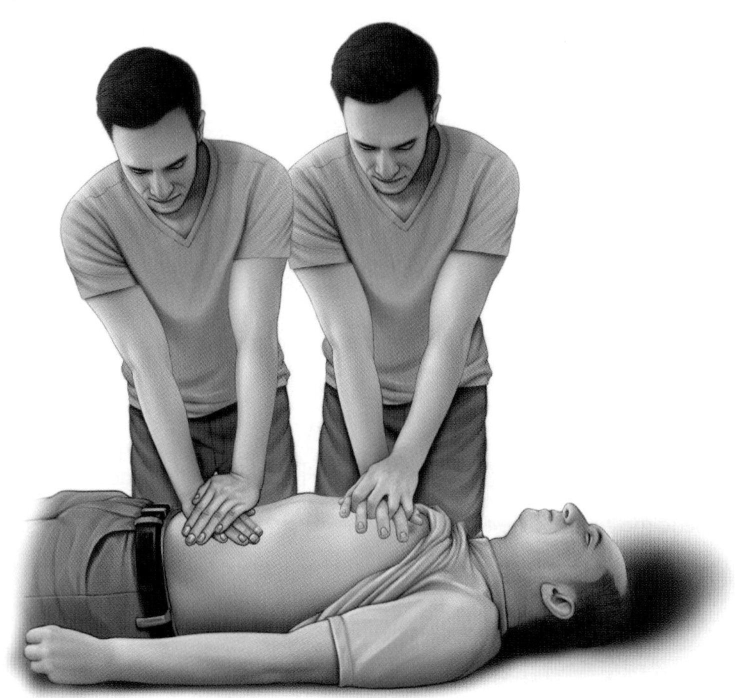

그림 5-1. 중간-복부 압박 심폐소생술. 압박기에는 복부를 압박하지 않고, 이완기에 복부를 약 100 mmHg 정도의 압력으로 번갈아 가면서 압박한다.

기 혈압, 심근 관류압, 심박출량을 증가시키는 것으로 조사되었다. 중간-복부압박 심폐소생술은 병원내 심장정지 환자에서는 표준 심폐소생술보다 생존율을 증가시키는 것으로 보고되었다. 중간-복부압박 심폐소생술에 의한 복부 장기 손상이 보고된 바 없으나, 중간-복부압박 심폐소생술은 복부 장기의 손상을 초래할 가능성이 있으며, 복부 압박에 의한 위 내용물의 역류 가능성이 크므로 반드시 기관내삽관 한 후 시도한다. 또한, 이 방법은 3명의 구조자가 있어야 할 수 있으므로, 응급의료팀이 일반적으로 2인의 응급구조사로 운영되고 있는 점을 고려하면 병원 이외의 장소에서 임상적으로 적용하기에는 한계가 있다.

#### (3) 엎드린 자세 심폐소생술

엎드린 자세 심폐소생술(prone CPR)은 환자를 복와위(엎드린) 상태로 유지한 후 흉곽의 후면(제7-10번 흉추 사이)을 압박하는 심폐소생술 방법이다. 이 방법은 표준 심폐소생술을 시행할 때보다 더 강한 힘으로 흉곽을 압박할 수 있으므로 압박기 동맥압과 평균 동맥압을 표준 심폐소생술보다 높게 유지할 수 있다는 장점이 있다. 즉, 흉골을 압박하는 현재의 심폐소생술 방법은 늑연골 접합부(costocondral junction)의 손상을 쉽게 가져오기 때문에 압박의 강도를 높이지 못하는 한계가 있으나, 흉곽의 후면에서 압박하면 더 강한 힘으로 압박하여도 흉곽의 손상 가능성이 작아서 압박 강도를 증가시킬 수 있다. 또한, 이 방법은 복부를 받쳐주는 기구를 사용할 경우, 횡격막의 움직임을 최소화시킴으로써 흉강 내압의 상승을 극대화할 수 있다.

이 방법에 관한 임상연구로서 소규모의 병원 내 심장정지 환자에서 표준 심폐소생술과 엎드린 자세 심폐소생술을 비교한 결과, 엎드린 자세 심폐소생술이 표준 심폐소생술보다 압박기 동맥압과 평균 동맥압을 상승시켰다는 보고가 있다.

### 2) 기계 심폐소생술 장치와 보조기구

#### (1) 자동 흉부압박기

압축된 공기, 산소, 또는 건전지로 작동되는 자동 흉부압박기(mechanical piston device 또는 automatic mechanical chest compressor)는 사람이 압박하는 것보다 균일한 강도의 가슴압박을 제공할 수 있다. 자동 흉부압박기로 심폐소생술을 하면 구조자가 지치지 않고 환자를 위한 다른 조치를 취할 수 있으며, 제세동할 때도 가슴압박을 계속할 수 있다는 장점이 있다. 이송 중에도 균일한 압박을 유지할 수 있으므로, 구급차나 헬기로 환자를 이송하는 도중에도 자동 흉부압박기를 사용할 수 있다.

최근에 고안되어 시판되고 있는 자동 흉부압박기는 환자를 눕히는 등 받침대와 연결되

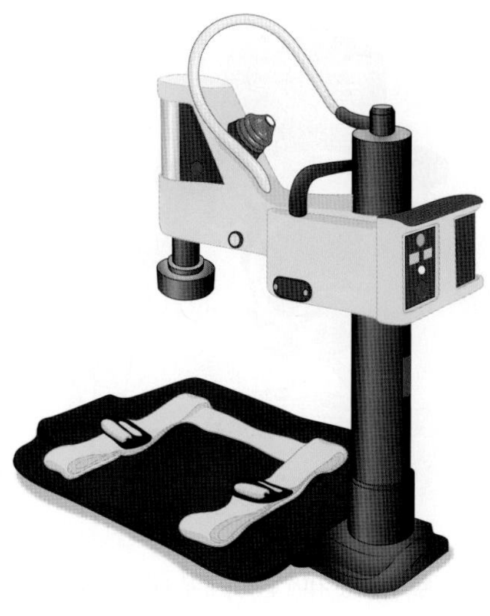

그림 5-2. 자동 흉부압박기. 자동 흉부압박기는 환자를 눕히는 등 받침대와 연결되어 압박기를 연결하는 구조물, 압축산소에 의하여 작동되는 압박기 및 인공호흡 장치로 구성되어 있다

어 압박기를 연결하는 구조물, 압축산소에 의하여 작동되는 압박기 및 인공호흡 장치로 구성되어 있다(그림 5-2). 압박기의 위치는 환자에 따라 흉골 높이로 조절할 수 있도록 고안되어 있다. 인공호흡과 가슴압박의 비는 일정하게 유지되며, 압박의 깊이, 회수 등을 쉽게 조절할 수 있게 되어있다.

자동 흉부압박기로 심폐소생술을 하면 구조자가 손으로 가슴압박을 할 때와 유사한 순환량을 유발할 수 있다. 자동 흉부압박기로 가슴을 압박하면 구조자가 압박하는 것보다 흉골 골절의 발생률이 증가하지만, 늑골골절의 발생률이나 간, 비장 등의 손상률은 낮다. 그러나 기계를 적절히 취급할 수 없는 사람이 사용할 경우 내부 장기의 손상이 발생하거나 비효율적인 가슴압박을 초래할 수 있다. 자동 흉부압박기는 소아에서의 적합성이 검증되지 않았으므로 성인에서만 사용한다.

### (2) 능동 압박-감압 심폐소생술

능동 압박-감압 심폐소생술(active compression decompression CPR: ACD-CPR)은 흉부에 컵 모양의 기구를 밀착시키고 흉부를 압박한 후, 기구를 끌어올림으로써 흉강 내에 음압을 조성하여 정맥으로부터 심장으로의 혈액유입을 증가시키는 방법이다. 현재 시판되고 있는 능동 압박-감압 심폐소생술 기구는 흉골 부위에 접속한 후 진공을 이용하여 접착상태를 유지하는 컵 모양의 부착기구와 기구를 압박하고 끌어올릴 수 있는 손잡이로 구성되어 있다. 능동 압박-감압 심폐소생술 방법으로 흉부를 압박할 때에는 기존의 심폐소

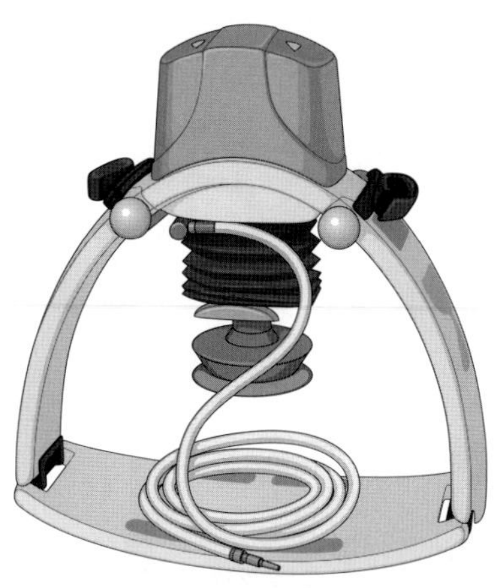

그림 5-3. 능동압박-감압 심폐소생술 장치. 이완기에 흉강 내에 음압을 조성하여 정맥으로부터 심장으로의 혈액유입을 증가시키는 장치이다.

생술과 같은 방법으로 흉부를 압박한다. 다만 기존의 방법에서는 압박을 가한 힘을 제거하는 것이 이완기의 역할을 하였으나, 능동 압박-감압 심폐소생술 중에는 기구를 끌어올려 흉곽이 팽창되도록 한다. 최근에는 능동 압박-감압 심폐소생술을 자동으로 수행하는 장치가 개발되어 사용되고 있다(그림 5-3).

능동 압박-감압 심폐소생술은 동물실험과 임상연구에서 심박출량, 관상동맥 혈류량, 목동맥 혈류량을 증가시키는 것으로 보고되었다. 또한, 병원내 심장정지 환자에서 표준 심폐소생술보다 생존율을 증가시키는 것으로 알려졌다. 그러나 병원 이외의 장소에서 심장정지가 발생한 환자에서 시행한 대규모 연구에서 능동 압박-감압 심폐소생술이 시행된 환자군과 표준 심폐소생술 방법이 시행된 환자군 사이에 생존율의 차이가 없는 것으로 나타났다. 현재의 심폐소생술을 능동압박-감압 심폐소생술로 대체하는 것은 권장되지 않으며, 구급차 또는 헬리콥터 등 환자가 이송되고 있는 동안이나 심혈관조영실에서 발생한 심장정지 등 특수한 상황에서 능동 압박-감압 심폐소생술 장치의 사용을 고려한다.

### (3) 하중분산밴드 심폐소생술

하중분산밴드 심폐소생술(load-distributing band CPR)은 흉곽을 둘러싸는 띠(band)를 전기 구동력을 사용하여 수축시키거나, 공기를 주입하여 압력을 상승시켜 혈류를 유발하는 심폐소생술 방법이다. 이 방법은 흉강 펌프를 이용한 심폐소생술 방법으로서 기존의 심폐소생술과는 달리 흉골 부위를 압박하지 않고 흉곽을 둘러싸는 띠를 사용하여 흉강 내 압력을 증가시킨다.

하중분산밴드 심폐소생술 장치는 처음 흉곽을 둘러싸는 공기 조끼와 조끼 내로 고압의 공기를 불어 넣을 수 있는 공기주입장치로 구성된 공기 조끼(pneumatic vest) 심폐소생술 장치의 형태로 개발되었다. 이 기구는 흉곽을 충분히 덮을 수 있는 공기 조끼로 환자의 흉곽을 둘러싼 후, 조끼로 압축공기를 불어넣음으로써, 조끼의 압력을 증가시켜 증가한 압력이 흉곽으로 전달되도록 한다. 조끼 내 압력을 250-300 mmHg 정도로 증가시키면 약 150 mmHg 정도의 흉강 내 압력을 얻을 수 있는 것으로 알려져 있다. 공기 조끼 심폐소생술은 장치의 부피와 이동성의 문제로 상용화되어 있지 않다.

하중분산밴드 심폐소생술은 등 받침에 있는 전기모터를 사용하여 흉곽 밴드를 수축시켜 흉강 내압을 상승시킨다(그림 5-4). 이 장비는 기존의 심폐소생술 방법보다 심박출량과 관상동맥 관류압을 높게 유지할 수 있는 것으로 보고되었다. 심장정지 환자를 대상으로 시행된 대규모 연구에서 하중분산밴드 심폐소생술을 받은 군과 표준 심폐소생술을 받은 군 사이에 생존율을 비교한 결과, 생존율을 증가시킨다는 결과와 생존율을 감소시킨다는 상반된 결과가 보고되었다. 최근의 대규모 임상연구에서도 하중분산밴드 심폐소생술은 표준 심폐소생술과 유사한 생존율을 보였다. 현재의 심폐소생술을 하중분산밴드 심폐소생술로 대체하는 것은 권장되지 않으며, 구급차 또는 헬리콥터 등 환자가 이송되고 있는 동안이나 심혈관조영실에서의 심장정지 등 특수한 상황에서 하중분산밴드 심폐소생술 장치의 사용을 고려한다.

### (4) 동시 흉골-흉강 심폐소생술

동시 흉골-흉강 심폐소생술(simultaneous sternothoracic CPR: SST-CPR)은 국내에서

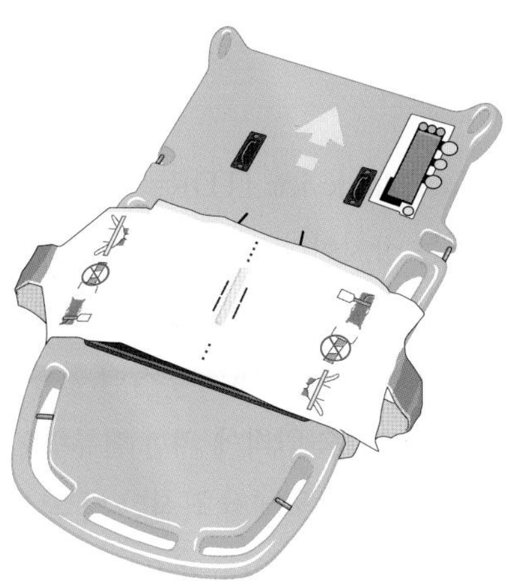

그림 5-4. 하중분산밴드 심폐소생술 장치. 하중분산밴드 심폐소생술 장치는 등 받침에 있는 전기모터를 사용하여 band를 수축시켜 흉강 내압을 상승시킨다.

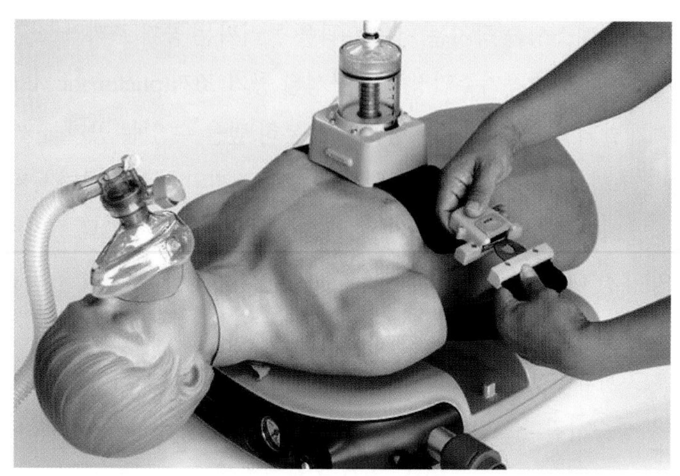

그림 5-5. 동시 흉골-흉강 심폐소생술 장치. 흉골을 압박하는 피스톤과 피스톤의 운동에 따라 흉곽을 수축하는 흉곽 띠로 구성된 심폐소생술 장치로서 흉골을 압박하면서 동시에 흉곽을 수축시켜 혈류를 유발한다.

개발된 심폐소생술 방법으로서, 흉골을 압박하는 피스톤과 피스톤의 운동에 따라 흉곽을 수축하는 흉곽 띠로 구성된 심폐소생술 장치를 사용하는 심폐소생술 방법이다. 동시 흉골-흉강 심폐소생술은 흉골을 압박하면서 동시에 흉곽을 수축시킴으로써, 흉골의 압박으로 발생하는 심장 펌프와 흉곽을 수축시켜 발생하는 흉강 펌프가 1회의 심폐소생술 주기 내에서 동시에 작용하도록 고안되었다(그림 5-5). 심장정지를 유발한 동물실험 결과, 표준 심폐소생술보다 높은 관상동맥 관류압 및 호기말 이산화탄소 분압을 유발할 수 있었으며, 생존율을 높일 수 있는 것으로 나타났다. 소규모 임상연구에서 동시 흉골-흉강 심폐소생술을 받은 군과 표준 심폐소생술을 받은 군 사이에 생존율 차이는 없었다.

### (5) 저항역치밸브

저항역치밸브(impedance threshold device: ITD)는 호흡계와 순환계의 연계성을 이용하여 심폐소생술의 효율을 높이는 장치이다(그림 5-6). 저항역치밸브는 심폐소생술의 이완기에 흉강 내압이 감소할 때 흡기를 차단하는 판막이다. 심폐소생술의 이완기에 흡기가 차단되면 흉강 내 음압이 증가함으로써, 흉강 내로의 정맥 환류가 증가하게 된다. 흉강 내로의 정맥 환류가 증가하면 이어지는 가슴 압박에 의한 혈류량이 증가한다. 저항역치밸브는 동물실험을 통하여 심장정지 상태의 동물에서 좌심실 및 뇌 혈류량을 증가시키는 것으로 증명되었으며, 동물의 24시간 생존율을 높이는 것으로 보고되었다. 저항역치밸브는 능동압박-감압 심폐소생술과 함께 적용될 때 심장정지 환자의 생존율을 증가시킬 수 있다고 보고되었다.

그림 5-6. 저항역치밸브. 심폐소생술의 이완기에 흡기를 차단하여 흉강 내로의 정맥 환류를 증가시킨다.

#### (6) 단계적 흉부-복부 압박-감압 심폐소생술

단계적 흉부-복부 압박-감압 심폐소생술(phased thoracic-abdominal compression-decompression CPR: PTACD-CPR)은 능동압박-감압 심폐소생술과 중간-복부 압박 심폐소생술을 조합한 방법으로써, 전술한 능동압박-감압 심폐소생술 장치와 유사한 보조기구가 양측에 달린 심폐소생술 장치를 사용하여 흉부와 복부를 번갈아 가면서 압박 및 감압하는 방법이다. 동물실험에서 표준 심폐소생술보다 높은 관상동맥 관류압을 유발할 수 있는 것으로 증명되었으며, 한차례의 임상연구에서 표준 심폐소생술과 비교하여 생존율 증가 효과는 증명되지 않았다.

## 2. 침습적 심폐소생술

### 1) 개흉 심폐소생술

개흉 심폐소생술(open-chest CPR: OC-CPR)은 흉곽을 절개하여 심장을 노출한 후 손으로 심장을 직접 압박하는 방법이다(그림 5-7). 개흉 심폐소생술은 가슴압박보다 뇌 혈류량 및 관상동맥 관류압을 월등히 높게 유지할 수 있다. 또한, 심장 및 흉곽 내부를 직접 관찰하고 만질 수 있으므로 약물투여와 제세동에도 유리하다.

개흉 심폐소생술은 심장정지의 초기(15분 이내)에 시도되어야 소생률을 증가시킬 수 있다. 개흉 심폐소생술로 환자의 생존율을 높이려면, 흉부절개에 능숙한 의사가 신속히 흉

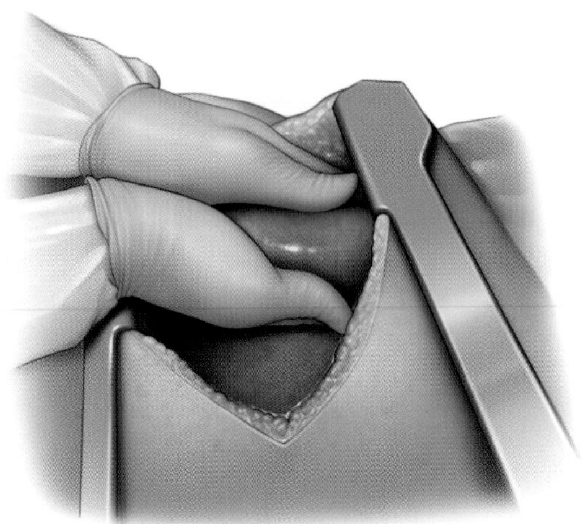

그림 5-7. 개흉 심폐소생술. 개흉 심폐소생술은 흉곽을 절개하여 심장을 노출한 후 손으로 심장을 직접 압박하는 방법이다.

곽을 절개하여 심장을 노출할 수 있어야 한다. 병원에도 숙련된 의료진으로 구성된 팀과 적절한 장비가 갖추어져야 한다. 따라서 개흉 심폐소생술은 숙련된 팀과 시설 및 장비를 갖춘 병원 내에서 심장정지가 발생한 소수의 환자에게 시행될 수 있다.

개흉 심폐소생술의 가장 중요한 적응증은 흉부관통상에 의한 심장정지이다. 외부에서 가슴압박을 시행할 수 없는 상태의 환자나 개심 수술 직후 또는 수술 중에 심장정지가 발생한 환자에서는 개흉 심폐소생술을 시행할 수 있다(표 5-2). 개흉 심폐소생술을 시행할 때 뇌 혈류와 관상동맥 혈류량을 최대화시키기 위하여 흉부 하행대동맥을 겸자로 잡아 폐쇄하면, 횡격막 이하로의 혈류가 차단되어 뇌와 심장으로의 혈류를 증가시킬 수 있다.

개흉 심폐소생술은 장기간의 심폐소생술 후에도 순환이 회복되지 않는 환자에서 마지막으로 시도해보는 방법이 되어서는 안 된다. 이 방법은 적응증에 해당하는 환자를 선택한 후 숙련된 응급의료팀에 의하여 시도되어야 한다.

### 2) 체외순환 심폐소생술

체외순환 심폐소생술(extracorporeal CPR: ECPR)은 심폐소생술 중 체외순환(extracor-

표 5-2. 개흉 심폐소생술의 적응증

| |
|---|
| 1. 흉부 또는 심장 수술 중 심장정지가 발생한 경우 |
| 2. 흉부의 관통상으로 인한 심장정지로 심장 손상이 의심될 경우 |
| 3. 흉부의 비관통성 둔상에 의한 심장정지 |
| 4. 복부관통상에 의한 심장정지 환자에서 심장 손상이 의심될 경우 |
| 5. 흉곽의 심한 기형 등으로 가슴압박이 불가능한 경우 |

poreal circulation)으로 순환을 유지하는 방법이다. 체외순환을 시작하면 가슴압박과 인공호흡을 하지 않고 조직으로의 관류와 산소 공급을 유지할 수 있다. 최근 여러 관찰연구에서 체외 심폐소생술을 시행 받은 환자가 표준 심폐소생술을 받은 환자보다 생존율이 높다고 보고되었다. 심장정지 환자에서 사용되는 체외순환방법은 심장 수술에서와같이 흉곽을 절개한 후 심장과 대동맥으로부터 직접 혈액을 우회하는 것이 아니라, 넓적다리부의 피부를 절개 또는 천자 한 후 동맥과 정맥(통상 대퇴동맥과 대퇴정맥 또는 목정맥)을 통하여

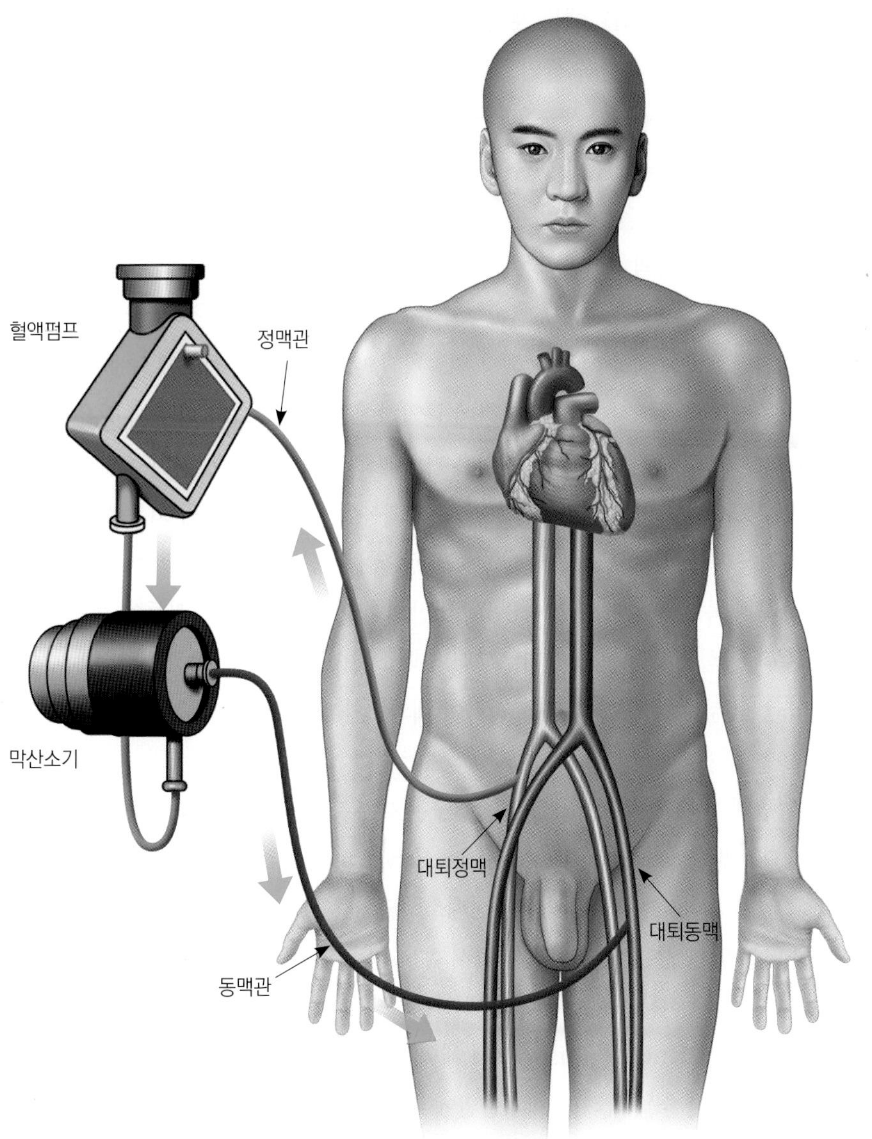


그림 5-8. 체외 심폐소생술. 체외 심폐소생술은 체외순환으로 조직 관류를 유지하는 방법이다. 우심방에서의 정맥혈은 도자를 통하여 체외막산소기를 통과함으로써 산소화된 후 대동맥에 있는 도자를 통하여 동맥으로 들어가 조직으로 관류하게 된다.

혈액을 체외순환장치로 우회시킨다. 즉 대퇴정맥을 통하여 대정맥에 도자를 삽입하고 대퇴동맥으로 삽입된 도자는 대동맥에 위치시킨다. 우심방에서의 정맥혈은 도자를 통하여 체외막산소기(extracorporeal membrane oxygenator)를 통과함으로써 산소화된 후 대동맥에 있는 도자를 통하여 동맥으로 들어가 조직으로 관류하게 된다(그림 5-8).

체외순환 심폐소생술은 가슴압박으로 혈류를 유발하는 표준 심폐소생술보다 비교적 안정된 순환량을 유지할 수 있으나, 도자를 삽입하고 체외순환을 시작하는데 시간이 소요되므로 응급 상황에서 사용하기에는 제한이 있었다. 최근 미리 준비된 체외순환장치와 혈관 도자를 사용하여 시술 시간을 줄임으로써 전문소생술에도 불구하고 자발순환이 회복되지 않는 환자에게 체외 심폐소생술을 적극적으로 시도하고 있다. 특히 병원 내에서 심장정지가 발생하여 10분간의 전문소생술에도 자발순환이 회복되지 않는 환자에게 체외 심폐소생술을 적용하면 생존율을 높일 수 있다. 유럽에서는 이동형 체외순환장치를 사용하여 병원밖 심장정지 환자의 치료 현장에서 체외순환 심폐소생술을 적용하는 시도가 이루어지고 있다.

체외순환 심폐소생술 적응 기준은 해당 의료기관의 체외순환 심폐소생술에 대한 경험, 체외순환 시술에 대한 준비상태, 치료성적에 근거하여 의료기관마다 다르게 적용하고 있다. 체외순환 심폐소생술 적응의 기본 원칙은 가역적 원인에 의해 심장정지가 발생한 환자에서 심폐소생술로 순환회복이 되지 않지만, 순환회복이 될 때 신경학적 회복을 기대할 수 있는 경우에 적용한다. 심폐소생술이 진행 중인 상황에서 신경학적 회복을 예측할 수 없으므로, 신경학적 회복 가능성이 큰 요소(75세 미만의 나이, 초기 심전도 리듬이 충격필요리듬인 경우, 목격된 심장정지, 심장정지로부터 심폐소생술 시작까지 5분 이내인 경우, 심장정지 시간이 총 60분 이내인 경우)를 고려하여 체외순환 심폐소생술의 적응증을 정하도록 권장된다.

체외순환 심폐소생술에 관한 임상 관찰연구는 대부분 체외순환 심폐소생술을 한 경우에 고식적 심폐소생술(conventional cardiopulmonary resuscitation)을 한 경우보다 좋은 예후를 보고하고 있다. 그러나 아직 체외순환 심폐소생술의 치료 효과를 평가한 대규모 무작위 연구는 발표되고 있지 않은 상황이다. 따라서 체외순환 장치를 보유하고 있는 의료기관에서 체외순환에 숙련된 전문가가 있는 경우에 전문소생술에도 자발순환이 회복되지 않는 심장정지 환자의 구조치료(rescue therapy)로서 체외 심폐소생술을 적용하는 것이 권장된다.

체외순환 심폐소생술을 하려면 체외순환에 경험이 있는 의료진과 체외순환장치가 24시간 사용 가능해야 한다. 심폐소생술 도중에 체외순환 심폐소생술로 전환하려면 매우 빨리 체외순환장치를 준비하고 도자를 삽관해야 하므로, 의료진에 대한 반복적인 훈련과 질 관리가 필요하다.

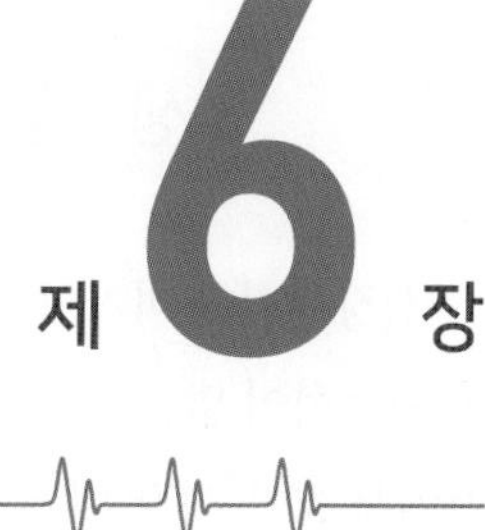


# 심폐소생술의 시작과 종료

## 1. 개요

심장정지 환자에게 심폐소생술을 해도 모든 환자가 생명을 되찾는 것은 아니다. 대부분 구조자는 심장정지 환자의 병력을 전혀 모르는 상태에서 심폐소생술을 시작해야 하므로, 심폐소생술이 환자에게 도움이 될 것인지 해가 될 것인지를 심폐소생술을 시작 전에 판단할 수 없다.

일반적으로 어떤 의료행위가 시도되기 전에는 환자에게 시술 방법과 합병증, 치료의 결과를 설명한 후 환자의 동의하에 시행되어야 한다. 환자에게는 특정 의료행위를 거부할 권리가 있지만, 환자가 의식이 없는 상태에서 심폐소생술이 시작되므로 심폐소생술의 시도에 대하여 환자가 동의하거나 거부할 기회가 없다. 따라서 심폐소생술의 시작과 종료는 환자 자신이 결정하는 것이 아니라, 환자의 가족이나 심폐소생술을 시행하는 시술자가 결정하게 된다. 심폐소생술을 시도하는 의료인이나 목격자는 심폐소생술이 환자에게 도움이 될지를 판단한 후 심폐소생술을 시작해야 한다. 심장정지가 발생한 상황에서는 심폐소생술의 결과를 예측할 수 없으므로 심폐소생술의 시작과 종료에 대한 지침에 따른다.

심폐소생술은 의료 술기이므로 심폐소생술을 시작하고 종료하는 데 대한 적절한 적응증과 금기증이 적용된다. 지역에 따라 의료환경과 함께 문화적, 사회적, 도덕적 배경이 다르므로, 심폐소생술의 시작과 종료에 관한 지침은 국가마다 조금씩 차이가 있다. 각 국가에서는 심폐소생술의 시작과 종료에 대한 기준을 정하여 운용하고 있다.

## 2. 소생 가능성의 판단

심장정지가 비가역적 과정에 의하여 발생한 상태라면 심폐소생술은 무의미하다. 즉 소생 가능성이 없는 환자에게는 심폐소생술을 시작하지 않아야 한다. 심장정지가 발생한 환자에서 짧은 시간 내에 소생 가능성을 예측한다는 것은 매우 어렵다. 따라서 소생 가능성이 조금이라도 있거나, 소생 가능성을 판단하기 어려운 환자에서는 일단 심폐소생술이 시작되어야 한다. 다만 충분한 심폐소생술이 시행된 후에도 자발순환이 회복되지 않거나 심폐소생술로 자발순환의 회복을 기대할 수 없는 경우에는 소생 가능성이 없다고 판단할 수 있다(표 6-1).

심장정지 및 심폐소생술과 연관된 다양한 요인을 적용하여 심장정지 환자의 소생 가능성을 판단하려는 시도가 있다. 예를 들면, 병원내 심장정지 환자에서 심장정지가 목격(심장정지의 목격은 심전도 감시 중 심장정지의 발생 또는 발생과정을 목격했는지로 판단)되지 않은 경우(Unwitnessed), 심장정지 발생 시 심전도가 심실세동 또는 심실빈맥 이외의 리듬인 경우(Non-shockable), 심폐소생술 시작 후 첫 10분 이내에 순환회복이 되지 않은 경우(10)의 세 가지 요소가 모두 있는 경우(세 경우의 첫 글자를 사용하여 UN10 rule이라고도 함)에는 소생되지 않을 가능성을 99%까지 예측할 수 있다는 보고가 있다.

## 3. 소생시도 금지

소생시도 금지(do-not-resuscitate: DNR 또는 do-not-attempt resuscitation: DNAR)는 심장정지가 발생하더라도 심폐소생술을 시행하지 말라는 의사의 지시(order)이다. 심폐소생술은 의료행위이므로 환자가 의료진의 의료행위를 수용할 수도 있지만 거부할 수도 있다. 치유될 수 없는 암 질환 또는 후천성면역결핍증 등 질병의 진행 때문에 회복될 수 없는 심장정지가 발생할 가능성이 있는 경우에는 환자가 심폐소생술을 받을 것인지를 미리 결정할 수 있다. 질병의 마지막 단계에서 심장정지가 발생하였을 때 심폐소생술을 시행 받을

표 6-1. 소생 가능성이 없다고 판단할 수 있는 경우

| |
|---|
| 1. 기본소생술과 전문소생술이 충분히 시행된 후에도 심장 박동이 회복되지 않는 경우 |
| 2. 생체기관의 기능이 회복될 수 없을 정도로 손상된 경우<br>(예를 들면 심장성 쇼크나 패혈성 쇼크 환자에서 최대한의 치료 후에 심장정지가 발생한 경우) |
| 3. 문헌상 심폐소생술에 의한 생존이 보고되지 않은 질환에 의하여 심장정지가 발생한 경우 |

것인지 시행 받지 않을 것인지를 환자가 사전에 결정하면 불필요한 심폐소생술의 시도를 방지할 수 있다. 이러한 환자가 만약 심장정지가 발생하였을 때 심폐소생술을 받지 않기로 하면 의사는 소생시도 금지 지시를 내릴 수 있다.

소생시도 금지를 결정할 때에는 적어도 다음의 두 가지 사항이 고려되어야 한다. 첫째, 소생시도 금지는 환자의 상태를 가장 잘 알고 있는 의료진에 의하여 판단되어야 하며, 심장정지가 발생하기 전에 해당 환자에 대한 소생시도 금지 결정이 의학적, 도덕적으로 적합한지를 검증돼야 한다. 둘째, 의료진은 환자와 가족에게 질환의 상태와 예후, 심폐소생술에 의한 소생 가능성에 대하여 정확히 알려줌으로써, 심장정지가 발생하기 이전에 심폐소생술을 수용할 것인지를 미리 판단하도록 한다. 따라서 치유될 수 없는 만성질환이 있는 환자에게서의 소생시도 금지 결정은 충분한 시간을 두고 반복하여 상의한 후 결정되어야 한다.

소생시도 금지 결정이 내려지면 환자의 의무기록에 판단과정과 판단내용을 기록하여야 하며, 환자의 질병 표식(medical symbol)에 소생시도 금지 지시를 표기해주어야 한다.

소생시도 금지가 결정되었다고 해서 환자에 대한 모든 치료가 중단되는 것은 아니다. 소생시도 금지를 결정할 때 환자의 치료 과정에서 시행될 가능성이 있는 시술의 선택한계를 미리 정한 경우를 제외하면, 소생시도 금지를 결정했다고 해도 심폐소생술 이외의 모든 치료는 계속한다. 따라서 소생시도 금지를 결정할 때에는 환자와 가족에게 환자의 예후에 대하여 충분히 설명한 후, 소생시도 금지 결정 후의 치료한계를 명시하여 환자를 미리 포기하거나 불성실한 치료가 이루어지는 일이 없도록 해야 한다.

## 4. 심폐소생술의 시작

심장정지가 발생한 환자를 목격하거나 발견하였을 때는 특별한 이유가 없는 한 심폐소

표 6-2. 심폐소생술을 시작하지 않아도 되는 경우

| |
|---|
| 1. 환자의 사망이 명백한 경우<br>: 시반의 발생, 외상에 의한 뇌 또는 체간의 분쇄손상, 신체 일부의 부패, 폐 또는 심장의 노출, 심한 화상<br>2. 환자 발생 장소에 구조자의 신변에 위험요소가 있는 경우<br>3. 심폐소생술이 적응되지 않는다는 명백한 이유가 있는 경우<br>: 소생시도 금지 질병 표식이 있는 경우<br>4. 만성 또는 말기질환에 의한 심장정지가 명백한 경우<br>5. 대량 재해 상황에서 심장정지가 발생한 환자<br>7. 신생아 중 체중 400 g 미만 또는 임신 23주 미만인 경우, 무뇌증(anencephaly)인 경우, 중증의 유전자 이상이 있는 경우(trisomy 13 또는 18) |

생술이 시작되어야 한다. 그러나 환자의 사망이 명백하거나 구조자가 위험에 처한 경우, 심폐소생술로 소생할 가능성이 명백히 없는 경우에는 심폐소생술을 시작하지 않을 수 있다(표 6-2).

## 5. 심폐소생술의 중단 또는 종료

심폐소생술이 일단 시작된 후에는 의사가 환자의 사망을 선언하기 전까지 심폐소생술을 계속한다. 환자의 자발순환이 회복된 경우, 구조자가 지쳐서 심폐소생술을 계속할 수 없는 경우, 구조자에게 위험한 상황이 발생한 경우 등을 제외하고는 심폐소생술을 중단해서는 안 된다(표 6-3).

심폐소생술을 중단할 것인지 계속할 것인지는 의사가 판단한다. 일부 국가의 응급의료체계에서는 의사의 의료 지도를 받아 응급구조사가 심폐소생술의 중단을 결정하도록 허용하고 있다. 이러한 응급의료체계에서도 응급구조사가 기관내삽관, 정맥로 확보 및 충분한 약물투여, 적절한 제세동을 포함한 전문소생술을 시행한 후에도 환자가 소생되지 않는 경우에만 심폐소생술 중단을 판단하도록 정하고 있다.

현장에서 전문소생술까지 시행할 수 있는 응급의료체계를 갖춘 지역에서는 현장 치료 후 소생되지 않은 환자를 의료기관으로 이송하더라도 생존율을 높일 수 없는 것으로 나타났다. 현장에서 전문소생술이 가능한 응급의료체계를 갖춘 지역에서는 현장 치료에서 자발순환이 회복되지 않은 환자는 의사의 지도에 따라 현장에서 사망을 선고하는 것이 권장된다. 그러나 우리나라에서는 응급구조사가 현장에서의 사망 선고하는 것을 허용하고 있지 않다.

심폐소생술 중단 또는 종료에 대한 논의는 생존 가능성이 없는 환자에게 심폐소생술을 계속함으로써 인간의 존엄성에 대한 훼손, 의료종사자의 위험 증가, 불필요한 의료 자원

표 6-3. 심폐소생술을 중단할 수 있는 경우

| |
|---|
| 1. 환자의 맥박과 호흡이 회복된 경우 |
| 2. 목격자가 심폐소생술 중 심폐소생술 교육을 받은 다른 사람과 교대한 경우 |
| 3. 의사 또는 응급구조사가 도착하여 환자의 치료를 맡은 경우 |
| 4. 심폐소생술을 장시간 계속하여 구조자가 지쳐서 더는 심폐소생술을 계속할 수 없는 경우 |
| 5. 사망으로 판단할 수 있는 명백한 증거가 있는 경우 |
| 6. 의사가 사망을 선고한 경우 |
| 7. 소생시도 금지가 확인된 경우 |

의 낭비를 줄이기 위하여 시작되었다. 심폐소생술 종료를 결정하는 데 중요한 판단 요소는 병원 전 단계와 병원 단계에서 다소 차이가 있지만, 심정지가 목격되었는지, 누구에게 목격되었는지(일반인 또는 구급대원), 초기 심전도가 무수축이었는지, 제세동이 시도되었는지, 병원 도착 전 자발순환이 회복된 적이 있었는지 여부이다. 심폐소생술 종료의 결정과 관련된 여러 연구가 있지만, 어떤 방법도 환자의 생존 가능성이 없다는 것을 100% 예측할 수는 없다. 따라서 응급의료체계 또는 병원내에서 심폐소생술 종료 기준을 정하려면, 해당 응급의료체계 또는 병원의 자료를 바탕으로 적용하고자 하는 기준을 평가한 후 적용하는 것이 권장된다.

일반적으로 심폐소생술을 지속한 시간을 고려하여 심폐소생술 종료를 결정하는 것은 권장되지 않는다. 일단 시작된 심폐소생술은 심폐소생술을 중단할 수 있는 상황에 해당하거나 의사가 사망을 선고하기 전에는 종료해서는 안 된다. 심폐소생술 시작 후 30분이 지나도록 순환이 회복되지 않는 환자에게 심폐소생술을 계속할 것인가에 대한 논란이 있다. 대개 상온에서 심폐소생술이 30분 이상 계속되면 뇌의 소생을 기대하기 어려우므로 심폐소생술을 종료하여도 좋다는 주장이 있다. 그러나 여러 연구에서 심폐소생술을 30분 이상 한 후에도 상당수의 심장정지 환자가 생존하는 것으로 알려졌다. 따라서 단순히 특정 기간의 심폐소생술 지속시간을 정해 놓고 해당 시간이 지나면 일률적으로 심폐소생술을 중단하는 것은 권장되지 않는다. 실제 임상 현장에서는 심장정지의 원인, 목격 여부, 순환정지 시간, 심장정지 리듬, 심폐소생술 중 순환회복 여부, 대기 온도 등의 환경 상황, 해당 지역 응급의료체계의 효율성 등을 고려하여 심폐소생술 종료 여부를 결정한다. 신생아에서는 치료될 수 있는 가역적 원인이 없다면, 집중 치료 수단을 동원한 소생술을 20분 정도 시행한 후에도 순환회복이 되지 않으면 심폐소생술의 중단을 고려할 수도 있다.

## 6. 연명의료의 결정

심장정지로부터 순환 회복된 환자의 약 50%는 신경학적 손상으로 정상적인 생활이 불가능하다. 중증의 신경학적 손상으로 식물상태(vegetative state) 또는 뇌사 상태(brain death)가 된 환자는 연명 치료를 받게 된다. 우리나라는 2018년부터 호스피스·완화의료 및 임종 과정에 있는 환자의 연명의료 결정에 관한 법률(약칭: 연명의료결정법)이 시행되면서 연명의료에 대해 사전에 결정할 수 있는 나라가 되었다. 이 법에 따라 임종 과정에 있는 환자와 말기 환자(암, 후천성면역결핍증, 만성폐쇄성 호흡기질환, 만성 간경화 등)는 심폐소생술, 혈액투석, 항암제 투여, 인공호흡기 착용을 포함한 의학적 시술을 치료 효과 없이 임종 과정의 기간 연장만을 위하여 받지 않거나 중단할 수 있게 되었다. 개인은 연명의료 중단에 대해서는 사전연명의료의향서를 문서로 만들어 등록함으로써 미리 결정할 수 있다. 심정정지 후 식물상태 또는 뇌사 상태인 환자가 이미 사전연명의료 의향서를 작성해두었다면, 환자의 의사에 따라 연명의료를 결정할 수 있다. 만약 사전연명의료 의향서를 미리 작성하지 않은 상황에서 연명의료가 무의미하다는 의학적 판단이 내려지면, 가족이 연명의료 중단을 결정할 수 있다. 이때는 연명의료가 환자의 건강상태를 개선할 가능성이 전혀 없고 환자에게 제공되는 치료가 과학적 근거와 사회통념으로 판단할 때 전혀 효과가 없다는 것이 분명해야 한다. 치료가 효과가 없다는 것이 분명한 때는 의료인이 연명의료를 제공할 의무가 없다. 심장정지로부터 순환 회복된 초기에는 환자의 예후를 예측하기가 어렵다. 따라서 환자의 예후를 분명히 판단할 수 없을 때는 연명의료에 관해 결정하지 말고 환자에 대한 치료를 계속해야 한다.

## 7. 심장정지 치료에서 대리인의 역할

심장정지 환자는 심폐소생술로 자발순환이 회복되더라도 신경학적으로 회복되지 않을 수 있다. 심장정지로부터 회복되었으나 스스로 판단할 수 있는 능력을 상실한 환자의 치료 과정에는 환자의 대리인이 참여하게 된다. 환자가 사전에 특정인을 법적으로 지정한 경우를 제외하면 가족이 대리인이 된다. 환자가 사전에 자신의 치료 방침에 대한 의지를 문서로 남겨놓았으면 대리인은 환자의 사전 치료 방침에 따라 환자의 치료를 결정하면 된다. 사전에 문서로 치료 방침을 남겨놓지 않았으면 대리인은 환자가 평소에 언급하였던 치료 방침을 의료진에게 전달한다. 치료 방침에 대하여 환자가 사전에 아무런 결정을 하지 않았으면, 평소 환자의 인생관, 생활 태도 등을 최대한 고려하여 의료진과 상의하여 치료 방침을 결정한다.

치료 방침을 판단할 수 없는 소아에서는 부모가 아이의 대리인 역할을 한다. 다만, 부모의 결정이 아이의 생존에 위해가 될 수 있다고 판단될 경우, 의료진은 관련 기관에 법적 보호를 요청하여 아이의 생존권을 보호해 주어야 한다.

제 7 장

# 심장정지 생존에 영향을 주는 요소

병원밖 심장정지 발생률은 국가에 따라 다르지만, 연간 인구 10만 명당 약 30-180명으로 알려졌으며, 병원밖 심장정지 생존퇴원율은 지역사회에 따라 편차가 크지만, 3-18%에 불과하다. 우리나라에서는 연간 3만 명 정도의 병원밖 심장정지가 발생하며 생존퇴원율은 8-10%이다. 낮은 생존퇴원율과 더불어 병원밖 심장정지로 생존한 환자의 50-60%는 심각한 신경학적 손상으로 인하여 정상 생활로 복귀하지 못하고 있다. 심장정지에 관한 관심의 증가, 응급의료체계의 효율화, 심폐소생술 교육의 확산, 심장정지 치료의 발달에 따라 심장정지 환자의 생존율이 점차 증가하는 추세이다. 심장정지 환자의 생존율이 점차 증가하는 것은 심장정지 환자의 생존에 관계되는 요소를 계속 연구하여 생존에 장애를 주는 요소를 극복한 노력의 결과이다.

심장정지는 다양한 원인, 다양한 상황에서 발생하며 심장정지 환자를 소생시키려면 짧은 시간에 많은 치료가 이루어져야 하므로, 심장정지 환자의 생존은 여러 가지 요소의 영향을 받는다.

## 1. 병원밖 심장정지의 생존에 영향을 주는 요소

병원밖 심장정지(out-of-hospital cardiac arrest)의 생존에 영향을 주는 요소는 운명적 요소(non-modifiable factor)와 시스템 요소(modifiable factor)로 나눌 수 있다.

운명적 요소에는 심장정지의 원인, 발생 장소, 나이, 심장정지의 목격 여부, 목격자의 심폐소생술 시행능력, 심장정지 초기 심전도 리듬 등이 있다. 시스템 요소는 응급의료체계

표 7-1. 병원밖 심장정지의 생존과 연관된 요소

| 심장정지의 생존과 연관된 요소 | | 예후에 미치는 영향 | |
|---|---|---|---|
| | | 양호 | 불량 |
| 운명적 요소 | 심장정지의 원인 | 심장성 | 비 심장성 |
| | 환자의 나이 | 소아, 청장년 | 고령 |
| | 심장정지 목격 여부 | 목격된 경우 | 목격되지 않은 경우 |
| | 목격자에 의한 심폐소생술 | 시행된 경우 | 시행되지 않은 경우 |
| | 심장정지 초기 심전도 리듬 | 심실세동 또는 무맥성 심실빈맥 | 무수축 또는 무맥성 전기활동 |
| 시스템 요소 | 응급의료체계 반응시간 | 4분 이내 | 4분 이상 |
| | 자동제세동기 사용 여부 | 사용된 경우 | 사용되지 않은 경우 |
| | 심폐소생술 보급 정도 | 보급률이 높은 경우 | 보급률이 낮은 경우 |
| | 전화상담원(dispatcher) 유무 | 전화상담원이 있는 경우 | 전화상담원이 없는 경우 |

의 반응시간, 지역사회의 심폐소생술 보급 정도, 심폐소생술 시작까지의 시간, 전문소생술이 시작까지의 시간, 자동제세동기 보급률, 병원 단계 치료 수준(심장정지 치료 센터 여부)과 같이 응급의료체계와 연관되어 변화시킬 수 있는 요소이다. 이러한 요소 중 생존율에 영향이 큰 요소는 심장정지의 원인질환, 목격 여부, 목격자 심폐소생술, 심폐소생술 시작까지의 시간, 심장정지 초기 심전도 리듬, 전문소생술까지의 시간을 들 수 있다(표 7-1).

### 1) 심장정지의 원인

심장정지를 유발하는 원인은 크게 외상에 의한 경우(외상성 심장정지, traumatic cardiac arrest)와 외상 이외의 질환(비외상성 심장정지, medical or non-traumatic cardiac arrest)에 의한 경우로 나눌 수 있다. 외상에 의한 심장정지는 주로 신체 장기의 물리적 손상으로 발생하므로, 심장정지의 발생 기전이나 양상이 비외상성 심장정지와 다르며, 목격자에 의한 심폐소생술이 소생률에 큰 영향을 끼치지 못한다. 따라서 외상성 심장정지는 비외상성 심장정지보다 생존율이 낮다.

비외상성 심장정지는 질환성(medical cause)과 비질환성(non-medical cause)으로 구분된다. 질환성 심장정지는 주로 관상동맥질환 등 심장질환에 의한 심장성 원인, 호흡부전, 만성 폐질환을 포함한 호흡성 원인, 그 외 장 출혈, 뇌졸중 등 내과 질환이 주요 원인이다. 비질환성 심장정지는 익수, 목맴, 약물 중독 등 질환 이외의 원인에 의한 비외상성 심장정지를 포함한다. 질환성 심장정지 중 관상동맥질환에 의한 경우는 다른 원인에 의한 심장정지보다는 생존율이 높다. 또한, 질환성 심장정지는 비질환성 심장정지보다 생존율이 비교적 높다.

### 2) 심장정지로부터 시작까지의 시간

심장정지가 발생한 후 심폐소생술이 시행되지 않고 4-5분 이상 지나면 생존율이 급격히 저하된다. 장시간의 심장정지 후에는 소생되더라도 뇌 손상에 의한 심각한 후유증이 남게 된다. 심장정지가 발생한 후부터 심폐소생술이 시작될 때까지의 시간은 심장정지의 목격 여부와 목격자의 심폐소생술 시행능력과 연관된다.

심장정지가 목격되면 목격자에 의하여 즉시 심폐소생술이 시작될 수 있고, 심장정지 발생 사실이 응급의료체계에 알려지므로 의료인에 의한 전문소생술이 빨리 시작될 수 있다. 목격자에 의하여 심폐소생술이 시행된 경우에는 목격자에 의하여 심폐소생술이 시행되지 않았을 때 비하여 생존율이 2-3배 증가한다. 또한, 심장정지가 목격되면 목격자에 의한 심폐소생술 시행 여부와 관계없이 심장정지가 목격되지 않은 경우보다 생존율이 높다.

심장정지 목격 여부의 중요성은 신속한 응급의료체계의 대응이 있어야 생존율에 크게 기여할 수 있다. 즉 심장정지가 목격되어 목격자에 의한 심폐소생술이 시행되더라도 신속히 제세동 등 전문소생술이 시작되지 않으면 높은 생존율을 기대할 수 없다.

### 3) 심장정지 초기 심전도 소견

심장정지 시의 심전도 소견에 따른 생존율의 차이는 잘 알려져 있으며, 무맥성 심실빈맥이나 심실세동(충격필요리듬)이 관찰된 환자가 무수축 또는 무맥성 전기활동(충격불필요리듬)이 관찰되는 환자보다 생존율이 높다. 즉 심실세동은 심장성 심장정지 환자의 약 20-40%에서 발생하며, 제세동으로 효과적으로 치료될 수 있다. 무수축은 주로 심장정지가 장시간 지속하여 소생될 수 없는 상태에서 관찰된다. 무맥성 전기활동은 심장정지를 유발하는 치명적인 원인에 의하여 주로 발생한다. 따라서 심장정지 초기의 심전도에 무수축 또는 무맥성 전기활동이 관찰되는 경우에는 예후가 불량하다. 심실빈맥이나 심실세동 상태의 환자는 발생 초기에 제세동 되면 60-80%까지 생존할 수 있지만, 무수축 상태인 환자의 생존율은 3% 미만이다.

### 4) 심장정지부터 전문소생술 시작까지의 시간

기관내삽관을 포함한 전문기도유지술, 정맥로 확보, 약물투여 등의 전문소생술은 목격자에 의한 심폐소생술, 조기 제세동과 비교하면 생존율에 미치는 영향이 적다. 전문소생술은 응급의료인에 의하여 시작되므로, 심장정지로부터 전문소생술이 시작될 때까지의 시간은 응급의료체계의 반응시간(response time)과 밀접한 연관이 있다.

응급의료체계의 반응시간이 길어지면 그만큼 환자의 심장정지 시간이 연장되어 환자의 생존 가능성이 작아진다. 일반적으로 전문소생술을 할 수 있는 응급구조사가 탑승한 구급차가 4-6분 이내에 환자 발생현장에 도착할 수 있으면 환자의 생존율을 높일 수 있는 것으로 알려져 있다.

## 2. 병원내 심장정지 환자의 생존에 영향을 주는 요소

병원 내에서 심장정지가 발생한 환자에서는 심장정지의 원인질환, 심장정지 발생 이전의 이환 상태, 심장정지 전 생체기관의 기능, 심장정지 시의 심전도 소견, 심폐소생술이 시행된 시간, 환자의 나이 등이 환자의 생존에 큰 영향을 미친다고 알려져 있다. 심장정지 발생 이전의 이환 상태로 소생 가능성을 예측하기 위한 다양한 지표(pre-arrest morbidity score: PAM score)를 사용하기도 한다.

병원내 심장정지를 예방하기 위한 활동으로써, 입원환자의 생리 지표(physiologic parameter)를 사용하여 급성질환의 중증도와 상태변화의 위험도를 평가하는 조기 경고점수(early warning score: EWS)를 사용할 수 있다. 조기 경고점수는 호흡수, 산소포화도, 수축기 혈압, 심박수, 의식 수준, 체온을 포함한 생리 지표의 측정값을 점수화하여 심장정지 발생 위험도를 산정한다.

병원 내에서 심장정지가 발생하였을 때는 병원내 심장정지 치료 체계의 유무, 전문소생술 팀의 구성 및 운용 여부, 의료진의 심폐소생술 숙련도 등이 심장정지로부터 전문소생술이 시작될 때까지의 시간에 영향을 줄 수 있다.

응급실에서의 심장정지는 대부분 내원 1시간 이내에 발생하는 경우가 많고, 병원 내에서 심장정지가 발생한 환자 중 응급실에서 심장정지가 발생할 때 생존율이 가장 낮다.

## 3. 우리나라에서 병원밖 심장정지 생존에 영향을 주는 요소

심장정지의 생존율에 영향을 주는 요소는 환자가 속해있는 국가나 사회의 응급의료체계 수준에 따라 달라질 수 있으므로, 외국에서의 연구결과를 우리나라에 직접 적용하기는 어렵다. 각 국가는 심장정지 환자의 생존율 및 생존에 관계된 요소를 규명하여 심장정지 환자의 생존율을 증가시키기 위한 기초자료를 마련하면, 응급의료체계가 구성된 후 응급의료체계의 효율성을 평가하는데 유용한 자료로써 활용할 수 있을 것이다.

우리나라는 2008년부터 질병관리청이 급성 심장정지 등록 및 조사 사업을 수행하여 구급대 기록을 기반으로 병원의 의무기록조사를 하여 병원밖 심장정지에 대한 등록조사를 진행하고 있다. 급성 심장정지 조사통계에 따르면 일반인 심폐소생술 시행률은 2012년 6.9%에서 2017년 21%로 증가했으며, 병원밖 심장정지 생존퇴원율은 2006년 2.3%에서 2017년 8.7%, 뇌기능회복률은 0.6%에서 5.1%로 증가했다. 생존율이 점차 높아지고 있지만, 우리나라 병원밖 심장정지 생존율은 심폐소생술과 자동제세동기 보급을 일찍 시작한 서구 국가(생존율 10-15%)보다 아직 낮다.

우리나라에서 병원밖 심장정지의 생존율을 높이려면 다음 요소에 관한 관심이 필요하다. 학교에서의 심폐소생술 교육이 제도화되고 다양한 기관에서 심폐소생술을 교육하고 있지만, 아직 우리나라의 목격자 심폐소생술 시행률은 낮다. 심폐소생술 교육의 확산과 목격자의 심폐소생술 의지를 높이는 방안이 필요하다. 최근 구급대에서 시행하고 있는 전화도움 심폐소생술 프로그램의 확대와 소셜미디어 등 정보통신기술을 활용한 일차반응자 활성화 등을 통하여 현장 심폐소생술 시행률을 높일 수 있을 것이다.

우리나라는 다중이용시설이나 인구밀집도가 높은 주거지역에 자동제세동기 설치를 의무화하고 있다. 이에 따라 자동제세동기가 설치된 장소가 급격히 증가하고 있으나, 자동제세동기의 실제 사용빈도는 1%에도 미치지 못한다. 병원밖 심장정지 상황에서 자동제세동기가 사용될 수 있도록, 자동제세동기를 재배치하고 국민에게 자동제세동기 사용법 교육과 더불어 자동제세동기 사용에 대한 두려움을 줄이기 위한 교육을 해야 한다.

우리나라 병원밖 심장정지 환자는 모두 119구급대에 의해 현장 치료를 받고 이송된다. 119구급대는 목격자가 심장정지를 인지하는 데 도움을 주고, 구급차와 구급대원을 현장으로 출동시키고, 목격자가 전화 도움 심폐소생술을 하는 데 중요한 역할을 한다. 구조요청으로부터 구급대 현장 도착까지의 시간과 구급대원의 소생 술기 능력(기본소생술, 전문소생술)은 심장정지 환자의 생존에 영향을 주는 중요한 요소이다. 구급대원에 대한 반복적인 소생술 교육, 구급활동 전반에 대한 질 관리를 통하여 이러한 요소를 효율화함으로써 심장정지 환자의 생존율을 높일 수 있다.

병원밖 심장정지의 치료 과정에서 지역사회와 응급의료체계에 의한 병원 전 단계의 대응과 더불어 중요한 것이 병원 단계 치료이다. 심장정지 환자는 심장정지의 원인 치료와 더불어 포괄적 소생후 치료를 받아야 하므로, 중환자 치료와 함께 관상동맥조영술 및 목표체온유지치료를 할 수 있는 시설과 장비를 갖춘 의료기관인 심장정지 치료 센터(cardiac arrest center)에서 치료받아야 한다. 이를 위하여 국가는 심장정지 치료 센터의 시설, 인력 및 장비 기준을 설정하고, 지역별로 심장정지 치료 센터를 지정하는 것이 필요하다.

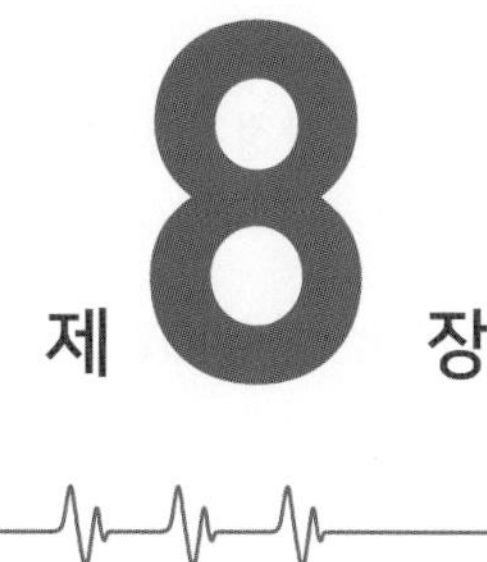


# 심장정지 생존환경과 생존 사슬

## 1. 개요

심장정지가 일단 발생하면 효과적인 심폐소생술을 하더라도 생존율이 매우 낮으므로 심장정지로 인한 사망을 줄이려면 예방이 중요하다. 또한, 국민이 심장정지의 심각성과 심폐소생술의 중요성을 인식할 수 있도록 교육하고, 심장정지를 치료할 수 있는 소위 심장정지 치료 체계가 구축되어야 한다. 심장정지 생존환경은 심장정지 예방부터 치료 및 재활에 이르기까지 심장정지로 인한 사망을 줄이기 위한 의학적, 비의학적 요소를 구축, 지원하거나 효율화하는 데 필요한 사회 요소를 말한다.

심장정지 환자가 발생하면 빨리 응급의료전달체계에 연락되어야 하며, 목격자가 즉시 심폐소생술을 시작함으로써 심장정지 시간을 단축할 수 있다. 또한, 심장정지 발생을 연락받은 응급의료체계는 신속히 현장에 구급차를 보냄으로써 심폐소생술, 제세동 등 전문소생술이 제공되어야 한다. 심장정지를 소생시키기 위한 이러한 일련의 과정은 사슬과 같이 서로 연결되어 있으므로, 각 요소 중 어느 하나라도 적절히 시행되지 않으면 심장정지의 소생은 기대하기 어렵다. 이처럼 심장정지가 발생한 환자의 생존을 위하여 필수적인 요소가 서로 연결되어 있어야 한다는 개념을 "생존 사슬(chain of survival)"이라고 한다.

## 2. 심장정지 생존환경

심장정지 생존환경에는 다양한 사회 요소가 포함되지만, 심장정지 예방, 심폐소생술 교육, 심장정지 치료 체계, 질 관리 활동이 주요 요소이다.

### 1) 심장정지 예방

관상동맥질환, 심부전, 심장 부정맥을 포함한 고위험 심장질환이 있는 경우에 심장정지 발생 가능성이 크다. 그러나 원인에 따른 심장정지 발생 수를 보면, 심장질환이 없는 정상인 또는 심장질환의 일반적 위험인자를 가진 만성질환자가 고위험 심장질환이 있는 환자보다 더 많다. 일단 심장정지가 발생하면 소생 노력에도 불구하고 90% 이상의 환자가 사망하며 생존자 중 반 정도는 일상생활에 복귀하지 못한다. 따라서 심장정지로 인한 사망을 줄이는 최고의 방법은 예방이다. 따라서 국가 및 지역사회는 심장정지의 원인과 발생 요인을 규명하여 인구 집단에서 심장정지 발생의 고위험군을 찾아내고 관리함으로써 심장정지 발생을 최대한 억제해야 한다.

병원내에서 입원환자 1,000명당 9-10명의 심장정지가 발생하며, 병원내 심장정지 생존율은 약 25%이다. 병원내 심장정지를 예방하려면, 환자의 증상 또는 징후를 감시하여 심장정지의 조기 경고 징후(early warning signs)를 찾아내고 위기 상황에 대처할 수 있는 신속대응팀(rapid response team)을 운영해야 한다.

### 2) 심폐소생술 교육

병원밖 심장정지의 발생은 예측할 수 없고, 가정, 길거리 등 병원 이외의 장소에서 발생한다. 따라서 병원밖 심장정지를 처음 발견하는 목격자(가족 등 일반인)가 심장정지를 인지하고 구조요청과 심폐소생술을 시작해야 한다. 목격자가 심폐소생술을 하면 병원밖 심장정지 생존율이 2-3배 증가한다. 국민에게 심폐소생술 교육을 하는 것은 일반인 구조자에 의한 목격자 심폐소생술을 높이기 위한 가장 중요한 방법이다. 심폐소생술 교육을 하려면 교육 강사와 교육 시설 및 장비가 갖추어져야 하며, 교육의 질을 평가하여 수준 높은 교육이 이루어질 수 있도록 관리되어야 한다. 이를 위하여 국가 또는 지역사회 차원에서 심폐소생술 교육을 위한 제도를 마련하고 지원되어야 한다.

병원내 의료종사자에게는 기본소생술 뿐 아니라 전문소생술 교육이 필요하다. 병원내 소생팀 중 전문소생술 교육을 받은 구성원이 있는 경우에 심장정지 생존율이 높은 것으로 알려졌다. 병원은 환자 치료 과정에서 담당하고 있는 직능에 따라 직원이 적절한 수준의 심폐소생술을 받도록 해야 한다. 특히 응급실, 중환자실, 수술실을 포함한 심장정지 치료 빈도가 높은 시설에 근무하는 의료인은 전문소생술 교육을 받는 것이 권장된다.

### 3) 심장정지 치료 체계

심장정지 치료 체계(cardiac arrest treatment system)는 심장정지가 발생한 사람을 치료하기 위한 사회 환경과 의료체계를 말한다. 응급의료체계와 심장정지 치료를 위한 인적 및 물적 자원, 지원체계, 정책, 제도가 심장정지 치료 체계에 포함된다. 심장정지 치료 체계의 요소 중 병원 전 치료를 담당하는 응급의료체계와 전문소생술과 소생후 치료를 담당하는 병원의 역할이 가장 중요하다.

의료종사자에 의한 응급의료활동과 더불어 구급상황요원 도움에 의한 전화 도움 심폐소생술을 포함한 목격자 심폐소생술, 일반인 제세동 프로그램 확대를 통한 제세동도 심장정지 치료 체계를 효율화하는 데 중요한 요소이다. 구급상황(상담)요원은 목격자와 응급의료체계를 연결하는 중요한 역할을 한다. 병원밖 심장정지를 치료하는 과정에서 구급상황(상담)요원은 목격자와의 실시간 또는 영상 통화로 목격자가 심장정지를 인지하고 심폐소생술을 하도록 도움을 줄 수 있다. 구급상황(상담)요원이 심장정지 인지를 돕기 위한 정형화된 프로토콜을 사용하고 전화 도움 심폐소생술을 하도록 지도하면 병원밖 심장정지 생존율을 높일 수 있다. 목격자가 휴대전화의 위치 정보와 문자메시지를 사용하여 심장정지 발생을 알리는 시스템을 운영하거나, 미리 등록된 심폐소생술 훈련을 받은 자원봉사자에게 위치 정보를 알려주었을 때, 목격자 심폐소생술 시행률과 생존율이 높았다고 알려졌다. 정보통신기술이 발달함에 따라 병원밖 심장정지 치료 체계에 정보통신기술을 적용하면 주변에 있는 사전 동의한 반응자에게 심장정지 발생을 알려서 도움을 받을 수 있다. 일반인 제세동 프로그램은 공공장소에 자동제세동기를 미리 설치하여 구조자가 쉽게 사용할 수 있도록 하는 것이다. 충격필요리듬에 의한 병원밖 심장정지에서 목격자가 제세동하면 제세동을 하지 않았을 때보다 생존율과 뇌 기능 회복률이 높아진다. 우리나라는 다중이용시설과 인구 밀집 지역에 자동제세동기 설치를 의무화하고 있어서 자동제세동기가 비교적 널리 보급되어 있지만, 일반인 제세동 시행률은 아직 매우 낮다. 사용법의 미숙지, 의료기기 사용에 대한 두려움, 사용 결과에 따른 책임에 대한 걱정 때문에 일반인 구조자는 자동제세동기를 사용하지 않는 경우가 많다. 심폐소생술 교육과정에서 자동제세동기의 유용성, 안전성, 사용방법, 선의의 응급의료제공자에 대한 법적 보호에 대하여 체계적으로 교육하는 것이 필요하다.

심장정지 치료 체계에서 병원의 역할은 심장정지 환자에게는 최고의 고도화된 전문 치료가 필요하다는 점에서 중요하다. 심장정지 환자는 원인 규명과 소생후 통합 치료를 위해 중환자집중 치료 시설과 목표체온유지치료, 관상동맥조영술 및 경피 관상동맥중재술, 소생후 신경학적 예후를 판단하기 위한 검사 시설을 갖춘 심장정지 치료 센터(cardiac arrest center) 수준의 병원에서 치료받아야 한다. 또한, 신경학적 회복을 위하여 심장정지로 인한 인지 장애 등 신경학적 후유증을 체계적으로 평가한 후 적합한 재활치료를 받아야 한다. 따라서 병원밖 심장정지로부터 순환이 회복된 환자는 집중 치료와 목표체온유지치료, 관상동맥조영술이 가능한 심장정지 치료 센터 수준의 병원으로 이송되어 치료해야 한다. 이를 위하여 국가 또는 지역사회는 심장정지 치료 센터의 기능 및 시설에 대한 기준을 정한 후 심장정지 치료 센터를 지정하는 것이 필요하다.

### 4) 평가와 질 관리

심장정지 치료 체계의 효율성을 향상하려면 심장정지 치료 과정 및 결과에 대한 모니터일, 평가, 질 관리가 필요하다. 심장정지 치료 체계 수행도는 결과 지표(생존율, 뇌 기능 회복 생존율 등)와 과정 지표(심폐소생술 교육 현황, 목격자 심폐소생술 시행률, 자동제세동기 사용률, 구급차 현장 도착 시간, 현장 심폐소생술 동안 구급대원의 소생 술기 시행능력을 포함한 응급의료체계의 효율성, 병원내 소생술 지표 등)를 모니터링하여 평가한다. 각 국가 또는 지역사회는 각 지표에 대한 목푯값을 설정한 후 목표 달성을 위한 계획을 실행하면서 각 지표의 목표를 달성하는지를 평가하고 점검해야 한다. 병원내에서도 심장정지 치료 체계의 효율화를 위한 평가와 질 관리를 위해, 신속대응팀의 활동, 직원의 심폐소생술 교육 이수율, 병원내 심폐소생술 수행도, 목표체온유지치료를 포함한 병원내 중재 시행률, 생존율 및 뇌 기능 회복 생존율을 포함한 지표를 관리해야 한다.

## 3. 생존 사슬

생존사슬(chain of survival)은 심장정지가 발생한 사람을 소생시키기 위한 필수적 요소의 연결고리이다. 생존사슬의 각 요소가 효과적으로 실행되면 심장정지의 생존 가능성이 커진다. 생존사슬은 목격자가 심장정지 발생을 인지하고 신속히 구조를 요청하는 과정으로 시작된다. 두 번째 단계는 목격자가 신속히 심폐소생술을 시작하는 것이다. 세 번째 단계는 자동제세동기를 사용하여 충격필요리듬을 치료하는 것이다. 네 번째 단계는 제세동, 약물투여, 전문기도유지술을 포함한 치료를 제공하는 전문소생술 단계이다. 다섯 번째 단계는 순환 회복된 환자에게 원인을 교정하고 목표체온유지치료를 포함한 소생후 통합 치료와 재활치료를 하는 단계이다(표 8-1). 우리나라의 심폐소생술 가이드라인에서는 생존사슬을 병원밖 심장정지와 병원내 심장정지로 구분하여 제시했다. 병원밖 심장정지 생존

표 8-1. 생존 사슬을 구성하는 요소

| 생존 사슬 | | 필요한 요소 |
|---|---|---|
| 심장정지의 인지와 구조요청 | 심장정지의 신속한 인지 | 심장정지의 전구증상 및 임상 증상 교육<br>심장정지 발생 시 행동 요령 교육<br>심폐소생술 교육 확대<br>구급상황요원의 심장정지 인지 지도 프로토콜 사용 |
| | 응급의료체계에 환자 발생 사실의 신속한 신고 | 일반인 교육<br>응급전화연락체계(119)의 구성 |
| | 응급의료요원(응급구조사)의 출동 및 현장 응급치료 | 응급구조사 교육<br>전화상담원과 응급구조사 사이의 통신망<br>응급구조사와 병원 사이의 통신망<br>적절한 응급치료 장비<br>적절한 도로망 |
| 심폐소생술 | 목격자 심폐소생술 | 일반인에 대한 심폐소생술 교육<br>가슴압박소생술 교육 확대 |
| | 구급상황요원(dispatcher)의 전화 지도 | 전화 지도 심폐소생술 지원체계 구축 및 활용<br>목격자 전화 지도 심폐소생술 유도 |
| | 정보통신기술을 활용한 자원자 연락 | 자원봉사자 모집<br>소셜미디어 등 활용한 연락체계 구축 |
| 신속한 제세동 | 일반인 제세동 | 사용하기 쉬운 자동 제세동기의 개발<br>공공장소에 자동 제세동기 설치<br>일반인 자동 제세동기 사용 교육 |
| | 응급구조사에 의한 제세동 | 제세동 방법의 교육<br>모든 구급차에 제세동기 장착 |
| 전문소생술 | 현장 전문소생술 | 전문소생술 구급차의 운영<br>구급대원 소생술 경험 관리<br>전문소생술 술기 교육/경험 관리 |
| | 병원 전문소생술 | 소생팀 전문소생술 교육<br>소생팀 내 경험자 배치<br>체외순환심폐소생술 팀 훈련 |
| 소생후 치료 | 심장정지 후 집중 치료 | 심장정지 치료 센터로 환자 이송중환자 치료<br>목표체온유지치료<br>관상동맥조영술(중재술) |
| | 재활치료 | 신경학적 후유증에 대한 평가<br>체계적 재활치료 계획 수립 및 시행 |

사슬은 심장정지 인지와 구조요청-목격자 심폐소생술-제세동-전문소생술-소생후 치료로 구성된다(그림 8-1). 병원내 심장정지 생존사슬은 조기인지와 소생팀 호출-고품질 심폐소생술-제세동-전문소생술-소생후 치료로 구성된다(그림 8-2).

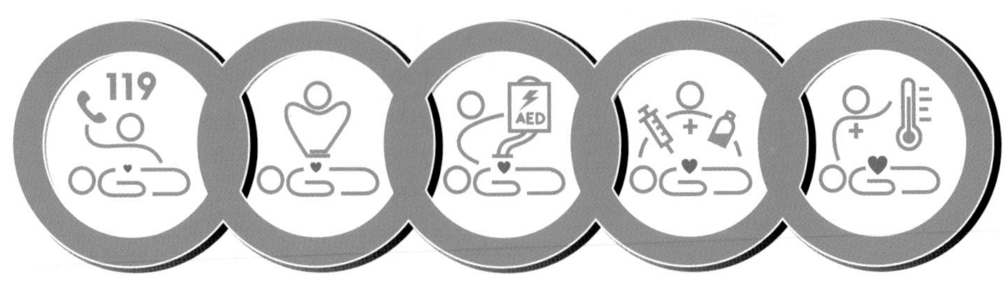


그림 8-1. 병원밖 심장정지 생존사슬. 병원밖 심장정지 생존 사슬은 심장정지 인지와 구조요청-목격자 심폐소생술-제세동-전문소생술-소생후 치료로 구성된다.

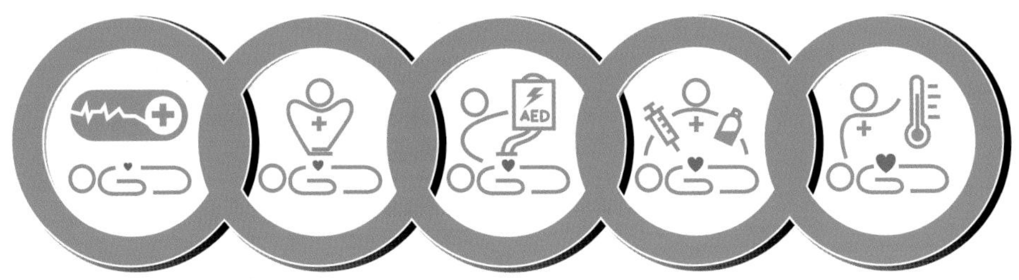


그림 8-2. 병원내 심장정지 생존사슬. 병원내 심장정지 생존사슬은 조기인지와 소생팀 호출-고품질 심폐소생술-제세동-전문소생술-소생후 치료로 구성된다.

### 1) 심장정지 인지(**병원밖 심장정지**)·조기 인지(**병원내 심장정지**)와 구조요청

심장정지의 인지와 구조요청은 환자에서 심장정지의 임상 증상(의식 소실, 흉통, 호흡곤란 등)이 발생한 때로부터 응급의료인이 도착할 때까지의 과정이다. 이 과정에서는 목격자가 환자를 발견하고 응급의료체계에 전화를 걸어 심장정지의 발생을 알리고, 연락을 받은 구급상황요원이 출동 가능한 구급대원에게 연락함으로써 구급대원이 현장으로 출동하여 응급조치를 취하는 일련의 과정이 포함된다. 이 사슬이 정상적으로 기능하려면 몇 가지 요소가 갖추어져야 한다. 첫째, 심장정지를 목격한 사람이 심장정지가 발생한 사람의 심장정지 발생 사실을 빨리 인지하는 것이다. 목격자가 심장정지 발생을 신속히 인지해야 구조요청, 심폐소생술 등 치료를 위한 과정이 시작된다. 실제 상황에서는 대부분 목격자가 당황하여 심장정지를 인지하는 데까지 상당한 시간을 소요하는 것으로 나타났다. 심장정지의 통상적인 임상 증상은 의식 소실, 무호흡, 무맥박이지만 심장정지가 발생한 직후 심장정지 호흡(agonal gasp)이나 경련이 발생할 수 있으므로, 심장정지로 판단되지 않을 수 있다. 목격자가 심장정지의 발생을 빨리 인지하도록 심장정지의 임상 양상(특히 심장정지 호흡의 양상, 심장정지 발생으로 인한 경련 발작의 발생 가능성 등)을 구체적으로 교육한다. 또한, 심장정지를 목격하였을 때의 행동 요령을 목격자가 알고 적절히 대응할 수 있도록 교육한다. 구급상담요원은 적절한 질문으로 목격자가 심장정지를 확인할 수 있도록 유도할 수 있는 능력을 갖추어야 한다. 구급상황(상담)요원은 심장정지 판단 알고리듬을 사용하여 응급전화 내용으로 심장정지 상태인지를 판단할 수 있도록 교육되어야 한다. 둘째, 응급환자를 신고할 수 있는 전화체계가 갖추어져야 하며, 전화 신고에 반응하여 구급대원이 출동할 수 있도록 연락할 수 있는 연락체계가 있어야 한다. 또한, 구급대원이 탑승하고 응급치료를 할 수 있도록 장비가 갖추어진 구급차가 항시 준비되어 있어야 한다. 병원내에서는 주변 의료인에게 도움을 요청하고 (전문)소생팀을 호출함으로써 구조요청 과정이 수행된다. 병원에서는 조기 경고 징후 지표를 활용하고 신속반응팀(rapid response team, 또는 원내응급팀: medical emergency team)을 운영하는 것이 권고된다.

### 2) 심폐소생술

심장정지 환자에서 구급대원이 도착할 때까지 최상의 응급조치는 목격자가 심폐소생술을 하는 것이다. 목격자에 의한 심폐소생술은 목격자에 의한 심폐소생술이 시행되지 않은 경우보다 심장정지 환자의 생존율을 2-3배 향상시킨다. 설혹 의식이 없으나 심장정지 상태가 아닌 환자가 잘못 판단되어 심폐소생술이 시행되더라도 큰 해가 없다. 따라서 학교, 군대, 집단주거지, 직장, 공공기관 등 교육이 가능한 환경에서는 심폐소생술 교육을 하도록 권장하고 있다. 목격자에 의한 심폐소생술은 생존 사슬에서 심장정지 환자의 생존율에 직접 영향을 주는 중요한 역할을 한다. 목격자가 심폐소생술을 하기 위하여 응급의료체계에 환자 발생 신고를 지연시켜서는 안 된다. 목격자가 심폐소생술을 교육받지 못한 경우에는 응급의료체계에 연락한 후 응급의료 전화상담원이 전화 지도로 심폐소생술을 하도록 한다. 응급의료 전화상담원의 전화 지도로 심폐소생술을 할 때는 가슴압박소생술을 하도록 유도한다.

### 3) 제세동

신속한 제세동은 심실세동에 의한 심장정지 환자의 생존 여부에 가장 큰 영향을 미친다. 자동제세동기의 개발은 의료인이 없는 상태에서도 심실세동을 제세동할 수 있는 기반을 마련하였다. 자동제세동기가 개발되어 구급차 및 공공장소에 보급됨으로써, 심실세동 환자의 생존율이 획기적으로 높아지고 있다.

자동제세동기는 환자에게 전극을 붙여 놓기만 하면 환자의 심전도를 판독하여 자동으로 제세동을 유도하는 장치이므로, 약간의 훈련만 거치면 일반인도 사용할 수 있다. 신속한 제세동을 위하여 모든 형태의 구급차와 공장, 학교, 빌딩, 경기장 등 만 명 이상의 사람이 모이는 장소에는 자동제세동기를 설치해야 한다. 우리나라는 법률로서 다중 이용시설, 집단 주거시설에는 자동제세동기 설치를 의무화하고 있다.

일반인에 의한 제세동(public access defibrillation) 프로그램은 공공장소에 자동제세동기를 설치하고 심장정지 환자를 치료하는 구조자가 사용하도록 하는 프로그램이다. 제세동은 기본소생술에 포함되어 의료종사자뿐 아니라 일반인과 일차반응자에게도 자동제세동기 사용법을 교육해야 한다. 자동제세동기가 설치된 공공장소의 근무자는 자동제세동기를 사용하고 관리할 수 있어야 한다.

### 4) 전문소생술

현장 응급의료종사자에 의한 전문소생술이 심장정지 발생현장에서부터 시작될 수 있으면 심장정지 환자의 생존율이 증가할 것으로 예측되었다. 그러나 현장에서의 전문기도유지술, 정맥로 확보, 약물투여 등 전문소생술 행위가 환자의 소생에는 큰 영향을 주지 못하는 것으로 알려졌다. 따라서 구급대원은 현장 심폐소생술을 하는 과정에서 지도 의사의 의료 지도에 따라 전문소생술을 하고 환자의 이송 시기를 결정해야 한다. 현장에서의 심폐소생술 후에도 자발순환이 회복되지 않는 환자는 전문소생술이 가능한 병원으로 이송하는 것이 권장된다.

병원 내 심장정지 치료 과정에서 전문소생술팀은 통상적인 제세동, 약물투여와 더불어 가용한 경우에 현장 진료 초음파의 사용, 체외순환 심폐소생술을 포함한 고도의 전문소생술을 한다. 병원 전문소생술팀은 체외순환 심폐소생술 등 빈도가 낮은 전문소생술이 효과적으로 적용될 수 있도록 훈련되어야 한다.

### 5) 소생후 치료

병원 밖 심장정지 환자의 20-40%는 심폐소생술 후 자발순환을 회복한다. 자발순환을 회복하더라도 허혈과 재관류로 발생하는 심장정지 후 증후군(post-cardiac arrest syndrome)으로 사망하는 경우가 많다. 심장정지로부터 순환이 회복된 환자의 치료 과정에서 심장정지 후 증후군에 대한 포괄적이고 다학제적 통합 치료는 생존율과 신경학적 회복에 큰 영향을 준다. 심장정지로부터 소생된 후에는 혈역학적 안정화, 목표체온유지치료, 급성 관상동맥증후군의 중재 시술, 집중적인 중환자 치료를 포함하는 통합적인 소생후 치료가 필요하다. 소생후 치료를 하려면 고도의 의료 술기, 경험, 적절한 시설이 필요하다. 심장정지로부터 소생된 환자는 인지 장애를 포함한 신경학적 손상에 대한 체계적인 평가 결과를 바탕으로 세워진 계획에 따라 재활치료를 받아야 한다. 따라서 심장정지로부터 소생된 환자는 24시간 목표체온유지치료와 관상동맥조영술이 가능한 심장정지 치료 센터 수준의 의료기관으로 이송하여 통합적 소생후 치료를 받도록 한다.

# 제 2 부

# 전문심장소생술

전문심장소생술(advanced cardiovascular life support; ACLS)은 심장정지 환자와 심장정지가 발생할 가능성이 있는 환자에 대한 포괄적이고 전문적인 치료를 위해 필요한 의료 술기와 지식을 포함하고 있다. 심장정지가 발생할 가능성이 있는 환자에게서의 전문심장소생술은 주로 혈압, 맥박 등의 활력 징후를 정상화하고 심장정지를 예방하기 위한 치료이다. 심장정지 환자에게서의 전문심장소생술은 정지된 자발순환을 회복시킨 후 혈역학적 안정을 유지하고, 뇌 손상을 최소화하기 위한 치료를 하며, 심장정지의 원인을 찾고 재발을 방지하는 포괄적 응급치료 과정이다.

전문심장소생술에는 기본소생술과 함께 환자의 호흡과 순환을 보조하기 위한 보조 장비의 사용방법과 술기의 습득, 심전도 감시와 부정맥의 감지 및 치료, 정맥로 확보, 약물투여, 소생후 치료, 급성 심근경색 및 뇌졸중 환자의 초기치료에 관한 지식과 술기가 포함된다. 전문심장소생술은 기본소생술과 더불어 응급의료의 핵심적인 응급치료 술기이므로 응급의료종사자뿐 아니라 병원 내에서 응급환자를 다루는 의료인이 필수적으로 이수하여야 하는 과정이다.

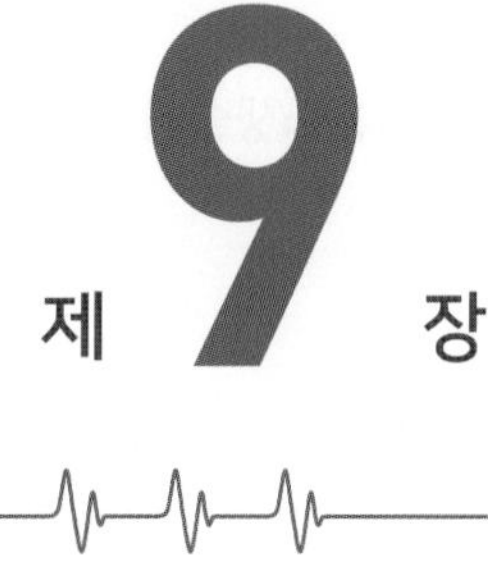


# 심장정지 환자의 평가 및 응급치료

환자를 평가하는 목적은 발생한 의학적 문제를 찾아내고 치료 우선순위를 정하기 위한 것이다. 전문심장소생술의 대상인 환자는 심장정지가 발생하였거나 심장정지가 발생할 가능성이 큰 상황에 있으므로, 환자에 대한 평가와 동시에 응급치료가 시작되어야 한다. 일차적으로는 환자의 생명 유지에 필수적 요소를 평가하면서 응급치료를 시작하고 전문치료를 통하여 환자를 안정시킨다. 즉, 심장정지가 의심되는 환자에서는 기본소생술을 우선 시작한 후 자발순환을 회복시킬 수 있도록 전문소생술을 한다.

## 1. 심장정지 환자의 평가 및 기본소생술

심장정지 환자에서는 의식, 반응 여부와 호흡 여부 및 비정상 호흡(심장정지 호흡 등) 등 심장정지의 임상 양상에 대한 외관적 평가와 목동맥, 상완동맥 또는 대퇴동맥의 맥박을 확인함으로써 심장정지의 발생 여부를 확인한다.

심장정지 환자를 발견하였을 때, 환자를 평가한 후 가장 우선해야 하는 것은 구조를 요청하는 것이다. 심장정지 환자가 소생하기 위한 가장 중요한 응급치료는 심폐소생술과 제세동이므로, 심장정지 발생을 주변과 응급의료체계(병원에서는 소생팀 호출)에 알린 후 제세동기를 요청하고 심폐소생술을 시작한다. 환자를 발견한 사람이 심폐소생술을 할 수 있는 능력이 있더라도 심폐소생술보다는 구조요청이 우선된다. 단, 구조자가 환자와 함께 있다가 이물에 의하여 환자의 기도가 폐쇄된 경우에는 이물질 제거조작을 먼저 한 후 구조요청을 한다.

기본소생술의 자세한 내용은 제4장 기본소생술에 수록하였다.

## 2. 전문소생술

심장정지 환자에게는 기본소생술과 동시에 전문소생술이 제공되어야 한다. 심장정지의 치료 과정에서 전문소생술은 기관내삽관 등 전문기도유지술에 의한 기도확보, 가슴압박의 적절성 등 순환상태의 평가, 심전도 감시 및 분석 결과에 따른 제세동 또는 인공심장박동조율, 정맥로 또는 골내 주사로 확보 및 약물투여, 호기말 이산화탄소 분압 감시, 산소투여, 양압 인공호흡을 포함한 호흡 보조 및 호흡 상태의 평가, 심전도 감시 및 12 유도 심전도의 분석, 심초음파를 사용한 심장수축 상태 관찰, 체외순환 심폐소생술, 심장정지 원인의 규명 및 치료가 포함된다(표 9-1).

### 1) 전문기도 유지 및 인공호흡: 기관내삽관 및 폐 환기 상태의 확인

심전도 감시에서 충격불필요리듬(무수축 또는 무맥성 전기활동)이 관찰되거나 충격필요리듬(심실세동, 무맥성 심실빈맥)의 제세동에 실패하였을 때는 기도 유지와 양압 환기(인공호흡)를 시작한다. 심폐소생술 중 기도 유지 및 인공호흡 방법으로는 백-마스크 인공호흡(bag-mask ventilation: BMV, 또는 백-밸브 마스크, bag-valve mask ventilation)과 전문기도유지술(기관내삽관 또는 후두상 기도기 삽관)을 통한 인공호흡 중 한 가지 방법을 선택할 수 있으며, 인공호흡 방법에 따른 생존율의 차이는 없다고 알려졌다. 병원밖 심장정지 환자에게 심폐소생술 중 전문기도유지술을 할 때, 후두상 기도기와 기관내삽관을 시도할 수 있으며, 기관내삽관 성공률이 낮은 응급의료체계의 의료종사자(또는 기관내삽관 경험이 충분하지 않은 의료종사자)는 후두상 기도기를 삽관하고 기관내삽관 성공률이 높은

표 9-1. 심장정지 치료를 위한 전문소생술

| |
|---|
| 1. 기도 유지: 기도 유지상태의 평가 및 기관내삽관을 포함한 전문기도유지술, 호기말 이산화탄소 분압을 사용한 기관내삽관 위치의 확인 |
| 2. 폐 환기 상태의 확인 및 인공호흡: 흉곽의 움직임 확인, 호흡음 청진, 백-밸브장치 또는 호흡기를 사용한 인공호흡, 산소투여 |
| 3. 순환상태의 확인 및 보조: 가슴압박의 적절성 평가, 정맥로 또는 골내 주사로 확보, 심전도 감시 및 리듬 분석, 제세동 또는 인공심장박동조율술, 혈관수축제, 항부정맥제의 투여, 혈압측정, 호기말 이산화탄소 분압 감시, 심초음파에 의한 심장수축 관찰 및 심장정지 원인 확인, 체외순환 심폐소생술 |
| 4. 심장정지 원인의 확인 및 치료 |

응급의료체계의 의료종사자(또는 기관내삽관 경험이 충분한 의료종사자)는 기관내삽관을 하도록 권장된다. 병원 내에서는 심폐소생술 중 전문기도유지술로서 기관내삽관이 권장된다.

전문기도유지술을 한 후에는 인공호흡을 하면서 흉곽을 관찰하고 양측 흉부에서 호흡음을 청진하여 삽관이 제대로 되었는지 확인하고, 폐 환기 상태를 확인한다. 또한, 삽관된 튜브의 위치가 적절한지 평가한다. 현장에서 전문기도유지술을 하고 심폐소생술을 할 때 삽관하였던 튜브가 기관에서 빠져나오는 경우가 종종 보고되고 있다. 전문기도유지술을 한 후에 호기말 이산화탄소 분압을 측정하여 튜브가 기관 안에 확실히 삽관되었는지 확인한다. 튜브 삽관 후 즉시 호기말 이산화탄소분압을 측정하면 튜브가 식도로 삽관되는 치명적 실수를 줄이는 데 도움이 된다. 따라서 기관내삽관 또는 후두상 기도기를 삽관한 후에는 호기말 이산화탄소 분압을 측정하여 튜브의 삽관을 확인한다. 호기말 이산화탄소 분압을 지속해서 측정할 수 있는 파형 호기말이산화탄소 분압 측정장치를 사용하는 것이 이산화탄소 감지기를 사용하는 것보다 튜브의 위치를 확인하는 데 유용하다.

효율적인 인공호흡을 위하여 인공호흡기 또는 인공호흡 보조기구(팽창 백이 달린 백 등)를 사용하여 폐를 양압 환기한다. 일 회 폐 환기량을 6-7 mL/kg로 유지한다. 심폐소생술 중에는 100%의 산소를 공급한다. 현장에서는 환자의 흉부를 관찰하여 흉부가 부풀어 오르는 정도의 폐 환기량을 유지한다. 인공호흡을 할 때는 과호흡을 유발하지 않도록 주의한다.

자발순환이 회복된 후에는 호기말 이산화탄소 분압을 감시하여 폐 환기 상태를 확인하고, 맥박 산소포화도 측정기(puulse oximetry)로 동맥혈 산소포화도를 측정하거나 동맥혈 가스검사를 하여 동맥혈 산소 분압 및 이산화탄소 분압, 산-염기 상태, 산소포화도를 확인한다.

### 2) 순환상태 확인 및 심장정지 원인의 추정

심폐소생술이 진행되고 있는 동안에 가슴압박의 효율성을 평가하는 가장 유용한 방법은 호기말 이산화탄소 분압을 측정하는 것이다. 호기말 이산화탄소 분압은 심장정지 환자에서 폐를 관류하는 혈액의 양과 비례하는 것으로 알려져 있으며, 생존 여부와도 연관이 있다. 호기말 이산화탄소 분압은 가슴압박이 적절하면 높게 유지되고, 가슴압박이 부적절하면 낮아진다. 또한, 에피네프린이 투여되면 낮아지는 경향이 있으며, 심장 박동이 회복되면 급격히 상승한다. 심폐소생술 중 호기말 이산화탄소 분압의 활용에 대해서는 제3장 심폐소생술 중 모니터링에 서술되어 있다.

에피네프린(epinephrine), 아미오다론(amiodarone), 리도카인(lidocaine) 등 약물을 투여하기 위하여 정맥로를 확보한다. 소아와 성인 모두에서 정맥로가 확보되지 않으면, 골내(intraosseous) 주사로 약물을 투여한다. 골내 주사는 정맥로가 확보되지 않았을 때 약물을 투여할 수 있는 매우 유용한 방법이다.

순환상태를 평가하면서 환자의 심전도를 분석한다. 심전도를 분석할 때는 심전도 리듬과 함께 심장정지의 원인을 연관 지어 분석한다.

심폐소생술이 진행되는 동안에도 환자의 심장정지 원인이 무엇인지를 생각해야 한다. 환자의 가족이나 심장정지를 목격한 사람으로부터 얻을 수 있는 정보와 환자의 임상 상태를 고려하여 심장정지의 원인을 추정한다. 심장정지의 원인이 될 수 있는 원인(급성 심근경색, 약물 중독, 산-염기 또는 전해질 장애, 대량의 폐색전증, 심장눌림증, 긴장성 기흉, 대량 실혈, 박리성 대동맥류 등)을 환자의 임상 양상과 비교하면, 심장정지의 원인을 규명하는 데 도움이 된다(표 9-2).

### 3) 심전도 감시 및 리듬 분석

부착형 전극을 붙여서 심전도를 확인하기 전에 제세동기에 달린 제세동 전극을 사용하면 좀 더 빨리 심전도를 관찰할 수 있다. 한 방향의 유도만으로 심전도를 감시하면 심실세동을 무수축으로 오진할 수 있으므로, 심전도 감시에서 심장의 전기활동이 관찰되지 않으면 2개 이상의 유도에서 심장의 전기활동을 확인한다. 그러나 무수축과 심실세동을 감별하기 위하여 심폐소생술의 시작이나 제세동을 지연시켜서는 안 된다. 심전도상 심실세동이나 심실빈맥이 관찰되면 심실세동의 치료순서에 따라 치료한다.

심전도에서 아무런 전기활동이 없으면 무수축의 발생 가능성이 크지만, 환자가 심장정

표 9-2. 심폐소생술 중 감별하여야 할 심장정지의 원인(5H5T)

1. Hypovolemia: 실혈, 탈수 등에 의한 혈량 저하증
2. Hypoxia: 저산소증
3. Hydrogen ion excess: 대사성 산증
4. Hypo-/hyperkalemia: 저칼륨혈증/고칼륨혈증
5. Hypo-/hyperthermia: 저체온증/고체온증
6. Toxins: 약물 또는 독극물 중독
7. Tamponade, cardiac: 심장눌림증
8. Tension pneumothorax: 긴장성 기흉
9. Thrombosis of the coronary artery: 급성 심근경색
10. Thrombosis of the pulmonary artery: 폐색전증

표 9-3. 심전도에서 전기활동이 전혀 없는 경우

| 1. 무수축<br>2. 감시하고 있는 유도에서 심실세동의 진폭이 너무 작게 기록되는 경우<br>3. 전극이 환자나 심전도 감시기와 연결되어 있지 않은 경우<br>4. 심전도의 진폭이 너무 작게 나오도록 조정되어 있는 경우<br>5. 심실세동의 진폭이 너무 작아서 무수축처럼 관찰되는 경우 |
|---|

지의 소견이 없으면 심전도 측정 과정에서 발생할 수 있는 상황을 함께 확인한다(표 9-3). 무수축이 확인되면 무수축의 치료순서에 따라 치료한다. 심전도 감시에서 심장의 전기활동이 있으면, 즉시 목동맥의 맥박을 만져보고 맥박이 없으면, 무맥성 전기활동의 치료순서에 따라 치료한다.

### 4) 심초음파의 활용

심장정지의 치료 과정에서 초음파를 사용하면 유용한 정보를 얻을 수 있다. 현장 진료 초음파를 사용하면 기관삽관 위치의 확인, 기흉 발생 여부의 판단에 도움을 받을 수 있다. 심초음파를 사용하면 심장의 수축 여부를 눈으로 확인할 수 있고, 심낭 삼출, 대동맥 박리 등 심장정지의 원인질환을 진단할 수 있다. 다만, 가슴압박 중에는 선명한 심초음파 영상을 획득하기가 어렵고, 검상돌기 하부의 초음파 창만을 통해 심장을 관찰해야 한다. 경식도 심초음파를 사용하면 심폐소생술을 전혀 방해하지 않고 심장을 지속해서 관찰할 수 있다. 심폐소생술 중에 심초음파로 자발순환의 회복, 무맥성 전기활동의 발생을 확인할 수 있다. 자발순환이 회복된 후에도 심초음파는 심근 수축력을 평가하고 기절 심근 현상의 발생 여부, 심폐소생술에 의한 심장 합병증의 발생 여부를 판단하는 데에도 도움을 준다. 전문심장소생술 중 현장 진료 초음파의 사용이 환자의 생존율을 향상시키는 지에 대해서는 논란이 있다. 또한, 심폐소생술 중 현장 진료 초음파의 적용 방법 또는 기준에 대해서는 확립되어 있지 않다. 따라서 전문소생술 동안 현장 진료 초음파는 심폐소생술에 영향을 주지 않는 범위에서 시술자의 경험을 고려하여 사용되어야 한다.

## 3. 심장정지 환자의 치료

심장정지가 발생한 모든 환자에게는 심폐소생술을 포함한 전문 치료가 제공되어야 한

표 9-4. 심장정지 환자에게 제공되어야 하는 치료

| 가슴압박과 인공호흡 |
| --- |
| 제세동 |
| 약물투여로 확보: 정맥로 또는 골내 투여로 |
| 약물투여: 혈관수축제(에피네프린), 항부정맥제(아미오다론 또는 리도카인) |
| 전문기도유지술: 기관내삽관 또는 후두상 기도기 삽관 |
| 100% 산소 |
| 파형 호기말 이산화탄소 감시 |

다(표 9-4). 심장정지가 발생한 상황에서는 원인을 즉시 확인할 수 없으므로, 관찰되는 심전도 소견에 따라 치료 방침을 결정하는 것이 권장된다. 심장정지 환자에서 관찰되는 심전도 소견은 크게 심실세동(ventricular fibrillation) 및 무맥성 심실빈맥(pulseless ventricular tachycardia)과 같이 제세동이 필요한 경우(충격필요리듬: shockable rhythm)와 서맥-무수축(brady-asystole), 무맥성 심전도 소견(pulseless electrical activity)과 같이 제세동이 필요하지 않은 경우(충격불필요리듬: non-shockable rhythm)로 구분할 수 있다. 전문소생술은 관찰된 심전도 소견에 따라 순서에 따라 시행한다(그림 9-1). 병원 밖 환경에서는 전문소생술을 시행하는 의료종사자의 의료행위 허용 범위, 사용 가능한 장비, 또는 약물을 고려하여 제한된 범위의 전문소생술을 한다(그림 9-2). 치료를 진행하는 동안에는 권장되고 있는 치료가 환자의 임상 상황에 적합한지를 판단하여 적용한다.

### 1) 충격필요리듬(**심실세동/무맥성 심실빈맥**)의 치료 과정

병원 밖 심장정지 환자의 첫 심전도에서 심실세동 또는 무맥성 심실빈맥이 관찰되는 예는 전체의 20% 내외이지만, 심장성 원인에 의한 심장정지 환자의 약 60-85%에서 첫 심전도상 심실세동 또는 무맥성 심실빈맥이 관찰된다. 심실세동 또는 무맥성 심실빈맥이 관찰된 심장정지 환자의 생존율은 충격불필요리듬(무수축, 무맥성 전기활동)이 관찰된 심장정지 환자의 생존율보다 월등히 높다. 심실세동 또는 무맥성 심실빈맥이 발생한 후 4-5분 이내에는 제세동이 가장 우선되어야 하므로, 심실세동 또는 무맥성 심실빈맥 발생이 목격된 경우에는 즉시 제세동기로 제세동을 시도한다. 특히 병원 내에서 심전도 감시 중 심실세동 또는 무맥성 심실빈맥의 발생이 목격된 경우에는 제세동에 성공할 때까지 3회 연속 제세동을 한다. 심실세동 또는 무맥성 심실빈맥이 발생한 후 4-5분 이상이 지난 후 제세동하면, 심실세동이 종료되더라도 순환이 회복되지 않고 무수축 또는 무맥성 전기활동 상태로 되는 경우가 많다.

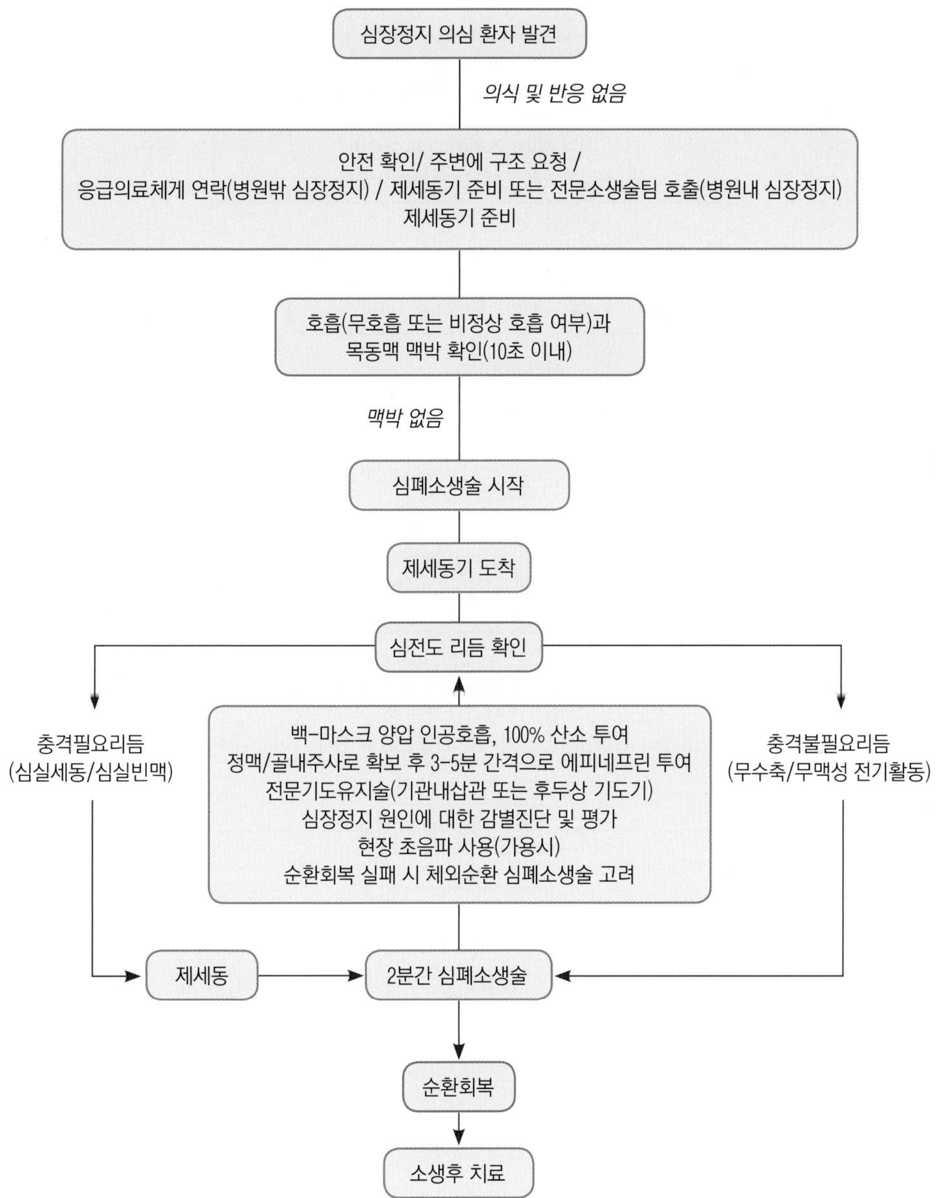


그림 9-1. 심장정지의 전문소생술 과정

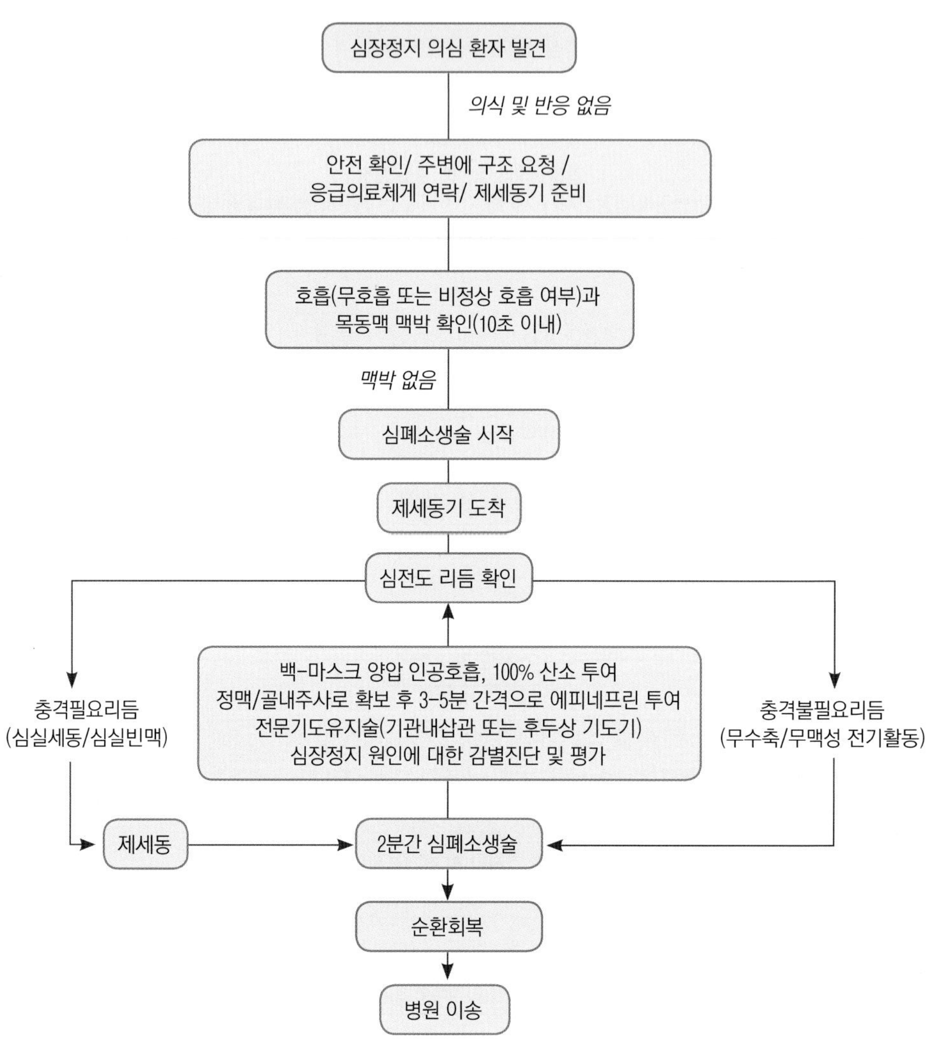


그림 9-2. 병원밖 심장정지의 현장 전문소생술 과정

심실세동 또는 무맥성 심실빈맥의 치료 과정은 제세동과 2분 동안의 심폐소생술을 반복하는 과정으로 진행된다. 즉, 첫 번째 제세동 후 즉시 가슴압박을 시작하여 2분간 심폐소생술을 한다. 2분간 심폐소생술을 한 후 다시 심전도 리듬을 판단하여 심실세동 또는 무맥성 심실빈맥이 계속되면 제세동을 한다. 백-마스크 인공호흡을 유지하고, 약물 투여로가 확보되면 가능한 한 빨리 혈관수축제인 에피네프린을 투여한다. 에피네프린은 첫 번째 제세동이 실패한 후 투여하며, 1 mg을 3-5분 간격으로 투여한다. 바소프레신을 투여할 수도 있으나, 첫 번째 또는 두 번째 에피네프린을 대신하여 1회(40 U)만 투여한다. 2분 동안 심폐소생술 후에 심전도 리듬을 분석하여 심실세동 또는 무맥성 심실빈맥이 계속되면 다시 1회의 제세동을 한다. 제세동을 위하여 제세동기를 충전하는 동안에도 심폐소생술을 계속한다. 제세동한 직후에는 즉시 심폐소생술을 계속한다. 기관내삽관(또는 성문상 기도기 삽관)이 완료되면 인공호흡을 위해 가슴압박을 중단할 필요 없이 가슴압박은 분당 100-120회의 속도로 계속하면서 인공호흡은 분당 10회(6초 당 1회)를 유지한다. 제세동 후 2분 동안 심폐소생술을 한 다음 심전도 리듬을 분석하여 심실세동이 계속되면 같은 방법으로 제세동을 한다. 세 번째 제세동 후에도 심실세동이 계속되면 항부정맥제를 투여한다. 항부정맥제로는 아미오다론(300 mg) 또는 리도카인(1-1.5 mg/kg)을 투여한다(그림 9-3). 제세동에 불응하면 아미오다론(150 mg) 또는 리도카인(0.5-0.75 mg/kg)을 추가 투여한다.

비틀림 심실빈맥(torsades de pointes)형태의 다형 심실빈맥이 관찰될 때는 마그네슘 투여를 고려한다. 그러나 충격필요리듬의 치료 과정에서 통상적으로 마그네슘을 투여하는

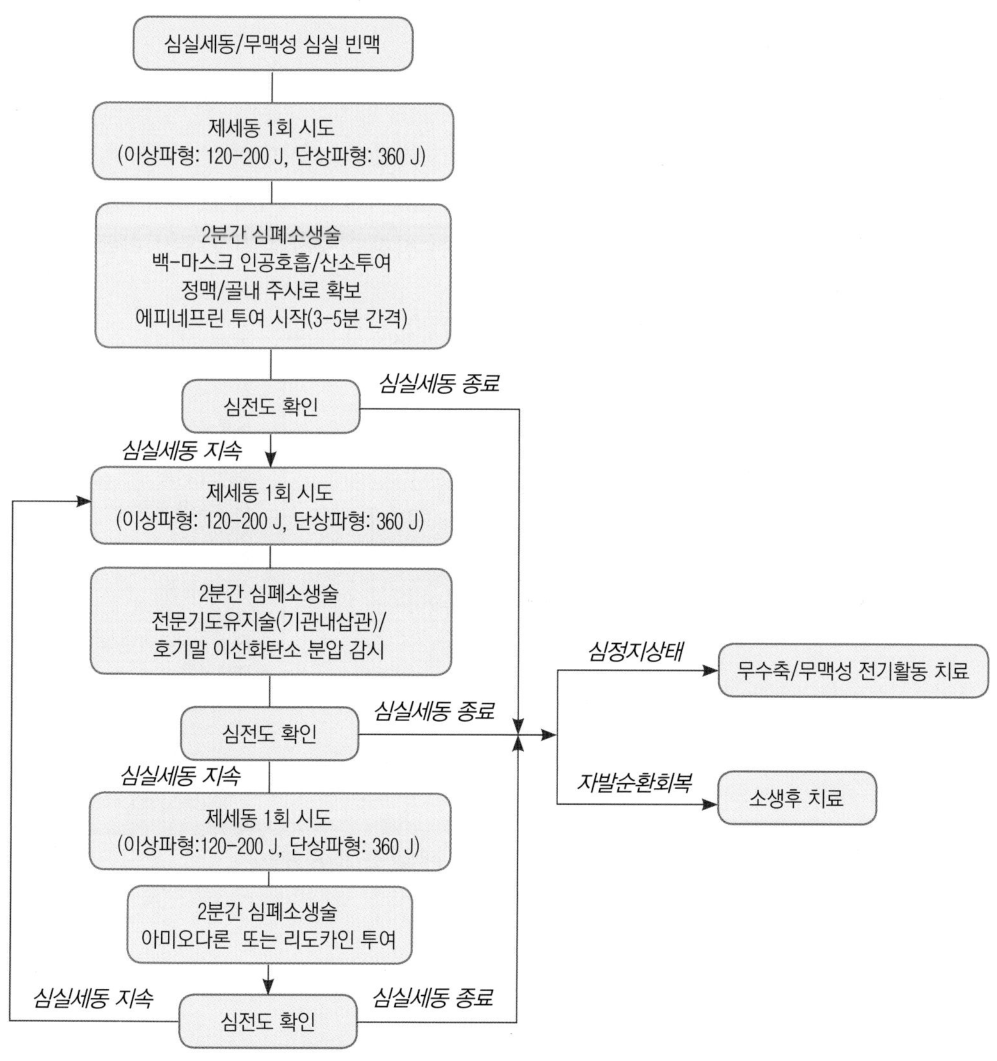


그림 9-3. 심실세동의 치료 과정

것은 권장되지 않는다.

## 2) 충격불필요리듬(무맥성 전기활동 또는 무수축)의 치료 과정

무맥성 전기활동과 무수축이 관찰되는 심장정지 환자의 치료 과정은 심폐소생술, 에피네프린 투여, 심장정지 원인의 규명 및 원인 치료로 구성되어 있다(그림 9-4). 최근 관찰연구에서 충격불필요리듬(무맥성 전기활동/무수축)이 관찰된 경우에는 에피네프린 투여 시기가 지연될수록 생존율이 감소하는 것으로 알려졌다. 따라서 무맥성 전기활동과 무수축의 치료 과정에서는 에피네프린을 신속히 투여하는 것을 권장한다.

### (1) 무맥성 전기활동의 치료

#### ① 무맥성 전기활동의 원인과 심전도 양상

무맥성 전기활동은 심전도에서 전기활동이 관찰되지만, 맥박이 만져지지 않는 상태를 말한다. 무맥성 전기활동에서 관찰될 수 있는 심전도 양상은 정상 동성 리듬(normal

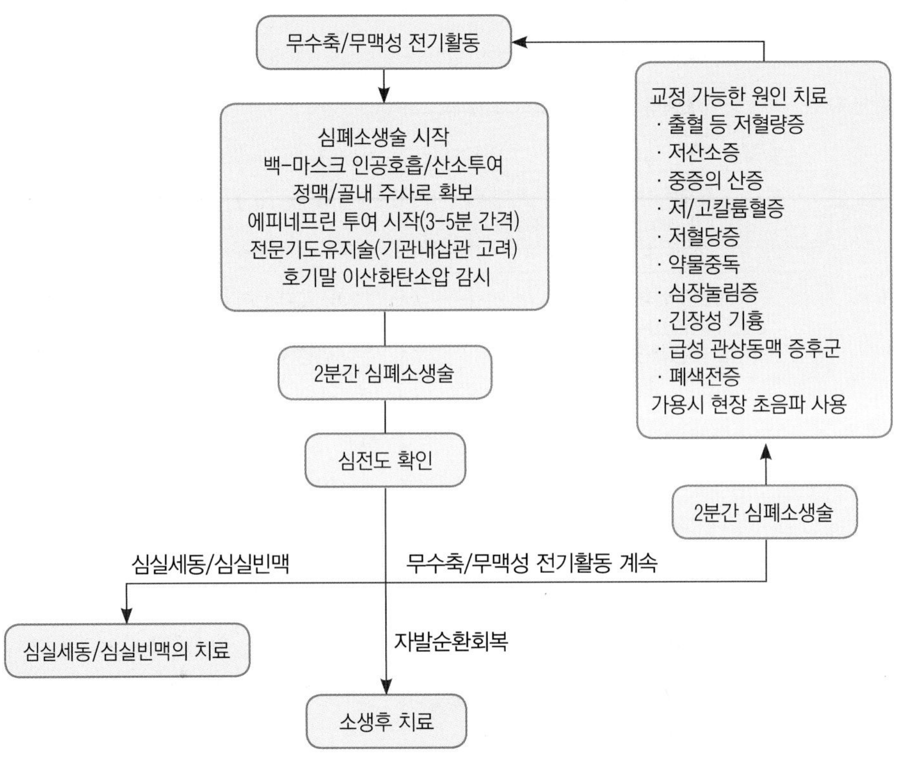


그림 9-4. 무맥성 전기활동/무수축의 치료 과정

sinus rhythm)에서부터 심실 고유율동(idioventricular rhythm), 심실 이탈율동(ventricular escapes)에 이르기까지 다양하게 나타날 수 있다.

무맥성 전기활동의 가장 흔한 원인은 심장으로 유입되는 순환혈액량의 급격한 감소이다. 따라서 무맥성 전기활동이 발생하면 심장으로 유입되는 순환혈액량의 감소를 초래할 수 있는 대량의 실혈 또는 체액 손실, 심장눌림증, 긴장성 기흉, 대량의 폐색전증을 의심해야 한다. 심장으로 유입되는 순환량의 감소 때문에 발생한 무맥성 전기활동의 심전도 소견은 QRS 파가 정상인 경우가 많다. 심전도에서 QRS 파의 연장이 관찰되는 경우에는 순환혈액량의 감소와 연관되어 있을 가능성이 작다. QRS 파가 연장된 무맥성 전기활동은 광범위한 급성 심근경색이나 심장의 전기 전도체계에 광범위한 손상을 받았을 때 발생하므로, 심장의 마지막 전기활동으로서 관찰되는 심전도 소견일 가능성이 크다. QRS 파가 연장된 무맥성 전기활동은 종종 고칼륨혈증, 저체온증, 저산소증, 심한 산증, 약물중독(항우울제, 베타 교감신경 차단제, 칼슘 통로 차단제)에 의하여 발생한다.

② 치료

무맥성 전기활동의 치료 중 가장 중요한 것은 무맥성 전기활동을 유발한 원인을 찾아 교정하는 것이다. 특히 대량의 실혈, 긴장성 기흉, 심장눌림증, 저체온증, 저산소증, 고칼륨 또는 저칼륨혈증, 대사성 산증 등은 즉시 교정될 수 있으므로 무맥성 전기활동의 원인 중 먼저 확인하여야 할 질환이다.

무맥성 전기활동이 확인되면 심폐소생술을 계속하면서 기도 유지와 인공호흡을 하면서, 약물 투여로를 확보한 후, 가능한 한 빨리 1 mg의 에피네프린을 투여한다. 에피네프린은 심폐소생술이 진행되는 동안 3-5분 간격으로 반복 투여한다. 바소프레신은 첫 번째 또는 두 번째 에피네프린 투여를 대신하여 40 U를 1회 투여할 수 있다. 무맥성 전기활동이 관찰되는 모든 심장정지 환자에게 아트로핀(atropine)을 투여하는 것은 권장되지 않는다.

순환량이 부족하다고 판단되면 즉시 다량의 수액투여를 시도한다. 심초음파를 할 수 있는 상황이면 즉시 심초음파(또는 경식도 심초음파)로서 심장의 수축 여부를 확인한다. 만약 심장이 수축하고 있으면 즉시 다량의 수액투여와 함께 에피네프린, 노르에피네프린(norepinephrine), 도파민(dopamine) 등 혈관수축제를 투여한다. 대사성 산증, 고칼륨혈증, 항우울제 중독에 의한 무맥성 심전도 소견에서는 중탄산나트륨을 투여한다. 또한, 서맥이 동반된 환자에서는 경피 심장박동조율(transcutaneous cardiac pacing: TCP)을 시도할 수도 있다. 약물 중독에 의하여 무맥성 전기활동이 발생한 경우에는 혈액투석으로 약물을 제거해 줄 수도 있다. 혈역학적 보조를 위하여 체외순환 심폐소생술(extracorporeal cardiopulmonary resuscitation: ECPR)을 시도할 수도 있다.

### (2) 무수축의 치료 과정

#### ① 원인

무수축의 심전도가 관찰되는 환자는 두 부류로 분류된다. 한 부류는 심장정지가 발생한 후 시간 경과로 심장의 전기활동이 완전히 없어진 경우이다. 이러한 환자는 심폐소생술을 하더라도 소생 가능성이 거의 없다. 다른 부류는 심장의 자율성 또는 전도 장애로 무수축이 발생한 경우이다. 이러한 환자들은 에피네프린 투여를 포함한 심폐소생술로 소생될 수도 있다.

임상적으로 심전도에서 무수축이 관찰된다는 것은 심근이 장시간 동안 관류 되지 않아 전혀 수축하지 않는 상태를 의미한다. 이 경우의 무수축은 치료받아야 할 심장의 부정맥이라기보다는 심장의 죽음을 의미한다. 따라서 심폐소생술, 기관내삽관, 약물투여에도 불구하고 지속해서 무수축 상태인 환자에서는 심폐소생술을 중지할 것을 신중히 고려한다. 그러나 저체온증, 약물 중독, 감전 등에 의하여 심장정지가 발생하였을 때는 심장의 전기활동이 전혀 없더라도 생존 가능성이 있다. 따라서 심폐소생술을 중단할 때는 환자의 나이, 심장정지 원인, 기온 등의 환경 상황을 고려하여 결정한다.

#### ② 치료

무수축의 치료는 무맥성 전기활동의 치료와 유사하다. 무수축 환자에서는 기관내삽관 및 정맥로 또는 골내 주사로를 확보한 후 3-5분 간격으로 1.0 mg의 에피네프린을 정맥 또는 골내 주사한다. 바소프레신은 첫 번째 또는 두 번째 에피네프린 투여를 대신하는 방법으로 40 U의 용량으로 1회만 투여할 수 있다.

무수축이 관찰되는 모든 심장정지 환자에게 아트로핀을 투여하는 것은 권장되지 않는다. 또한 인공심장박동조율술(cardiac pacing)은 무수축의 치료에 도움이 되지 않으므로, 무수축 환자에게 인공심장박동조율술을 하는 것은 권장되지 않는다.

#### ③ 심실세동과 무수축의 감별 및 무수축 환자의 제세동

심실세동 환자 중에는 심전도 유도에 따라 세동파의 진폭이 매우 작게 관찰되거나 세동파가 관찰되지 않는 경우가 있으므로, 심전도상 무수축이 관찰될 때에는 반드시 2개 이상의 유도에서 심전도를 확인하여 심실세동이 관찰되는지를 확인한다. 제세동기의 제세동 전극으로 감시하였을 때는 전극 유도의 방향을 바꾸어 심실 세동파가 관찰되는지 확인한다. 만약 심실 세동파가 관찰되면 즉시 심실세동의 치료순서에 따라 치료한다.

무수축 환자에서 제세동은 효과가 없다. 특히 제세동 후에는 심근의 수축력이 저하(일시적 기절 심근 효과의 발생)되며, 제세동 자체가 부교감신경작용을 증가시켜 무수축을 지속시키는 결과를 초래한다. 제세동은 중추신경계의 호흡중추에 영향을 주어 일시적 호흡 마비를 초래할 수 있다. 따라서 무수축이 관찰되는 환자에게는 제세동을 시도하지 않는다.

④ 무수축 환자에서 심폐소생술의 종료

무수축 환자 중에는 심장정지의 발생으로부터 이미 장시간 지나 심폐소생술을 계속하여도 소생 가능성이 없는 환자가 있다. 따라서 전문심장소생술을 계속하지만, 무수축이 계속되는 경우에는 심폐소생술을 종료를 고려한다. 심폐소생술을 종료할 때에는 환자에 대한 소생 노력이 충분하였는지, 환자에게 저체온증, 약물 중독 등 회복 가능한 원인이 있는지를 확인한 후 결정한다. 심폐소생술 중 파형 호기말 이산화탄소 분압을 측정하였을 때, 10 mmHg 미만이면 자발순환의 회복 가능성이 작다.

## 4. 전기 제세동

전기 제세동((electrical defibrillation, 이하 제세동)은 심장에 전기에너지를 가하여 심실세동을 종료시키는 술기를 말한다. 제세동의 원리는 심장에 가해진 전기에너지에 의하여 심실의 전기적 불응기를 일치시켜 심실 세동파의 진행과 발생을 억제하는 것이다. 제세동 후 심실세동이 최소 5초 이상 중단되면 심실세동의 종료로써 판단한다.

성인에서 제세동에 필요한 전기에너지양은 전술한 바와 같이 제세동기에서 사용되는 제세동 파형에 따라 다르다. 단상 파형(monophasic damped sine wave: MDS)을 사용하는 제세동기로 제세동을 시도할 때 최초의 에너지는 360 J이다. 제세동 되지 않아 반복 제세동을 할 때도 360 J로 제세동한다. 이상 파형(biphasic truncated exponential wave: BTE)을 사용하는 제세동기로 제세동을 할 때는 120-200 J의 에너지가 사용되며, 제조사의 권장 에너지를 알 수 없는 경우에는 200 J로 제세동한다. 추가적인 제세동을 할 때는 같은 에너지 또는 이전 제세동할 때보다 높은 에너지로 제세동한다. 제세동 직후에는 즉시 심폐소생술을 시작하여 가슴압박의 중단을 최소화한다. 제세동 후에는 즉시 가슴압박을 시작하여 2분 동안 심폐소생술을 한 후 심전도를 확인하여 리듬을 분석한다. 심실세동이 발생한 소아에서의 적절한 제세동 에너지에 대해서는 논란이 있으나, 최초 2 J/kg로 제세동을 시도하고, 첫 번째 제세동 후에도 심실세동이 계속되면 이후의 제세동 시도에서는 4 J/kg로 제세동을 한다.

심전도 감시가 계속되고 있는 상황에서는 환자의 자발순환이 회복되었다는 징후가 분명하지 않으면 가능한 심폐소생술의 중단을 최소화한다. 심전도 리듬의 분석은 2분 동안 심폐소생술을 한 후 심폐소생술 중단을 최소화하면서(10초 이내) 확인한다. 심전도에서 관류가 유지될 수 있는 리듬(perfusing rhythm)이 관찰되지 않으면, 목동맥 맥박을 확인할 필요 없이 심폐소생술을 계속한다.

## 5. 심장정지 치료에 사용하는 약물

심폐소생술 중에는 조직으로의 관류압을 유지하기 위하여 혈관수축제를 투여한다. 혈관수축제를 투여하지 않으면 이완기압을 유지할 수 없으며, 낮은 이완기압은 관상동맥 관류압의 저하를 초래하여 자발순환회복의 가능성이 작아진다. 심실세동 또는 무맥성 심실빈맥의 치료 과정에서는 제세동이 가장 우선되지만, 전기적 제세동에 실패하였을 때 항부정맥제를 투여하면 제세동 성공률과 자발순환 회복의 가능성을 높일 수 있다. 심장정지의 치료 과정에서 투여하는 약물은 표 9-5에 요약되어 있다.

### 1) 에피네프린

에피네프린은 알파 및 베타 교감신경 수용체에 모두 작용하는 카테콜아민(catecholamines)이다. 그동안 에피네프린은 모든 심장정지 환자에게 가장 우선하여 투여해야 하는 약물로서 자리 잡아 왔다. 그러나 에피네프린의 베타 교감신경 작용은 심근의 산소 요구량

표 9-5. 심장정지 치료에 투여하는 약물

| 약물명 | 투여 시기 | 투여량 | 최대 투여량 |
|---|---|---|---|
| 에피네프린 | 정맥로 또는 골내 주사로가 확보된 직후<br>첫 투여 후부터 3-5분 간격으로 반복투여 | 1 mg | 심폐소생술 중에는 제한 없음 |
| 바소프레신 | 첫 번째 또는 두 번째 에피네프린의 투여 시기(에피네프린의 대체 투여) | 40 IU | |
| 아미오다론 | 제세동에 실패한 경우 | 최초 투여: 300 mg<br>추가 투여: 150 mg | |
| 리도카인 | 제세동에 실패한 경우 | 최초 투여: 1.0-1.5 mg/kg<br>추가 투여: 0.5-0.75 mg/kg | 3 mg/kg |
| 마그네슘 | 비틀림 심실빈맥이 관찰되는 경우<br>저마그네슘혈증이 의심되는 경우 | 1-2 g | 5-15분 후 반복투여 |

을 증가시키고, 심근의 괴사를 초래할 수 있으므로, 에피네프린을 대체할 수 있는 약제에 관한 연구가 계속됐다. 병원밖 심장정지 환자에서 에피네프린과 위약의 효과를 비교한 연구에서 에피네프린은 위약과 비교하면 심장정지 환자의 생존율을 높이지만 뇌 신경 회복률을 높이지는 않는 것으로 나타났다. 다만, 에피네프린의 투여가 심장정지 환자의 생존율을 감소시킨다는 보고는 없으며, 현재로서는 에피네프린을 대체할 수 있는 약물이 없는 실정이다.

모든 심장정지 환자에게 심폐소생술을 하는 과정에서 3-5분 간격으로 1 mg의 에피네프린을 투여하는 것이 권장된다. 충격필요리듬(심실세동/무맥성 심실빈맥)이 관찰되는 경우에는 에피네프린 투여보다는 제세동이 우선되어야 한다. 충격불필요리듬(무맥성 전기활동/무수축)이 관찰되는 경우에는 에피네프린을 가능한 한 빨리 투여한다.

**〈에피네프린의 투여량에 대한 논란〉**

최초 1 mg의 에피네프린 투여 후 심장 박동이 회복되지 않는 심장정지 환자에게 여러 가지 에피네프린 투여방법이 소개된 바 있다. 중간용량(intermediate dose) 투여방법은 2-5 mg의 에피네프린을 3-5분 간격으로 투여하는 방법이다. 상승용량(escalating dose) 투여방법은 3분 간격으로 용량을 1, 3, 5 mg으로 증량시켜가며 투여하는 방법이다. 고용량(high dose) 투여방법은 3-5분 간격으로 0.1 mg/kg를 투여하는 방법이다. 그러나 표준용량보다 많은 양의 에피네프린이 투여될 경우 자발순환의 회복 가능성은 커지지만, 환자의 단기 사망률이 높아지기 때문에 고용량 에피네프린이 생존율에 오히려 나쁜 영향을 미친다는 결과가 있다. 따라서 통상적으로 고용량의 에피네프린을 투여하는 것은 권장되지 않는다. 다만, 베타 교감신경 수용체 차단제 또는 칼슘 통로 차단제 중독에 의한 심장정지를 치료할 때, 또는 소생술 경험이 많은 의사가 환자의 임상 경과에 따라 필요하다고 판단한 때는 고용량의 에피네프린을 투여할 수 있다. 심폐소생술이 진행되는 동안 대동맥압이 감시되고 있으면 적절한 관상동맥 관류압을 유지하기 위하여 에피네프린 투여량을 증량할 수 있다.

**② 바소프레신**

바소프레신은 체내에서 분비되는 항이뇨 호르몬(antidiuretic hormone)이자 혈관수축제이다. 심장정지 환자에게 바소프레신을 투여하면 V1 수용체(V1 receptor)에 작용하여 혈관의 민무늬 근육(평활근)을 수축시켜 말초혈관 저항을 증가시킨다. 심폐소생술이 진행되는 동안 바소프레신은 피부, 근육, 장으로의 혈류를 감소시키는 반면, 관상동맥 및 신동맥은 수축시키지 않으며 뇌혈관을 이완시키는 것으로 알려졌다. 또한, 바소프레신은 에피네프린과는 달리 베타 교감신경 작용이 없으므로, 심근의 산소 요구량을 증가시키지 않는다. 바소프레신은 약물의 반감기가 10-20분 정도로서 에피네프린보다 길어서 심폐소생술 중 1회 투여가 권장된다.

심실세동에 의한 심장정지 환자에서 바소프레신은 관상동맥 관류압, 뇌 혈류량 및 뇌로의 산소 공급을 증가시키며, 심실세동의 파형에 영향을 줌으로써 제세동 가능성을 높이는 것으로 알려졌다. 동물실험 결과에서는 바소프레신이 심실세동에 의한 심장정지 모델에서 효과적인 것으로 증명되었으나, 대규모 임상연구에서 바소프레신과 에피네프린을 투여받은 병원내 및 병원밖 심장정지 환자에서 생존율의 차이가 관찰되지 않았다. 다만, 무수축 환자에서 바소프레신이 에피네프린보다 순환회복률을 증가시키는 것으로 관찰되었다. 동물실험에서는 바소프레신을 반복 투여하는 경우에 부가적인 혈역학적 효과가 발생한다고 알려졌으나, 임상시험에서 바소프레신의 반복투여가 에피네프린의 반복투여에 비하여 생존율을 향상하는 효과가 입증되지 않았다. 따라서 현재로서는 바소프레신 반복투여는 권장되지 않는다. 바소프레신과 에피네프린을 동시에 투여하면 뇌 혈류량이 감소하는 것으로 알려졌으며, 최근 대규모 임상연구에서 에피네프린을 단독 투여한 경우에 비하여 생존율의 차이가 없다고 보고되었다. 이러한 연구결과에 따라 미국심장협회에서는 바소프레신의 투여를 권장하지 않는다. 그러나 현재까지의 연구결과에서 바소프레신의 투여가 에피네프린의 투여에 비하여 생존율을 감소시킨다는 보고는 없으므로, 심폐소생술 중 바소프레신의 투여를 금지할 이유는 없다.

바소프레신을 사용할 때에는 첫 번째 또는 두 번째 에피네프린 투여를 대신하는 방법으로 40 U의 용량으로 1회 투여한다.

#### ③ 아미오다론

아미오다론은 나트륨(sodium), 칼륨(potassium) 및 칼슘(calcium) 통로(channel)와 알파 및 베타 교감신경 차단작용이 있는 항부정맥제이다. 아미오다론은 비교적 낮은 부정맥 유발 효과(proarrhythmic effect)를 가지고 있으며, 심실세동의 제세동 역치를 감소시키는 것으로 알려져 심실세동의 치료에 사용되게 되었다. 아미오다론은 교감신경 차단 작용으로 인하여 정맥투여 시 말초혈관 저항을 감소시키는 효과가 있으나, 프로케이나마이드(procainamide) 등의 다른 항부정맥제에 비하여 말초혈관 저항 효과가 낮다. 제세동에 반응하지 않는 심실세동 환자에서 시행된 임상시험에서 아미오다론이 위약과 비교할 때 자발순환회복 가능성을 높이는 것으로 알려졌다.

아미오다론은 3회의 제세동 후에도 심실세동이 계속되는 환자에게 투여한다. 투여방법은 300 mg의 아미오다론을 20-30 mL의 생리식염수와 섞어서 빠른 속도로 정맥에 주사한다. 아미오다론 투여 후 전기적 제세동에 실패하거나 심실세동이 재발하면 150 mg의 아미오다론을 추가로 투여할 수 있다. 정맥로가 확보되지 않았을 때는 아미오다론을 골내 주사로 투여할 수 있다.

④ 리도카인

리도카인은 아미오다론과 같이 제세동에 반응하지 않는 심실세동의 치료를 위해 투여된다. 일부 동물실험에서 리도카인이 심실세동의 제세동 역치를 증가시키는 것으로 보고되었으나, 임상연구에서 리도카인은 불응성 심실세동 환자에서 위약과 비교하면 순환회복률을 높이는 것으로 알려졌다. 제세동에 반응하지 않는 심실세동의 치료에서 리도카인은 아미오다론과 비교할 때 순환회복률 및 생존율 측면에서 유사한 결과를 가져오는 것으로 알려졌다. 따라서 리도카인은 제세동에 반응하지 않는 충격필요리듬(심실세동/무맥성 심실빈맥)의 치료에 사용된다. 이전의 가이드라인에서는 제세동에 반응하지 않는 충격필요리듬의 치료 과정에서 아미오다론이 리도카인보다 우선 권장되었다. 병원밖 심장정지 환자를 대상으로 한 대규모 연구의 결과를 바탕으로 현재의 가이드라인에서는 제세동에 반응하지 않는 충격필요리듬의 치료에서 아미오다론과 리도카인을 같은 우선순위로 사용하도록 권장한다.

리도카인을 투여할 때에는 먼저 1.0-1.5 mg/kg을 정맥에 주사한다. 첫 번째 리도카인투여 후 제세동에 실패하면 0.5-0.75 mg/kg 용량의 리도카인을 투여한다. 총투여량이 최대 3 mg/kg를 넘지 않도록 한다.

리도카인은 간에서 대사되는데, 심폐소생술 중에는 간으로의 혈류가 거의 없으므로 심폐소생술 중 투여되는 리도카인의 대사 속도는 매우 늦다. 심실세동 환자에게 반복적인 투여로 총 3 mg/kg 이상의 리도카인이 투여되면 리도카인이 체내에 축적되어 부작용을 유발할 수 있다. 자발순환이 회복된 후에는 축적되어 있던 리도카인에 의하여 혈중 리도카인농도가 갑자기 증가하여 발작, 호흡부전 등의 부작용이 발생할 수도 있다. 따라서 순환이 회복된 후에도 리도카인을 투여하여야 할 때, 리도카인의 부작용이 발생하는지를 잘 관찰한 후, 부작용이 없으면 분당 1-4 mg의 속도로 정맥에 주사한다.

심실세동으로부터 심장 박동이 회복된 환자에게 심실세동의 재발을 막기 위하여 항부정맥제를 투여하는 것이 환자의 생존에 도움이 된다는 증거는 없다. 따라서 심장 박동이 회복된 후에 모든 환자에게 항부정맥제를 투여하는 것은 권장되지 않는다. 그러나 순환회복 후에 심실세동, 심실빈맥 등 생명을 위협하는 부정맥이 반복하여 발생하면 항부정맥제를 투여한다. 이 경우에는 통상 부정맥을 치료할 수 있었던 약물을 소생 후 시기에 투여하는 방법을 선택한다. 즉 아미오다론 투여 후 자발순환이 회복되었으면 아미오다론을 투여하고, 리도카인을 투여한 후 자발순환이 회복되었으면 리도카인을 투여한다.

### ⑤ 마그네슘

심장정지를 치료하는 과정에서 마그네슘(magnesium)을 통상적으로 투여하는 것은 권장되지 않는다. QT 간격 연장에 의한 비틀림 심실빈맥으로 심장정지가 발생한 경우에는 마그네슘을 투여한다. 마그네슘을 투여할 때는 1-2 g의 마그네슘을 10 mL의 5% 포도당에 희석하여 정맥 또는 골내 주사로 투여한다. 알코올 중독환자, 영양 결핍환자와 같이 저마그네슘혈증이 동반될 가능성이 있는 환자에서는 마그네슘이 상당히 유용한 치료약제가 될 수 있다.

심실세동의 치료에 반응하지 않는 모든 심실세동 환자에게 마그네슘을 투여하는 것은 권장되지 않는다.

### ⑥ 스테로이드(steroid)

최근 병원 내 심장정지 환자를 대상으로 심폐소생술 중 스테로이드(메틸프레드니솔론)-에피네프린-바소프레신을 함께 투여한 환자군과 에피네프린만을 투여한 환자군을 비교한 결과, 스테로이드-에피네프린-바소프레신을 함께 투여한 환자군의 생존율이 높았다는 보고가 있다. 이 연구에서는 세 약제가 병합되어 투여되었기 때문에 스테로이드가 심장정지 환자의 생존율을 높였는지는 알 수 없다. 현재로서는 심장정지 환자의 치료 과정에서 스테로이드의 통상 투여는 권장되지 않는다.

## 6. 자발순환이 회복 직후의 치료

심장정지에서 소생 직후 상태란 자발순환이 회복된 후 20분 정도까지를 말한다. 소생 직후에는 혈역학적으로 매우 불안정하고, 심장정지가 다시 발생할 가능성이 아직 크다. 소생 직후의 치료가 적절하지 않으면 심장정지가 재발하거나 심각한 심장정지 후 증후군에 빠지게 될 가능성이 크다.

심장정지로부터 소생된 환자는 다양한 양상으로 소생된다. 심장정지 시간이 매우 짧았던 환자는 의식이 명료한 상태로 회복되어, 호흡과 순환상태가 정상적으로 유지될 수도 있다. 그러나 심장정지 시간이 길었던 환자는 심장정지 후 증후군이 발생함에 따라 의식이 없거나, 호흡 또는 순환상태가 매우 불안정하다.

심장정지로부터 소생된 직후에 가장 중요한 치료는 환자의 혈액순환 및 호흡 상태를 안정시켜 뇌를 포함한 주요 장기로의 관류압을 적절히 유지하는 것이다. 심장 박동이 회복된 직후에는 신속히 환자를 평가하고 혈역학적 안정화를 포함한 심장정지 후 치료를 시작

표 9-6. 심장 박동 회복 직후에 필요한 응급치료

| |
|---|
| 1. 기관내삽관 튜브의 위치 확인: 호흡음 청진, 호기말 이산화탄소분압측정, 흉부 방사선 단순촬영 |
| 2. 산소투여 및 환기 상태 확인: 산소포화도 측정기 또는 동맥혈 가스분석 |
| 3. 혈압측정 |
| 4. 심전도 감시 |
| 5. 12 유도 심전도의 기록 및 분석 |
| 6. 심장 기능 평가, 심장정지 원인의 분석 및 재발 방지: 심초음파 검사 |
| 7. 심폐소생술에 의한 합병증 확인: 환자 진찰, 흉부전산화단층촬영 |
| 8. 병력채취 |
| 9. 환자 진찰 및 혈액검사: 혈청 전해질(Na, K, Ca, Mg), 심근 효소검사, 혈액응고검사 |
| 10. 위장관 튜브 삽관, 요관 삽관 및 소변량 측정 |
| 11. 응급 관상동맥조영술: 급성 관상동맥증후군의 중재술 |
| 12. 목표체온유지치료 |
| 13. 뇌 전산화단층촬영, 뇌파 지속 감시 |
| 14. 집중치료시설로 환자이송 |

한다(표 9-6). 심장정지로부터 소생된 환자에 관한 내용은 제16장 소생후 치료에서 상세히 다루었다.

## 7. 감염병 유행 상황에서의 전문소생술

감염병에 걸렸거나 감염이 의심되는 심장정지 환자에게 심폐소생술을 할 때, 환자의 분비물과의 접촉, 심폐소생술 과정에서 환자로부터 발생한 비말과 에어로졸의 흡입으로 인하여 구조자가 감염될 가능성이 있다. 따라서 코로나-19를 포함한 감염병이 유행하는 상황에서는 구조자가 감염되지 않도록 주의해야 한다. 기본소생술 과정에서부터 가능한 감염에 주의하면서 심폐소생술을 시작한다(제4장 기본소생술의 감염병 유행 상황에서의 기본소생술 참조).

전문소생술을 할 때 구조자의 감염을 최소화하기 위한 원칙은 개인보호장구를 철저히 하고, 가능한 접촉자를 최소화하며, 심폐소생술 과정에서 에어로졸 발생을 최소화하는 것이다. 심폐소생술을 한 후에는 감염관리지침에 따라 개인 방역 및 위생 관리조치를 한다.

감염 노출을 최소화하기 위하여 전문소생술 구역을 다른 구역과 격리하여 운영하며, 전문소생술 참여 인원을 최소화해야 한다. 명백히 나쁜 예후가 예측되는 심장정지 환자에게는 심폐소생술이 환자에게 도움이 될 것인지를 판단한 후, 필요한 경우에만 심폐소생술을 시작한다.

전문소생술을 시작하기 전, 의료종사자는 개인보호장구(D등급 이상의 전신 보호복 또는 방수성 긴 팔 가운, 장갑, 보호 안경 또는 안면 가리개, N95 이상의 마스크 또는 전동식 호흡 기구 사용)를 반드시 해야 한다. 가슴압박은 환자로부터 에어로졸을 생성하므로, 가능한 전문기도유지술을 신속히 해야 한다. 기관내삽관을 할 때는 비디오 후두경을 사용하여 환자와 밀접하게 접촉되지 않도록 하고 거리를 유지하면서 시행한다. 전문기도유지술로 기관내삽관 또는 성문상 기도기를 할 수 있으나, 성문상 기도기는 가슴압박 동안 후두가 잘 밀봉되지 않을 수 있어서 가슴압박 중 에어로졸이 외부로 나올 수 있다. 따라서 가능한 기관내삽관을 하고 불가능하면 성문상 기도기를 삽관한다. 전문기도유지술을 한 후에는 즉시 헤파필터(HEPA filter)를 연결하여 인공호흡을 한다. 기계 심폐소생술 장치를 사용할 수 있으면 구조자와 환자와의 접촉을 줄일 수 있으므로, 기계 심폐소생술 장치를 사용한다. 제세동하면 에어로졸이 발생할 가능성이 있으므로, 수동 제세동할 때에도 수동제세동 패들을 사용하지 말고 자동 제세동할 때와 같이 제세동 전극을 부착하여 사용한다. 현장에서 전문소생술을 한 후 환자의 순환이 회복되면, 감염환자 이송용 카트와 구급차를 사용하여 이송한다(표 9-7). 전문소생술을 마친 후에는 감염관리지침에 따라 개인보호장구를 폐기하고 손 세척 등 개인위생 조치를 한다. 방역수칙에 따라 지역 보건소에 환자 발생을 보고하고 코로나-19 검사, 자가격리의 필요성에 관해 확인한다. 전문소생술 구역과 소생술에 사용된 의료장비와 도구를 소독한다(그림 9-5).

표 9-7. 감염병 환자 또는 감염이 의심되는 환자의 전문소생술 중 감염 전파 최소화를 위한 방안

1. 개인보호장구 착용: D등급 이상의 전신 보호복 또는 방수성 긴 팔 가운, 장갑, 보호 안경 또는 안면 가리개, N95 이상의 마스크 또는 전동식 호흡 기구 사용
2. 전문소생술 참여 인원의 최소화
3. 전문소생술 구역을 다른 구역과 격리
4. 신속한 기관내삽관 및 비디오 후두경 사용
5. 인공호흡 중 헤파(HEPA)필터 사용
6. 수동제세동 패들 대신 제세동 전극 사용
7. 기계 심폐소생술 장치 사용
8. 감염환자 이송용 카트와 구급차를 사용하여 이송
9. 전문소생술 후 감염관리지침에 따라 개인 보호구 폐기 및 개인위생 조치 수행
10. 감염 의심 환자의 코로나 검사 결과 확인
11. 필요하면 지역 보건당국에 연락

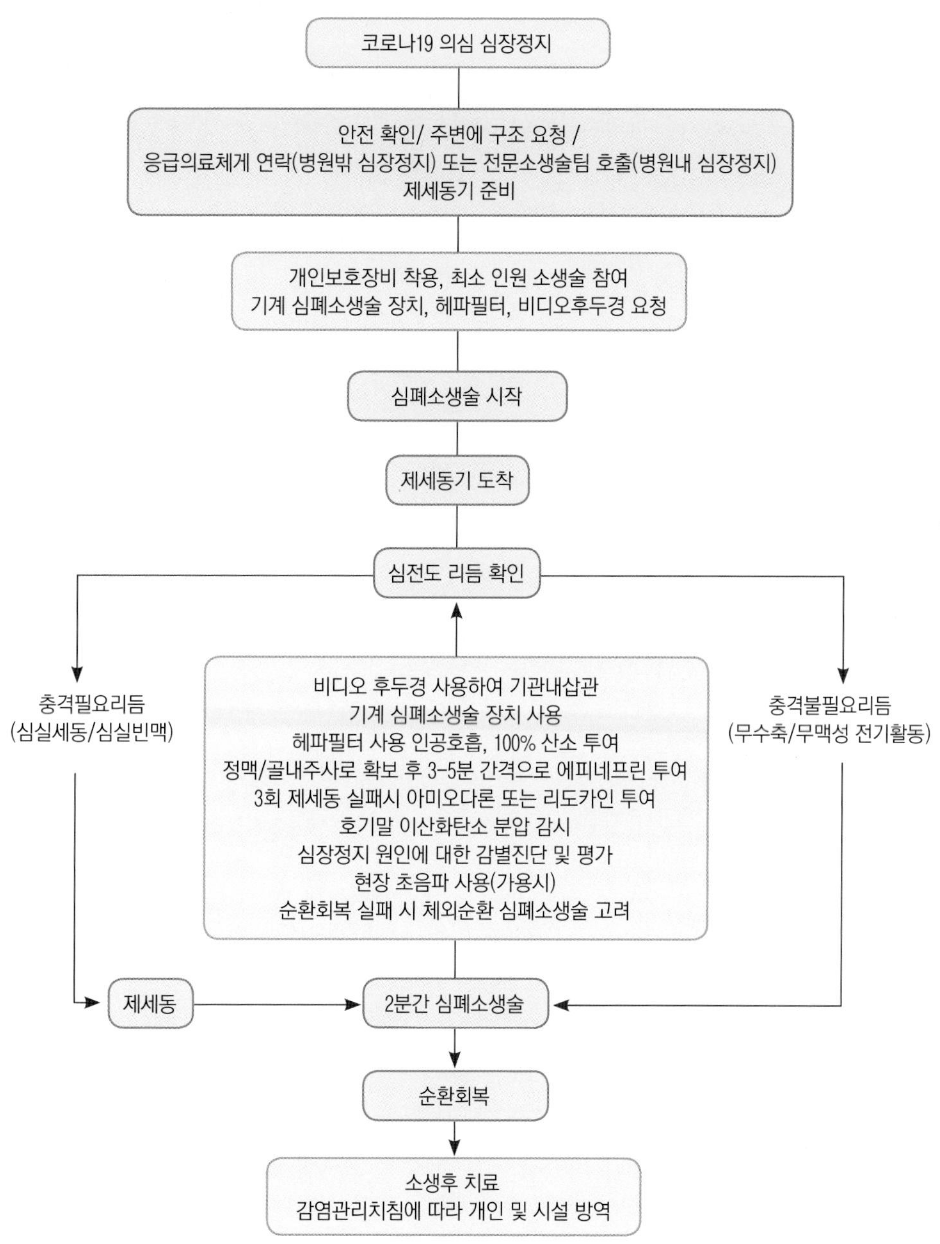


그림 9-5. 감염병 유행 상황에서의 전문소생술 과정

# 제 10 장

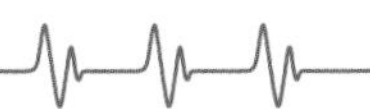

# 심장정지 위험이 있는 환자의 평가 및 응급치료

## 1. 심장정지 위험이 있는 환자의 치료순서

급성 심근경색, 빈맥성 또는 서맥성 부정맥, 저혈압, 폐부종 등 심장정지를 유발할 수 있는 상황에 놓인 환자에게 신속한 응급치료를 제공하여야 심장정지로의 진행을 방지할 수 있다. 심장정지가 임박한 환자 중에는 의식이 없는 때도 있다. 환자가 의식이 없으면 심장정지 환자와 같은 방법으로 환자를 평가한다. 즉 환자의 의식과 반응을 평가하고, 의식과 반응이 없으면 즉시 응급의료체계에 연락한다. 호흡이 없거나 비정상적인 호흡 양상이 관찰되면 목동맥의 맥박을 확인하고 맥박이 없으면 즉시 가슴압박을 포함한 심폐소생술을 시작한다. 제세동기가 준비되면 심전도를 확인하고 필요에 따라 제세동을 한다. 목동맥의 맥박이 만져지지만, 호흡이 없는 환자에서는 인공호흡을 계속한다. 맥박과 호흡이 유지되는 환자는 회복 자세를 취해준다(표 10-1).

표 10-1. 심장정지 가능성이 있는 환자의 응급치료

1. 의식과 반응 여부를 확인한다.
2. 호흡 상태와 맥박을 확인한다. 심장정지가 확인되면 심폐소생술을 한다.
3. 기도와 호흡 상태를 확인하고, 필요하면 기관내삽관, 인공호흡을 한다.
4. 맥박이 만져지면 혈압을 측정한다.
5. 맥박산소계측기로 동맥혈 산소포화도를 확인하고 산소를 투여한다.
6. 정맥로를 확보하며, 심전도 감시를 시작한다.
7. 12 유도 심전도를 기록, 분석하고, 흉부 방사선 촬영을 한다.
8. 동맥혈 및 정맥혈을 채취하여 동맥혈 가스분석 및 전해질 검사 등 혈액검사를 한다.
9. 상세한 병력을 조사하고 진찰한다.

심장정지 가능성이 있다고 판단되면 원인의 진단보다 응급치료를 먼저 해야 하므로, 환자의 상태를 지속해서 관찰하면서 현재 상황에 이르게 된 원인질환을 찾는다. 응급치료 후에는 환자로부터 수집된 병력 및 검사기록을 통하여 환자의 원인질환을 추정한다.

## 2. 서맥의 치료

일반적으로 서맥(느린맥, bradycardia)이란 심박수가 분당 60회 이하인 경우를 말한다. 전문소생술에서는 분당 50회 이하의 서맥이 주요 치료 대상이다. 그러나 심박수의 절댓값으로 환자를 치료하는 것은 적절하지 않다. 예를 들면 수축기 혈압이 80 mmHg인 환자에서는 보상 기전으로 빈맥이 동반되어야 하는데, 심박수가 70회라면 정상적인 심박수라고 말할 수 없다. 따라서 심박수는 환자의 순환상태와 연관 지어 판단한다.

서맥이 발생하였을 때는 먼저 환자의 순환상태를 확인한다. 서맥이 관찰되면서 쇼크의 임상 증상(저혈압, 의식장애, 발한, 소변량 감소 등), 심부전의 임상 증상(호흡곤란, 진찰

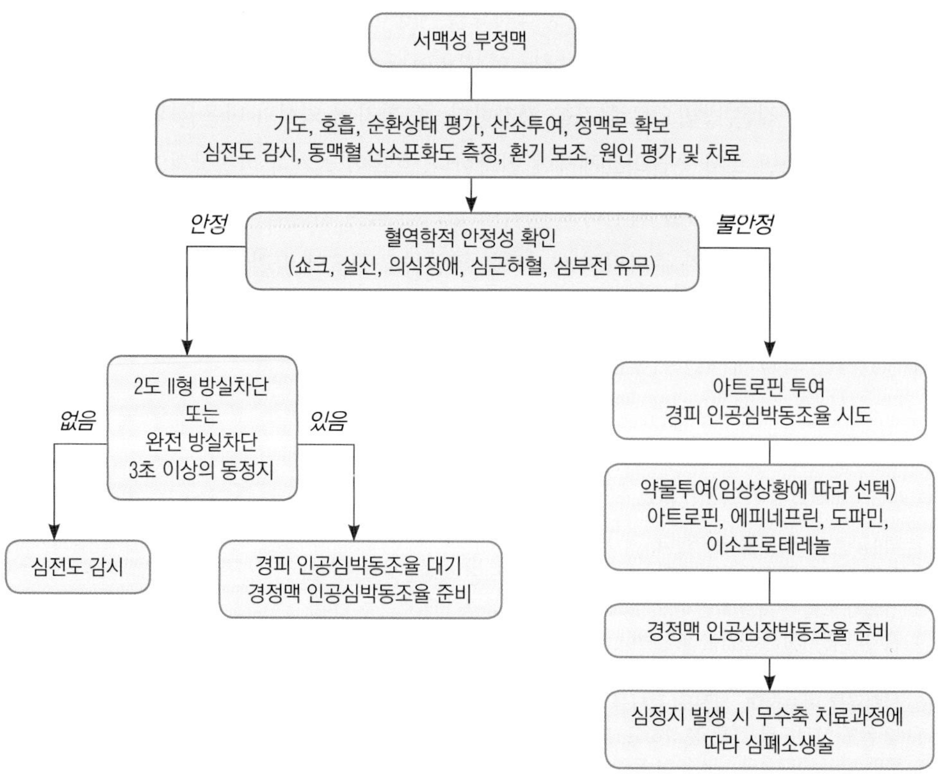


그림 10-1. 서맥의 치료 과정

또는 흉부 방사선 영상에서 폐부종의 증거), 관상동맥 허혈의 임상 증상(흉통, 심전도에서 ST분절 하강 또는 상승), 실신이 발생하였다면 즉시 심박수를 증가시키기 위한 치료를 한다. 임상 증상이 없는 경우에는 12 유도 심전도를 판독하여 3초 이상의 동정지(sinus arrest) 또는 2도 2형 방실차단(atrioventricular block)보다 중증의 방실차단이 있으면 경정맥 심장박동조율술(transvenous cardiac pacing)로서 서맥의 발생에 대비한다. 특히 급성 심근경색 환자에서 2도 II형 방실차단이 관찰되는 경우에는 완전 방실차단으로 이행할 가능성이 크다. 2도 1형 방실차단은 완전 방실차단으로 진행되는 경우가 흔치 않다. 따라서 2도 1형 방실차단이나 1도 방실차단 등 경증의 방실차단이 있으면 심전도 감시를 하면서 환자를 관찰한다(그림 10-1).

심실 이탈 율동이 있는 환자에서 리도카인을 투여하면 무수축을 초래할 수 있으므로, QRS 간격이 확장된 서맥 환자에게는 절대로 리도카인을 투여해서는 안 된다. 저산소증이 동반된 서맥 환자에서는 반드시 저산소증을 교정한다.

서맥 환자를 치료할 때에는 아트로핀의 투여가 우선되며, 에피네프린, 도파민을 투여한다. 경피 심장박동조율기를 즉시 사용할 수 있으면 심장박동조율을 시작한다.

### 1) 서맥의 약물치료

서맥의 치료에 가장 중요한 약제는 아트로핀이다. 아트로핀은 부교감신경차단 작용으로 동결절(sinus node)의 흥분성과 방실결절의 전도속도를 증가시킨다. 따라서 동서맥(sinus bradycardia), 방실차단, 동정지의 응급치료에 효과적이다. 서맥을 치료하려면 우선 0.5 mg의 아트로핀을 정맥 내로 투여하며, 3-5분 간격으로 최대 0.03-0.04 mg/kg(최대 용량 3 mg)까지 반복 투여할 수 있다. 0.5 mg보다 적은 양의 아트로핀을 투여할 때는 오히려 서맥이 발생하는 때도 있다. 아트로핀은 일시적으로 심박수를 증가시키는 방법이므로, 아트로핀의 투여만으로 서맥을 궁극적으로 치료할 수 없다. 따라서 환자의 관류상태가 저하된 경우에는 아트로핀투여와 동시에 심장박동조율을 신속히 시작한다. 히스다발(His bundle) 이하에서 방실차단이 발생한 급성 심근경색 환자에게 아트로핀을 투여하면 교감신경 작용의 상대적 상승으로 심실의 흥분성이 증가하여 심실세동이 유발될 수 있다. 따라서 허혈성 심장질환에 의한 서맥 환자에서 QRS가 확장된 경우에는 아트로핀의 투여가 심실성 빈맥을 유발할 수 있음에 대비한다. 아트로핀은 심근의 허혈을 초래할 수 있으므로, 허혈성 심장질환이 있는 사람에서 서맥이 생기면, 아트로핀투여보다는 심장박동조율을 하거나 베타 교감신경 수용체 흥분제의 사용을 고려한다. 완전 방실차단이 있는 환자에게 아트로핀을 투여하면 동결절에서의 전기활동을 증가시켜 심방의 수축횟수를 증가시킴으로써,

오히려 더 심한 방실차단이 발생하는 예도 있다.

아트로핀에 반응하지 않거나 아트로핀투여가 금기인 서맥 환자에서는 도파민, 에피네프린, 이소프로테레놀(isoproterenol)을 투여할 수 있다. 도파민은 알파 및 베타 교감신경 수용체 흥분작용이 있으며, 분당 투여되는 양에 따라 작용하는 수용체가 달라진다. 분당 5-10 ug/kg로 도파민 투여를 시작하여 적절한 심박수와 혈압 상승효과가 나타날 때까지 투여량을 증량한다. 분당 10 ug/kg 이상에서는 혈관수축작용이 강하게 나타난다. 따라서 도파민은 서맥과 함께 저혈압이 발생한 환자에게 효과적이다. 에피네프린은 알파 및 베타 교감신경 수용체 흥분작용이 있으므로, 서맥과 저혈압이 동시에 발생한 환자에서 효과적이다. 에피네프린으로 서맥을 치료할 때는 분당 0.1-0.5 ug/kg의 속도로 투여를 시작하여 적절한 심박수와 혈압 상승효과가 나타날 때까지 투여량을 증량한다. 이소프로테레놀은 심근의 베타 교감신경 수용체 흥분작용이 있다. 이소프로테레놀은 심박수를 증가시키는 데에 매우 효과적이지만, 심근의 산소 요구량을 증가시키고, 말초혈관을 확장해 저혈압을 초래할 수 있다. 이소프로테레놀로 서맥을 치료할 때는 분당 2-10 ug의 속도로 투여한다. 이소프로테레놀은 심장이식을 받은 환자에서 발생한 서맥의 치료에 효과적이다(표 10-2).

### 2) 심장박동조율

혈역학적으로 불안정하거나, 아트로핀에 반응하지 않는 서맥 환자는 즉시 경피 심장박동조율을 시작한다. 심전도에서 방실차단이 관찰되면 12 유도 심전도를 분석하여 방실차단의 중증도를 판단한다. 만약 2도 II형 방실차단이나 완전 방실차단이 발생한 경우에는

표 10-2. 서맥의 치료에 사용되는 약물

| 약물명 | 적응증 | 투여용량 | 주요 부작용 |
|---|---|---|---|
| 아트로핀 | 동서맥<br>2도 II형 방실차단<br>부교감신경작용에 의한 3도 방실차단<br>동정지(sinus arrest) | 0.5 mg<br>(최대 총용량 3 mg) | 심근허혈<br>심실세동<br>의식장애<br>오심, 구토 |
| 도파민 | 아트로핀 투여에 반응하지 않고 저혈압이 동반된 서맥 | 5-10 ug/kg/min으로 투여 시작 | 심근의 허혈<br>부정맥<br>오심, 구토 |
| 에피네프린 | 아트로핀 투여에 반응하지 않고 저혈압이 동반된 서맥 | 0.1-0.5 ug/kg/min으로 투여 시작 | 심근의 허혈<br>심실성 부정맥<br>고혈압 |
| 이소프로테레놀 | 저혈압이 동반되지 않은 서맥 | 2-10 ug/min | 저혈압<br>심근의 허혈 |

즉시 경피 심장박동조율을 시작하여야 하며, 방실차단이 오래 지속될 가능성이 크므로 경정맥 심장박동조율(transvenous pacing)로의 전환을 준비한다. 경피 심장박동조율은 의식이 있는 환자에서는 통증을 유발하기 때문에 응급상황에서 주로 사용되면, 가능한 경정맥 심장박동조율로 전환하여 안정적인 인공심박조율을 유지한다.

경피 심장박동조율은 제18장에서 다루었다.

### 3) 심박수와 혈역학적 변화의 감시

서맥 환자를 치료하는 중에는 심박수의 변화에 따라 환자의 혈역학적 상태가 변화하는지를 지속해서 관찰하여야 하며, 투여 중인 약제에 의한 부작용(부정맥 등)이 발생하지 않는지를 감시한다. 또한, 심박수가 충분히 증가한 후에도 저혈압이 계속되면 저혈압을 초래할 수 있는 다른 원인을 고려한다. 예를 들면, 급성 하벽 심근경색이나 우심실 경색이 발생하면 서맥과 더불어 저혈압이 발생할 수 있다. 급성 하벽 심근경색에서 발생하는 저혈압은 서맥과도 연관되어 발생할 수도 있으나, 우심실의 수축력 감소(우심실 심근경색)나 순환체액량의 감소로 인하여 발생할 수도 있다. 따라서 저혈압이 동반된 서맥을 치료할 때에는 서맥에 대한 치료뿐 아니라 혈액순환량을 고려하여 수액 치료를 병행해야 하는 때도 있다.

## 3. 빈맥의 치료

빈맥(빠른맥, tachycardia)은 심박수가 분당 100회 이상 빨라진 상태를 말한다. 심박수는 교감신경 작용을 흥분시킬 수 있는 어떤 상황에서도 증가할 수 있으므로 빈맥은 인체의 보상 기전으로서 발생하는 경우가 많다. 전문소생술에서는 주로 부정맥에 의하여 심박수가 증가하는 경우를 빈맥성 부정맥으로 분류한다. 혈역학적 효과(저혈압 등)를 초래할 수 있는 분당 150회 이상의 빈맥성 부정맥은 응급치료의 대상이다.

빈맥성 부정맥에는 심실성 빈맥과 심실상 빈맥이 포함되어 있다. 심실성 빈맥과 심실상 빈맥은 심전도에서 QRS 파의 폭(width)으로 구분한다. 심실성 빈맥은 QRS 파가 확장(성인: 0.12 초 이상, 소아: 0.09 초 이상)되어 있으며, 심실상 빈맥은 QRS 파가 정상(성인: 0.12초 미만, 소아: 0.09 초 이하)이므로 쉽게 구분된다. 예외적으로 변형전도 등에 의하여 QRS 파가 확장된 심실상 빈맥이 있으므로 감별이 필요하지만 통상 QRS 파가 확장되어 있으면 심실성 빈맥의 가능성이 크다. QRS 파 폭의 연장 여부와 더불어 QRS 파의 규칙성을 살펴보아야 한다. QRS 파가 불규칙한 경우는 심방세동(atrial fibrillation), 다소성 심방

표 10-3. 심실상 및 심실성 빈맥의 구분

| 구분 | QRS 파의 폭이 0.12초 이내인 빈맥 | QRS 파의 폭이 0.12초 이상인 빈맥 |
|---|---|---|
| 규칙적인 QRS 파 | 동빈맥<br>심방조동<br>발작성 심실상 빈맥<br>심방빈맥<br>결절 빈맥 | 심실빈맥<br>변형전도가 동반된 심실상 빈맥<br>조기흥분 증후군에서 역방향 전도에 의한 빈맥 |
| 불규칙한 QRS 파 | 심방세동<br>심방조동<br>다소성 심방빈맥 | 다형 심실빈맥<br>조기흥분 증후군에서 심방세동이 발생한 경우 |

빈맥(multifocal or chaotic atrial tachycardia), 비틀림 심실빈맥 등이 있다(표 10-3).

심전도 감시에서 빈맥성 부정맥이 발견되면 일반적인 응급처치(산소투여, 정맥로 확보, 혈압측정, 간단한 병력조사 및 진찰, 맥박산소계측, 12 유도 심전노 등)를 우선 시행한 후 부정맥에 관한 치료를 한다. 특히 저산소혈증, 혈액량 저하증은 심박수를 증가시키므로, 우선 교정한다.

빈맥성 부정맥 환자를 치료할 때에는 다음의 몇 가지 사항을 고려한다. 먼저 환자가 빈맥으로 인하여 쇼크의 임상 증상(저혈압, 의식장애, 발한, 소변량 감소 등), 심부전의 임상 증상(호흡곤란, 진찰 또는 흉부 방사선 영상에서 폐부종의 증거), 관상동맥 허혈의 임상 증상(흉통, 심전도에서 ST분절 하강 또는 상승), 실신 등 혈역학적으로 중요한 변화가 초래되었는지를 확인한다. 혈역학적으로 안정적이면 12 유도 심전도를 기록하여 부정맥을 감별 진단한 후 치료방침을 결정한다. 혈역학적으로 안정된 환자에서 QRS 파의 연장이 없고 규칙적이면 심실상 빈맥의 가능성이 크므로 미주신경 수기를 시도한 후 빈맥이 종료되지 않으면 아데노신의 투여를 시도한다. 환자가 혈역학적으로 불안정하면 빈맥을 치료하기 위하여 전기 심장율동전환(electrical cardioversion)이 필요한지를 결정한다. 즉 혈역학적으로 불안정한 빈맥성 부정맥 환자에서는 약물치료에 앞서 우선 전기 심장율동전환을 시도한다. 혈역학적으로 불안정한 환자에서 약물투여와 투여된 약물의 반응을 관찰하기 위하여 전기 심장율동전환을 지연시키는 것은 매우 위험하다. 혈역학적으로 불안정한 빈맥성 부정맥 환자 중 심박수가 150회 이하면 빈맥 이외의 원인에 의하여 혈역학적 변화가 초래되었는지를 확인한다. 빈맥성 부정맥 환자에서 전기 심장율동전환이 적응되더라도 심장율동전환을 준비하는 동안에는 항부정맥 약물을 투여할 수 있다(그림 10-2). 그러나 전술한 바와 같이 약물투여로 인하여 전기 심장율동전환이 지연되어서는 안 된다.

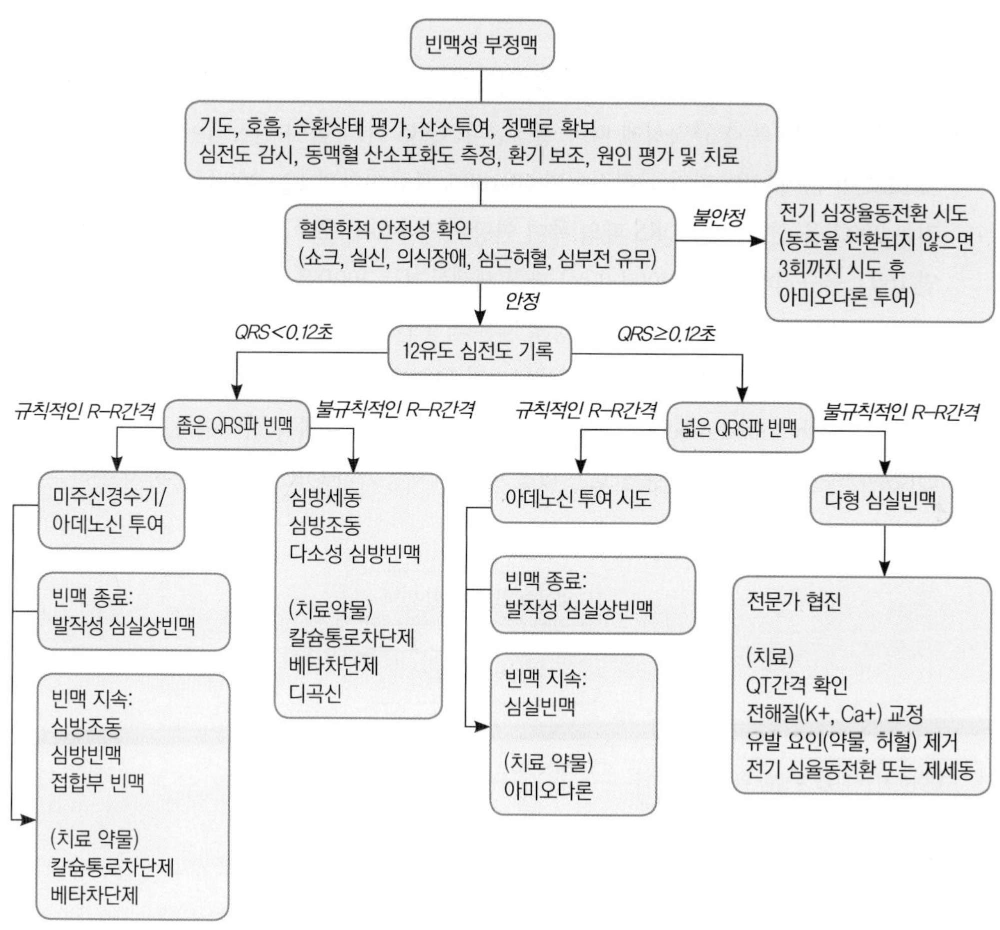


그림 10-2. 빈맥의 치료 과정

### 〈전기 심장율동전환〉

빈맥 환자가 혈역학적으로 불안정하면 즉시 전기 심장율동전환을 시도한다. 목동맥의 맥박이 만져지지 않으면 심실세동에서와 같은 에너지로 심장율동전환을 시도하여야 하며, 심장율동전환에 실패하면 에피네프린 및 아미오다론 또는 리도카인을 투여하면서 심장정지 환자와 같은 치료 순서에 따라 치료한다. 맥박은 만져지나 저혈압, 호흡곤란, 흉통, 의식장애, 폐부종 등이 생기면 즉시 전기 심장율동전환을 시도한다. 약물치료에 반응하지 않거나, 약물치료 중 환자가 혈역학적으로 불안정해지는 심실빈맥 환자에게도 즉시 전기 심장율동전환을 시도한다. 혈역학적으로 불안정한 빈맥 환자에게 전기 심장율동전환의 시도 후에도 빈맥이 계속될 때는 연속으로 3회까지 전기 심장율동전환을 시도한다. 3회의 심장율동전환에도 빈맥이 종료되지 않으면 300 mg의 아미오다론을 정맥 투여한 후 심장율동전환을 재시도한다. 규칙적인 좁은 QRS 파에 의한 빈맥이 계속될 때는 아데노신 투여를 시도한다.

응급상황에서 빈맥의 신속한 종료를 위하여 시도되는 전기 심장율동전환의 전기에너지는 QRS 파의 폭과 규칙성에 따라 결정한다. QRS 파의 폭이 연장되어 있지 않은 경우(0.12초 이내)에 QRS 파가 규칙적이면 50-100 J, 불규칙하면 120-200 J (단상 파형 제세동기는 200 J)을 선택한다. QRS 파의 폭이 연장된 경우(0.12초 이상)에 QRS 파가 규칙적이면 100 J, 불규칙하면 120-200 J (단상 파형 제세동기는 200J)을 선택한다.

전기 심장율동전환을 할 때는 심장의 재분극 동안에 전기에너지가 전달되는 것을 방지하기 위하여, 제세동기로부터의 전기에너지가 QRS 파와 일치되어 전달되도록 하는 동기화 기능(synchronized mode)을 적용한다. 그러나 빈맥 환자에서 심박수가 너무 빠르거나 QRS 파가 불규칙할 때, 허상 신호가 많을 때는 제세동기가 QRS 파를 구분하지 못하는 경

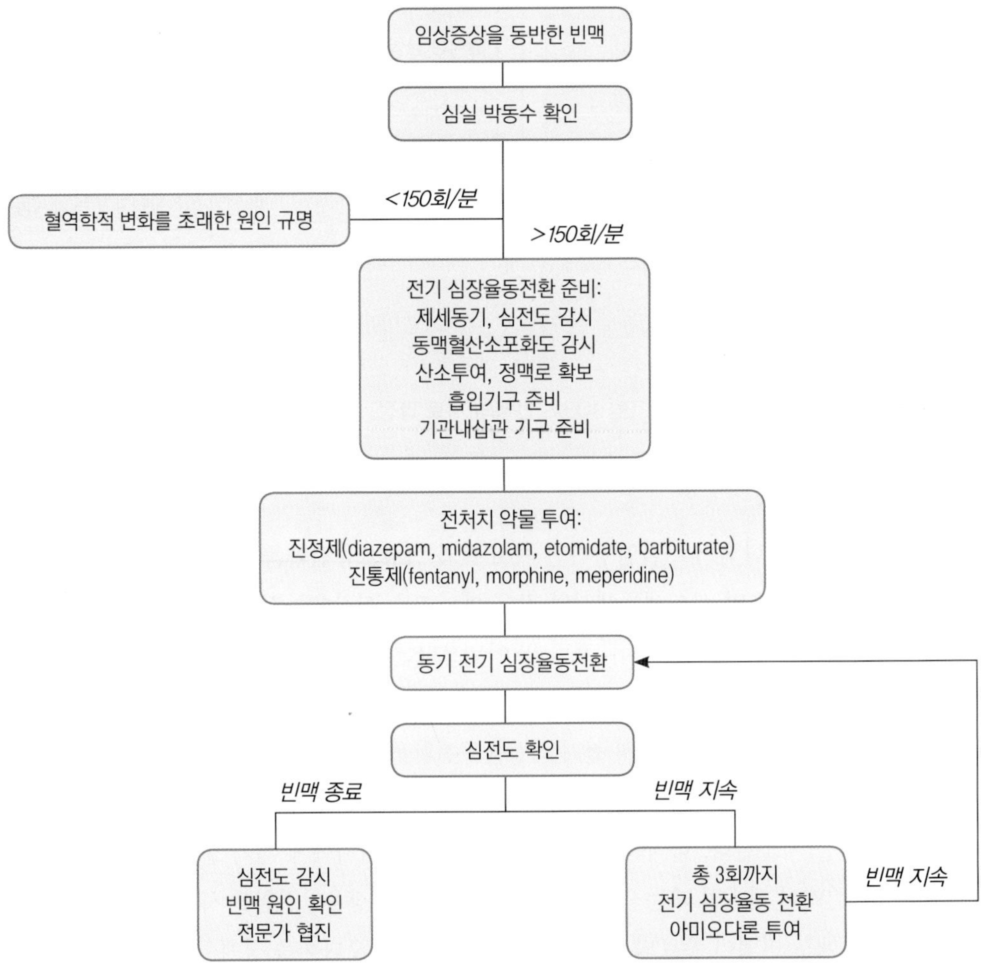


그림 10-3. 전기 심장율동전환 과정

우가 있다. 이러한 환자에서 동기화 기능으로 제세동하면 제세동이 지연되거나 QRS 파에 전기에너지가 전달되지 않는 현상이 발생할 수 있다. 따라서 전기 심장율동전환을 시도할 때, 심전도 감시에서 QRS 파가 구분되면 동기화 기능을 사용하여야 하지만, QRS 파가 구분되지 않거나 환자가 극도로 불안정하면 비동기화 기능(unsynchronized mode)으로 전기 심장율동전환을 시도한다(그림 10-3).

## 1) 심실상 빈맥(QRS 파의 폭이 0.12초 이내인 경우)의 치료

### (1) 심방세동과 심방조동

심방세동이나 심방조동이 발생하더라도 심실박동수가 빠르지 않으면 즉각적인 치료는 필요하지 않다. 심실박동수가 빨라지면 저혈압이 발생할 수 있고, 관상동맥질환이 있는 환자에서는 심근허혈에 의한 흉통이 유발될 수 있다. 심방세동이나 심방조동의 우선적인 치료목적은 부정맥을 완전히 없애고 정상 동리듬(normal sinus rhythm)으로 전환하는 것이 아니라, 심실박동수를 조절하는 것이다.

심방세동 또는 심방조동을 치료할 때에는 혈역학적 안정성, 부정맥 발생 후 지난 시간, 심실 수축력, 조기흥분 증후군과의 연관성을 고려하여 치료방침을 결정한다(표 10-4). 즉, 환자가 혈역학적으로 불안정한 경우에는 즉시 전기 심장율동전환을 시도한다. 또한, 심장율동전환을 시도하여 심방부정맥을 정상 동리듬으로 전환할 것인지, 아니면 단순히 방실결절의 전도를 지연시키는 약물로써 심실박동수를 조절할 것인지를 결정해야 한다. 그리고 심실의 수축기능을 평가하여 심실 기능에 적합한 항부정맥제를 선택해야 할 것이다.

#### ① 혈역학적 안정성에 따른 치료

환자가 빈맥이 발생하면서 쇼크의 임상 증상(저혈압, 의식장애, 발한, 핍뇨 등), 심부전

표 10-4. 심방세동 및 심방조동을 치료할 때 고려하여야 할 요소

| 고려하여야 할 요소 | 치료 지침 |
|---|---|
| 1. 혈역학적 안정성 | 혈역학적으로 불안정한 경우에는 즉시 전기 심장율동전환을 시도 |
| 2. 부정맥의 발생으로부터 지나간 시간 | 부정맥이 발생한 이후 48시간이 지나갔으면 항응고 치료 없이 심장율동전환 하는 것은 금기 |
| 3. 심실의 수축력 | 좌심실 박출률이 40% 미만이면 수축력을 감소시키는 항부정맥제 사용 금기 |
| 4. 조기흥분 증후군과의 연관성 | 조기흥분 증후군 환자에서는 방실결절의 전도를 차단하는 약물은 금기 |

의 임상 증상(호흡곤란, 진찰 또는 흉부 방사선 영상에서 폐부종의 증거), 관상동맥 허혈의 임상 증상(흉통, 심전도에서 ST분절 하강 또는 상승) 등이 발생하였다면 전기 심장율동전환을 고려한다. 전술한 바와 같이 심실박동수가 150회 이하면 혈역학적 불안정을 초래한 다른 원인을 찾아보아야 하며, 전기 심장율동전환이 필요한 경우는 많지 않다.

② 부정맥 발생으로부터 지나간 시간

일반적으로 심방부정맥이 발생한 이후로 48시간이 지나간 환자(또는 부정맥 발생 시기를 알 수 없는 환자)에게 심장율동전환을 시도할 때 혈전의 색전(thromboembolism)이 발생할 가능성이 매우 크다. 따라서 부정맥 발생으로부터 48시간 이상 지난 환자가 혈역학적으로 불안정하지 않으면, 심장율동전환을 시도하지 않고 심실박동수를 조절하는 약물(칼슘 통로 차단제, 베타 교감신경 차단제, 디곡신)을 투여한다. 이러한 환자에서는 최소 3주 이상 항응고제를 투여한 후에 심장율동전환을 하여야 하며, 심장율동전환이 된 후에도 4주 이상 항응고제를 투여한다. 만약 즉각적인 심장율동전환이 필요한 경우라면 헤파린(또는 저분자량 헤파린)을 정맥에 주사한다. 경식도 심초음파가 있다면, 경식도 심초음파로 심방 내 혈전이 없음이 확인된 후 심장율동전환 하는 것을 권고한다.

색전의 가능성이 크기 때문에 심방부정맥이 발생한 이후로 48시간 이상이 지나간 환자에서는 주로 심실박동수를 조절하는 치료를 한다. 심실박동수를 줄이기 위하여 투여하는 약물로는 칼슘 통로 차단제인 딜티아젬(diltiazem), 베라파밀(verapamil), 베타 교감신경 차단제인 프로프라놀롤(propranolol), 에스몰롤(esmolol), 메토프롤롤(metoprolol), 아테놀롤(atenolol), 나돌롤(nadolol), 카베딜롤(carvedilol), 비소프롤롤(bisoprolol)이 있다. 응급상황에서는 정맥 주사로 사용할 수 있는 딜티아젬, 베라파밀, 메토프롤롤, 에스몰롤, 프로프라놀롤이 주로 사용된다. 그 외에 아미오다론, 마그네슘이 심박수 조절에 사용되기도 한다. 베라파밀과 베타 차단제를 동시에 투여하면 심각한 서맥이나 무수축이 야기될 수 있으므로, 두 약제를 투여할 때는 30분 이상의 간격을 두고 투여한다. 디곡신(digoxin)은 심부전이 동반된 경우에 사용하며, 약물의 작용시간으로 인하여 심실박동수의 신속한 조절에는 적합하지 않다.

심방부정맥이 발생한 이후로 48시간이 지나지 않은 환자에서는 전기 치료 또는 항부정맥제를 사용하여 심장율동전환을 시도할 수 있다. 전기 심장율동전환 이외에 심장율동전환을 위하여 사용되는 약제에는 flecainide, dofetilide, ibutilide, propafenone, 아미오다론이 있다. 미주신경 수기(vagal maneuver)는 심방조동을 진단하는 목적으로 시도할 수 있다.

### ③ 좌심실의 수축기능

좌심실의 수축기능에 따라서 항부정맥제의 선택이 달라져야 한다. 일반적으로 좌심실 박출률이 40% 미만인 환자에게는 좌심실 수축기능을 저하할 수 있는 약물을 사용할 수 없다. 따라서 좌심실 박출률이 40% 미만인 환자에게 심실박동수를 조절하기 위하여 투여되는 약물은 디곡신, 아미오다론이 권장되며 칼슘 통로 차단제인 딜티아젬을 주의하여 사용할 수 있다. 칼슘 통로 차단제 중 베라파밀, 베타 교감신경 차단제는 좌심실 수축기능을 저하하므로 좌심실 수축기능이 저하된 환자에게 사용해야 할 때 주의한다. 심장율동전환을 위하여 투여하는 약물 대부분은 좌심실 수축기능을 저하하거나 부정맥 유발 효과(pro-arrhythmic effect)가 있으므로, 좌심실 수축기능이 저하된 환자에게는 투여할 수 없다.

### ④ 조기흥분 증후군과의 연관성

조기흥분 증후군이 있는 환자에서 심방세동이 발생하면 심실박동수의 급격한 증가를 초래하여 쇼크가 발생하고 심실세동이 초래될 수 있다. 혈역학적으로 불안정한 경우에는 즉시 전기 심장율동전환을 한다. 혈역학적으로 안정 상태면 프로케이나마이드 또는 ibutilide를 사용할 수 있다. 아미오다론, 아데노신, 베타 교감신경 차단제, 칼슘 통로 차단제, 디곡신은 심실세동을 초래할 수 있으므로 절대로 투여해서는 안 된다.

## (2) 심실상 부정맥

심실상 부정맥에는 발작성 심실상 빈맥(paroxysmal supraventricular tachycardia), 심방빈맥(atrial tachycardia), 결절 빈맥(junctional tachycardia), 다소성 심방빈맥(multifocal atrial tachycardia) 등이 있다. 심실상 부정맥의 치료 과정에는 미주신경 수기와 아데노신의 투여가 포함되어 있다. 미주신경 수기와 아데노신 투여는 심전도에서 감별이 어려운 발작성 심실상 빈맥을 진단하는 데 도움이 된다. 심실상 부정맥을 치료하는 과정에서도 좌심실의 수축기능을 고려하여 약물을 선택한다. 좌심실 박출률이 40% 미만이면 베라파밀 등 칼슘 통로 차단제나 베타 교감신경 차단제 등의 투여는 금기이며, 비교적 좌심실 기능 저하 효과가 작은 아미오다론, 딜티아젬을 투여한다. 심방빈맥 또는 다소성 심방빈맥 등 심방 세포의 자율성이 증가하여 발생하는 부정맥을 치료할 때에는 심방 및 심실 세포의 자율성을 증가시키는 디곡신을 투여해서는 안 된다.

### ① 발작성 심실상 빈맥

발작성 심실상 빈맥은 동빈맥, 심실빈맥, 비발작성 심실상 빈맥과의 감별이 어렵고 응급상황에서는 명확한 감별진단이 내려지기 전에 치료를 시작하여야 하는 경우가 많다.

발작성 심실상 빈맥의 기본 치료원칙은 다른 부정맥의 치료에서와 같다. 즉 혈역학적 변화가 동반된 환자에서는 전기 심장율동전환을 시도한다. 또한, QRS 파가 확장된 환자는 일단 심실상 빈맥으로 진단되기 전까지는 심실빈맥에 따른 치료를 한다. 그러나 QRS 파가 확장되어 있더라도 심실상 빈맥이 의심되면 아데노신의 투여를 시도한다.

발작성 심실상 빈맥의 응급치료에서 중요한 것은 심실 상부의 전기적 흥분이 심실로 전달되는 것을 차단하는 것이다. 즉 방실결절의 전도속도를 지연시킴으로써 회귀에 의한 빈맥을 종료시키거나 심실박동수를 줄여주는 것이 발작성 심실상 빈맥의 치료이다. 방실결절에서의 전도속도를 지연시키는 방법으로써 미주신경 수기 또는 약물이 사용된다.

### 가. 미주신경 수기

미주신경 수기는 부교감신경의 긴장도를 증가시켜 방실결절의 전도를 지연시킨다. 미주신경을 흥분시키는 다양한 방법의 미주신경 수기가 알려져 있다(표 10-5).

미주신경 수기 중 가장 먼저 시도하는 방법은 발살바법(Valsalva maneuver)이다. 발살바법은 마치 풍선을 부는 것처럼 코와 입을 막고 강하게 숨을 불어내는 것처럼 유지하는 방법이다. 발살바법은 흉강 내 압력을 높임으로써 미주신경 작용을 항진시킨다. 보통은 앉은 자세에서 발살바법을 하도록 하며, 발살바법의 효과를 높이기 위해 발살바법을 한 직후에 환자를 눕히고 발을 들어주기도 한다.

미주신경 수기의 또 다른 방법은 목동맥 팽대 마사지(carotid sinus massage)이다. 목동맥 팽대 마사지는 심전도 감시 및 정맥로가 확보된 상태에서 아트로핀과 리도카인을 준비한 후 시도한다. 목동맥 팽대 마사지는 환자의 머리를 왼쪽으로 돌리도록 한 후 우측 목동맥 팽대를 먼저 5-10초간 마사지한다. 마사지를 반복하여서 할 수 있으며, 우측 목동맥 팽대 마사지로 심실상 빈맥이 종료되지 않으면, 좌측 목동맥 팽대를 같은 방법으로 마사지할 수 있다. 그러나 양측 목동맥 팽대를 동시에 마사지하면 무수축, 완전 방실차단, 심실 부정

표 10-5. 미주신경 수기

| |
|---|
| 1. 목동맥 팽대 마사지 |
| 2. 발살바법(Valsalva maneuver) |
| 3. 얼음물에 얼굴 담그기 |
| 4. 기침 유발 |
| 5. 위장관 튜브삽입 |
| 6. 구역 반사(gag reflex) 유도 |
| 7. 안구 압박 |
| 8. MAST 착용 |
| 9. 트렌델렌부르크(Trendelenburg) 자세 |
| 10. 항문 자극 |

맥이 발생할 수 있으므로, 양측을 동시에 마사지해서는 안 된다. 65세 이상의 노인에게 목동맥 팽대 마시지를 할 때 무수축이 발생할 수 있으며, 동맥경화성 질환이 있는 환자에서는 목동맥 팽대 마사지가 목동맥으로부터 뇌로 색전을 유발할 가능성이 있으므로 목동맥 팽대 마사지를 시행하면 안 된다. 미주신경 수기 중 안구에 압박을 가하는 방법은 망막에 손상을 줄 수 있으므로 시도하여서는 안 된다.

### 나. 약물투여

발작성 심실상 빈맥의 치료에 투여되는 중요한 약제는 아데노신과 베라파밀이다. 베라파밀은 아데노신이 도입되기 이전까지 발작성 심실상 빈맥의 가장 효과적인 치료제로 사용됐다.

아데노신은 베라파밀보다 반감기가 짧고 저혈압을 유발하지 않기 때문에 훨씬 안전한 약제이다. 따라서 발작성 심실상 빈맥의 최초 치료제로는 아데노신이 권장된다. 최초 6 mg의 아데노신을 빨리(1-3초) 정맥 내로 투여한다. 투여 후에는 20 mL의 생리식염수를 연이어 주사하고 주사 부위를 심장보다 높게 들어 주어 아데노신이 순환계로 신속히 들어가도록 한다. 투여 후 1-2분 이내에 빈맥이 치료되지 않으면 12 mg을 투여한다. 아데노신은 임산부에게도 투여할 수 있다. 아데노신의 작용은 다른 약물에 의하여 영향을 받으므로, 아데노신의 작용에 영향을 주는 약물이 투여되고 있는 경우에는 아데노신의 용량을 조절하여 투여한다. 특히 dipyridamole, carbamazepine을 복용하고 있거나 중심 정맥으로 약물을 투여할 때는 약물의 용량을 반(3 mg)으로 줄여서 투여한다. 아데노신 투여 후 얼굴이 화끈거리거나, 호흡곤란, 흉통이 나타날 수 있으나 일시적인 현상이다. 아네노신은 천식 환자에게는 금기이다.

아데노신 투여 후에는 빈맥이 소실되더라도 재발하는 경우가 많다. 3회의 아데노신 투여에도 빈맥이 소실되지 않으면 칼슘 통로 차단제, 베타 교감신경 차단제를 투여한다. 칼슘 통로 차단제로는 베라파밀과 딜티아젬이 효과적이다. 베라파밀을 투여할 때에는 2.5-5 mg을 2분 이상에 걸쳐 정맥에 주사한다. 첫 번째 베라파밀투여에도 반응하지 않으면 15-30분 이내에 5-10 mg의 베라파밀을 투여할 수 있다. 베라파밀은 15-30분 간격으로 반복 투여할 수 있으나, 총투여량이 20 mg을 넘지 않아야 한다. 5 mg의 베라파밀을 15분 간격으로 투여하는 방법을 사용할 수 있으며, 이 경우 총투여량이 30 mg을 넘지 않도록 한다. 베라파밀을 투여하면 저혈압이 발생할 수 있다. 베라파밀투여 후 저혈압이 발생하면 트렌델렌부르크(Trendelenburg) 자세를 취해주고, 수액을 투여하면 대부분 호전된다. 저혈압이 지속하면 0.5-1.0g의 염화칼슘(calcium chloride)을 투여한다. 아데노신 및 베라파밀투여 후에도 빈맥이 지속하고, 혈역학적 변화가 발생하면 즉시 전기 심장율동전환을 시도한다. 베타 교감신경 차단제를 투여 중인 환자에서는 베라파밀을 투여하면 무수축 또는 완전 방실차단이 발생할 수 있으므로 유의한다.

심실상 빈맥을 치료하기 위하여 딜티아젬을 투여하는 경우에는 15-20 mg (0.25 mg/kg)을 2분에 걸쳐서 투여한다. 빈맥이 소실되지 않으면 15분 정도 지난 후 20-25 mg (0.35 mg/kg)를 투여한다. 딜티아젬을 지속 정맥 투여할 때는 시간당 5-15 mg의 속도로 투여한다.

아데노신과 베라파밀 또는 딜티아젬 투여 후에도 빈맥이 소실되지 않으면 디곡신 또는 베타 교감신경 차단제(프로프라놀롤, 메토프롤롤, 에스몰롤) 투여, overdrive pacing, 전기 심장율동전환 등을 고려한다.

좌심실 박출률이 40% 미만인 환자에서는 디곡신, 아미오다론, 딜티아젬 등을 투여하며, 베라파밀, 베타 교감신경 차단제는 투여하지 않는다(표 10-6).

약물에 반응하지 않거나 약물투여 중 혈역학적으로 불안정해지면 즉시 전기 심장율동 전환을 시도한다.

표 10-6. 발작성 심실상 빈맥의 약물치료

| 투여 순서 | 약물 | | 투여량 |
|---|---|---|---|
| 1순위 | 아데노신 | | 첫 용량: 6 mg<br>두 번째 용량: 12 mg<br>세 번째 용량: 12 mg |
| 2순위 | 좌심실 박출률 >= 40% | 베라파밀 | 첫 용량: 2.5-5 mg (0.075-0.15 mg/kg) (2분간 투여)<br>두 번째 용량: 5-10 mg (첫 용량 후 30분)<br>유지용량: 0.005 mg/kg/min |
| | | 딜티아젬 | 첫 용량: 0.25 mg/kg (2분간 투여)<br>유지용량: 5-15 mg/h |
| | | 프로프라놀롤 | 0.25-1.0 mg (1분간 투여), 2분 간격으로 3회까지 투여 가능 |
| | | 메토프롤롤 | 2.5-5 mg (2분간 투여), 3회까지 투여 가능 |
| | | 에스몰롤 | 부하 용량: 0.5 mg/kg (1분간 투여)<br>유지용량: 50-300 ug/kg/min |
| | 좌심실 박출률 < 40% | 아미오다론 | 첫 용량: 300 mg (1시간 동안 투여)<br>유지용량: 10-50 mg/h (24시간 동안 투여) |
| | | 딜티아젬 | 첫 용량: 15-20 mg (0.25 mg/kg)<br>두 번째 용량: 20-25 mg/kg (0.35 mg/kg) |
| | | 디곡신 | 0.25-0.5 mg (24시간에 최대 1.5 mg 투여 가능) |

#### ② 접합부 빈맥, 심방빈맥 및 다소성 심방빈맥

접합부 빈맥(junctional tachycardia), 이소성 심방빈맥 및 다소성 심방빈맥은 각각 방실결절 또는 심방 세포의 자율성이 항진되어 발생한 심실상 빈맥이다. 가장 중요한 치료는 부정맥을 유발한 원인을 제거해주는 것이다. 부정맥의 원인으로는 저산소혈증, 저칼륨혈증, 저마그네슘혈증, 관상동맥질환, 만성 폐 질환 등이다. 이들 부정맥은 자율성의 항진으로 발생한 부정맥이므로, 전기 심장율동전환으로 치료할 수 없다. 따라서 심방 세포의 자율성을 억제하는 항부정맥제를 투여하거나 방실결절의 전도를 지연시키는 약물을 투여하여 심실박동수를 줄여주는 치료를 한다. 좌심실의 수축기능에 따라 적절한 약물을 선택하며, 좌심실 기능이 저하된 환자에게는 아미오다론을 투여하며, 좌심실 기능이 정상인 환자에서는 아미오다론, 칼슘 통로 차단제, 또는 베타 교감신경 차단제를 투여한다.

### 2) 심실성 빈맥(QRS 파의 폭이 0.12초 이상인 경우)의 치료

QRS 파가 확장된 빈맥은 심실빈맥의 가능성이 크다. 다만, 심실상 빈맥이 발생한 환자에서 좌각차단 또는 우각차단 등의 심실 전도 장애가 있는 경우, 조기흥분 증후군 환자에서 역행성 회귀에 의한 빈맥이 발생한 경우, 심실상 빈맥과 더불어 변형전도가 발생한 경우에는 QRS 파가 확장되어 관찰되므로 심실성 빈맥과 감별이 필요하다. QRS 파가 확장된 빈맥의 치료과정에서 심실상 빈맥과 심실성 빈맥이 감별되지 않으면 아데노신 투여를 시도한다. 아데노신의 투여방법은 발작성 심실상 빈맥의 치료방법과 같다. 아데노신을 투여할 때에는 반드시 제세동기를 준비한다.

임상적으로 QRS 파가 확장된 환자를 치료할 때에는 다음과 같은 사항을 고려한다. 먼저 QRS 파가 확장된 환자에게 베라파밀이 투여되면 매우 위험하다는 것이다. 즉 베라파밀은 조기흥분 증후군 환자에서 심방세동이 발생하였을 때 투여되면 오히려 심실박동수를 증가시키고 혈압을 하강시키며, 심실세동을 유발하여 환자를 사망하게 하는 예도 있다. 따라서 QRS 파가 확장된 환자에서 조기흥분 증후군이 없고, 빈맥의 원인이 심실 상부에 있다는 것이 확인되기 전까지는 절대로 베라파밀을 투여해서는 안 된다. 심실빈맥이 발생하면 쉽게 저혈압이나 쇼크가 발생하고, 심실상 빈맥이 발생하였을 때는 저혈압이나 쇼크가 잘 발생하지 않는다고 생각하는 경우가 많다. 그러나 심실빈맥이 발생하여도 심박수가 빠르지 않으면 혈압이 하강하지 않는다. 따라서 임상적인 경험만으로 환자의 부정맥을 진단하면 오류를 범할 수 있다.

심실성 빈맥에서도 QRS의 규칙성 여부에 따라 QRS가 규칙적인 경우와 QRS가 불규칙한 경우로 나눌 수 있다. QRS가 규칙적인 경우는 단형 심실빈맥(monomorphic ventricular tachycardia)의 가능성이 크며 종종 심실상 빈맥에서 QRS 파의 확장이 동반된 부정맥의 가능성이 있다. QRS 파가 불규칙한 경우는 다형 심실빈맥(polymorphic ventricular tachycardia)이거나 조기흥분 증후군에서 심방세동이 발생한 경우이다.

QRS 파가 확장된 빈맥 환자를 치료할 때에는 우선 가능한 임상 소견과 심전도 소견으로서 심실빈맥과 심실상 빈맥을 감별해 낸다. 때로는 식도 전극을 사용하여 심전도를 기록하는 것이 도움이 될 수도 있다. 모든 자료를 수집하여 분석한 후에도 빈맥의 원인이 감별되지 않을 때는 좌심실 수축기 기능에 따라 환자를 치료한다. 좌심실 기능이 정상이면 치료자의 선택에 따라 전기 심장율동전환 또는 약물치료(프로케이나마이드 또는 아미오다론)를 하며, 좌심실 기능이 저하된 경우에는 먼저 전기 심장율동전환을 하며 아미오다론을 투여하여 치료할 수도 있다.

심실빈맥 환자의 치료는 환자가 혈역학적으로 불안정한 경우와 혈역학적으로 안정된 경우로 나누어진다. 혈역학적으로 불안정한 환자에서는 즉시 전기 심장율동전환을 시도한다. 혈역학적으로 안정 상태에 있는 환자에게는 항부정맥제를 투여한다. 혈역학적으로 안정된 환자에서는 12 유도 심전도를 기록한 후 심실빈맥의 형태에 따라 단형(monomorphic) 심실빈맥과 다형(polymorphic) 심실빈맥으로 구분하여 치료한다(그림 10-4)

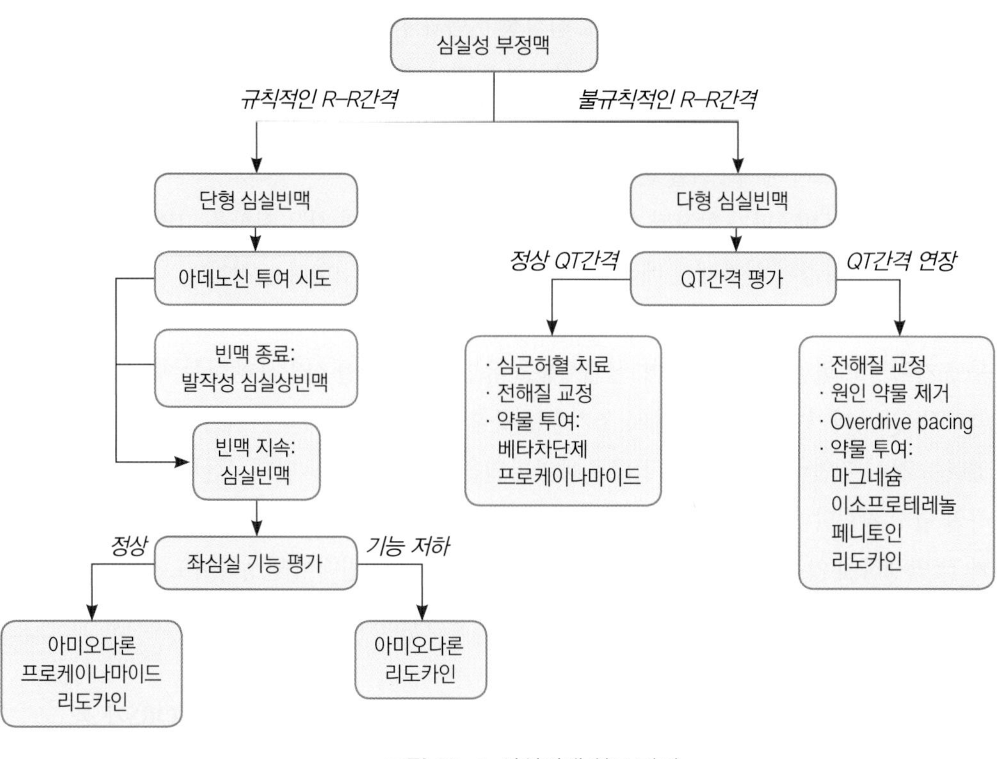


그림 10-4. 심실빈맥 치료 과정

표 10-7. 심실빈맥 치료 약물의 선택

| 심실빈맥의 구분 | QT 간격 | 좌심실 박출률 | 약물 또는 치료방법 |
|---|---|---|---|
| 단형 심실빈맥 | | ≥40% | 프로케이나마이드<br>소탈롤<br>아미오다론<br>리도카인 |
| | | <40% | 아미오다론<br>리도카인 |
| 다형 심실빈맥 | 정상 | ≥40% | 베타 교감신경 차단제<br>리도카인<br>아미오다론<br>프로케이나마이드<br>소탈롤 |
| | | <40% | 아미오다론<br>리도카인 |
| | 연장 | | 마그네슘<br>이소프로테레놀<br>페니토인<br>리도카인 |

심실빈맥을 치료할 때에는 좌심실의 수축기능과 심실빈맥의 형태에 따라 약제를 선택한다(표 10-7).

### (1) 단형 심실빈맥의 치료

#### ① 좌심실 기능이 저하된 환자

좌심실 기능이 저하된 환자에서는 QRS 형태와 관계없이 아미오다론 또는 리도카인을 투여한다. 아미오다론은 150 mg (5 mg/kg)을 10분에 걸쳐 정맥에 주사하며, 10-15분 간격으로 150 mg을 반복 투여할 수 있다. 지속해서 정맥 투여할 때는 첫 6시간 동안 분당 1 mg의 속도로 주사하며, 그 후 분당 0.5 mg의 속도로 투여하여 일일 총 용량 2.2g까지 투여할 수 있다.

리도카인을 투여할 때에는 0.5-0.75 mg/kg을 투여하고 필요하면 5-10분 간격으로 같은 용량을 반복 투여할 수 있다. 최초 리도카인의 최대 투여량은 1시간 이내에 3 mg/kg까지이다. 리도카인투여 후 심장율동전환이 되면 분당 1-4 mg의 속도로 정맥에 주사한다. 약물 투여에 반응이 없으면 즉시 전기 심장율동전환을 한다.

② 좌심실 기능이 정상인 환자

좌심실 기능이 정상인 단형 심실빈맥의 치료에는 프로케이나마이드, 소탈롤, 아미오다론, 리도카인이 사용된다.

프로케이나마이드는 저혈압을 유발할 수 있으므로 혈압을 감시하면서 분당 20-50 mg을 서서히 정맥으로 투여한다. 프로케이나마이드의 투여량은 초기에 최대 17 mg/kg까지의 용량을 투여할 수 있다. 보통 성인에서는 1000 mg까지 서서히 투여하면서 심장율동전환이 이루어지는지를 심전도로 감시한다. 심장율동전환이 이루어지면 분당 1-4 mg의 속도로 정맥에 주사한다. 프로케이나마이드 투여 시 저혈압이 발생하거나, 투여 전보다 QRS 파가 50% 이상 확장될 때, 최대 용량까지 투여되었을 때, 부정맥이 사라졌을 때는 투여를 중지한다.

소탈롤은 아미오다론과 유사한 약물작용이 있다. 심실빈맥을 치료할 때에는 1-1.5 mg/kg의 용량을 분당 10 mg의 속도로 정맥에 주사한다. 소탈롤은 서서히 투여하여야 하므로, 응급상황에서 사용이 매우 제한적이다. 서맥과 저혈압, 다형 심실빈맥이 주요 부작용이다.

### (2) 다형 심실빈맥의 치료

다형 심실빈맥은 QT 간격의 연장과 연관된 경우가 많다. 따라서 QT 간격이 연장되어 있는지를 먼저 판단할 수 있는 경우에는 QT 간격의 연장 여부에 따라 치료가 달라져야 한다.

비틀림 심실빈맥(torsades de pointes)은 QT 간격의 연장으로 발생하는 특이한 형태의 심실빈맥이다. 임상적으로 심실빈맥의 양상을 보이는 빈맥이 심실빈맥의 일반적인 약물치료 방법인 리도카인, 프로케이나마이드의 투여에 반응하지 않으면 비틀림 심실빈맥을 의심해보아야 한다.

비틀림 심실빈맥의 치료는 발생원인과 치료방법이 심실빈맥과 다르다. 여러 가지 원인과 치료방법이 소개되고 있으나, 가장 중요한 것은 비틀림 심실빈맥을 유발한 원인을 제거하는 것이다. 따라서 비틀림 심실빈맥을 유발할 수 있는 심근허혈, 저칼륨혈증, 저마그네슘혈증, 약물(프로케이나마이드, 퀴니딘, 항우울제, 항히스타민제)의 복용과 같은 원인을 제거하거나 교정한다.

응급상황에서 비틀림 심실빈맥의 치료에는 심장박동조율을 통한 overdrive pacing이 가장 유용한 것으로 알려져 왔다. 특히 최근에는 경피 심장박동조율을 이용하여 쉽게 overdrive pacing을 할 수 있으므로, 경정맥 심장박동조율을 할 수 있을 때까지의 치료방법으로 권장된다. 부가적으로 이소프로테레놀을 정맥에 주사함으로써 심박수를 증가시켜 비틀림 심실빈맥의 발생을 억제할 수 있다. QT 연장 증후군의 가족력이 있는 경우에는 이소프로테레놀을 투여하지 않는다.

저칼륨혈증이 있는 환자에서는 혈청 칼륨농도를 정상화하기 위하여 시간 당 10-20mEq의 KCl을 정맥 투여한다. 저칼륨혈증에 의한 심장정지가 임박한 상황에서는 10mEq의 KCl을 5분에 걸쳐 정맥에 주사할 수 있다. 혈청 칼륨농도가 정상인 경우에도 KCl 투여가 도움이 될 수 있다.

저마그네슘혈증이 있는 환자에서는 1-2g의 magnesium sulfate를 1-2분에 걸쳐 정맥에 주사하고, 같은 양을 1시간에 걸쳐 정맥에 주사할 경우 비틀림 심실빈맥을 억제할 수 있다.

비틀림 심실빈맥의 치료에 있어서 전기 심장율동전환은 쇼크가 발생한 경우, 심장박동조율이나 약물의 투여가 실패하였을 때만 시도되어야 한다.

QT 간격이 정상이면 심근허혈이나 전해질 이상에 의하여 발생하는 경우가 많다. 원인을 교정한 후 좌심실의 기능에 따라 약물치료를 한다. 좌심실 기능이 정상이면 베타 교감신경 차단제, 리도카인, 아미오다론, 프로케이나마이드, 소탈롤을 치료제로 사용할 수 있다.

## 4. 저혈압, 쇼크 및 급성 폐부종의 치료

심혈관질환을 포함한 다양한 응급질환이 혈역학적 변화를 초래할 수 있으므로, 응급환자 중에는 저혈압이 발생하는 경우가 많다. 혈압이 낮은 환자를 치료할 때에는 우선 저혈압으로 인하여 발생한 조직 관류압의 감소가 조직에 기능장애를 초래하였는지를 확인한다.

여러 가지 질환이 쇼크(shock)나 저혈압을 유발하는 원인이 될 수 있다. 심장성 쇼크는 심장의 수축력 장애, 판막질환, 부정맥 등에 의하여 심장이 정상 기능을 하지 못하여 발생한다. 혈액량 감소(hypovolemic) 쇼크는 대량 실혈이나 체액의 손실로 인한 순환량의 감소로 발생한다. 분포성(distributive) 쇼크는 패혈증 또는 신경 손상에 의한 말초 저항의 감소로 발생한다. 심장눌림증, 긴장성 기흉, 좌심방 점액종, 판막 협착 등의 질환은 심장으로의 정맥 환류를 감소시켜 쇼크를 유발한다. 쇼크의 원인에 대한 임상적 판단은 명백한 원인의 발견으로 쉽게 진단되는 때도 있지만, 임상 양상과 병력, 검사실 소견 등을 종합하여야만 쇼크의 원인을 알 수 있는 경우도 많다. 응급 상황에서는 쇼크를 유발하는 여러 원인이 함께 겹쳐서 발생함으로써, 쇼크의 원인을 판단하기 어려운 경우가 많다.

응급 상황에서는 쇼크에 대한 원인적 접근보다는 혈역학적 접근이 환자의 치료에 도움이 된다. 혈압을 조절하는 주요 인자는 심근의 수축기능, 심박수, 순환혈액량 및 혈관 저항이다. 따라서 쇼크를 치료할 때에는 각각의 혈역학적 요소를 평가하면 쇼크를 체계적으로 치료할 수 있다. 즉 쇼크를 평가할 때, 일차적으로는 순환혈액량, 심박수, 심근 수축력, 말초혈관 저항을 각각 판단한 뒤, 이차적으로 각 인자의 상호 연관 관계를 환자의 임상 양상에 따라 파악한다. 심박수의 변화를 제외한 나머지 인자는 심초음파 또는 폐동맥 도자술을 통한 혈역학적 감시를 하여야 측정할 수 있으므로 평가하기 어렵다. 따라서 혈역학적 감시로 정확한 수치를 측정하기 전까지는 임상 양상을 토대로 환자의 혈역학적 상태를 판단하여 치료를 시작한다. 예를 들면 심근경색환자에서 최근 병력 상 명백한 체액 손실이 없었다면 환자에게 순환혈액량의 문제는 없을 가능성이 크다. 그러나 급성 하벽 심근경색이나 우심실경색환자에서 저혈압이 발생하였다면 환자의 순환혈액량이 정상이더라도 좌심실의 충만압이 감소하여 저혈압이 발생할 수 있으므로 다량의 수액투여가 필요할 수 있다. 응급 상황에서는 병력, 생체 징후, 진찰 소견, 심전도, 심초음파 등으로 판단한 체액량 상태, 심박수, 심근 수축력을 쇼크 치료에 적용할 수 있다(그림 10-5).

## 1) 순환혈액량의 감소에 의한 쇼크의 치료

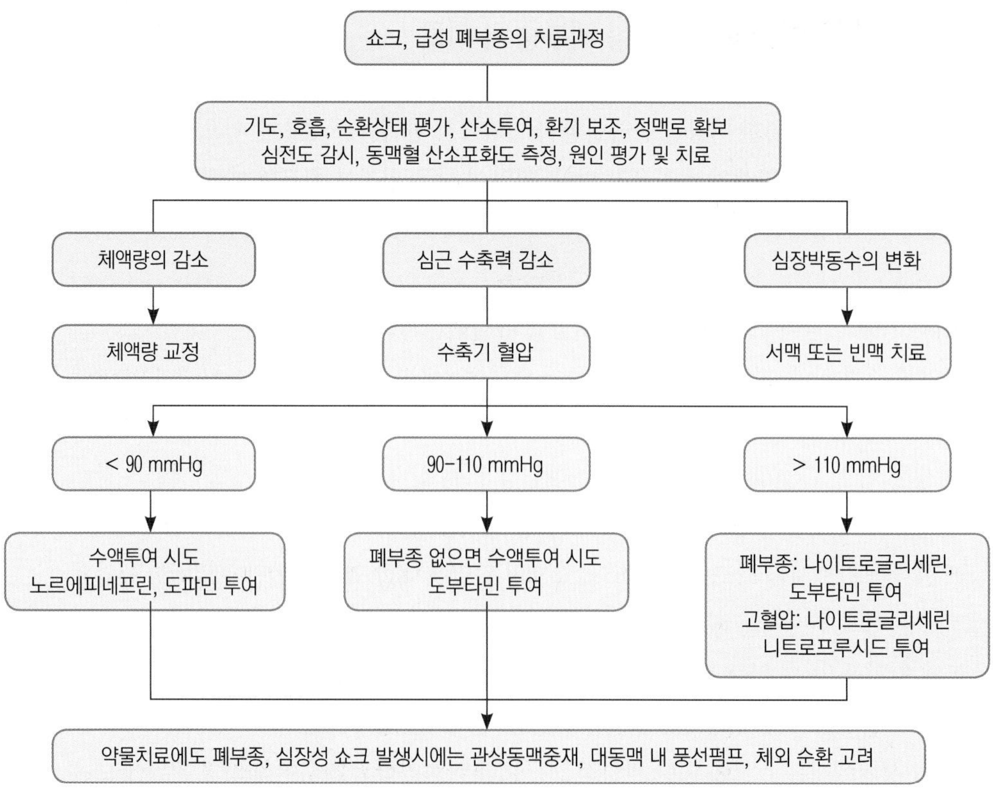


그림 10-5. 쇼크/폐부종 치료 과정

순환혈액량이 감소하는 경우에는 두 가지 형태가 있다. 즉, 혈액이나 체액의 손실 때문에 실제 체액량이 감소하는 경우와 혈관 확장으로 말초 저항이 감소하거나 혈관 밖으로 체액이 이동하여 순환혈액량이 감소할 수가 있다.

원인과 관계없이 순환혈액량의 감소에 의한 쇼크의 치료는 순환혈액량을 정상화할 수 있을 정도의 수액이나 혈액을 투여하는 것이다. 대량 실혈이 있는 환자에게는 수혈하고, 체액의 손실이 있는 환자에게는 수액을 투여한다. 혈관 저항의 감소로 쇼크가 발생한 환자에게서도 시간이 지나면 이완된 말초혈관을 통하여 체액의 손실이 발생하므로 순환혈액량이 감소한다.

순환혈액량이 감소하여 있는 환자에게는 일차적으로 순환혈액량을 정상화하고, 혈관 저항의 감소가 명백한 경우에만 혈관수축제(vasopressors)를 사용한다. 순환혈액량이 부족한 상태에서 혈관수축제를 사용하는 것은 심장의 부하를 증가시키고, 조직으로의 관류량을 감소시키며, 혈역학적 지수의 변화를 가져와 환자의 치료에 혼동을 일으킬 수 있다. 혈관 저항의 감소로 쇼크가 발생한 환자에서 혈관수축제를 투여할 때에도 혈관 저항의 감소를 가져온 원인에 따라 적절한 혈관수축제가 선택되어야 한다(표 10-8).

### 2) 심박수의 변화에 의한 쇼크

부정맥(서맥 또는 빈맥성 부정맥)에 의한 쇼크는 발생한 부정맥의 치료방법에 따라 치료한다. 심박수에 심각한 변화가 있고 심근 수축력, 순환혈액량, 혈관 저항에는 문제가 없다면, 심박수에 대한 치료가 우선되어야 한다. 예를 들면 혈압이 낮은 환자에서 서맥이 동반되어 있으면, 혈관수축제 등을 사용하기 이전에 심박수를 증가시키는 치료가 우선된다. 심박수의 변화와 더불어 다른 혈역학적 인자의 변화가 동반되어 있으면, 심박수의 치료와 함께 다른 혈역학적 인자를 교정할 수 있는 치료가 병행되어야 한다. 서맥성 부정맥과 빈맥성 부정맥의 치료는 이 장에 전술한 바와 같다.

표 10-8. 쇼크의 원인에 따른 혈관수축제의 선택

| 쇼크의 원인 | 혈관수축제 |
|---|---|
| 패혈증 | 도파민, 노르에피네프린, 페닐레프린(phenylephrine), 바소프레신 |
| 척수손상 | 도파민, 페닐레프린 |
| 베타 교감신경 차단제중독 | 에피네프린, 도파민, 아트로핀, 글루카곤(glucagon), 이소프로테레놀 |
| 과민성 쇼크 | 에피네프린, 도파민, 페닐레프린 |
| 알파 교감신경 차단제중독 | 에피네프린, 노르에피네프린 |

### 3) 심근 수축력 감소에 의한 쇼크 (심장성 쇼크)

심근 수축력이 감소하면 심장이 혈액을 효과적으로 박출하지 못하므로, 폐정맥이 울혈되어 폐부종이 발생하고 조직으로의 관류량이 감소하여 쇼크가 발생한다. 또한, 조직의 관류장애는 이차적으로 말초혈관 저항을 증가시켜 다양한 임상 증상을 일으킨다. 폐부종이 발생하면 빠른 호흡, 호흡곤란, 청색증, 붉은색 가래, 목정맥 팽대, 수포음의 증상 및 징후가 발생하며, 심박출량의 감소로 인한 저혈압, 맥박 강도의 약화, 전신 쇠약감이 발생한다.

심장성 쇼크는 임상적으로 수축기 혈압이 80 mmHg 이하이면서 쇼크의 임상 증상(소변 감소증: 시간당 20 mL 이하, 창백, 식은땀, 빈맥, 의식장애)과 폐부종이 30분 이상 지속되는 경우를 말한다. 혈역학적으로는 수축기 혈압이 80 mmHg 이하, 심박출 계수가 1.8 L/min/m2 이하, 폐 모세혈관 쐐기압이 18 mmHg 이상, 전신 혈관 저항 2100 dyns-sec/cm5 이상인 상태가 30분 이상 지속하면 심장성 쇼크로 진단한다. 심장성 쇼크는 급성 심근경색으로 좌심실이 40% 이상 손상되었거나, 심실중격 천공, 승모판 유두근 파열 등의 합병증이 발생한 환자에서 주로 발생한다.

#### (1) 심장성 쇼크의 일반적 치료

심장성 쇼크가 발생하면 초기에 발생원인을 규명하는 것이 환자의 치료에 도움이 된다. 예를 들면 심근경색에 의한 유두근 파열이나 심실중격결손은 약제에 의하여 회복될 수 없으므로 즉시 응급수술을 한다. 베타 교감신경 차단제나 칼슘 통로차단제의 중독으로 발생한 쇼크에서는 적절한 길항제의 투여가 중요하다.

심근 수축력의 장애가 반드시 심근경색 등 관상동맥질환에 의한 심근의 허혈로만 발생하는 것은 아니다. 쇼크가 발생하면 다른 조직과 함께 심근으로의 혈류가 감소함으로써 심근허혈이 초래되어 심근의 수축력이 감소한다. 따라서 실제로는 쇼크가 지속하면 모든 환자에서 심근의 수축력 장애가 동반되어 있다.

심근 수축력 장애가 있는 환자를 치료하려면 맥박수와 순환혈액량을 정상화하고, 저산소혈증, 저혈당증, 약물 중독 등 심근 수축력를 유발할 수 있는 원인을 교정하여야 하며, 심근 수축력을 증가시키는 약물을 투여한다. 심근 수축력을 증가시키는 약물로는 도부타민, 도파민 등이 주로 사용된다. 약물에 의하여 관류압을 유지할 수 없으면 대동맥 풍선 펌프, 체외순환, 심실보조기구가 사용되기도 한다.

#### (2) 혈역학적 분류에 따른 치료

심장성 쇼크 환자에서는 혈역학적 감시가 치료에 도움이 된다. 쇼크 환자에서 혈역학적 감시상 폐모세혈관 쐐기압이 15 mmHg 이하이면 심근 수축력에 의한 쇼크보다는 순환 혈액량의 감소에 의한 쇼크를 의심한다. 따라서 폐모세혈관 쐐기압이 높지 않으면 폐모세혈관 쐐기압이 18 mmHg가 되도록 수액을 투여하면서 혈압의 변화를 관찰한다. 응급상황에서는 혈역학적 감시가 즉시 시작될 수 없으므로, 폐부종이 없으면 250-500 mL의 생리식염수를 빠른 속도로 투여하고 수액투여에 반응이 없으면 혈관수축제 투여를 고려한다. 수액투여에 반응(혈압의 상승, 쇼크 증상의 소실 등)이 있는 환자에서는 수액을 더 투여하면서 반응을 관찰한다.

혈역학적 감시가 이루어지고 있는 상황에서는 폐모세혈관 쐐기압과 심장 박출 계수에 따른 혈역학적 분류에 따라 치료한다. 즉 폐모세혈관 쐐기압이 18 mmHg 이하이면서 심장 박출 계수가 2.2 L/min./m2 이상이면 특별한 치료가 필요하지 않으며, 폐모세혈관 쐐기압이 18 mmHg 이상이면서 심장 박출 계수가 2.2 L/min./m2 이상이면 순환량이 증가하여 있는 상태이므로 이뇨제투여가 필요하다. 폐모세혈관 쐐기압이 18 mmHg 이하이면서 심장 박출 계수가 2.2 L/min./m2 이하면 순환량의 부족을 교정하여야 하므로 수액을 투여하여야 하며, 폐모세혈관 쐐기압이 18 mmHg 이상이면서 심장 박출 계수가 2.2 L/min./m2 이하면 심장의 수축력 감소로 심장성 쇼크가 발생한 환자이므로 심장수축력을 증가시켜 줄 수 있는 약제인 도부타민, 도파민, 암리논(amrinone) 등을 투여하거나 대동맥 풍선 펌프나 심실보조기구를 사용한다. 또한, 치료 중에는 지속해서 환자의 혈역학적 지수를 측정하여 혈역학적 분류의 변화에 따라 치료방법을 달리한다.

### (3) 수축기 혈압에 따른 치료방법

심장의 수축력 장애가 발생한 환자를 치료할 때 수축기 혈압과 쇼크의 임상 증상 유무에 따라 적합한 약제를 선택한다(표 10-9).

표 10-9. 심근 수축력 장애가 있는 환자에서 수축기 혈압에 따른 약제의 선택

| 수축기 혈압 | 투여 우선순위 | 약물 또는 수액 | 시작용량 |
|---|---|---|---|
| 90 mmHg 이하 | 1 | 생리식염수 | 250-500 mL |
| | 2 | 노르에피네프린 | 0.1-0.5 ug/kg/min |
| | 3 | 도파민 | 5-10 ug/kg/min |
| 90-110 mmHg | 1 | 생리식염수 | 250-500 mL |
| | 2 | 도부타민 | 5-10 ug/kg/min |
| 110 mmHg 이상 | 1 | 나이트로글리세린 | 10-20 ug/min |
| | 2 | 니트로프루시드 | 0.1-5.0 ug/kg/min |

① 수축기 혈압이 90 mmHg 이하인 경우

심각한 쇼크 상태로서 가장 중요한 것은 즉시 혈압을 정상화하는 것이다. 먼저 250-500mL 정도의 수액을 빨리 정맥으로 투여하면서 혈압의 반응을 관찰한다. 반응이 없으면 즉시 교감신경 알파 수용체와 베타 수용체를 동시에 자극하여 혈관을 수축시키고 심근 수축력을 증가시킬 수 있는 노르에피네프린을 투여한다. 노르에피네프린은 분당 0.1-0.5 ug/kg로 투여를 시작하여 혈압의 반응에 따라 수축기 혈압이 90 mmHg 이상으로 유지될 수 있도록 용량을 조절한다. 도파민을 투여할 때에는 분당 5-10 ug/kg의 속도로 투여를 시작한다. 도파민은 용량에 따라 작용기전과 효과가 다르게 나타나므로 환자의 상태에 따라 적절한 용량을 선택한다. 약제에 즉각적인 반응이 관찰되지 않으면 대동맥 내 풍선펌프(intra-aortic balloon pump)의 사용을 즉시 고려한다. 급성 심근경색에 의한 심장성 쇼크 환자에서는 즉시 관상동맥중재술(percutaneous coronary intervention: PCI)을 한다.

쇼크가 동반된 하벽 심근경색환자에서는 우심실 경색을 한 번쯤 고려해보아야 한다. 우심실 경색이 발생하면 정맥압 및 우심실 이완기압이 상승하며 폐모세혈관 쐐기압이 감소한다. 우심실 경색에 의한 쇼크에서는 다량의 수액투여로 쇼크 증상이 없어질 수 있다. 따라서 우심실 경색환자의 일차 치료는 다량의 수액투여이며, 수액투여에도 반응이 없으면 도파민 또는 도부타민을 투여한다. 혈관확장제나 이뇨제의 투여는 금기이다.

② 수축기 혈압이 90-110 mmHg이면서 쇼크의 임상 증상이 없는 환자

250-500 mL의 수액을 빨리 투여하고 반응이 없으면 도부타민을 투여하여 심근의 수축력을 증가시켜야 한다. 도부타민 투여 중 수축기 혈압이 90 mmHg 이하로 떨이지면 도부타민보다 도파민을 투여하는 것이 유리하다. 수축기 혈압이 110 mmHg 이상으로 유지되면서 폐부종이 있는 환자에서는 후부하를 감소시키기 위하여 나이트로글리세린을 투여한다.

③ 수축기 혈압이 110 mmHg 이상인 환자

수축기 혈압이 110 mmHg 이상이면서 좌심실부전의 임상 증상(폐부종)이 있는 환자에서는 좌심실 이완기압이 상승하여 있으므로 나이트로글리세린을 투여하여 전부하와 후부하를 감소시킨다. 특히 급성 심근경색으로 좌심실부전이 발생한 환자에서는 심근의 허혈에 의하여 심근 수축력의 장애가 발생하므로 나이트로글리세린을 투여하는 것이 유리하다. 강력한 혈관확장제인 니트로프루시드는 심근의 허혈을 초래하며 주의 깊은 혈역학적 관찰이 필요하므로, 응급센터보다는 중환자실에서 사용하는 것이 좋다. 나이트로글리세린 또는 니트로프루시드를 정맥 투여할 때에는 저혈압의 발생 가능성에 유의하여야 하

며, 가능한 침습적 동맥압 감시를 하는 것이 좋다.

폐부종이 있는 좌심실부전 환자에서 혈압이 110 mmHg 이상으로 유지되면 일차적으로 나이트로글리세린을 투여한다. 나이트로글리세린은 분당 10-20 ug에서부터 시작하여 5-10분 간격으로 분당 5-10 ug씩 증량하면서 환자의 수축기 혈압이 100 mmHg 내외로 유지되도록 투여량을 조절한다. 나이트로글리세린을 24시간 지속해서 투여하면 약물 내성이 발생할 수 있다.

고혈압에 의한 좌심실부전 환자 등 심근허혈 이외의 원인에 의하여 좌심실부전이 발생한 경우에는 니트로프루시드를 투여하는 것이 나이트로글리세린을 투여하는 것보다 유리하다. 니트로프루시드는 혈압을 계속 감시하면서 분당 0.1-5 ug/kg의 속도로 투여한다. 간기능 또는 신기능 장애가 있는 환자에서 분당 3 ug/kg 이상의 속도로 72시간 이상 니트로프루시드를 투여하면 시안화물(cyanide) 독성에 의해 의식장애, 경련 등이 유발될 수 있다.

### 4) 폐부종의 응급치료

좌심실부전 환자는 폐부종을 동반하므로 좌심실부전을 치료할 때에는 폐부종을 함께 치료한다. 폐부종 응급치료의 목적은 1) 폐 환류량을 줄이고(전부하 감소), 2) 전신 혈관 저항을 줄이며(후부하 감소), 3) 심근 수축력 감소가 있는 경우에는 심근 수축력을 회복하도록 하는 것이다. 또한, 일차적으로 폐부종에 의한 저산소혈증을 교정하여 조직으로의 산소 공급을 유지한다. 심장의 전부하와 후부하의 조절을 위해 이뇨제, 혈관확장제, 또는 심근 수축력을 증가시키는 약제를 투여한다.

좌심실부전에 의한 폐부종 환자에서는 혈압조절이 중요하다. 혈압은 좌심실의 후부하에 해당하므로, 후부하의 증가는 좌심실 부전을 악화시켜 폐부종을 가중하기 때문이다. 폐부종 환자에서 혈압이 높으면 반드시 혈압을 낮추어주어야 한다. 저혈압 상태에서는 관상동맥 혈류가 감소하여 좌심실의 허혈이 발생하므로 좌심실부전을 악화시킬 수 있다. 따라서 저혈압이 발생하면 우선 혈압을 정상화해야 한다. 결국, 좌심실 부전에 의한 폐부종 환자에서는 쇼크의 임상 증상이 발생하지 않는 범위 내에서 비교적 낮은 혈압(환자에 따라 다르지만, 일반적으로는 수축기 혈압이 100 mmHg 내외)을 유지한다.

약제에 반응하지 않는 환자에서는 기계 호흡을 하고, 대동맥 풍선 펌프, 체외순환, 좌심실 보조기구 등 기계적 순환 보조 방법을 사용하여 좌심실 기능을 보조한다. 급성 심근경색에 의한 폐부종 환자에서는 관상동맥중재술로 재관류 요법을 시행하는 것이 심부전을 치료하는 유일한 방법이 될 수도 있다. 폐부종 환자에게 약물을 투여할 때에는 폐부종의 정도와 혈압에 따라 약제 선택의 우선순위를 정해야 한다(표 10-10).

표 10-10. 폐부종의 응급치료 약제

| 치료 순위 | 약물 | 투여용량 |
|---|---|---|
| 1순위 | 산소 | 90-100% 농도 (산소포화도가 90% 미만인 경우) |
| | 모르핀 | 2-5 mg |
| | 이뇨제(후로세미드, furosemide) | 0.5-1.0 mg/kg |
| | 나이트로글리세린 혀 밑 투여 | 0.4 mg, 매 5-10분 간격(3회 이내) |
| 2순위 | 나이트로글리세린 정맥투여 | 5-10 ug/min으로 시작하여 3-5분 간격으로 5-10 ug씩 증량 |
| | 니트로프루시드 | 0.1-5.0 ug/kg/min |
| | 네시리타이드 | 2 ug/kg를 덩이 주사 후 분당 0.01 ug/kg |
| | 도파민 | 5-20 ug/kg/min |
| | 도부타민 | 5-20 ug/kg/min |
| 3순위 | 암리논(amrinone) | 0.75 mg/kg(부하 용량)<br>5-15 ug/kg/min(유지용량) |

### (1) 응급치료

환자의 호흡 상태를 확인하고 정맥로를 확보해야 하며, 심전도 감시를 시작한다. 생체신호를 측정하여 체온, 맥박수, 호흡수, 혈압을 확인한다.

#### ① 환자의 자세

폐부종이 발생한 환자는 앉도록 반좌위 자세(semi-fowler position)를 취해주어야 한다. 반좌위 자세는 폐 환기를 쉽게 하고, 하지로부터의 혈액 환류를 줄이며, 폐의 환기/관류관계를 호전시킴으로써 폐부종 환자의 호흡곤란을 줄일 수 있다.

#### ② 산소투여

맥박 산소포화도 측정기를 부착하면 환자의 산소포화도를 알 수 있으며, 치료가 진행되면서 환자의 상태가 호전되는지를 확인할 수 있다. 산소포화도가 90% 이하일 때 산소를 투여한다. 산소포화도가 90% 이상인 환자에게 산소를 투여하는 것은 권장되지 않는다. 저산소혈증이 없는 환자에게 산소를 투여하면 혈관수축을 유발하여 심박출량을 감소시킬 수 있다.

혈압이 낮거나 말초 순환상태가 불량한 환자에서는 산소포화도 측정기에 의한 산소포화도가 부정확하게 측정될 수 있으므로 유의한다. 동맥혈 가스검사를 하면 이산화탄소분압과 산-염기 상태를 알아낼 수 있다. 산소를 투여할 때에는 마스크를 사용하여 고농도의 산소를 투여한다.

③ 인공호흡

이산화탄소가 저류되거나, 의식장애가 발생한 환자, 산소투여에도 불구하고 동맥혈 산소압을 60 mmHg 이상 유지할 수 없는 환자에게는 지속 양압 치료기로 호흡을 보조하거나 기계 호흡을 한다. 기계 호흡 중에도 동맥혈 산소압을 60 mmHg 이상 유지할 수 없으면 호기말 양압 치료(positive end expiratory pressure: PEEP)를 한다.

④ 나이트로글리세린

수축기 혈압이 110 mmHg 이상인 환자에게서만 나이트로글리세린을 투여한다. 정맥로가 확보되지 않은 환자에서는 먼저 나이트로글리세린을 혀 밑(설하) 투여하거나 분무형식의 약제로 흡입시킬 수도 있다. 나이트로글리세린 혀 밑 투여는 환자의 수축기 혈압이 110 mmHg 이상이면 5-10분 간격으로 2-3회 반복 투여할 수 있다.

피부에 부착하는 나이트로글리세린 제제는 폐부종 환자와 같이 말초혈관이 수축하여 있는 경우에는 피부로의 흡수가 불확실하므로, 나이트로글리세린 제제의 피부 부착보다는 혀 밑 투여가 권장된다.

⑤ 이뇨제

폐부종 환자에게는 헨레 고리(loop of Henle)에 작용하는 이뇨제인 후로세미드(furosemide), bumetanide, torsemide를 정맥 내로 투여한다. 우리나라에서 주로 사용되는 이뇨제인 후로세미드를 정맥 내로 투여하면 5분 이내에 정맥을 이완시켜 정맥 내에 혈액이 저류되므로 심장으로의 혈액 환류를 줄여 심장의 전부하(preload)가 감소한다. 또한, 투여 수분 후부터 이뇨작용이 시작되므로 순환혈액량을 감소시킨다. 후로세미드의 이뇨작용은 투여 후 30-60분에 최고조에 달한다. 순환혈액량이 증가하여 있는 환자에서 최초의 후로세미드를 투여하고 20분 이내에 이뇨작용이 관찰되지 않으면 최초용량의 2배에 해당하는 후로세미드를 다시 투여한다.

⑥ 모르핀

과거에는 모르핀이 폐부종의 치료에 있어서 빼놓을 수 없는 약제였다. 그러나 모르핀을 투여했을 때 발생할 것으로 기대되던 전부하 감소 등의 혈역학적 효과에 대한 증거는 충분하지 않다. 폐부종 치료에서 모르핀의 역할은 환자를 진정시킴으로써 카테콜아민 분비에 의한 후부하를 감소시키는 것이다. 폐부종 치료에 있어서 모르핀의 사용은 생존율에 영향을 주지 않으며, 모르핀을 사용한 심부전 환자는 기계 환기를 하게 될 가능성이 크다고 알려졌다.

폐부종 환자에서는 필요할 때 2-5 mg의 모르핀을 3분 정도에 걸쳐서 투여하며, 15분 간격으로 2-3회 반복 투여할 수 있다.

⑦ 디지탈리스

급성 폐부종 환자 중 심방세동 등의 심실상 부정맥이 동반된 환자에게서만 디지탈리스(digitalis)를 투여한다. 디지털리스 중독은 폐부종을 악화시킬 수 있으므로, 평소에 디지탈리스를 투여받는 환자에서는 가능한 혈중농도를 확인한 후에 디지탈리스 투여를 결정하는 것이 좋다.

### (2) 응급치료에 반응하지 않는 폐부종의 치료

폐부종의 일반적인 응급치료에 반응하지 않는 환자에서는 부가적인 치료 노력이 필요하다. 부가적인 치료로서 정맥로가 확보되는 즉시 나이트로글리세린을 정맥 내로 투여한다. 나이트로글리세린은 5-10 ug/min으로 시작하여 혈압을 측정해가면서 3-5분 간격으로 5-10 ug씩 증량한다. 나이트로글리세린 투여 중에는 저혈압이 발생할 수 있으므로, 수축기 혈압이 100 mmHg 이하로 하강하지 않도록 주의한다. 또한, 혈역학적 감시를 통한 혈역학적 분류에 따라 적절한 약제(도부타민, 도파민, 니트로프루시드)를 투여한다. 니트로프루시드는 혈압 강하 효과가 강력한 질산염 약제이다. 니트로프루시드는 혈압을 감시하면서 분당 0.1-5.0 ug/kg의 속도로 투여한다. 니트로프루시드를 투여하는 동안 심각한 저혈압, 심근허혈이 발생할 수 있으므로 주의한다.

네시리타이드(nesiritide)는 심근에서 분비되는 나트륨이뇨펩티드(recombinant human B-type natriuretic peptide)의 재조합 약물이다. 네시리타이드는 혈관을 이완하여 전부하(폐모세혈관 쐐기압 감소)과 후부하를 감소시킴으로써 좌심실 충만압을 감소시킨다. 네시리타이드는 급성 폐부종 환자의 호흡곤란 증상을 완화하지만, 생존율에 영향을 미치지는 않는 것으로 알려졌다. 네실타이드는 저혈압이 동반되지 않은 급성 폐부종 환자에게 2 ug/kg를 덩이 주사한 후 분당 0.01 ug/kg의 속도로 정맥에 주사한다. 주사 중에는 저혈압이 발생할 수 있으므로, 혈압을 감시한다. 암리논, 밀리논 등 포스포디에스터라제 억제제(phosphodiesterase inhibitor)는 강력한 심근 수축력 증가와 말초혈관 확장을 유발하므로 좌심실 부전에 의한 폐부종 환자에게 투여할 수 있다. 암리논은 2-3분에 걸쳐 0.75 mg/kg의 양을 투여한 후 분당 5-15 ug/kg로 투여한다. 도부타민, 암리논 등 심근 수축력을 증가시키는 약물(inotropic agent)은 심부전 치료의 급성기 증상을 완화하기는 하지만 심부전에 의한 사망을 줄이는 효과는 확인되지 않았다.

약제에 의하여 폐부종이 환자에서는 체외순환(체외막형 산소섭취장치: extracorporeal membrane oxygenator) 장치의 사용을 고려한다.

급성 심근경색에 의한 심장성 쇼크로 폐부종이 발생한 환자에서는 최초의 흉통 발생 후 18시간 이내에 관상동맥중재술을 하면 약 50%의 생존율을 보인다고 보고되었다. 따라서 급성 심근경색환자에서 심장성 쇼크가 발생하면 관상동맥중재술을 즉시 시행하거나 관상동맥중재술이 가능한 병원으로 환자를 이송한다. 심장성 쇼크가 동반된 급성 심근경색환자에서는 혈전용해제의 투여보다는 관상동맥중재술이 환자의 생존율을 높이는 방법으로 알려져 있다.

# 제 11 장

# 전문기도유지술, 호흡 보조 및 산소 공급

의식이 없는 환자는 머리기울임-턱들어올리기로 환자의 기도를 열어줄 수 있다. 그러나 머리기울임-턱들어올리기만으로 환자의 기도를 지속적으로 유지할 수 없으며, 구토나 이물질로부터 기도를 보호할 수 없다. 전문소생술 동안 기도를 유지하려면 여러 가지 보조기구를 사용해야 한다. 의식이 없는 환자에서 기도를 유지하는 가장 좋은 방법은 기관내삽관(endotracheal intubation)이다. 기관내삽관 이외에도 기도 유지를 위하여 여러 종류의 기도기(airway)가 사용된다. 기도기 삽관, 기관내삽관 등을 사용하여 기도를 유지하는 방법을 전문기도유지술(advanced airway management)이라고 한다.

기관내삽관이 환자에게 인공호흡을 제공할 수 있는 가장 좋은 방법이지만, 병원 전 단계 치료 과정에서 기관내삽관을 하기는 쉽지 않다. 병원 전 단계에서 시행된 기관내삽관의 6-14%에서 튜브가 기관 내로 적절히 삽관되지 않은 것으로 조사되었다. 따라서 병원 전 단계에서의 기관내삽관은 반드시 충분한 교육과 훈련을 마친 응급구조사에 의해 시행되어야 한다. 기관내삽관 후에는 호기말 이산화탄소 감지기 등으로 기관 튜브(endotracheal tube)가 기관 내에 올바로 삽관되었는지를 반드시 확인해야 한다. 응급구조사는 현장에서 후두 마스크 기도기(laryngeal mask airway), 콤비 튜브(Combi tube, esophageal-tracheal tube), 후두 튜브(laryngeal tube, King laryngeal tube, i-gel) 등을 사용하여 기도를 유지할 수 있다. 병원 전 단계의 심장정지 치료 과정에서 반드시 기도기 삽관 또는 기관내삽관을 해야 하는 것은 아니다. 병원 밖 심장정지 환자에게 기도기 삽관 또는 기관내삽관을 한 후 인공호흡을 한 경우와 백-밸브 마스크 인공호흡만을 한 경우를 비교한 결과, 생존율 차이는 관찰되지 않았다.

환자가 호흡이 있는 경우에는 산소투여만으로도 충분한 호흡 보조가 될 수도 있으나,

호흡이 부적절하거나 호흡이 없는 경우에는 인공호흡을 해야 한다. 인공호흡에 의한 호흡 보조방법으로는 구조자의 호기를 이용하는 입-입 인공호흡법, 입-코 인공호흡법 또는 입-마스크 인공호흡법 등이 있으며, 백-밸브장치 등 여러 가지 형태의 호흡기를 사용하는 방법이 있다.

이 장에서는 전문기도유지술에 사용되는 보조기구의 사용법, 인공호흡 방법 및 산소투여 장비에 관하여 서술하였다.

## 1. 기도 유지에 사용되는 보조기구

기도 유지를 위하여 보조기구를 사용하는 목적은 기도폐쇄를 방지하고, 인공호흡과 산소투여를 원활히 할 수 있도록 하는 것이다. 보조기구를 사용하면 기도폐쇄를 막고 비교적 쉽게 기도를 유지할 수 있다. 기도 유지를 위하여 사용되는 보조기구는 기관 튜브 등 기관 안으로 삽관하는 기구와 기도기와 같이 기관 안에 삽관하지 않고 성문 위에 위치시켜 기도를 유지하는 기구(성문상 기도기: supraglottic airways)가 있다(표 11-1).

### 1) 입인두 기도기

입인두 기도기(oropharyngeal airway)는 혀의 외면을 따라 기구를 입속에 위치시킴으로써 혀에 의한 기도폐쇄를 방지하는 기구이다. 입인두 기도기를 삽입하면 흡입기를 사용할 때 구강으로 흡입 카테터가 쉽게 들어갈 수 있으며, 환자가 혀나 기관 튜브를 물지 않도록 방지할 수 있다. 입인두 기도기는 의식이 없고 기침 또는 구토 반사가 없는 경우에 사용한다.

표 11-1. 기도 유지를 위하여 사용되는 보조기구

| 보조기구 |
|---|
| 입인두 기도기(oropharyngeal airway) |
| 코인두 기도기(nasopharyngeal airway) |
| 후두 마스크 기도기(laryngeal mask airway) |
| 후두 튜브(laryngeal tube) |
| i-gel |
| 식도기관 콤비 튜브(esophageal-tracheal combitube) |
| 기관 튜브(endotracheal tube) |
| 윤상갑상막 절개 튜브(cricothyrotomy tube) |
| 기관절개 튜브(tracheostomy tube) |

### (1) 종류 및 크기

입인두 기도기는 관 모양의 둥근 형태인 Guedel 형과 양쪽에 공기통과를 위한 구멍이 있는 납작한 모양인 Berman형이 있다(그림 11-1). 입인두 기도기를 삽입하면 넓은 플랜지 부분은 입술밖에 위치하게 되고, 기도기의 반대쪽 끝은 인두 속에 위치하게 된다. 입인두 기도기의 가운데나 양쪽 옆에는 공기가 통하도록 구멍이 뚫려 있다.

입인두 기도기의 크기는 플랜지로부터 인두로 삽입되는 부위까지의 거리로서 분류되어 있다. 성인에서는 대형(100 mm, Guedel size 5), 중형(90 mm, Guedel size 4) 및 소형(80

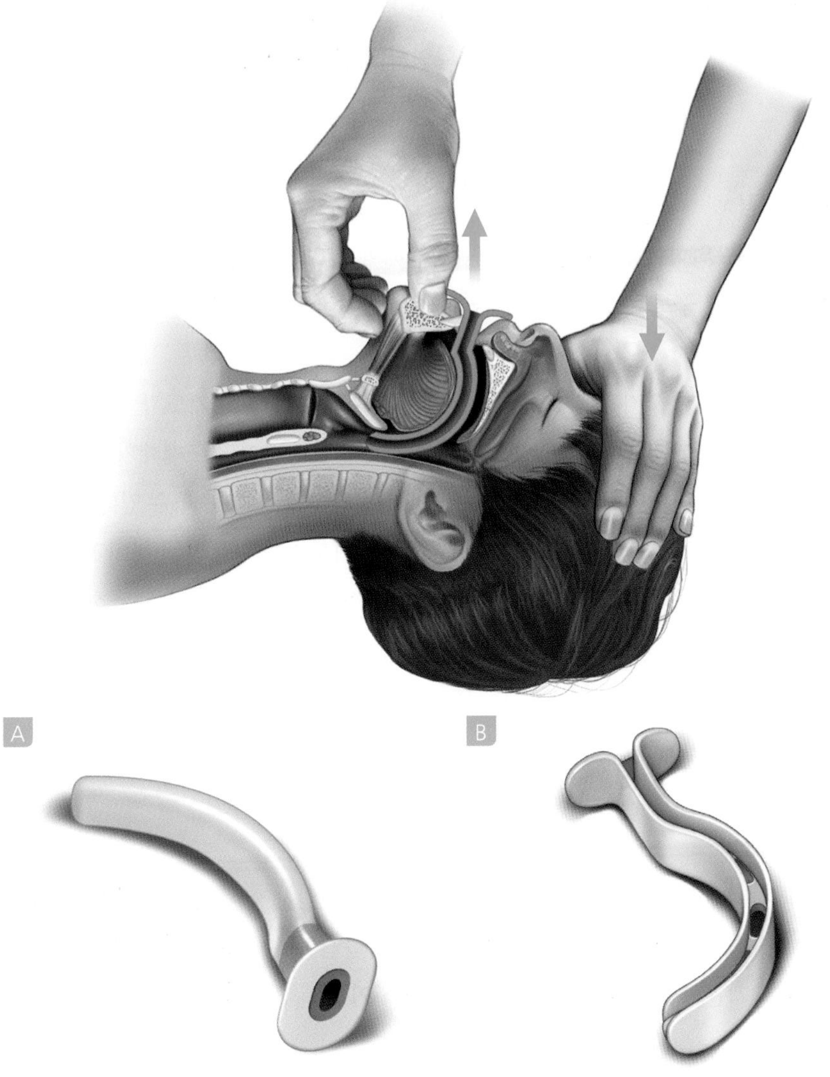


그림 11-1. 입 인두 기도기 삽관 모양과 두 가지 형태의 입인두 기도기. **A.** 관 모양의 Guedel 형, **B.** 양쪽에 공기통과를 위한 구멍이 있는 Berman 형

mm, Guedel size 3)이 사용된다.

#### (2) 삽입 방법

입인두 기도기를 삽입하기 전에는 먼저 환자의 구강에 있는 분비물, 구토물, 혈액 등을 흡입하여 구강을 청결히 한다. 기도기를 삽입할 때, 물이나 윤활용 젤리를 사용하면 삽입하기가 쉽다.

입인두 기도기를 삽입할 때에는 먼저 환자의 머리 쪽에서 교차수지법으로 환자의 입을 연다. 오른손으로 입인두 기도기의 굴곡 면이 연구개 방향으로 향하게 쥔 후 환자의 혀 위를 통하여 환자의 입에 넣고 180° 회전시켜 인두로 밀어 넣는다. 삽입 후에는 플랜지가 환자의 입술이나 치아 위에 제대로 놓였는지를 확인하고 환자의 호흡 및 폐 환기 상태를 점검한다.

#### (3) 사용 시 주의점

입인두 기도기는 의식이 없는 환자에게만 삽입해야 한다. 의식이 있거나 반혼수 상태의 환자에게 사용하면 구토나 성대의 경련을 일으켜 오히려 기도를 폐쇄하거나 이물의 흡인이 발생할 수 있다.

기도기를 정확히 위치시키지 않으면 혀를 인두 쪽으로 밀어 넣어 기도가 폐쇄될 수도 있다. 지나치게 긴 기도기가 삽입되면 기도기가 후두개를 압박하여 기도폐쇄가 발생할 수 있으며, 기도기와 치아 사이에 혀나 입술이 끼이면 혀나 입술에 상처를 줄 수 있다.

호흡이 있으나 의식이 없는 환자의 경우에는 입인두 기도기를 사용하는 것이 효과적이지만, 호흡이 없는 환자에서는 입인두 기도기를 삽입한 상태에서는 호흡을 보조하기가 어렵다. 따라서 호흡이 없는 환자에서는 기관내삽관 등 호흡 보조가 용이한 기도 유지법을 시행한다.

### 2) 코인두 기도기

코인두 기도기(nasopharyngeal airway)는 비강을 통하여 인두에 넣는 기도기로서, 입을 벌릴 수 없거나 구강 부위의 손상으로 입인두 기도기를 삽입할 수 없는 환자에게 주로 사용된다. 코인두 기도기는 구토를 유발하지 않으므로 의식이 있는 환자에게도 사용할 수 있다.

#### (1) 크기

코인두 기도기는 플라스틱이나 고무로 만든 커프가 없는 튜브이다(그림 11-2). 코인두

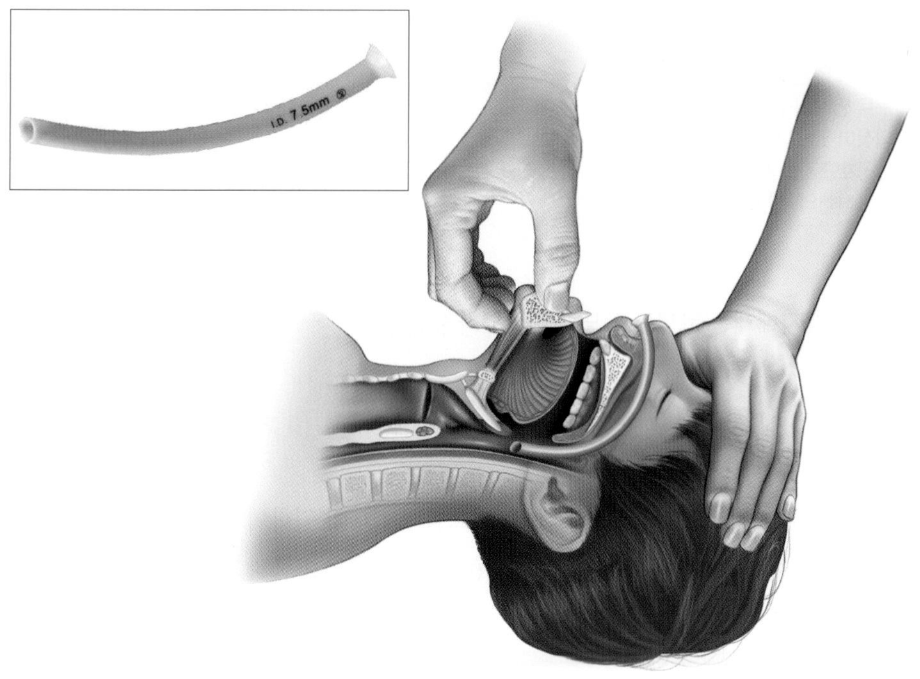


그림 11-2. 코인두기도기와 삽관 모양

기도기의 크기는 기도기의 내경으로 정한다. 성인에서 사용되는 코인두 기도기의 크기는 대형(8.0-9.0 mm), 중형(7.0-8.0 mm), 소형(6.0-7.0 mm)이 있다.

### (2) 삽입 방법 및 삽입 시 주의사항

코인두 기도기를 삽입하기 전에 기도기에 윤활제를 바른 후 적당한 콧구멍을 선정하고, 코의 중앙 쪽으로 서서히 밀어 넣는다. 플랜지가 코끝에 닿을 정도까지 완전히 밀어 넣으면 삽입이 완료된다.

너무 긴 기도기를 삽입하면 기도기가 식도로 삽입되어 구토를 유발하거나 호흡곤란을 유발할 수 있다. 대부분 환자에서는 한쪽의 콧구멍이 다른 쪽보다 더 크므로 적당한 콧구멍을 선정한다. 기도기를 삽입하는 동안 저항이 심하고 더 삽입되지 않으면, 기도기를 뽑아 다른 쪽 콧구멍으로 삽입을 시도한다. 삽입 시에 수용성 윤활제나 젤리를 사용하면 비강의 손상을 줄일 수 있다. 삽입할 때는 코의 중앙 쪽으로 삽입하고 저항이 느껴지면 기도기를 약간씩 돌려가면서 삽입한다.

무리하게 삽입하여 비강에 손상을 주면 출혈을 유발하여 오히려 기도를 폐쇄할 수도 있다. 코인두 기도기를 삽입한 후에는 코 출혈의 가능성이 비교적 크다. 기저 두개골 골절이 있는 경우에는 기도기가 두개 내로 삽관되었다는 보고가 있으므로, 기저 두개골 골절이

표 11-2. 기관내삽관이 필요한 환자

| |
|---|
| 1. 의식이 없는 환자 |
| 2. 구토 반사가 없는 환자 |
| 3. 의식이 있으나 인공호흡이 필요한 환자 |
| 4. 인공호흡기를 사용해야 하는 환자 |
| 5. 기도폐쇄의 가능성이 있는 환자 |

의심되는 환자에게는 코인두 기도기를 삽입하지 않는다.

## 3) 기관내삽관

기관내삽관(endotracheal intubation)은 기도를 유지하기 위하여 구강 또는 비강을 통하여 기관으로 튜브를 삽입하는 술기이다. 기관내삽관은 인공호흡과 산소 공급을 위하여 가장 효과적인 기도유지방법이다.

### (1) 기관내삽관이 필요한 경우

기관내삽관을 하면 구토의 흡인(aspiration)을 방지하고 기관 내 분비물을 쉽게 제거할 수 있다. 고농도의 산소를 흡입시키거나 호흡기로 인공호흡을 해야 하는 환자에게도 기관내삽관을 한다(표 11-2). 정맥로가 확보되어 있지 않은 환자에게는 기관 튜브를 통하여 기관내로 약제를 투여할 수도 있다.

### (2) 기관내삽관을 할 때 필요한 기구

기관내삽관을 할 때는 후두를 노출하기 위한 후두경, 기관 내 튜브, 튜브의 굴곡을 유지하기 위한 속심(stylet), 커프(cuff)를 부풀리기 위한 10 mL 주사기, 수용성 윤활 젤리, 흡인기(suction apparatus) 등이 필요하다.

#### ① 후두경

후두경(laryngoscope)은 구강으로 넣어서 성문을 노출하는 날(blade)과 전구에 전원을 공급하고 날을 지지하는 손잡이(handle)로 구성되어 있다. 사용하지 않을 때는 날과 손잡이가 서로 분리되어 있으므로, 사용할 때에는 두 기구를 조합하여 사용한다.

후두경은 날의 모양에 따라 두 가지 형태로 나뉜다. 날의 모양이 굽어 있는 형태를 curved blade (Macintosh design)라고 하며, 날의 모양이 곧게 되어 있는 형태를 straight blade (Miller형, Wisconsin형, Flagg형)라고 한다. 어떤 형태를 사용하여도 무방하나 날의 모양에 따라 후두경을 사용하는 방법이 다르므로 유의한다.

② 기관 튜브(endotracheal tube)

기관 내 튜브는 양쪽 끝이 모두 열려있는 관이다. 기관 쪽으로 삽입되는 부분에는 기관과 튜브사이로 공기가 새는 것을 방지하기 위하여 풍선 커프(balloon cuff)가 달려있으며, 체외로 노출되는 부분에는 호흡기와 연결할 수 있도록 제작된 지름 15 mm의 연결 부분이 있다.

튜브의 크기는 튜브의 내부 지름(내경)으로 표시되며 mm 단위로 표기된다. 성인에서 일반적으로 사용되는 튜브의 크기는 여자 7.0-8.0 mm, 남자 7.5-8.5 mm 정도이다. 응급상황에서는 성별과 관계없이 7.5 mm의 튜브를 사용한다. 영아에서는 풍선 커프가 없는 튜브가 사용되었으며 최근에는 풍선 커프가 있는 튜브도 사용한다. 튜브의 굵기는 보통 환아의 새끼손가락 굵기의 튜브를 사용한다. 커프가 없는 기관 튜브를 사용할 때, 보통 영아에서는 3.5 mm, 1-2세 소아에서는 4.0 mm의 튜브가 사용된다. 2세 이상의 소아에서 기관 튜브를 선택할 때는 계산식[기관 튜브 지름(mm)=4+나이/4]을 사용한다. 커프가 있는 기관 튜브를 사용할 때, 보통 영아에서는 3.0 mm, 1-2세 소아에서는 3.5 mm의 튜브가 사용된다. 2세 이상의 소아에서 기관 튜브를 선택할 때는 계산식[기관 튜브 지름(mm)=3.5+나이/4]을 사용한다.

튜브의 길이는 튜브의 기관 쪽 끝으로부터의 길이를 cm 단위로 표기된다. 성인에서 기관내삽관 할 때는 앞니에 20-22 cm의 표시가 위치하도록 삽관한다.

③ 속심(stylet)

기관 내 튜브는 제작 시부터 약간 굴곡 되어 있다. 그러나 기관내삽관 할 때는 원래의 굴곡보다 튜브를 더 굴곡 시켜야 할 때가 많으므로, 튜브의 굴곡을 조절하기 위하여 속심을 사용한다.

기관내삽관을 할 때 사용되는 속심은 기관의 손상을 방지하기 위하여 외부가 플라스틱으로 둘러싸여 있어야 한다. 또한, 삽관할 때 속심이 튜브 밖으로 노출되지 않도록 한다.

### (3) 기관내삽관 방법

기관내삽관 전에는 반드시 충분한 산소를 투여하여 저산소증의 발생을 예방한다. 기관내삽관 할 때는 가능한 15초 이내에 삽관을 완료하여야 하며, 1회의 시도에 30초 이상을 초과하지 않아야 한다. 30초가 지난 후에도 삽관에 실패하면 15-30초 정도 충분한 산소를 투여하면서 호흡을 보조한 후 다시 시도하도록 한다. 심장정지 상황에서는 가슴압박이 10

초 이상 중단되지 않도록 한다.

① 입을 통한 삽관 방법

기관내삽관 방법 중 입을 통하여 기관내삽관 하는 방법이 가장 흔히 사용된다. 기관내삽관을 하기 전에 반드시 삽관에 필요한 모든 장비가 준비되어 있는지를 확인한 다음, 튜브의 기관 쪽 끝을 수용성 윤활 젤리로 윤활 시킨다. 후두경을 결합하여 전구에 불이 들어오는지 확인한 후 후두경을 왼손에 들고 오른손을 이용하여 교차수지법으로 환자의 입을 연다. 입의 오른쪽을 통하여 후두경을 밀어 넣은 후 후두경의 날로 환자의 혀를 왼쪽으로 밀고 후두경을 환자의 입 중앙에 위치시킨다. 환자의 머리를 신전시키고 목이 굴곡 되도록 하여 구강, 인두와 기관이 일직선이 되도록 한다. 이때 환자의 머리를 지나치게 신전시키거나 침대 밑으로 내리면 성문을 노출하기가 더 어려워진다. 오히려 후두경을 앞쪽으로 밀어내는 듯한 자세를 취하면 성문이 쉽게 관찰된다. 후두경으로 머리를 신전시킬 때 환자의 치아에 후두경을 걸고 지렛대처럼 이용하면 성문 개방이 어려울 뿐 아니라 치아를 골절시킬 수 있으므로 주의한다. 굴곡 된 후두경으로 성문을 개방할 때에는 후두경의 날이 후두개에 닿지 않을 정도로 후두경을 삽입한다. 직선형의 후두경으로 성문을 개방할 때에는 후두경의 날을 후두개 아래까지 삽입한다. 후두경으로 성문이 적절히 개방되면 오른손으로 기관 내 튜브를 잡고, 입의 오른쪽 구석을 통하여 성문을 통하여 튜브를 기관 속으로 삽입한다. 인두 및 후두에 분비물이 있거나 위 내용물이 역류하면 흡인기를 사용하여 흡인을 막고 시야를 확보한다. 튜브를 삽입할 때에는 계속 성문을 관찰하면서 성문으로 튜브가 통과하는 것을 확인한다(그림 11-3).

튜브 삽관 깊이는 튜브의 풍선 커프가 성문을 통과한 후 약 1-2.5 cm 정도 더 삽입하여 튜브의 끝이 기관분기즐(carina)과 성문의 중간에 위치하도록 한다. 튜브를 삽입할 때 보조자가 환상연골 부위를 외부에서 압박해주면 성문의 노출이 쉽고, 위 내용물의 역류를 방지할 수 있다(Sellick씨 조작). 튜브 삽관이 완료되면 즉시 10-20 mL의 공기로 풍선 커프를 부풀리고 양측 폐를 청진하여 튜브의 위치가 적절한지 확인한 후 튜브를 고정한다.

② 코를 통한 기관내삽관 방법

입이나 아래턱뼈에 손상이 있거나 경추손상이 있는 환자에서는 입으로 삽관할 수 없으므로 코를 통하여 기관내삽관을 한다(표 11-3).

코를 통한 기관내삽관에서는 후두경을 사용하지 않고 삽관하는 방법(blind nasotracheal intubation)과 후두경으로 성문을 관찰하면서 삽관하는 방법이 있다.

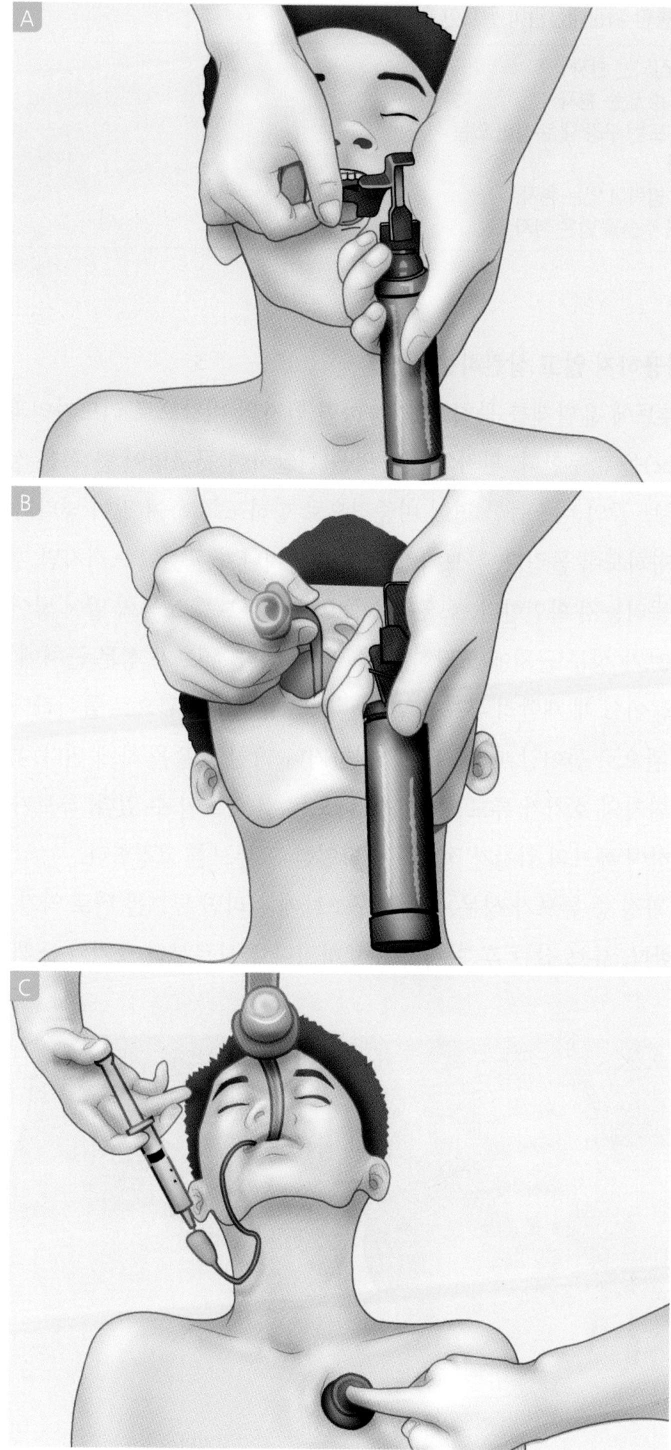


그림 11-3. 입을 통한 기관내삽관 방법
**A.** 후두경을 삽입하여 환자의 혀를 좌측으로 밀어낸다.
**B.** 후두경으로 성문을 노출 후, 기관 내 튜브를 삽입한다.
**C.** 호흡음을 확인한 후 튜브를 고정한다.

표 11-3. 코를 통한 기관내삽관이 필요한 환자

| 경추손상이 의심되는 환자 |
|---|
| 구강을 개방할 수 없는 환자 |
| 아래턱뼈 골절 또는 구강 내 손상이 있는 환자 |
| 심한 비만 환자 |
| 경추 관절염의 병력이 있는 환자 |
| 최근에 구강 내 수술을 받은 환자 |

**〈후두경을 사용하지 않고 삽관하는 방법〉**

기관 내 튜브에 윤활제를 묻히고, 가능하면 환자의 비강으로 리도카인과 페닐에프린(phenylephrine)을 분무한다. 환자의 콧구멍을 관찰하여 콧구멍이 큰 쪽을 선택하여 튜브를 넣는다. 튜브 끝의 비스듬한 면이 비중격으로 향하도록 하여 밀어 넣다가 튜브의 굴곡부가 전면을 향하도록 돌린다. 튜브가 인두부로 빠져나가는 것이 느껴지면, 튜브 끝으로부터 호흡음이 들리는지 확인한다. 호흡음을 들으면서 튜브를 조금씩 밀어 넣어 호흡음이 크게 들리면 튜브가 성문 근처에 도달한 것을 알 수 있다. 튜브가 성문 근처에 도달한 다음, 환자가 숨을 들이쉴 때 재빨리 튜브를 밀어 넣으면 튜브가 기관으로 들어간다(그림 11-4).

튜브가 기관으로 들어갈 때 환자는 기침하거나 거친 호흡을 하게 된다. 튜브가 기관으로 들어가면 환자의 호기가 튜브를 통하여 나오는 것을 느낄 수 있다. 튜브가 삽입되면 양측 폐를 청진하여 튜브의 위치가 적절한지 확인한 후 튜브를 고정한다.

튜브 삽입과정 중 튜브가 성문 주변의 구조물에 걸리면 튜브를 뒤로 약간 빼낸 후 다시 삽입을 시도한다. 튜브 삽관 후 환자가 구토하거나 튜브로부터 호기가 느껴지지 않으면,

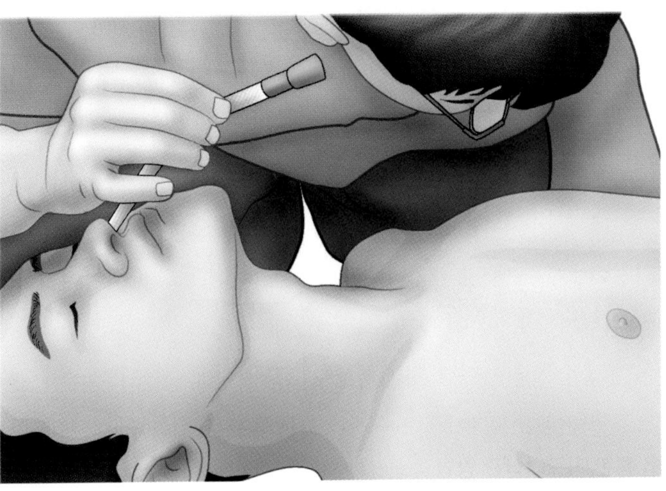

그림 11-4. 후두경을 사용하지 않고 코를 통하여 기관내삽관 하는 방법

튜브가 식도 내로 삽입되었음을 시사하므로 즉시 튜브를 제거한다.

〈후두경을 사용하여 삽관하는 방법〉

후두경을 사용하여 삽관할 때는 후두경으로 인두 및 후두부를 관찰하면서 콧구멍을 통하여 삽입된 튜브를 마질 겸자(Magill forceps)로 삽입한다. 먼저 콧구멍을 통하여 튜브를 후두까지 삽입한 후, 후두경을 입으로 넣어 성문을 관찰하면서 마질 겸자로 튜브를 기관으로 밀어 넣는다. 이때 시술자는 마질 겸자로 튜브를 잡고 보조자가 튜브를 밀어줄 때 성문으로 튜브가 향하도록 하면 쉽게 삽관할 수 있다.

(4) 기관내삽관의 확인

기관내삽관을 할 때 식도로 튜브가 삽관되는 것을 방지하려면, 튜브가 성문을 통과하여 기관으로 들어가는 것을 시술자가 눈으로 확인해야 한다. 삽관이 완료되면 즉시 적절히 삽관되었는지를 확인한다.

① 청진으로 확인하는 법

삽관이 완료되면 인공호흡을 하면서 흉곽을 관찰하고 상복부에 청진기를 대어 위로 공기가 들어가는지 확인한다. 호흡음이 들리지 않거나 상복부에서 부글거리는 소리가 들리면 식도 내로 삽관된 것이므로 즉시 튜브를 제거하고 삽관을 다시 시도한다. 식도 내로 삽입되지 않은 것이 확인되면, 흉부의 양측을 청진하여 양측 폐야에서 호흡음이 균등하게 들리는지 확인하고 한쪽 폐야에서만 호흡음이 들리면 튜브의 위치를 조정한다. 양측 폐의 호흡음이 다르면 한쪽 기관지로 튜브가 삽관되어 있을 수 있다. 흉부 단순방사선 촬영이 가능하면 삽관 후 즉시 촬영하여 삽관 위치를 확인한다. 호흡음의 청진만으로 튜브 위치에 대한 확신이 없는 경우에는 후두경으로 후두를 확인하여 기관 내 튜브가 기관 내에 위치하는지를 눈으로 확인한다. 튜브의 위치가 확인되지 않았을 때는 튜브를 제거한 후 다시 기관내삽관을 시도한다.

② 호기말 이산화탄소 분압을 활용한 기관 튜브 위치의 확인

기관내로 정확히 삽관된 경우에는 폐로부터 이산화탄소가 배출되지만, 식도로 삽관된 경우는 이산화탄소 분압이 매우 낮으므로, 튜브가 기관으로 정확히 삽관되었는지를 판단할 수 있다. 호기말 이산화탄소 분압(end-tidal carbon dioxide tension)을 측정하면 기관내삽관 후 기관 튜브가 기관에 있는지를 확인할 수 있으며, 식도 내로의 삽관에 의한 치명적인 실수를 예방할 수 있다. 그러나 호기말 이산화탄소 검출기는 폐로의 순환량이 매우 적

은 상태(부적절한 심폐소생술 또는 대량 폐색전증)에서는 호기 내 이산화탄소량이 적어 색 변화가 관찰되지 않을 수도 있다. 따라서 심장정지 상태의 환자에서 이 기구를 사용할 경우, 호기말 이산화탄소가 감지되면 기관내삽관을 확인할 수 있지만, 호기말 이산화탄소가 감지되지 않으면 튜브가 식도로 삽관되었는지 기관으로 삽관되었는지를 알 수는 없다. 호기말 이산화탄소 분압 측정으로 기관삽관 위치를 확인할 때에는 파형 호기말 이산화탄소 분압 측정장치를 사용하는 것이 권장된다. 호기에 있는 이산화탄소에 의하여 색깔이 변하는 기구를 사용하여 기관내삽관을 확인할 수도 있다. 호기말 이산화탄소 분압에 관한 내용은 제3장 심폐소생술 중 모니터링에 서술되어 있다.

③ 식도확인장치

식도확인장치(esophageal detector device)는 식도와 기관의 해부학적 차이를 이용하여 기관 내 튜브의 위치를 확인하는 장치이다. 식도는 자체 지지구조가 없어 허탈(collapse) 되어 있으므로 튜브가 식도에 삽관되어 있으면, 튜브를 통하여 공기를 흡입할 수 없다. 반면, 기관은 허탈 되지 않으므로 튜브가 기관에 삽관되어 있으면 튜브를 통하여 공기를 흡입할 수 있다. 식도확인장치는 튜브에 연결하는 주사기 또는 망울(bulb)이다. 주사기 식도확인장치는 기관내삽관을 시도한 후 기관에 주사기 식도확인장치를 연결하고 주사기 피스톤을 잡아당길 때 공기가 쉽게 주사기로 들어오면 튜브가 기관으로 삽관되었다고 판단하고, 공기가 주사기로 들어오지 않으면 식도로 삽관된 것으로 판단한다. 망울이 달린 식도확인장치를 사용할 때에는 망울을 눌러서 완전히 허탈 시킨 후, 삽관된 튜브에 연결하여 망울이 부풀어 오르면 기관으로 삽관된 것으로 판단하고, 부풀어 오르지 않으면 식도로 삽관된 것으로 판단한다. 식도확인장치는 기관 내 튜브의 식도 삽관을 진단하는 예민도가 높으나, 기관내삽관을 판단을 확인하는 특이도는 높지 않다.

### (5) 기관내삽관의 합병증

기관내삽관은 상기도의 해부학적 구조에 대한 충분한 지식이 있고, 기관내삽관에 대한 교육과 경험을 쌓은 의료인에 의하여 시행되어야 한다. 응급상황에서 기관내삽관을 시도하다 보면 매우 숙련된 시술자라도 여러 가지 합병증을 유발할 수 있다.

기관내삽관 중 발생하는 합병증은 후두경을 잘못 사용하거나 무리하게 삽관을 시도하는 과정에서 주로 발생한다. 기관내삽관 후에는 후두경에 의한 합병증 또는 기관 내 튜브 삽입과정에서 유발된 합병증이 발생할 수 있다(표 11-4).

표 11-4. 기관내삽관의 합병증

| 후두경에 의한 합병증 | 구강 내 구조물의 열상<br>치아 골절<br>인두 및 후두부 구조물의 열상 또는 천공<br>후두개 경련 |
|---|---|
| **기관 튜브 삽입과정에서의 합병증** | 기관 열상 또는 천공<br>기흉 또는 피하기종<br>성대 손상<br>위 내용물 역류에 의한 폐 흡인<br>식도 열상 또는 천공<br>식도 내 삽관 |
| **기타 합병증** | 저산소혈증<br>심장 부정맥<br>심장정지 |

### 4) 후두 마스크 기도기

후두 마스크 기도기(laryngeal mask airway: LMA)는 튜브 끝이 개방되어 있으며, 튜브의 끝에 위치하여 후두를 덮도록 고안된 풍선 커프를 인두에서 부풀리면 풍선 커프가 혀의 기저부와 후두부를 막아준다(그림 11-5). 후두 마스크 기도기를 삽입할 때에는 구강을 통하

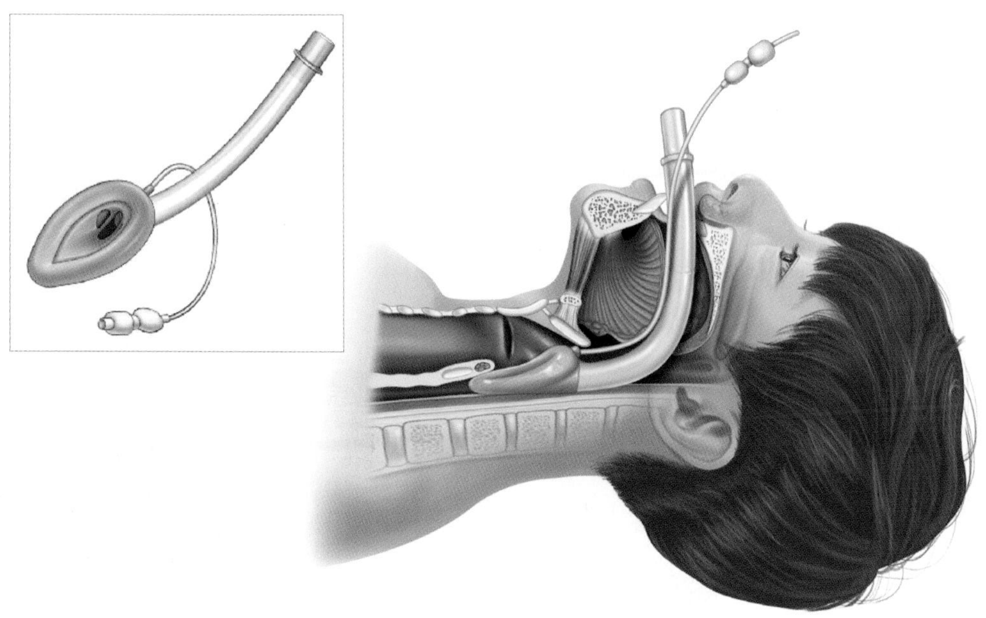

그림 11-5. **후두 마스크 기도기.** 후두 마스크 기도기는 튜브 끝이 개방되어 있으며, 튜브의 끝에 있는 커프를 인두에서 부풀리면 커프가 혀의 기저부와 후두부를 막아준다.

여 저항이 느껴질 때까지 밀어 넣은 후, 풍선 커프를 부풀린다. 풍선 커프를 부풀리면 풍선 커프가 후두부에 밀착되고 튜브의 개구부가 성문의 바로 위에 위치하게 되므로 기도를 유지할 수 있다. 최근 풍선 커프를 공기로 부풀릴 필요가 없이 커프 속에 겔을 넣어 제조한 후두 마스크 기도기(i-gel)가 임상적으로 사용되고 있다.

후두 마스크 기도기는 약간의 교육 및 훈련으로서도 삽입할 수 있으며, 후두경이 필요하지 않으므로 응급구조사 또는 간호사가 삽관할 수 있다. 그뿐만 아니라 성문을 직접 관찰할 필요가 없으므로, 머리를 뒤로 젖힐 필요가 없어 경추 손상 환자에게서도 기관내삽관보다 이점이 있다.

후두 마스크 기도기 삽관은 삽관의 용이성과 삽관 후의 안정성 때문에 기관내삽관을 할 수 없는 응급의료종사자의 전문기도유지술로 적합하다. 일부 환자에서는 후두 마스크 기도기만으로 인공호흡이 불가능할 수가 있으며, 올바른 삽관 여부를 확인하기가 어렵다는 점에서 단점이 있다.

후두 마스크 기도기를 사용하는 응급의료종사자는 후두 마스크 기도기의 삽관에 실패하거나 후두 마스크 기도기로 인공호흡이 불가능한 경우를 대비하여 기관내삽관 등 다른 기도 유지 방법을 숙지해야 한다. 후두 마스크 기도기는 심장정지 환자에서 안면-마스크보다 우수한 폐 환기를 유지할 수 있다는 점에서 사용이 권장되고 있다.

i-gel은 후두 마스크 기도기의 한 종류로서, 후두 마스크 부분을 열가소성 탄성체 젤

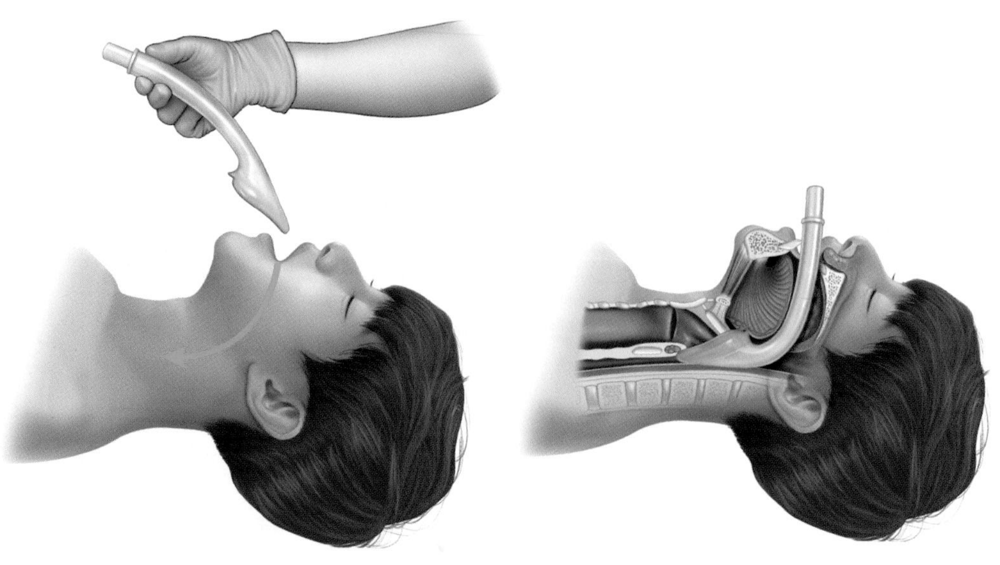

그림 11-6. i-gel 삽관과 삽관 후 해부도

(thermoplastic elastomer gel)로 채운 형태의 후두 마스크 기도기이다(그림 11-6). 젤로 채운 후두 커프 부분은 후두의 해부학적 구조를 고려하여 제작되어 있어서 삽입한 후 후두에 잘 밀착된다. i-gel은 후두 커프를 부풀릴 필요가 없고 삽관이 쉬워서 기관내삽관 경험이 적은 의료종사가 사용할 수 있다. i-gel은 후두 밀착력이 우수하여 기관내삽관의 대체 방법으로 병원내에서도 사용이 증가하고 있다. 다만, i-gel을 삽관한 후 단단히 고정하지 않으면 후두로부터 구강 쪽으로 밀려 나오는 경우가 있어서 상당한 주의가 필요하다.

### 5) 식도-기관 콤비 기도기

식도-기관 콤비 기도기(esophageal-tracheal tube, Combi tube)는 하나의 튜브 내에 두 개의 관이 있으며, 튜브의 끝과 중간에는 풍선 커프가 있고, 풍선 커프와 풍선 커프 사이에는

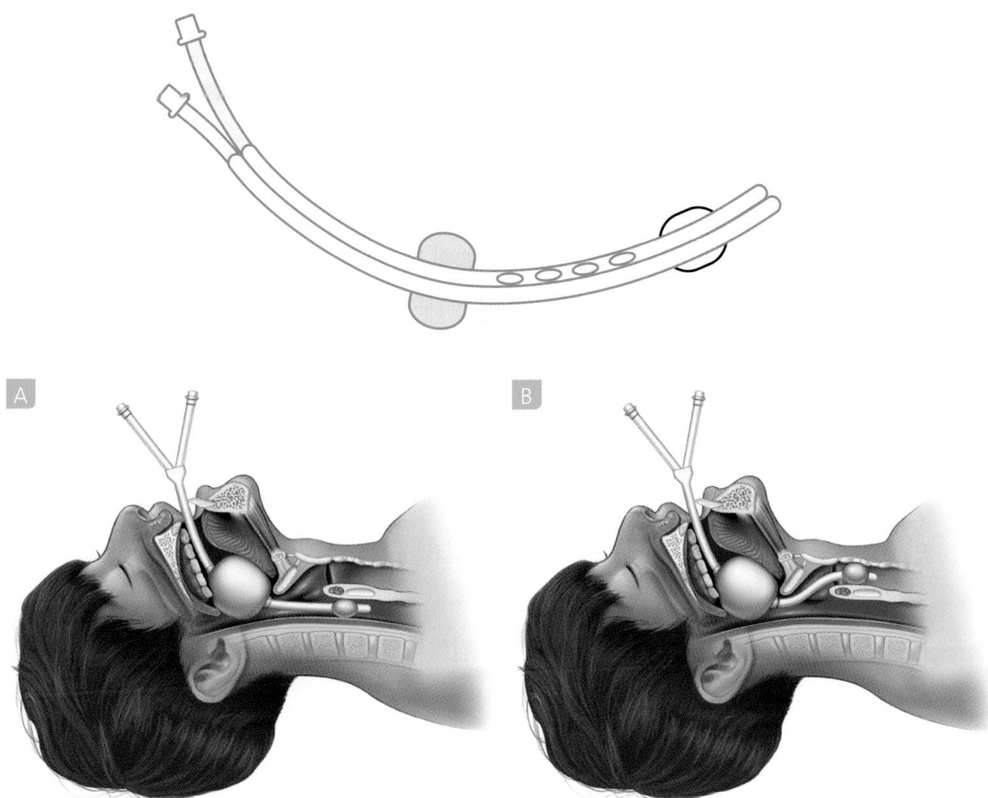


그림 11-7. 식도-기관 콤비 기도기의 원리
**A.** 기도기가 식도로 들어간 예: 기도기의 중간에 열려있는 구멍을 통하여 폐 환기를 시도
**B.** 기도기가 기관으로 들어간 예: 기도기의 끝에 열려있는 구멍을 통하여 폐 환기를 시도

여러 개의 구멍이 뚫려 있다. 식도-기관 콤비 기도기는 삽입이 쉽고, 안면마스크에 비하여 우수한 폐 환기를 유지할 수 있다.

식도-기관 콤비 기도기를 삽입할 때에는 후두경을 사용하지 않고 튜브를 밀어 넣은 후 두 개의 풍선 커프를 모두 부풀린다. 각각의 튜브를 통하여 공기를 불어 넣어본 후 폐 환기가 이루어지는 관을 통하여 인공호흡을 한다. 즉 튜브의 끝이 기관으로 들어가 있으면 끝부분으로 열려있는 관을 통하여 인공호흡 할 때 호흡음이 청진 되며, 튜브의 끝이 식도로 들어가 있으면 풍선 커프 사이로 열리는 관을 통하여 인공호흡을 해야 호흡음이 청진 된다(그림 11-7).

식도-기관 콤비 기도기는 후두경을 사용하지 않고 삽입하므로, 기관내삽관 이외의 다른 기도유지방법과 유사한 합병증을 유발할 수 있다. 식도-기관 콤비 기도기의 가장 중요한 합병증은 식도-기관 콤비 기도기가 삽입된 원위부를 잘못 인식하여 식도로 열려있는 튜브로 인공호흡을 하는 경우이다. 최근에는 식도-기관 콤비 기도기를 삽입한 후 호기말 이산화탄소 분압을 측정하여 기관내삽관을 확인함으로써 치명적인 사용 오류를 막을 수 있다고 보고되었다. 식도-기관 콤비 기도기는 삽입과정에서 식도 손상을 유발할 수 있다.

### 6) 후두 튜브

후두 튜브(laryngeal tube 또는 King laryngeal tube)는 식도로 삽관되는 튜브와 근위부 및 원위부의 풍선 커프로 구성되어 있으며, 근위부와 원위부 풍선 커프의 사이에 인공호흡을 위한 구멍이 뚫려 있다(그림 11-8). 후두 튜브의 원리는 식도-기관 콤비 기도기와 같다. 식도-기관 콤비 기도기는 두 개의 튜브로 구성되어 있지만, 후두 튜브는 한 개의 튜브로 이루어져 있다. 후두 튜브는 식도로 삽입한 후 튜브에 달린 풍선 커프를 부풀리면 근위부와 원위부의 풍선 커프가 동시에 부풀어 올라 식도와 후두를 폐쇄한다. 후두 튜브를 통하여 인공호흡을 하면 근위부와 원위부 사이의 구멍을 통하여 공기가 기도로 들어가도록 고안되어 있다.

후두 튜브는 삽관이 매우 쉽고 근위부와 원위부의 풍선 커프를 동시에 부풀릴 수 있으므로 삽관에 걸리는 시간이 짧다. 삽관 후에는 인공호흡을 하면서 호기말 이산화탄소압 측정기로 튜브가 제대로 삽관되었는지를 한다.

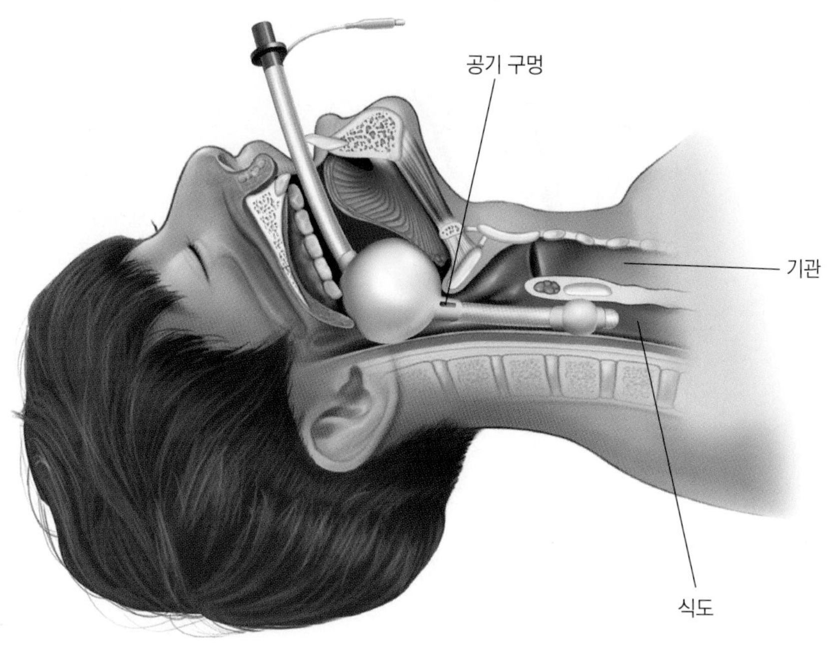


그림 11-8. 후두 튜브. 식도로 삽관되는 튜브와 근위부 및 원위부의 커프로 구성되어 있으며, 근위부와 원위부 커프의 사이에 인공호흡을 위한 구멍이 있다.

### 7) 인두-기관 기도기

인두-기관 기도기(pharyngotracheal lumen airway: PTL)은 짧고 굵은 튜브 속에 길고 가느다란 튜브가 들어있는 이중 구조로 되어 있다(그림 11-9). 짧고 굵은 튜브의 풍선 커프를 부풀리면 인두부에서 부풀어 올라 인두를 완전히 폐쇄할 수 있다. 이어서 긴 튜브를 삽입하여 긴 튜브의 풍선 커프를 부풀린 후, 짧은 튜브로 인공호흡을 시행하면 긴 튜브가 식도로 삽입되었는지 또는 기관내로 삽입되었는지를 확인할 수 있다. 즉 짧은 튜브에 의하여 폐가 환기되면 긴 튜브는 식도 내로 삽입되었음을 알 수 있으며, 짧은 튜브로 인공호흡 할 때 위로 공기가 들어가면 긴 튜브가 기관으로 삽입되었음을 알 수 있다.

인두-기관 기도기는 환자의 구강을 통하여 삽입하여 튜브가 환자의 식도로 삽입되든지 또는 기관으로 삽입되든지에 상관없이 폐 환기를 유지할 수 있도록 고안되어 있다. 또한, 인두-기관 기도기는 후두경을 사용하지 않고도 쉽게 삽입할 수 있으며, 안면마스크를 사용하지 않으므로 편리하다. 인두-기관 기도기는 튜브가 삽관되는 위치와 관계없이 인공호흡을 할 수 있다는 점에서 식도폐쇄 기도기보다 유리하다.

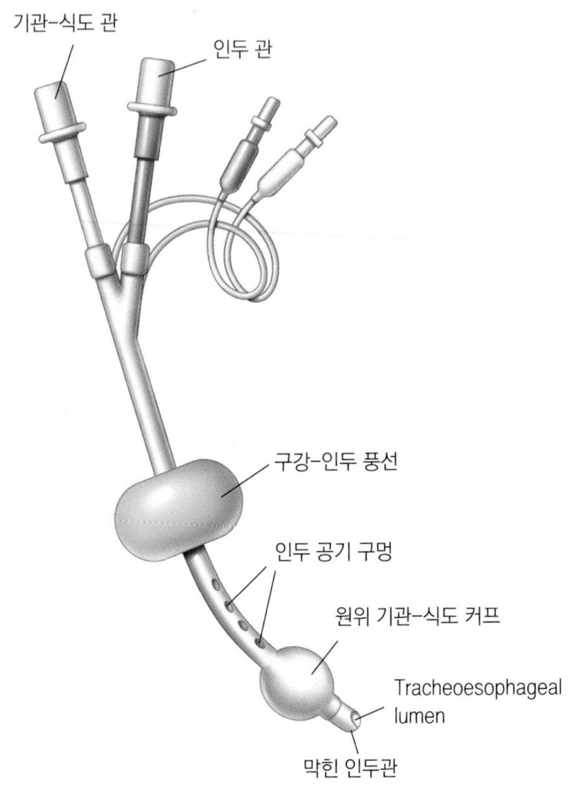


그림 11-9. 인두-기관 기도기

인두-기관 기도기를 삽관하는 방법은 다음과 같다. 인두-기관 기도기에 있는 두 개의 풍선 커프가 정상적으로 작동하는지를 확인하고, 튜브에 수용성 윤활 젤리를 바른다. 환자가 경추손상이 없으면 환자의 머리를 약간 신전시키는 것이 삽입에 유리하다. 식도폐쇄 기도기를 삽입할 때와 같이 왼손으로 환자의 입을 열고 엄지로 혀를 누르면서 턱을 당기면서 오른손으로 환자의 입을 통하여 인두기관기도기 튜브를 삽입한다. 인두-기관 기도기 튜브에 붙어 있는 치아 고정대(teeth strap)가 치아에 닿을 때까지 튜브를 삽입한 후 경부고정대로 튜브를 고정한다. 튜브를 고정한 후 풍선 커프 연결 부분을 불어서 양쪽 튜브의 풍선 커프가 동시에 팽창되도록 한다. 튜브삽입이 완료되면 짧고 굵은 튜브로 공기를 불어 넣어 긴 튜브의 위치를 확인한다.

짧은 튜브로 공기를 불어 넣을 때 흉곽이 팽창하면 긴 튜브는 식도로 삽입된 것이며, 위장이 팽창하면 긴 튜브는 기관내로 삽관된 것이다. 따라서 긴 튜브가 기관내로 삽관되어 있으면 긴 튜브로 인공호흡을 시행하고, 긴 튜브가 식도로 삽관되어 있으면 짧은 튜브로 인공호흡을 시행한다.

### 8) 주사침 윤상갑상막 절개술

윤상갑상막 절개술(cricothyrotomy)은 상기도가 폐쇄된 환자에서 다른 방법으로 기도를 유지할 수 없을 때 시행되는 기도유지방법이다. 주사침 윤상갑상막 절개술(needle cricothyrotomy)은 주사침으로 윤상갑상막을 천자 하는 방법이므로, 신속히 기도를 확보할 수 있다. 이 방법은 응급상황에서 일시적으로 기도를 유지하는 방법이므로, 주사침 윤상갑상막 절개술이 시행된 후에는 가능한 한 빨리 다른 기도유지방법으로 전환한다.

주사침 윤상갑상막 절개술을 할 때는 over-the-needle cannular를 사용한다. 성인에서는 12-14 게이지(gauge) 주사침을 사용하며, 소아에서는 18-20 게이지 주사침을 사용한다. 환기량을 증가시킬 필요가 있는 경우에는 두 개의 주사침으로 윤상갑상막 절개술을 할 수도 있다. 윤상갑상막 부위를 천자 할 때는 목동맥 등 주변 구조물을 천자 할 수 있으므로 주의한다. 주사침 윤상갑상막 절개술이 완료되면 3.0 mm 소아용 기관내삽관 튜브의 연결부를 카테터에 연결하여 인공호흡을 할 수 있다.

**〈주사침 윤상갑상막 절개술 순서〉**

① 주사침 윤상갑상막 절개술을 하려면 환자의 목을 약간 신전시킨다.

② 윤상갑상막은 목의 가운데 있는 갑상연골과 윤상연골의 사이에 있으므로 손가락으로 쉽게 만져진다.

③ 후두가 움직이지 않도록 엄지와 중지로 후두를 잡고, 검지로 윤상갑상막을 확인한다(그림 11-10A).

④ 천자 할 부위의 피부를 소독한다.

⑤ 주사침에 주사기를 연결한 후 주사침을 기관 쪽으로 45o 정도 향하도록 기울여 윤상갑상막을 천자 한다(그림 11-10B). 천자 중에는 주사기의 피스톤을 잡아당겨 공기가 유입되는지를 확인한다.

⑥ 주사침이 기관 안으로 들어가면 주사기로 공기가 유입된다.

⑦ 주사침이 기관 내에 있는 상태에서 주사침을 싸고 있는 카테터를 밀어 넣고 주사침을 제거한다.

### 9) 수술 윤상갑상막 절개술

수술 윤상갑상막 절개술(surgical cricothyrotomy)은 상기도가 폐쇄된 환자에서 다른 방법으로 기도를 유지할 수 없을 때 일시적으로 기도를 유지하는 방법이다. 과거에는 윤상-

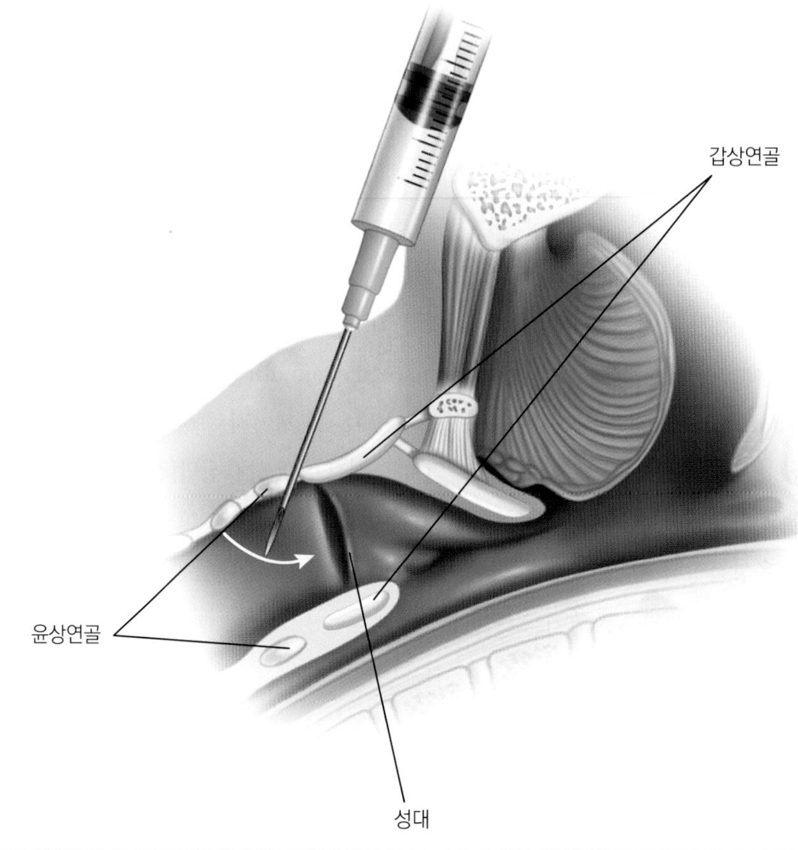


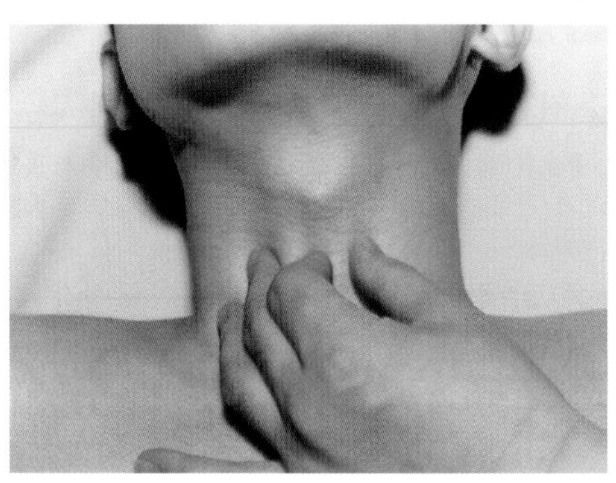

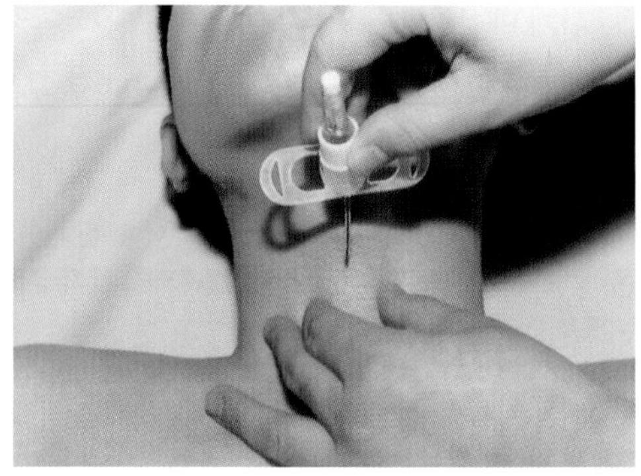

그림 11-10. 주사침 윤상갑상막 절개술. 갑상연골과 윤상연골 사이의 윤상갑상막을 천자한다.
**A.** 엄지와 중지로 후두를 잡고, 검지로 윤상갑상막을 확인한다.
**B.** 주사침을 기관 쪽으로 45° 정도 향하도록 기울여 윤상갑상막을 천자 한다

갑상연골막 부위를 수평으로 절개한 후 튜브를 삽입하는 수술 방법이 사용되었으나, 최근에는 윤상-갑상막을 쉽게 천자 할 수 있도록 고안된 제품이 상품화되어 있으므로, 환자 발생현장이나 후송 중에도 쉽게 윤상갑상막 절개술이 가능하다(그림 11-11).

윤상갑상막 절개술 중에는 식도의 천공, 피하기종, 동맥 또는 정맥 손상에 의한 출혈 등

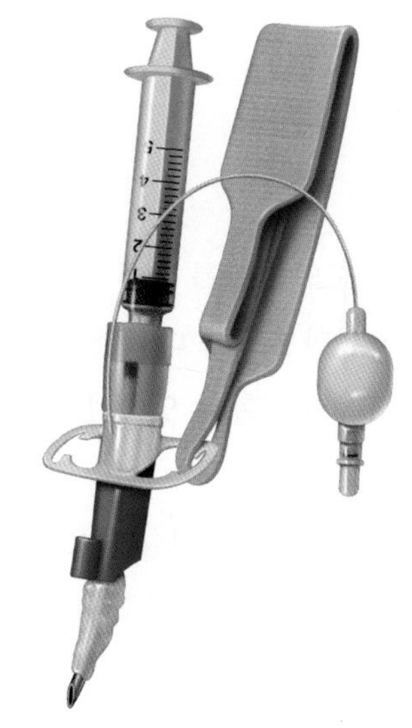

그림 11-11. 윤상갑상막 절개술을 위한 기구

의 합병증이 생길 수 있다.

### 10) 기관절개술

기관절개술(tracheostomy)은 상기도가 폐쇄된 환자에서 기도를 확보하는 유용한 방법이나 시술자가 기관절개술에 관한 경험을 충분히 갖춘 후 시도해야 한다. 기관절개술을 하려면 가슴압박 중단이 발생하고 시술에 시간이 소요되므로, 기관절개술은 심장정지 중 전문기도술 방법으로 적합하지 않다. 따라서 기관내삽관에 실패하였더라도 관례로 기관내삽관을 하는 것은 권장되지 않는다. 다만, 순환 회복된 후 의식이 없는 상태로 기계 호흡이 필요한 환자에서 기관내삽관이 되지 않으면, 응급 기관절개술로 기도를 확보한다. 급성 상기도 폐쇄 환자에서는 우선 주사침을 사용하거나 수술로 윤상갑상막 절개술을 한 후, 지속적인 기도 유지가 필요하면 기관절개술을 시행한다.

## 2. 산소투여 장치

대부분 응급환자는 저산소증에 빠져 있거나, 저산소증이 발생할 가능성이 크다. 따라서 특별한 금기증이 없으면 모든 응급환자에게 산소를 투여한다. 공기 중에 포함된 농도보다 높은 농도의 산소를 투여하려면 여러 가지 산소투여장치를 사용한다.

### 1) 비관

비관(nasal cannula)으로 산소를 공급할 때는 흡입산소의 농도를 최고 35~44%까지 높일 수 있다. 흡입산소의 농도는 비관을 통한 분당 산소량에 따라 변한다. 즉 분당 산소량을 1L 증가시킬 때마다 흡입산소의 농도는 4%씩 증가한다.

비관은 콧구멍으로 건조기체를 바로 공급하므로 장기간의 산소 공급을 해야 할 때는 공기 증발형 가습기를 유량계에 부착시켜야 한다. 비관에 의한 산소 공급은 호흡 장애가 없는 환자에게 사용할 수 있다.

### 2) 안면 산소마스크

안면 산소마스크(face oxygen mask)는 비교적 높은 농도의 산소를 투여할 필요가 있을 때 사용된다. 마스크로 산소를 투여할 때에는 환자가 자신의 호기를 다시 호흡할 수 있으므로, 분당 5 L 이상의 산소를 공급하여야 호기의 재호흡을 방지할 수 있다. 분당 6-10 L의 산소 유량으로 흡입 산소농도를 40-60%까지 높일 수 있다.

안면 마스크에 백(bag)을 부착하면 60% 이상의 고농도 산소를 투여할 수 있다. 이 장치는 산소가 마스크에 부착된 백으로 들어간 후 백에 들어있는 고농도의 산소를 환자가 호흡하도록 고안되어 있다. 6 L의 산소 유량으로 60%의 산소농도를 유지할 수 있으며, 1 L씩 올릴 때마다 10%씩 산소농도가 증가한다. 이 장치는 호흡이 있는 환자에서 고농도의 산소를 투여할 때 이상적인 장치이다.

### 3) 벤투리 마스크

벤투리 마스크(Venturi mask)는 표준 안면 마스크에 연결된 공급 배관을 통하여 일정한 농도의 산소를 공급하는 장치이다(그림 11-12). 이 장치는 고압의 산소가 좁은 관을 통과할 때 공기가 빨려 들어오도록 고안되어 산소농도를 조절하게 되어있다. 이 장치는 만성 폐색성 폐질환 등 일정한 농도의 산소를 투여하여야 하는 환자에서 사용된다.

벤투리 마스크로 조절할 수 있는 흡입 산소농도는 24%, 28%, 35%, 40%, 53%이다. 표시된 농도가 전적으로 정확하게 지켜지지는 않으므로 약간씩 변화가 있을 수 있다.

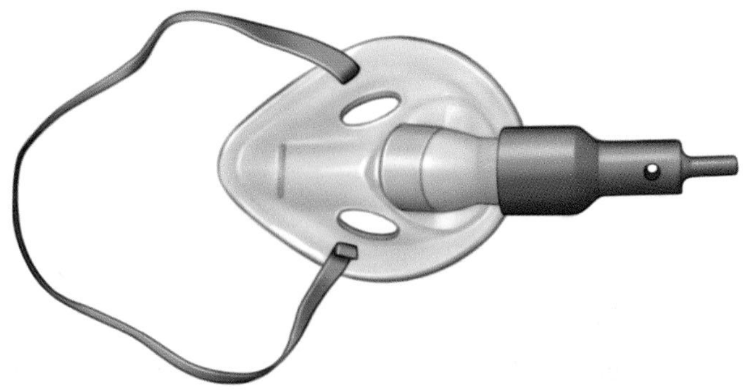

그림 11-12. 벤투리 마스크. 벤투리 마스크는 표준 안면 마스크에 연결된 공급 배관을 통하여 일정한 농도의 산소를 공급하는 장치이다

## 3. 인공호흡 장비

호흡이 없는 환자에서 인공호흡을 위하여 사용되는 장비에는 포켓 마스크(pocket mask), 백-밸브장치(bag-valve device), 고압산소를 이용한 호흡 보조기구, 후송용 인공호흡기, 경기관 카테터 호흡기(transtracheal catheter ventilation)등이 있다.

### 1) 포켓 마스크를 사용한 인공호흡

포켓 마스크를 사용하면 구조자와 환자 사이의 직접 접촉 없이도 인공호흡이 가능하며, 입-입 인공호흡법보다 효과적인 폐 환기를 유지할 수 있다.

포켓 마스크를 사용할 때 가장 중요한 것은 환자의 얼굴에 마스크를 밀착시켜 공기가 새지 않도록 하는 것이다. 기도를 유지하면서 포켓 마스크를 얼굴에 밀착시키려면, 구조자가 환자의 머리 쪽에서 양손을 이용하여 엄지로 마스크를 누르고 나머지 손가락으로는 환자의 턱을 감싸 쥐면서 들어주어야 한다(그림 11-13). 포켓 마스크를 사용하면 구조자의 호기로 인공호흡을 할 수도 있고, 인공호흡용 백을 사용할 수도 있다. 인공호흡용 백을 사용할 때에는 왼손으로 환자의 기도를 유지하면서 마스크를 얼굴에 밀착시킨 후 오른손으로 백을 눌러 인공 호흡한다.

그림 11-13. 포켓 마스크를 사용한 인공호흡. 포켓 마스크를 사용하면 구조자와 환자 사이의 직접 접촉 없이도 인공호흡이 가능하다.

포켓 마스크로 인공호흡 할 때 분당 약 10 L의 산소를 마스크로 유입시키면 60% 정도의 산소를 투여할 수 있다.

밸브가 달린 포켓 마스크는 환자의 호기를 구조자가 다시 호흡하는 것을 방지해준다.

## 2) 백-밸브장치

백-밸브장치(bag-valve device)는 백(self-inflating bag)과 환자의 호기가 외부로 빠져나가도록 하는 밸브(non-rebreathing valve)로 구성되어 있다(그림 11-14).

백-밸브장치는 안면 마스크와 함께 사용할 수도 있고, 기관 내 튜브에 연결하여 인공호흡을 할 수도 있다. 기관 내 튜브에 연결하여 사용할 때에는 한 명의 구조자가 백을 직접 튜브에 연결하여 인공호흡 한다. 백-밸브장치를 마스크와 연결하여 사용할 때는 환자의 얼굴에 마스크를 고정한 상태에서 백을 압박하여 인공호흡을 하여야 하므로, 한 명의 구조자가 시행하기는 어렵기 때문에 두 명의 구조자가 함께 사용한다. 백-마스크 인공호흡법을 할 때는 한 명의 구조자는 환자의 머리 쪽에서 두 손을 사용하여 환자의 얼굴에 마스크를 밀착시키고, 다른 한 명의 구조자는 백을 두 손으로 눌러주어 인공호흡을 한다. 한 명의 구조자가 안면-마스크에 백-밸브장치를 연결하여 사용할 때는 왼손의 엄지로 안면마스크를 잡고 나머지 손가락으로 턱을 잡아 마스크를 고정하면서 턱을 들어주고 오른손으로는 백

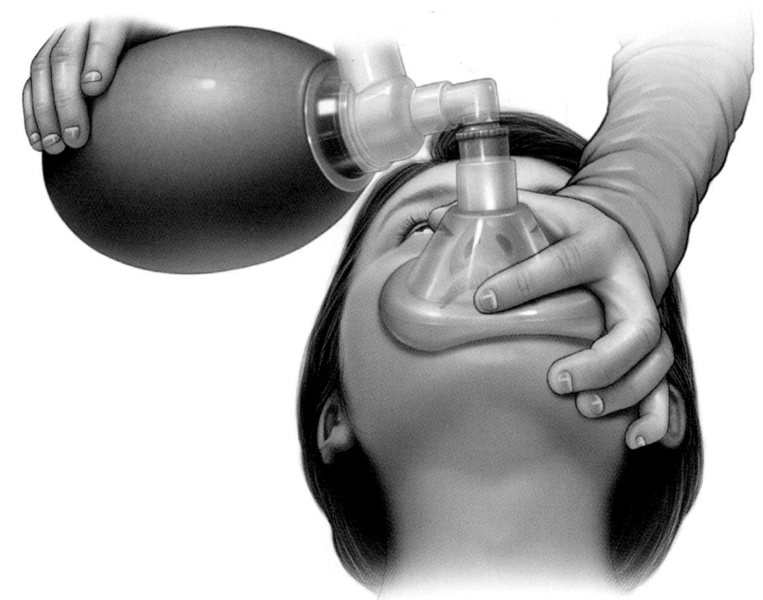

그림 11-14. 백-밸브장치. 백-밸브장치(bag-valve device)는 백(self-inflating bag)과 환자의 호기가 외부로 빠져나가도록 하는 밸브(non-rebreathing valve)로 구성되어 있다.

을 사용한다.

백-밸브장치를 사용하여 인공호흡을 할 때는 최소한 분당 10-12 L의 산소를 투여하여, 가능한 100%의 산소가 환자에게 공급되도록 한다. 인공호흡을 할 때도 1회 호흡량은 6-7 mL/kg(성인에서는 500-600 mL)를 유지하며, 1초에 걸쳐 인공호흡을 한다. 1 L 백을 사용할 때는 백의 1/2-2/3 정도를 압박하며, 2L 백을 사용할 때는 백의 1/3 정도를 압박하여 인공호흡을 한다.

### 3) 지속 기도 양압 호흡기

지속 기도 양압(continuous positive airway pressure: CPAP) 호흡기는 기도에 지속적인 양압을 유지해 줌으로써, 기도의 폐쇄를 막고 환기를 원활히 유지해 주는 장치이다. 이 장치는 수면무호흡 환자의 치료를 위하여 사용되고 있으나, 최근 응급환자의 치료에도 많이 사용되고 있다.

기도에 양압을 유지하는 방법에 따라, 일정한 단일 양압만을 유지해 주는 고정압력(fixed pressure) 지속 기도 양압과 환자의 호흡량에 따라 자동으로 기도 양압을 조절하는 자

그림 11-15. 지속 양압기도 호흡기.

동(automatic) 지속 기도 양압, 흡기와 호기의 양압을 각각 조절하는 bi-level 지속 기도 양압으로 구분한다. 지속 기도 양압 호흡기는 보통 혈류생성장치(flow generator)와 연결 호스, 안면 마스크로 구성되어 있다(그림 11-15). 지속 기도 양압 호흡기를 사용할 때에는 산소농도와 분당 산소량을 조절할 수 있으므로, 의식이 있는 환자에서 저산소증이 발생하거나 호흡부전이 발생했을 때 사용할 수 있다.

### 4) 고압산소로 작동되는 수동식 호흡기

고압산소를 이용한 호흡 기구에는 여러 가지가 있지만, 가장 대표적인 것이 수동으로 산소의 흐름을 열거나 차단하는 밸브를 작동함으로써 인공호흡이 되도록 고안된 수동식 호흡기(oxygen-powered manually triggered device)이다. 이 장비는 수요 밸브(demand valve)에 의하여 작동되므로 수요 밸브 소생기라고도 한다.

이 장비는 안면-마스크나 기관 튜브에 연결하는 15 mm 또는 22 mm의 연결 부분, 산소의 유입을 조절하는 수요 밸브, 산소통과 수요 밸브를 연결하는 튜브로 구성되어 있다(그림 11-16).

외국에서는 고압산소를 사용하는 호흡 보조기구가 20년 전부터 사용됐으나, 산소의 유입량과 압력을 조절할 수 없는 장비가 많아 사용에 제한이 있었다. 즉 환자에게 고압의 산소가 흡입되므로 고압에 의한 폐 손상과 환기/관류장애가 유발될 수 있고, 마스크에 연결

그림 11-16. 고압산소로 작동되는 수동식 호흡기

되어 사용될 때는 위로 산소가 들어가 위가 팽만 될 수 있다. 이러한 단점을 해결하기 위하여 최근에는 분당 40L 이하의 호흡량과 60 cm $H_2O$ 이하의 기도 내 압력으로 호흡시킬 수 있는 장비가 개발되었다. 그러나 현재 사용되는 장비도 환자에게 유입되는 산소의 압력을 측정하는 것이 아니라, 환자의 기도로부터 되돌아오는 압력을 측정하여 압력이 조절되므로 고압에 의한 폐 손상을 완전히 방지할 수는 없다.

기관내삽관 되지 않은 환자에서 이 장비를 사용할 때는 위로 공기가 유입되어 위 팽만이 발생한다. 고압에 의하여 폐 손상 및 기흉, 피하기종 등이 발생할 수도 있다. 따라서 이 장비는 훈련된 의료인만이 사용하여야 하며 16세 이하의 소아에서는 절대로 사용하지 않아야 한다. 이 장비는 음압에 의하여 조절 밸브가 열리므로 호흡이 있는 환자에게 연결하면, 환자의 흡기로 밸브가 열려 산소가 투여될 수 있다.

**〈수동식 호흡기 사용법〉**

① 장비의 연결 부위가 마스크 또는 기관 내 튜브와 잘 연결되어 있는지를 확인한다.

② 수요 밸브를 눌러 산소가 환자에게 투여되도록 한다.

③ 환자의 흉곽이 부풀어 오르는지를 확인한다.

④ 기도 내압이 충분히 상승하면 산소 공급이 자동으로 차단되면서 호기 되는 과정을 확인한다.

## 4) 이송용 자동인공호흡기

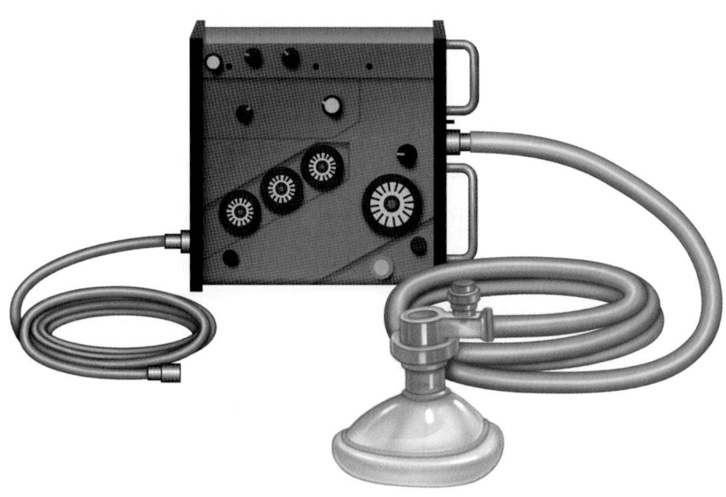

그림 11-17. 이송용 자동인공호흡기. 1회 호흡량과 호흡수를 조절할 수 있는 조절장치, 산소통과의 연결 튜브, 안면-마스크 또는 기관내삽관 튜브와의 연결 부위로 구성되어 있다.

이송용 자동인공호흡기(automatic transport ventilators: ATV)는 1회 호흡량과 호흡수를 조절할 수 있는 조절장치, 산소통과의 연결 튜브, 안면-마스크 또는 기관내삽관 튜브와의 연결 부위로 구성되어 있다(그림 11-17).

이송용 자동인공호흡기는 무게가 가볍고, 호흡량 및 호흡 주기, 흡기 내 산소농도의 조절이 쉽다. 이송용 자동인공호흡기에는 압력조절 밸브가 장치되어 있어서 기도 내 압력이 60 cm $H_2O$ 이상을 넘지 않도록 고안되어 있다.

이송용 자동인공호흡기는 기관내삽관 된 환자에서 주로 사용되지만, 안면-마스크와 연결해서도 사용할 수 있다. 이송용 자동인공호흡기를 사용하면 이송 중에도 호흡량, 호흡수, 흡기압력 등을 조절할 수 있다. 기관내삽관 되어있는 환자에서 이송용 자동인공호흡기를 사용하면, 구조자가 인공호흡을 할 필요가 없으므로 환자에게 필요한 다른 응급처치를 할 수가 있다. 이송용 자동인공호흡기는 다른 호흡 기구보다 낮은 압력으로 인공호흡 시킬 수 있으며, 흡기시간을 조절할 수 있다는 점에서 다른 호흡 보조방법보다 우수하다.

자동인공호흡기는 5세 이하의 소아에서는 사용하지 않는다. 이송용 자동인공호흡기는 고압산소 또는 전기로 작동되므로, 고압산소나 전원이 있어야 한다.

**〈이송용 자동인공호흡기 작동방법〉**

① 이송용 자동인공호흡기를 산소통과 연결한다.
② 1회 호흡량과 호흡수를 조절한다.
③ 안면 마스크 또는 기관 내 튜브와 호흡기를 연결한다.
④ 호흡기를 켜고 환자의 환기 상태를 점검한다.

### 5) 경기관 카테터 인공호흡

경기관 카테터 인공호흡(transtracheal catheter ventilation)은 모든 방법의 인공호흡이 불가능할 때에만 사용되는 최후수단이다. 이 방법은 특히 안면 또는 구강 내 손상으로 상기도가 폐쇄된 환자에서 다른 방법으로 기도 유지가 불가능할 때 일시적으로 사용할 수 있다. 이 방법은 심폐소생술 중에도 가슴압박을 방해하지 않고 30초 이내에 시작할 수 있다.

이 방법은 윤상갑상막 천자와 같은 방법으로 경기관 카테터를 삽입한 후 카테터를 통하여 50psi 이상의 고압으로 작동되는 호흡기(jet ventilator)를 사용한다(그림 11-18). 경기관 카테터로 인공호흡 할 때는 최소한 분당 20회 이상의 회수로 호흡시켜 주어야 하며, 흡기와 호기의 비율은 1:2 정도로 유지한다. 흡기량이 호기량보다 많아 폐가 점차 팽창되면 경기관 카테터를 한 개 더 삽입하여 호기 되도록 할 수도 있다.

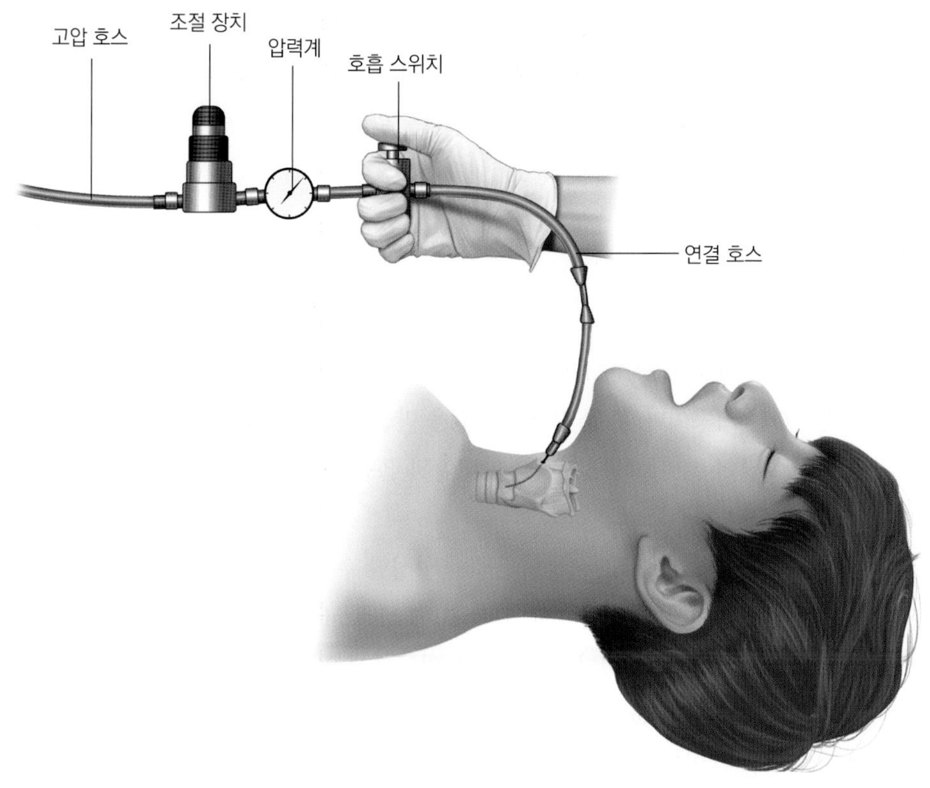


그림 11-18. 경기관 카테터 인공호흡. 경기관 카테터를 삽입한 후 카테터를 통하여 고압산소로 작동하는 호흡기를 사용한다.

경기관 카테터는 지름이 14 게이지(gauge) 정도의 작은 카테터가 사용된다. 따라서 이 방법으로는 환자에게 충분한 폐 환기를 유지할 수 없으므로 장시간 인공호흡을 하는 데에는 부적절하다. 카테터의 삽입과정에서 기흉이 발생하거나, 갑상선, 식도를 천공하여 출혈이나 피하기종이 발생할 수 있다.

**〈경기관 카테터를 통한 인공호흡〉**

① 갑상연골을 만져서 확인한 후 갑상연골 하부에 있는 윤상갑상막을 확인한다.

② 윤상갑상막의 중앙선을 경기관 카테터로 천자 한다. 천자 할 때는 기관 쪽으로 45도 정도 기울인 상태로 천자 한다. 카테터에 연결된 주사기에 음압을 형성하면서 천자 하여 기관 내로 카테터가 삽입되면 공기가 주사기로 들어오는 것을 알 수 있도록 한다.

③ 주사기로 공기가 유입되면 카테터가 기관 내로 삽입된 것이므로 카테터 내의 주사침은 더 밀어 넣지 않으면서 카테터를 밀어 넣는다.

④ 카테터가 기관으로 완전히 삽입되면 카테터 내의 주사침을 제거하고 산소통과 연결된

연결 튜브를 카테터와 연결한다.

⑤ 카테터를 고정한 후 수동압력조절기를 열어주면 산소가 기관으로 유입된다.

⑥ 폐가 팽창되는 것이 확인되면 수동압력조절기를 닫고 호기가 이루어지도록 한다.

## 4. 흡인 기구

흡인 기구(suction devices)는 음압을 이용하여 구강, 인후 및 기관내의 분비물, 혈액, 이물 등을 제거하는 기구이다. 흡인 기구는 음압을 만들어내는 흡인기(vacuum unit)와 인두부나 기관 내로 넣어 분비물을 흡인하도록 고안된 흡인 카테터(suction catheter)로 구성되어 있다.

흡인기는 최소 –300 mm Hg 이상의 음압을 형성할 수 있어야 하며, 분당 30L의 액체를 흡입할 수 있어야 한다. 실제 흡인할 때에는 –80--120 mmHg 정도의 압력을 사용한다.

흡인 카테터는 두 종류가 있다(그림 11-19). 인두부에 있는 물질을 흡인하는 데에는 비교적 빳빳한 흡인 카테터(Yankauer catheter)를 사용하며 최소한 –120 mmHg 정도의 음압을 생성할 수 있는 흡인기를 사용한다. 기관 내 분비물을 제거할 때 사용하는 흡인 카테터("Whistle tip" suction catheter)는 길이가 적당히 길고, 기도에 손상을 주지 않는 유연한 재질의 카테터다. 기관 내 흡인에 사용되는 카테터는 무균 상태를 유지한다.

흡인하는 동안에는 인공호흡을 할 수 없으며 흡인으로 폐 환기량이 감소하므로 환자는 급격히 저산소증에 빠지게 된다. 또한, 흡인 중에는 고혈압, 빈맥이 발생할 수 있으며, 심장

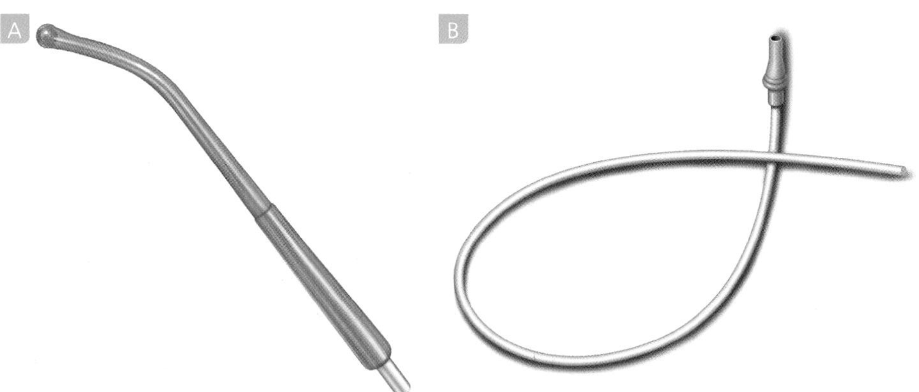


그림 11-19. 흡입 카테터의 종류. **A.** 인두부의 흡입에 사용되는 흡입 카테터(Yankauer catheter), **B.** 기관 내 분비물을 제거할 때 사용되는 흡입 카테터("Whistle tip" suction catheter)

부정맥이 발생하는 경우가 있다. 기관을 자극하여 기침이 유발되면 뇌압을 상승시킬 수 있다. 흡인 시에 무균조작을 하지 않으면 기도 또는 폐의 감염을 초래할 수도 있다. 흡인 카테터가 내장되어 있는 흡인 기구(a closed-circuit catheter system)를 사용하면 기계환기 중에도 흡인할 수 있으며 감염의 가능성을 줄일 수 있다.

**〈기관 내 흡인방법〉**

① 흡인하기 전에는 약 30초 동안 100%의 산소로 환자를 호흡시킨다.

② 흡인기의 압력표시 눈금이 –80 mmHg와 -120 mmHg 사이에 있는지 확인한다.

③ 카테터를 삽입할 때에는 카테터와 연결된 부위에 뚫려 있는 구멍을 막지 않은 상태로 넣은 후, 카테터가 충분히 삽입되면 구멍을 막아 기도 내의 물질이 흡인되도록 한다. 카테터는 기관 분기즐의 위치까지 삽입한다.

④ 흡인 중에는 심전도를 계속 관찰하여 부정맥이 발생하는지를 확인한다.

⑤ 1회의 흡인 시 15초 이상의 시간을 소요하지 않는다.

⑥ 흡인 시 서맥이 발생하면 즉시 흡인을 중단하고 호흡을 보조한다.

⑦ 흡인을 반복할 때는 흡인 전에 다시 100%의 산소로 30초 이상 호흡시킨 후 흡인한다.

# 제 12 장

# 제세동과 전기 심장율동전환

## 1. 조기 제세동의 중요성

### 1) 심장정지의 생존율과 심실세동

심실세동은 심장정지가 발생하는 과정에서 관찰되는 가장 중요한 부정맥이다. 심실세동 환자의 생존은 제세동의 성공 여부에 따라 결정된다. 심장정지 후 신경학적 손상 없이 생존한 환자의 90% 이상은 심실빈맥 또는 심실세동에 의한 심장정지이다. 심실세동에 의한 심장정지가 발생한 경우에 목격자가 심폐소생술과 제세동을 하면 생존 가능성은 60-80%에 달한다. 반면 무수축이나 무맥성 전기활동의 심전도가 관찰되는 환자의 생존율은 극히 낮다. 심장정지 환자의 전체 생존율을 증가시키려면, 생존할 가능성이 큰 심실세동의 치료에 관심을 기울여야 한다.

### 2) 심실세동에서 시간 경과와 제세동 성공률

심실세동은 심근세포가 움직이지 않는 상태가 아니라, 심근세포가 각각 탈분극과 재분극을 반복하는 상태이므로, 심실세동 중 심근의 산소 소모는 정상 동성 리듬 상태보다 증가하여 있다. 심실세동이 발생하면 심박출량이 전혀 없는 상태에서 심근의 산소 소모는 계속되므로, 심근의 허혈과 산성화가 급속히 진행된다. 심실세동 발생 후 시간이 지날수록 허혈에 의한 세포 손상과 산성화가 진행되어 제세동 역치가 높아지고 제세동의 성공률이 감소한다.

심실세동의 발생 초기에는 세동파의 진폭이 크지만, 심실세동이 발생한 후 시간이 지날수록 세동파의 크기가 점차 작아져 결국 무수축 상태에 이르게 된다. 세동파의 크기가 작을수록 제세동에 반응하지 않는 것으로 알려져 있다. 즉 심실세동이 발생한 후 조기에 제세동이 시행될수록 제세동 성공률이 높다. 심실세동이 발생한 후부터 1분 경과마다 제세동 성공률은 7-10%씩 감소한다.

### 3) 자동제세동기와 조기 제세동

심실세동을 자동 분석하여 제세동을 시행할 수 있도록 고안된 자동제세동기(automated external defibrillator)를 사용하면 응급의료인뿐 아니라 일반인도 제세동을 할 수 있다. 자동제세동기의 도입은 심장정지를 목격한 일반인에 의한 신속한 제세동을 가능하게 하였다. 자동제세동은 심장정지를 접할 기회가 있는 의사, 간호사, 응급구조사 등 응급의료종사자뿐 아니라 소방대원, 일차반응자에게도 교육되어야 한다. 일반인 제세동 프로그램은 자동제세동기를 공공장소에 비치하여 심실세동에 의한 심장정지 환자에게 목격자가 신속히 제세동을 제공하는 프로그램이다. 이 프로그램을 도입한 지역은 다른 지역에 비하여 심장정지 환자의 생존율이 높다.

### 4) 응급의료체계와 제세동

응급의료체계의 운영방식과는 관계없이 모든 구급차에는 제세동기가 갖춰져 있어야 하며, 모든 응급의료종사자는 제세동할 수 있어야 한다. 심장정지가 의심되는 환자를 치료할 때 응급의료종사자는 반드시 제세동기(자동제세동기 포함)를 사용하여야 하며, 충격필요리듬이 관찰(또는 분석)되었을 때는 즉시 제세동을 해야 한다.

## 2. 제세동의 원리와 제세동기

### 1) 전기 심장율동전환과 제세동의 원리

짧은 시간에 강한 전류(전기 충격)를 심장에 전달하면 심근세포를 탈분극시킬 수 있다. 전기 심장율동전환(electrical cardioversion)은 심장에 전류를 전달하여 빈맥을 중단시키는 치료 방법이다. 전기 충격으로 심방세동 또는 심실세동의 세동파를 제거하는 것을 제세동이라고 한다. 일반적으로 제세동이라는 용어는 주로 전기 충격으로 심실세동을 치료하는 것을 말한다.

외부에서 가해진 강력한 전류에 의하여 대부분 심근이 탈분극/재분극 과정을 겪으면, 심근이 전기적으로 균일한 상태가 되어 더는 회귀(reentry)가 유지되지 않는다. 회귀가 중단되면 심장은 정상 동성 리듬에 의하여 심장 박동이 유지되므로, 부정맥이 치료된다. 대개 심근에 가해진 전류에 의하여 심근의 80% 이상이 탈분극되면 제세동에 성공할 수 있다.

전기 심장율동전환으로 치료될 수 있는 부정맥은 주로 회귀에 의한 부정맥이므로, 회귀 이외의 원인에 의한 부정맥은 전기 심장율동전환으로 치료할 수 없는 경우가 많다(표 12-1).

### 2) 제세동기

제세동기(defibrillator)는 부정맥이 있는 환자에게 적정한 전류를 가할 수 있도록 고안된 장치이다. 제세동 과정에서 환자에게 가해지는 전류는 직류이다. 과거에는 제세동 시에 교류전류가 사용되었던 적도 있으나, 교류는 제세동에 필요한 전류를 인체로 전달하는 데 걸리는 시간이 길어 환자에게 고통이 크며, 제세동 후 다시 심실세동이 발생하는 경우가 많아 더는 사용되지 않는다. 현재의 제세동기는 모두 직류를 사용하는데, 직류는 전류의 전달시간이 매우 짧아(10msec 이내) 교류를 사용한 제세동기에서 발생할 수 있는 합병증이 적다.

#### (1) 제세동기의 구조

제세동기는 교류전원에서 들어온 전기를 직류로 변환하는 교류-직류변환장치와 반복적인 제세동이 가능하도록 전류를 저장하는 충전장치, 환자에게 가할 에너지를 선택하는

표 12-1. 전기 심장율동전환과 빈맥성 부정맥의 치료

| 전기 심장율동전환으로 치료할 수 있는 부정맥 | 전기 심장율동전환으로 치료할 수 없는 부정맥 |
|---|---|
| 심실세동 | 부수축(parasystole) |
| 심실빈맥 | 비발작성 심방빈맥 |
| 발작성 심실상 빈맥 | 비발작성 방실접합 빈맥 |
| 조기흥분증후군과 연관된 빈맥성 부정맥 | 가속 심실 고유리듬 |
| 심방조동 | |
| 심방세동 | |

장치, 선택된 에너지를 충전하는 스위치, 충전장치로부터 전류가 전극으로 방전되도록 조절하는 스위치, 제세동기로부터의 전류를 환자의 몸으로 전달하는 전극으로 구성되어 있다.

### (2) 제세동기의 종류

제세동기는 전류를 인체에 전달하는 방법 및 심전도 자동분석능력에 따라 몇 가지로 분류된다.

#### ① 체표형 제세동기와 체내용 제세동기

전류를 인체에 전달하는 방법에 따라 피부를 통하여 인체의 외부에서 심장으로 전류를 전달하는 체표용 제세동기와 심장에 직접 전류를 전달하는 체내용 제세동기로 분류된다. 체표용 제세동기는 피부와 접속할 수 있는 전극을 사용하여 전류를 전달하는 제세동기로써 통상적으로 사용되는 제세동기의 형태이다. 체내용 제세동기는 심실세동이 반복적으로 발생할 가능성이 큰 환자에게 시술되는 제세동기 형태이다. 체내용 심율동전환기/제세동기(implantable cardioverter/defibrillator)는 인공심장박동조율기를 시술할 때와 같은 방법으로 빗장밑 정맥(subclavian vein)을 통하여 전극을 우심실에 삽입한 후 좌측 또는 우측 흉곽의 피하에 작은 제세동기를 삽입하여 심실세동이 발생하였을 때 자동으로 제세동을 시행하도록 한 장치이다.

#### ② 자동제세동기와 수동 제세동기

부정맥 판독장치가 있는지에 따라 자동제세동기와 수동 제세동기로 구분할 수 있다. 부정맥 판독장치는 부정맥을 분석하여 제세동 시기를 알려주고, 제세동 에너지를 자동으로 충전해 주는 기능을 한다.

수동 제세동기는 제세동을 시행하는 의료인이 심전도 감시 장치상 나타난 부정맥을 판독하여 제세동 필요 여부와 제세동 에너지를 결정하며, 수동식 전극을 사용하여 전류를 전달한다. 수동 제세동기를 사용할 때에도 환자의 피부에 부착시킬 수 있는 제세동 전극 패드를 사용하면, 시술자가 환자와 접촉하지 않고 제세동을 할 수 있다.

자동제세동기는 심전도 자동분석 프로그램이 내장되어 있어 제세동해야 할 시기를 시술자에게 알려주거나 제세동기가 스스로 제세동을 하는 장치이다. 자동제세동기에 장착된 심전도 자동분석 프로그램은 심전도의 주파수, 진폭, 파형의 모양 등을 분석하여 심실세동 및 심실빈맥을 진단할 뿐 아니라, 전극의 부착 여부 및 부착 상태도 판별할 수 있다. 자동제세동기에서는 피부에 부착하는 전극 패드를 사용한다. 최근에는 제세동 직전에 전극을 통하여 미세한 전류를 흐르게 하여 환자의 경흉 저항(transthoracic impedance)을 측정한 후, 경흉 저항에 따라 에너지양을 조절해주는 장치가 내장된 제세동기도 사용되고 있다.

## 3. 제세동과 경흉 저항

제세동기로부터의 전류는 제세동기의 축전장치로부터 나와 제세동 전극, 환자의 피부, 흉곽을 거쳐 심장으로 전달된다. 경흉 저항은 제세동기로부터 나온 전류가 심장으로 전달되는 과정 중에 발생하는 저항이다.

경흉 저항에 영향을 줄 수 있는 요소는 전달되는 에너지의 양, 전극의 크기, 전극과 피부 사이의 접촉면, 호흡의 주기, 전극 간 거리, 전극에 가해지는 압력, 제세동이 반복될 경우 제세동 사이의 시간 간격 등이 있다(표 12-2).

제세동기의 축전장치로부터 전류가 전극까지 나오는 동안 약 10%의 전류손실이 발생하므로 모든 제세동기에 있는 에너지 선택 스위치의 표시는 환자에게 전달되는 에너지의 양(J)으로 표시되어 있다.

전극의 크기가 클수록 경흉 저항이 적어지지만, 전극의 크기가 지나치게 크면 전류의 밀도가 낮아져 효과적으로 제세동할 수 없다. 전극의 크기가 너무 작으면 높은 전류 밀도로 인하여 심근 손상이 발생할 수 있다. 제세동 전극의 크기는 성인에서는 지름이 약 10 cm 내외(8-12 cm)인 것이 권장된다. 소아에서는 소아용 전극을 사용한다. 전극의 크기가 작아질수록 경흉 저항이 증가하므로 환자의 체구가 성인용 전극으로도 제세동할 수 있을 정도로 크면, 소아에서도 성인용 전극을 사용하는 것이 권장된다. 1세부터 8세까지의 소아에게 자동제세동기를 사용하는 경우에는 소아용 충격량 감쇠기를 사용하여 제세동한다.

표 12-2. 경흉 저항에 영향을 주는 요소

| 경흉 저항에 영향을 주는 요소 | 경흉 저항 | |
|---|---|---|
| | 증가하는 경우 | 감소하는 경우 |
| 전극의 크기 | 작은 전극을 사용하는 경우 | 큰 전극을 사용하는 경우 |
| 전극과 피부의 접촉면 | 공기 | 생리식염수, 또는 전도물질 |
| 호흡의 주기 | 흡기 | 호기 |
| 전극 간 거리 | 멀리 위치한 경우 | 가까이 위치한 경우 |
| 전극에 가해지는 압력 | 전극에 압력을 가하지 않은 경우 | 전극에 압력을 가한 경우 |
| 제세동 사이의 시간 간격 | 시간 간격이 긴 경우 | 시간 간격이 짧은 경우 |

전극으로부터 인체로 전류가 전달되는 접촉면은 피부이다. 전극과 피부 접촉면은 제세동할 때 전류가 전달되는 과정 중 저항이 가장 큰 부분이다. 저항을 줄일 수 있도록 전극과 피부의 접촉면에는 반드시 전도물질을 바른 후 제세동한다.

제세동할 때는 전극을 흉곽에 적당히 눌러주어야 경흉 저항을 줄일 수 있다. 흡기 중에는 호기 중보다 경흉 저항이 증가하므로, 가능한 호기 중에 제세동한다.

제세동을 반복적으로 할 때는 경흉 저항이 약 10% 정도 감소한다. 따라서 과거에는 최초의 제세동이 실패하면 연속적으로 제세동하도록 권장하였다. 그러나 최근의 연구에서는 반복 제세동을 하더라도 경흉 저항의 감소가 현저하지 않고, 반복 제세동보다는 제세동 후에는 반드시 심폐소생술을 시행한 후 다시 제세동하도록 권장한다. 병원 내에서 심전도를 감시하고 있는 상태에서 심실세동이 발생한 경우에는 연속 3번의 제세동을 한다.

성인에서의 경흉 저항은 평균 70-80 ohms 정도이지만, 사람에 따라 다르다. 같은 양의 전류로 제세동하더라도 경흉 저항이 낮은 환자에서는 많은 양의 전류가 심장에 전달될 수 있고, 경흉 저항이 높은 환자에서는 너무 적은 전류가 전달될 수 있다. 제세동 직전에 흉곽에 소량의 전류를 통과시켜 경흉 저항을 측정한 후 적절한 에너지를 전달하는 제세동기도 사용되고 있다. 인체의 경흉 저항을 고려할 때, 심실세동에 적절한 에너지는 단상 파형(monophasic damped sine waveform) 제세동기가 사용될 때는 30-40A 정도이다.

## 4. 전극의 위치

전극은 심근에 최대의 전류를 전달할 수 있도록 위치시켜야 한다. 전극을 대는 방법에는 세 가지가 있다(그림 12-1). 전-외위치법(anterolateral placement)은 한 전극을 우측 빗장뼈 직 하부에 대고 다른 전극은 좌측 유두의 왼쪽으로 액와 중선에 대는 방법이며, 임상적으로 가장 많이 사용된다. 전-후위치법(anteoposterior placement)은 한 전극을 흉골의 좌측(심첨부)에 대고 다른 전극은 흉곽의 등 쪽에 위치하는데 통상 좌측 또는 우측 견갑골 안쪽에 대는 방법이다. 액와위치법(biaxillary placement)은 양쪽 겨드랑이 아래에 전극을 부착하는 방법이다. 전극 부착 위치에 따른 제세동 성공률의 차이는 없다. 제세동이 성공적이지 않으면 제세동 전극의 부착 방향을 바꾸는 방법을 사용할 수 있다. 즉, 전-외 위치법으로 제세동을 해도 불응할 때는 전-후 위치법으로 전극 방향을 바꾸면 제세동 가능성이 커진다는 보고가 있다.

소아에서는 전극과 전극 사이의 거리를 최소 1-2인치 이상 떼고 전극을 위치시켜야 한다. 소아의 체구가 아주 작으면 전-후 위치법으로 전극을 위치하는 것이 좋다.

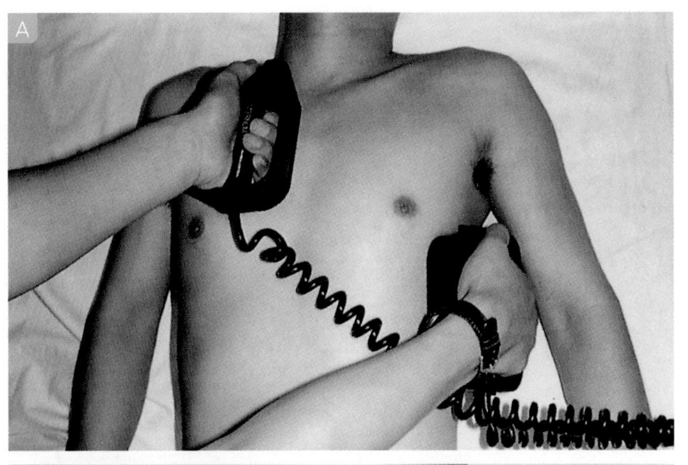

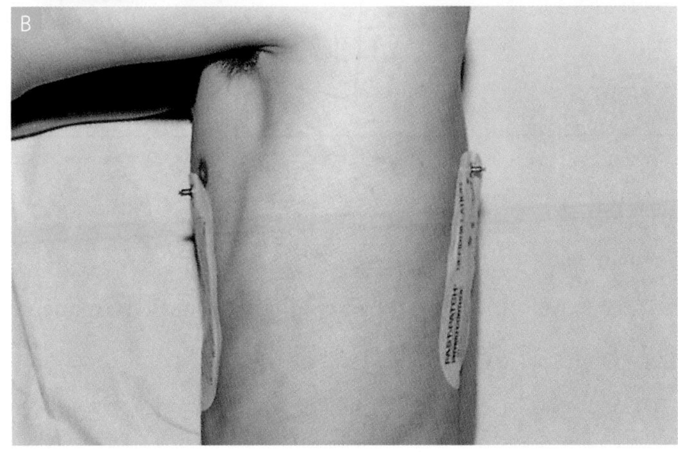

그림 12-1. 제세동 전극의 위치

**A.** 전-외 위치법. 우측 빗장뼈 바로 아래와 좌측 유두 외측의 겨드랑 선에 전극을 부착한다.

**B.** 전-후 위치법. 흉골의 좌측과 좌측 견갑골 아래에 전극을 부착한다.

전극과 전극 사이에는 물이나 전도물질이 있으면 전류가 피부로 전도되어 심장에 충분한 전류가 전달되지 않거나 화상을 초래할 수 있으므로 유의한다.

## 5. 제세동 파형, 에너지 및 제세동 방법

### 1) 제세동 파형

제세동에 사용되는 파형은 다양하지만, 현재 사용되고 있는 파형은 단상 파형(monophasic waveform)과 이상 파형(biphasic waveform)이다(그림 12-2). 단상 파형에는 mono-

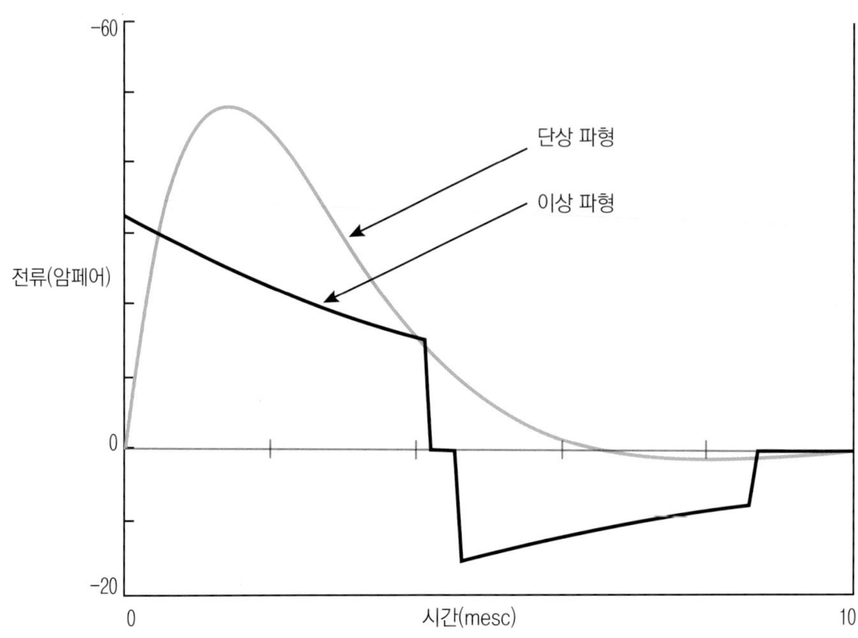


그림 12-2. 제세동에 사용되는 파형

phasic damped sine waveform (MDS)과 monophasic truncated exponential waveform (MTE)이 사용된다. 단상 파형은 파형이 한 개의 극성만을 가지고 있으므로, 제세동 전류의 흐름도 한 방향으로 진행된다. MDS는 sine 파와 같은 모양의 제세동 파형이며, MTE는 제세동 전류가 전달된 후 급격히 0 전압상태로 돌아오는 파형을 가지고 있다. 이상 파형에는 biphasic truncated exponential waveform(BTE)과 rectilinear biphasic waveform (RLB)이 있다. 이상 파형은 파형이 두 개의 극성을 가지고 있으므로, 제세동 전류의 방향이 제세동 도중에 바뀐다. 이상 파형은 단상 파형과 비교하면 몇 가지 장점이 있다. 먼저 이상 파형은 첫 번째 전류에 의하여 세포막의 나트륨 통로(sodium channel)를 재활성화시켜 세포가 쉽게 탈분극할 수 있도록 함으로써, 적은 에너지양으로도 제세동 효율이 높아진다. 단상 파형에서와같이 한 극성만으로 제세동하면 세포가 충전되는 현상이 발생하는데, 이상 파형으로 제세동할 때는 세포의 충전 현상이 적어져(charge balancing) 제세동 후 심근의 기능장애가 발생할 가능성이 작아진다.

제세동 파형에 따라 제세동에 필요한 에너지양이 다르다. 이상 파형을 사용한 제세동기는 에너지를 증가시키지 않고 같은 에너지로 제세동을 하더라도 제세동 성공률이 높은 것으로 나타났다. 즉, 이상 파형 제세동기를 사용하는 경우에는 120-200 J의 에너지로 심실세동을 치료할 수 있다. 반면, 단상 파형 제세동기를 사용하여 심실세동을 치료할 때에는 360 J로 제세동을 한다.

## 2) 제세동 에너지

심실 세포의 80% 이상을 탈분극시킬 수 있을 정도의 에너지가 심장에 전달되어야 제세동에 성공할 수 있다. 제세동 에너지가 너무 적게 전달되면 심실 세포의 일부만이 탈분극되므로 제세동에 실패하며, 지나치게 많은 에너지가 전달되면 심근세포의 손상이나 심실세동의 재발을 초래할 수 있다. 따라서 심실세동을 종료시킬 수 있는 적절한 에너지를 선택한다. 과거에는 체중에 따라 제세동에 필요한 에너지양을 조절해야 한다고 알려졌으나, 50 kg 이상인 성인에서는 같은 에너지로 제세동을 한다.

단상 파형을 사용하는 제세동기에서 심실세동의 제세동에 필요한 에너지는 360 J이 권장된다. 반복 제세동을 할 경우에도 360 J로 제세동을 한다. 이상 파형을 사용하는 제세동기에서는 제조사의 권장에 따라 120-200 J의 에너지로 제세동을 하며, 제조사의 권장 에너지를 알 수 없는 경우에는 최대 에너지양을 선택한다. 제세동을 반복하는 경우에는 최초의 제세동 에너지와 같거나 높은 에너지를 사용한다. 대부분의 제조사에서는 실험을 통하여 제세동에 필요한 에너지를 표기해 놓으므로, 제조사에서 권장하는 에너지로 제세동한다. 제조사에서 권장하는 에너지를 알 수 없는 경우에는 200 J로 제세동한다. RLB 파형의 제세동기로 제세동을 할 경우에도 제조사의 권장 에너지를 따르며, 권장에너지양을 알 수 없는 경우에는 120-150 J로 제세동한다.

소아에서는 심장정지의 원인이 주로 호흡 정지로 발생하므로 성인과 비교하면 제세동이 필요한 경우는 많지 않다. 소아에서 제세동할 때에는 제세동 파형과 관계없이 첫 번째는 체중 1 kg당 2 J의 에너지로 제세동하며, 두 번째부터는 체중 1 kg당 4J 이상의 에너지로 제세동하되, 성인에서의 최대 용량을 넘지 않도록 한다. 소아에서 자동제세동기를 사용할 때는 25 kg 이상의 체중을 가진 소아 또는 청소년에서는 성인과 같은 방법으로 제세동하면 된다. 25 kg 미만의 체중인 소아에서는 소아용 충격량 감쇠기를 사용하는 것이 권장된다. 만약, 소아용 충격량 감쇠기가 없는 자동제세동기만이 사용 가능하다면, 성인에서와 같은 방법으로 사용한다.

## 3) 제세동 방법

심장정지 환자가 발생한 현장에 제세동기가 없으면 일단 기본소생술이 시행되어야 한다. 기본소생술을 시행하는 동안 제세동기가 도착하면 심전도 리듬이 심실세동인지를 확인하고, 심실세동이 확인되면 즉각 120-200 J(이상 파형을 사용하는 경우; 단상 파형을 사용하는 수동 제세동기에서는 360 J)로 제세동을 시도한다. 제세동기가 준비되는 동안에는

표 12-3. 수동 제세동기(이상 파형을 사용하는 제세동기)를 사용한 제세동 과정

| |
|---|
| 1. 기본소생술을 하면서, 심전도 감시화면으로 심실세동을 확인한다. |
| 2. 전극에 전도물질을 바른 후, 제세동기를 제조사의 권장에 따라 120-200J로 충전한다. |
| 3. 제세동기가 충전되는 동안에도 심폐소생술을 계속한다. |
| 4. 전극을 오른쪽 빗장뼈 바로 아래와 왼쪽 젖꼭지 높이의 겨드랑 선 상에 대고 약 10-12 kg의 압력으로 누른다. 압력을 가할 때 전극이 미끄러질 수 있으므로 지나치게 누르지 않는다. |
| 5. 구조자가 환자와 접촉되어 있는지 확인한 후, 다른 사람에게도 환자와 접촉하지 않도록 경고를 한다. |
| 6. 방전 스위치를 눌러 제세동한다. |
| 7. 심폐소생술을 계속하면서 순환회복의 징후가 있는지를 확인한다. |
| 8. 2분간 심폐소생술 후 심전도를 확인한다. |

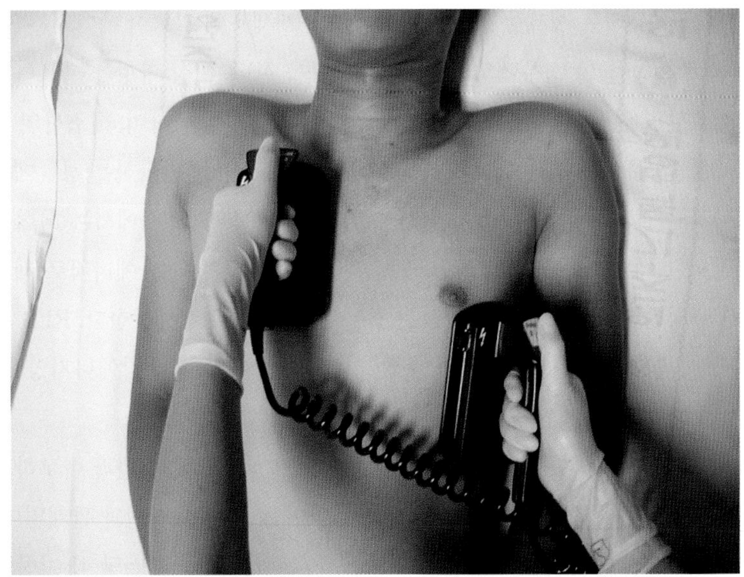

그림 12-3. 수동제세동기를 사용하여 제세동하는 방법

심폐소생술을 계속한다. 제세동 후에는 즉시 심폐소생술을 시작하여야 하며, 순환회복의 징후가 없으면 2분간 심폐소생술을 한 후에 심전도 리듬을 확인한다(표 12-3). 심전도상 심실세동이 계속되면 제세동을 한다. 제세동 후에는 즉시 심폐소생술을 시작한다. 제세동 후에도 순환이 회복되지 않으면 심폐소생술을 계속하면서, 기관내삽관하고, 정맥로를 확보하여 에피네프린, 아미오다론 또는 리도카인을 투여하며 2분간 심폐소생술-제세동을 반복하여 시도한다(그림 12-3).

### 4) 이중 연속 제세동

이중 연속 제세동(double sequential defibrillation: DSD)은 각각 다른 두 대의 제세동기

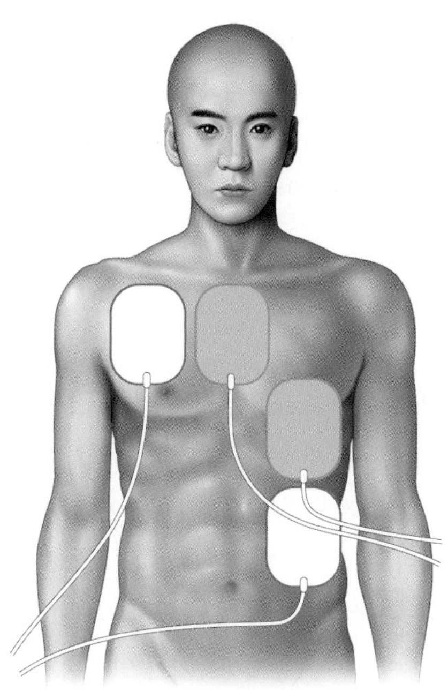

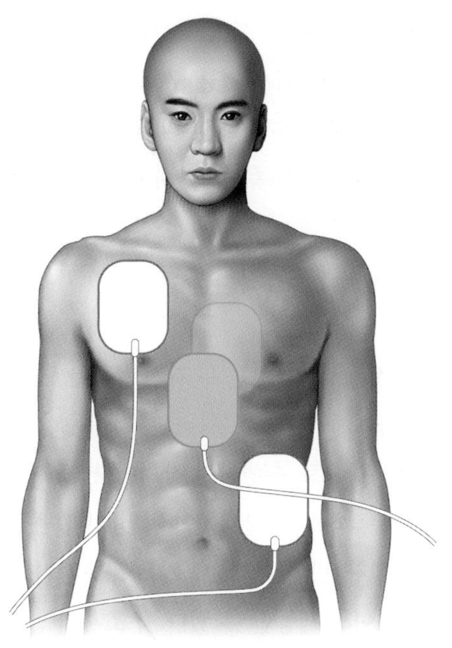

그림 12-4. 이중 연속 제세동에서 전극을 붙이는 위치 **A.** 전-외/전-회 위치법 **B.** 전-외/전-후 위치법

를 사용하여 동시에 제세동을 하는 방법이다. 이중 연속 제세동은 한 대의 제세동기로 통상적인 제세동을 반복 시행한 후에도 치료되지 않는 심실세동을 치료하기 위해 고안되었다. 불응성 심실세동의 치료를 위해 이중 연속 제세동을 한 경우에 단순히 전극의 방향을 전환한 경우보다 순환회복률을 높일 수 있다고 보고되었다. 그러나 아직 이중 연속 제세동을 하는 방법(전극의 위치, 에너지양, 동시성 등)에 대한 표준 지침이 없고, 이중 연속 제세동이 심실세동 환자의 생존율을 높인다는 증가가 부족하다. 따라서 이중 연속 제세동을 심실세동의 일상적인 치료방법으로 시도하는 것은 권장되지 않는다.

이중 연속 제세동을 할 때 전극의 위치는 두 대의 제세동 전극을 모두 전-외 위치(antero-lateral)에 붙이는 방법과 한 대의 전극은 전-외 위치에 붙이고 다른 한 대의 전극은 전-후(antero-posterior) 위치에 붙이는 방법이 사용되고 있다(그림 12-4).

## 6. 자동제세동기

자동 혹은 반자동 제세동기는 제세동기에 심전도 자동분석장치를 부착하여 환자의 부정맥을 분석하고 판단하여 자동 또는 반자동으로 제세동하는 장치이다. 자동제세동기는 구조자가 심전도를 판독하여 제세동을 결정하는 것이 아니라, 제세동기가 심전도를 판독하여 제세동의 시기를 구조자에게 알려주므로, 의료인뿐 아니라 비의료인에 이르기까지 쉽게 사용할 수 있다. 따라서 기본소생술을 시행하는 의료인 및 심장정지가 발생할 소지가 있는 환자의 가족에게까지 자동제세동기사용법이 교육되어야 한다.

### 1) 자동제세동기의 종류

자동제세동기는 두 가지로 나눌 수 있다. 전자동(fully-automated) 제세동기는 구조자가 환자에게 전극을 부착하면, 제세동기가 심전도를 분석한 후 제세동을 결정하고 제세동까지 자동으로 수행하는 장치이다. 반자동(semi-automatic) 제세동기는 제세동기가 심전도를 분석하여 심실세동이 확인되면, 구조자에게 알려줘 구조자가 제세동 여부를 결정하도록 한다. 반자동 제세동기는 구조자가 제세동 여부를 결정하므로, 환자의 임상 상태를 고려하여 제세동할 수 있다. 구조자의 안전을 고려하여 반자동 자동제세동기가 일반적으로 사용된다.

### 2) 자동제세동기의 심전도 분석

자동제세동기의 심전도 분석 장치는 심전도의 진폭, 파형, 빈도를 분석하여 부정맥을 진단한다. 또한, 여러 전자장치에서 발생하는 간섭파, 교류에 의한 간섭, 패드(전극)의 단락 또는 접촉, 환자의 움직임에 의하여 발생하는 파형을 구분할 수 있으므로, 비교적 정확하게 심전도를 분석할 수 있다.

자동제세동기가 심전도를 정확히 분석하려면, 심전도 분석이 이루어지는 동안에는 심폐소생술을 중단하고 환자와 접촉하지 않아야 한다. 또한, 심실세동 이외의 경우에 환자에게 제세동 에너지가 잘못 인가되는 것을 방지하려면, 반드시 심장정지가 의심되는 환자에게만 제세동기의 기능을 분석상태로 해야 하며, 분석상태에서는 환자를 만지거나 옮기지 않아야 한다. 심실세동파가 아주 미세한 경우에는 자동제세동기가 심실세동을 정확히 인지하지 못할 수도 있으므로 유의한다(표 12-4). 자동제세동기의 전극 패드를 환자에게 부착

표 12-4. 자동제세동기로 심전도를 분석할 때 유의하여야 할 사항

| |
|---|
| 1. 심전도 분석 중에는 환자와 접촉하거나 환자를 옮기지 않는다. |
| 2. 심전도 분석 중에는 심폐소생술을 중단한다. |
| 3. 구급차로 이동 중에는 멈춘 상태에서 분석한다. |

하면 자동으로 분석 기능이 시작되는 자동제세동기가 상용화되어 있다.

### 3) 자동제세동기 사용법

자동제세동기를 사용할 때에는 심전도를 판독할 필요가 없고 음성지시에 따라 제세동기를 조작하게 되어있으므로 누구든지 쉽게 자동제세동기를 사용할 수 있다. 자동제세동기를 정확히 사용하려면, 심장정지를 확인하는 방법, 자동제세동기의 전극 패드를 흉곽에 부착하는 방법, 자동제세동기를 조작하는 방법 및 제세동할 때의 유의사항에 대한 교육을 받아야 한다.

제조회사에 따라 자동제세동기의 사용방법이 약간씩 차이가 있으나 자동제세동기의 주요 사용법은 유사하다. 자동제세동기 사용법은 전원 켜기-제세동 패드 부착-심전도 분석-제세동의 과정으로 구성된다(표 12-5).

### 4) 심실세동의 치료 과정에서 자동제세동기의 사용

자동제세동기를 사용하여 심실세동을 치료하려면 일차적으로 심장정지 평가과정을 통하여 심장정지 상태임을 확인한다. 자동제세동기의 전극 패드가 부착될 때까지는 심폐소생술을 계속한다.

자동제세동기가 준비되면 제세동기를 사용한다. 제세동기 전극 패드를 부착할 때까지는 심폐소생술을 계속한다. 심전도 분석이 시작되면 심폐소생술을 중단하고 심전도가 분석되도록 한다. 심실세동이 진단되고 제세동기가 충전되는 동안에도 심폐소생술을 계속한다. 제세동기로부터 제세동하라는 음성 신호가 나오면 제세동 스위치를 눌러 제세동을 시행한다. 제세동한 후에는 즉시 심폐소생술을 시작하며, 심장 박동이 회복되었다는 분명

표 12-5. 자동제세동기 사용법

| 1. 자동제세동기를 켠다.<br>2. 전극과 자동제세동기를 연결한 후 전극 패드를 흉곽에 붙인다. 패드의 위치는 수동제세동할 때의 전극 위치와 같다.<br>3. 전극을 부착하면 심전도가 자동분석된다(또는 심전도 분석 스위치를 눌러 심전도가 분석되기를 기다린다). 심전도 분석에는 10초 이내가 소요된다. 심전도 분석 중에는 환자와 접촉하지 않는다.<br>4. 심실세동이 진단되어 장치가 충전되면, 음성 신호에 따라 제세동 스위치를 눌러 제세동한다.<br>5. 2분간 심폐소생술을 한다. 자동제세동기가 자동분석을 시작한다는 음성 신호가 나오면 심폐소생술을 중단한다(또는 다시 심전도 분석 스위치를 눌러 심전도를 분석하고 음성 신호의 지시에 따른다).<br>6. 4와 5의 과정을 반복한다. |
|---|

한 징후가 관찰되지 않으면 2분간 심폐소생술을 한다. 2분간의 심폐소생술 후 다시 심전도를 분석한다. 심실세동이 계속되면 같은 방법으로 다시 제세동한다. 제세동이 시행되는 순간을 제외하고는 가능한 심폐소생술을 중단하지 않는다.

심장 박동이 회복되었다는 징후(의식이 회복되는 경우, 움직이는 경우, 호흡이 회복되는 경우)가 있으면, 심폐소생술을 중단하고 목동맥의 맥박을 만져서 심장 박동의 회복을 확인한다.

자동제세동기가 작동하고 있는 상황에서는 전문소생술을 할 수 있는 의료인이 도착하더라도 환자가 심장정지 상태이면 자동제세동기를 계속 사용한다. 다만 심장 박동이 회복되었거나 즉각적인 이송이 필요한 상태일 때에만 자동제세동기를 떼고 수동 제세동기를 부착한다. 심전도 감시화면이 없는 자동제세동기가 사용되고 있는 경우에는 수동 제세동기로 바꾸어준다. 자동제세동기에 의한 심실세동의 치료 과정은 제9장에서 다루었다.

## 7. 제세동과 연관된 특수 상황

### 1) 무수축의 제세동

무수축을 치료하는 과정에서 제세동이 효과가 있다는 증거는 없다. 심실세동 환자에서 시간이 경과하면 세동파가 점차 작아져 마치 무수축처럼 보일 수 있으며, 세동파의 방향과 수직인 유도에서는 세동파가 관찰되지 않고 무수축으로 관찰될 수 있다. 심장정지 환자에서 심전도 감시에서 무수축이 관찰되면 한 개의 유도만으로 심전도를 감시하지 말고 최소한 2개 이상의 유도로서 심전도를 확인하여 심실세동을 감별해주어야 한다. 제세동은 부교감신경작용을 항진시키므로, 무수축의 회복에 악영향을 준다. 제세동은 심근에 손상을 줄 수 있으며, 제세동 전류에 의하여 호흡중추가 억제되어 호흡이 일시적으로 마비될 수 있다. 또한, 제세동하려면 심폐소생술을 중단해야 하므로 심폐소생술 중단 때문에 무수축 환자의 소생률이 낮아질 수 있다. 따라서 무수축 환자에게 제세동하는 것은 권장되지 않는다.

### 2) 전흉부 가격

전흉부 가격(precordial thump)은 흉곽의 약 30 cm 정도 위에서 주먹을 쥔 채로 가슴뼈(흉골)의 중앙을 치는 방법으로 약 4-5J 정도의 에너지가 심장에 전달 될 수 있다.

심실빈맥 환자의 11-25%에서는 전흉부 가격으로 심실빈맥이 동성 리듬으로 전환될 수 있으나, 때로는 심실세동이나 무수축이 유발될 수도 있다. 따라서 제세동기가 바로 준비될 수 있는 상황이 아니면, 심실빈맥 환자에게 전흉부 가격을 시행해서는 안 된다.

심실세동에서는 전흉부 가격이 효과가 없다. 전흉부 가격은 쉽게 할 수 있으므로 제세동기가 없는 상황에서 심장정지가 목격된 환자에서는 한 번의 전흉부 가격을 시행해 볼 수는 있다. 그러나 제세동기가 있는 상황에서는 전흉부 가격을 하려고 제세동을 지연시켜서는 안 된다.

### 3) 인공 심장박동조율기와 제세동

인공심장박동조율 중인 환자에서 제세동이 시행될 때는 전극을 박동조율기(pulse generator)나 박동조율 전극(pacing electrode)으로부터 가능한 먼 곳에 위치시켜야 한다. 대부분의 인공 심장박동조율기는 제세동으로부터 보호될 수 있는 장치가 있으나 너무 가까운 곳에서 제세동하면 일시적 기능장애가 발생할 수 있다. 또한, 심장박동조율 전극과 가까운 곳에서 제세동하면 전극을 따라 강한 전류가 심장에 전달되므로, 전극과 접하고 있는 심장내막이 손상되어 인공박동조율에 장애가 초래될 수 있다. 따라서 인공 심장박동조율기를 가진 환자에게 제세동한 후에는 반드시 박동조율기의 프로그램입력을 확인하고 박동조율역치(pacing threshold) 등을 다시 측정하여 조절해주어야 한다. 그러나 제세동이나 전기심장율동전환이 필요한 환자에서 심장박동조율기의 손상을 우려하여 제세동 또는 전기심장율동전환을 지연시켜서는 안 된다.

### 4) 체내 삽입형 자동제세동기와 제세동

체내 삽입형 자동제세동기를 가진 환자에서 심실세동이 발생하면 체내에 있는 제세동기가 자동으로 제세동을 시도한다. 체내 삽입형 자동제세동기에 의한 전류는 구조자에게 감지될 수 있지만, 구조자에게 위험하지 않다. 체내 삽입형 자동제세동기는 외부에서 제세동하더라도 손상되지 않으므로, 체내에서의 제세동에도 불구하고 심실세동이나 심실빈맥이 지속되면 바로 제세동기로 제세동을 한다. 드물지만, 수술로 체내 삽입형 자동제세동기를 삽입한 환자에서는 심장 외막에 접착 패드형 전극을 사용하는 때도 있으므로, 외부에서 제세동할 경우 패드가 부착된 부분에서 저항이 증가하여 제세동에 실패할 수 있다. 따라서 수술로 체내 삽입형 자동제세동기를 삽입한 환자에서 외부에서 제세동하였는데도 심실세동이 계속되면 즉시 전극의 위치를 옮겨주어야 한다.

### 5) 저체온 상태와 제세동

저체온(hypothermia) 상태에서는 심실세동의 발생률이 높고, 제세동 역치가 증가하여 있어 제세동에 잘 반응하지 않는다. 저체온 상태에서 발생한 심실세동에 대한 제세동 방법에 관한 임상연구는 없다. 저체온 환자에게서도 심전도상 심실세동이 관찰되면 표준 심폐소생술에서와 같은 방법으로 2분간 심폐소생술-제세동 과정을 반복하는 것을 권장한다. 그러나 체온이 30℃ 미만인 환자에서는 최초 3회의 제세동 시도가 성공적이지 않았다면, 체온이 30℃ 이상으로 올라갈 때까지 제세동을 미루는 것이 권장된다.

### 6) 소아의 제세동

소아에서는 성인보다 심실세동의 빈도가 높지 않다. 그러나 소아에서도 심실세동이 발생하였을 때 가능한 한 빨리 제세동을 시행하여야 생존율을 높일 수 있다. 최근 시판되는 대부분 자동제세동기는 소아용 충격량 감쇠기가 장착되어 있다. 소아용 충격량 감쇠기는 전극 연결 부위에 장착되어 있거나, 에너지 감쇠 스위치를 사용하여 작동시키게 되어있다. 1세에서 8세 사이의 소아에서는 소아용 변환장치를 사용하여 제세동한다. 소아에서 제세동에 필요한 에너지는 제세동 파형과 관계없이 첫 번째 제세동에는 2 J/kg를 사용하고, 그 이후의 제세동에는 4 J/kg 이상을 사용한다. 1세 이상 소아 심장정지의 5-15%에서 심실세동이 관찰되는 것으로 알려져 있으나, 1세 이하 소아에서의 심실세동 발생률은 알려지지 않았다. 1세 이하 소아에서의 심장정지는 주로 호흡 정지에 의한 것이므로, 1세 이하의 소아에서는 자동제세동기의 일상적 사용은 권장되지 않는다. 1세 이하의 영아에서 제세동할 때에는 수동 제세동기의 사용을 권장한다.

## 8. 전기 심장율동전환

전기 심장율동전환(electrical cardioversion)은 빈맥성 부정맥을 치료하기 위하여 제세동기로 심장에 전류를 가하는 방법을 말한다. 전기 심장율동전환의 원리는 제세동의 원리와 같다. 그러나 제세동을 할 때와는 달리 QRS파가 존재하는 상태에서 심장에 전기를 가하게 되므로 몇 가지 고려하여야 할 사항이 있다.

### 1) 전기 심장율동전환의 적응증

빈맥성 부정맥이 발생한 환자에서 빈맥에 의하여 호흡곤란, 저혈압, 흉통, 쇼크 등의 혈역학적 변화가 초래되는 경우에는 전기 심장율동전환을 고려한다. 그러나 심실박동수가 150회 이하인 환자에서는 혈역학적 변화의 원인이 심장 기능에 관여하는 다른 요소(전부하, 심근 수축력, 후부하)의 이상에 의한 것인지를 우선 확인한다.

### 2) 동기 심장율동전환

심실세동 이외의 빈맥성 부정맥에서 전기 심장율동전환을 시도할 때 제세동기로부터의 전류가 심장에 전달되는 시기는 매우 중요하다. 심근세포가 탈분극되었다가 재분극 되는 과정은 심근의 불응기에 속하지만, 매우 강한 자극이 가해지면 다시 탈분극될 수 있는 시기(상대적 불응기)가 있다. 이 시기에 제세동기의 전류가 심장에 전달되면 심실세동이 유발될 수 있다. 이 시기는 심전도에서 T 파가 관찰되는 때이므로 T 파가 발생하는 시기에 제세동기의 전류가 심장에 전달되지 않도록 한다. 제세동기에는 T 파 발생 시기에 전류가 전달되는 것을 방지하기 위하여, 시술자가 제세동기의 방전 스위치를 어느 시기에 누르더라도 QRS파 발생 시기에 전류를 전달하도록 고안된 장치가 내장되어 있다. QRS파에 전류가 방전되도록 하는 것을 동기화(synchronization)라고 하며, 동기화 기능을 사용하여 심장율동전환 하는 것을 동기 심장율동전환(synchronized cardioversion)이라고 한다.

전기 심장율동전환을 할 때, 심전도 감시상 QRS파가 구분되는 경우에는 반드시 동기화를 해야 한다. 그러나 심실세동 환자에서 제세동기를 동기화 상태로 하면 제세동기가 동기화를 하기 위하여 제세동 전류를 방전하지 않는 경우가 발생할 수 있다. 따라서 심실세동이나 QRS파가 명백히 구분되지 않는 심실성 부정맥 환자에서는 동기화를 하지 않는다.

동기화 유형(mode)을 사용하여 전기 심장율동전환을 할 때는 심전도 감시상 QRS파가 가장 크게 관찰되는 유도를 선택한다. 대부분 제세동기에서는 동기화 유형을 선택하면 화면의 QRS파에 표시가 나타나므로 동기화되고 있는지를 눈으로 확인할 수 있다.

### 3) 전기 심장율동전환을 위한 에너지

전기 심장율동전환을 위한 최초의 에너지로서, 심방세동은 단상 파형의 제세동기에서는 200 J, 이상 파형의 제세동기에서는 120-200 J이며, 심방조동 또는 기타 심실상 부정맥은 50-100 J이 권장된다. 심실빈맥의 심장율동전환을 위한 최초에너지는 100 J이다. 최초

표 12-6. 전기 심장율동전환을 위한 에너지(이상 파형 제세동기)

| 부정맥 | 에너지 (J) |
|---|---|
| 심실세동 | 120-200 |
| 무맥성 심실빈맥 | 120-200 |
| 다형 심실빈맥 | 120-200 |
| 심실빈맥 | 100 |
| 발작성 심실상 빈맥 | 50-100 |
| 심방세동 | 120-200 |
| 심방조동 | 50-100 |

의 에너지로 심실빈맥의 심장율동전환에 실패한 경우에는 에너지를 두 배로 높이면서 반복 시도한다. 그러나 심실빈맥 환자에서 목동맥 맥박이 만져지지 않거나 QRS파의 파형이 다양한 경우에는 심실세동의 치료에서와 같은 에너지를 선택한다(표 12-6).

# 제 13 장

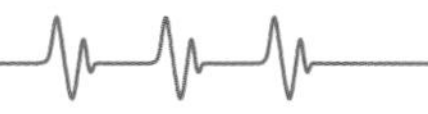

# 심폐소생술 중 약물투여 경로와 정맥로

정맥로(venous access)는 응급치료를 위한 약물과 수액을 투여할 수 있는 생명선이다. 정맥로는 약물을 투여하는 경로로 사용될 뿐 아니라, 폐동맥 도자, 심장박동조율 도자, 체온조절용 도자 등을 삽입하는 통로로도 이용된다.

심장정지 또는 중증 쇼크 상태에서 근육이나 피하로 약물을 투여하는 것은 의미가 없다. 심폐소생술 중에는 순환이 주로 심장과 뇌 사이에서만 유지되며 중증의 쇼크 상태에서는 근육이나 피하로의 혈류가 매우 적다. 따라서 심폐소생술 중이나 쇼크 상태에서 근육이나 피하로 투여된 약물은 거의 흡수되지 않는다. 그뿐만 아니라 자발순환이 회복되거나 혈압이 상승하여 근육 또는 피하로의 혈류가 증가하면, 축적되어 있던 약물이 일시에 흡수되어 혈액 내 농도가 과도하게 상승할 수 있다.

심폐소생술 중이거나 쇼크 상태에서 가장 이상적인 약물투여경로는 정맥과 골내(intraosseous) 경로이다. 골내 주사를 하여도 정맥으로 약물을 투여한 것과 같은 효과가 있다. 골내 주사로를 쉽게 확보할 수 있는 기구가 개발됨으로써, 골내 주사는 정맥 주사와 함께 심폐소생술 중 약물을 투여하는 중요한 약물투여경로가 되었다.

정맥로는 중심정맥로(central venous route)와 말초정맥로(peripheral venous route)로 나눌 수 있다. 인체의 외부에서 접근 가능한 중심정맥은 속목정맥(internal jugular vein), 빗장밑정맥(subclavian vein) 및 대퇴정맥(femoral vein)이다. 말초정맥은 팔과 목의 정맥이 주로 사용된다.

## 1. 심폐소생술 중 약물투여방법

심폐소생술 중 가장 권장되는 약물투여방법은 정맥투여이다. 정맥 또는 골내 주사로가 확보되기 전 기관으로 약물을 투여할 수 있으나 일부 약물만 기관 투여가 가능하다(표 13-1).

### 1) 정맥 주사로

정맥 주사로(intravenous route)는 심폐소생술 할 때 가장 쉽게 확보할 수 있는 약물투여로이다. 심폐소생술 중에는 팔꿈치 앞쪽에 있는 말초 정맥(전주 정맥, antecubital vein)을 천자 하여 정맥로를 확보한다. 심폐소생술 중에 중심 정맥을 천자 하려면 가슴압박을 중단해야 하며, 혈관 손상, 공기 전색의 위험이 크다.

심폐소생술 중 말초 정맥으로 약물을 투여하면 중심 정맥까지 약물이 도달하는 시간이 지연될 수 있다. 말초 정맥으로 투여된 약물은 중심 정맥으로 투여된 약물보다 혈중농도가 낮게 유지된다. 따라서 말초정맥로와 중심정맥로가 동시에 확보된 환자에서는 중심 정맥으로 약물을 투여한다. 중심정맥보다 효과적이지 않지만, 대퇴정맥으로 약물을 투여해도 말초정맥보다 신속한 효과가 발생한다.

말초정맥으로 약물을 투여할 때는 약물투여 후 약 20 mL의 수액을 추가로 투여하고 약물이 투어된 부위를 10-20초간 높이 들어줌으로써 약물이 중심정맥에 신속히 도달할 수 있도록 한다.

말초정맥을 통하여 약물을 투여하고 제세동이 시도된 후에도 자발순환이 회복되지 않으면 중심정맥으로 약물투여를 시도해 볼 수 있다. 심폐소생술 중에 중심정맥로를 확보할 때에는 가슴압박 중에도 천자가 가능한 속목정맥을 천자 하거나 빗장뼈 위 접근법으로 빗장밑정맥을 천자 하는 것이 유리하다.

표 13-1. 심폐소생술 중 약물 투여 경로

| 투여 경로 | 투여 가능한 약물 | 적응증 |
|---|---|---|
| 정맥 | 심폐소생술 중 사용되는 모든 약물 | 모든 심장정지 환자 |
| 골내 | 심폐소생술 중 사용되는 모든 약물 | 정맥로가 없는 심장정지 환자 |
| 기관 | 에피네프린, 바소프레신, 아트로핀, 리도카인, 날록손 | 정맥로가 없는 심장정지 환자 |
| 심장 | 심폐소생술 중 사용되는 모든 약물 | 개흉술 중인 환자 |

## 2) 골내 주사로

골내 주사로(intraosseous route)는 심장정지가 발생한 모든 환자에서 유용한 약물투여 경로이다. 골내 주사로는 심장정지 상태에서도 쉽게 확보할 수 있으며, 골내 주사로를 통하여 심폐소생술 중에 투여하는 모든 약물의 투여가 가능하다. 골내 주사로 약물을 투여하면 정맥주사와 유사한 약물투여 효과가 발생한다. 골내 주사로를 통하여 검사를 위한 혈액을 채취할 수 있으며, 수액투여 및 수혈을 할 수 있다. 골내 주사와 정맥 주사의 효과를 비교한 연구는 많지 않지만, 일부 연구에서는 심폐소생술 중 약물을 골내 주사한 경우에 정맥 주사한 경우보다 생존율이 낮았다고 보고했다. 따라서 심장정지가 발생한 성인과 소아에서 정맥 주사로가 즉시 확보되지 않으면 골내 주사로를 확보한다.

골내 주사에는 골내 주사용 주사침이 사용되며, 주로 위팔뼈(상완골, humerus)와 정강뼈(경골, tibia)를 천자 한다. 위팔뼈로 골내 주사하면 정강뼈로 주사하는 것보다 5배 정도 빠른 주사속도를 유지할 수 있다. 골내 주사할 때는 주사침으로 뼈를 천자 한 후 10 mL 이상의 수액이 쉽게 투여되면 주사침이 골수 내로 적절히 삽입된 것으로 판단하고 약제를 투여한다(표 13-2). 최근 드릴 형태 등의 골내 주사를 위한 기구가 개발되어 누구나 간단한 교육과 훈련으로 쉽게 골내 투여로를 확보할 수 있게 되었다(그림 13-1). 골내 주사로 약물을 투여할 때 약물의 용량은 정맥주사할 때와 같다.

## 3) 기관 내 투여

정맥 주사로와 골내 주사로를 확보할 수 없는 경우에는 약물을 기관 내 투여(intratracheal administration)할 수 있다. 기관내 투여할 수 있는 약물은 에피네프린, 리도카인, 아트로핀, 바소프레신이다. 기관 내로 약물을 투여하면, 약물이 흡수되는 양이 비교적 적고 흡수량을 예측하기 어렵다. 따라서 가능하면 정맥 또는 골내로 약물을 투여한다. 아미오다론은 기관 내 투여할 수 없다.

표 13-2. 위팔뼈에 골내주사하는 방법

| |
|---|
| 1. 어깨 부위를 소독한다.<br>2. 환자의 팔을 굽혀서 환자의 배 위에 올려놓고, 손바닥이 환자의 배꼽 위에 놓이도록 한다.<br>3. 환자의 어깨 부위의 앞쪽을 만져서 위팔뼈의 외과목(surgical neck)을 확인한다.<br>4. 외과목의 바로 위에 있는 위팔뼈 조면(tuberosity)을 골내 투여용 주사침으로 천자 한다.<br>5. 천자 중 저항이 갑자기 없어지면, 주사기로 흡입하여 골수가 흡입되는 것을 확인한다. 10 mL 이상의 수액이 쉽게 주입되면 주사침이 골내로 삽입된 것으로 판단한다.<br>6. 주사침을 고정한 후, 약물 또는 수액을 투여한다. |

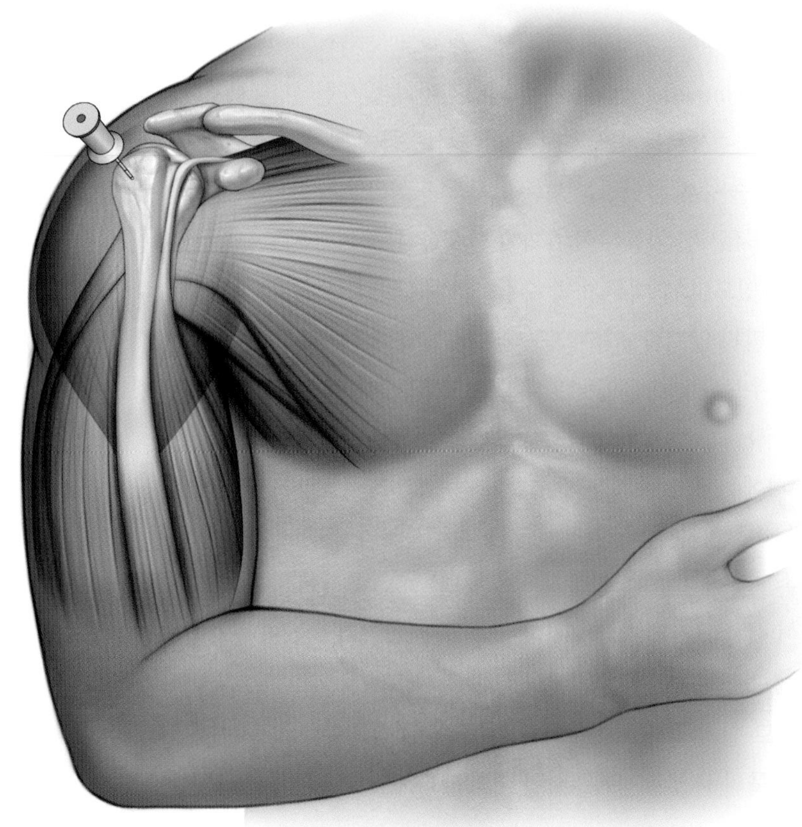

그림 13-1. 위팔뼈 골내주사 위치와 골내 주사용 기구. 환자의 손바닥을 배꼽 주위에 올려 놓도록 팔을 안쪽으로 굽히면 골내 주사하기가 쉽다. 외과목의 바로 위에 있는 위팔뼈 조면(tuberosity)을 골내 투여용 주사침으로 천자 한다. 골내 주사용 기구를 사용하면 주사바늘을 골내로 쉽게 삽관할 수 있다.

기관내 투여할 때는 정맥 투여량보다 2-2.5배 정도의 용량을 투여하며, 투여 시 10 mL 이상의 양으로 희석하여 기관 튜브 속에 주사한다. 기관 내 카테터가 미리 준비되어 있으면 30 cm 이상의 카테터를 사용하여 기관 속으로 깊숙이 분사해 줄 수도 있다. 기관내로 약물을 투여할 때에는 가슴압박을 일시적으로 멈추어야 한다. 기관내로 약물을 투여한 후 호흡기를 사용하여 과호흡시키면 투여된 약물이 연무화(aerosolized)되어 허파꽈리에서 신속히 흡수될 수 있다(표 13-3). 약물을 희석할 때에는 생리식염수나 증류수를 사용한다. 증류수로 희석하면 생리식염수로 희석하는 것보다 흡수가 빠르나 투여 후 종종 동맥혈 산소압을 저하하는 때도 있다.

표 13-3. 기관 내 투여방법

| |
|---|
| 1. 10 mL 이상으로 희석한 약물이 들어있는 주사기를 준비한다. |
| 2. 인공호흡기구(팽창 백 또는 기계 호흡 연결구)를 기관 튜브에서 뺀다. |
| 3. 가슴압박을 중단한 후 빠른 속도로 약물을 기관으로 분사한다. |
| 4. 즉시 인공호흡기구를 기관 튜브와 연결한 후 빠른 속도로 5회 인공호흡을 한다. |

### 4) 심장 내 투여

심장 내 주사는 관상동맥 손상, 심장눌림증, 기흉, 출혈을 일으킬 위험이 있으며, 심장 내로 약제를 투여하기 위하여 심폐소생술을 중단해야 하므로 개흉 상태가 아니면 절대 해서는 안 된다. 그러나 개흉술 후 직접 심장압박법으로 심폐소생술을 할 때는 비교적 안전하고 유용한 주사방법으로써 이용될 수 있다.

## 2. 응급 정맥로 확보의 원칙

응급상황에서는 신속하게 정맥로를 확보해야 한다. 세균감염이 발생하지 않도록 완전한 무균 술기를 유지할 수 없는 경우가 많지만, 세균감염이 발생하지 않도록 주의한다. 현장에서 정맥로를 확보할 때에는 무균 술기를 유지하기가 더 어려우므로, 응급센터에 도착하면 현장에서 확보된 정맥로를 새로운 정맥로로 바꾸어주는 것이 좋다. 또한, 응급상황에서 정맥로 확보를 서두르다 보면 구조자가 환자 혈액이 묻은 주사침에 찔릴 수 있으므로 주의한다.

의식이 있는 환자에서는 천자 부위를 부분 마취하는 것이 좋다. 일반적으로 말초정맥로를 확보할 때는 마취가 필요 없으나, 중심정맥로를 확보할 경우나 비교적 굵은 주사침으로 말초혈관을 천자 할 때는 부분마취를 한다.

대량 실혈에 의한 심장정지 환자를 제외하고는 심폐소생술 중 다량의 수액을 투여할 필요가 없으므로, 우선 말초정맥로를 확보한다. 특히 병원 이외의 장소에서 정맥로를 확보

표 13-4. 현장 응급치료 중 정맥로를 확보할 때 주의하여야 할 사항

| |
|---|
| 1. 말초정맥에 정맥로를 확보하여야 하며 중심정맥 천자를 시도하지 않는다. |
| 2. 심폐소생술 또는 다른 응급치료조작에 방해가 되지 않는 정맥로를 선택한다. |
| 3. 가능한 굵은 주사바늘(16 게이지 이상)을 사용한다. |
| 4. 정맥로를 확보하기 위하여 제세동이나 환자이송을 지연시켜서는 안 된다. |
| 5. 천자 중에는 가능한 무균 술기를 사용한다. |

할 때에는 중심정맥로에 시도해서는 안 되며, 정맥로 확보를 하기 위해 이송을 지연해서는 안 된다(표 13-4).

환자이송 중에 정맥로가 막히지 않도록 하려면 수액이 계속 투여되어야 한다. 일반적으로 정맥로가 열려있는 상태(keep vein open)를 유지하려면 시간당 10 mL 이상의 수액이 투여되어야 한다. 플라스틱 수액 용기를 사용하면 이송 중 수액 용기를 환자의 어깨 아래에 끼워놓음으로써 수액이 계속 투여되도록 할 수 있다.

## 3. 정맥주사용 주사바늘과 카테터

### 1) 정맥주사용 기구의 종류

정맥주사용 기구에는 일반적으로 정맥 주사에 사용되는 주사바늘 이외에도 정맥에 넣는 플라스틱 카테터를 삽관할 수 있도록 고안된 다양한 형태의 기구가 있다. 플라스틱 카테터 삽관에 사용되는 주사바늘 기구는 삽관 방법에 따라 카테터 외장 주사바늘, 카테터 내장 주사바늘, 유도형 카테터로 구분할 수 있다. 카테터 삽관의 목적과 삽관하려는 정맥에 따라 적절한 주사바늘 기구를 선택한다.

#### (1) 카테터 외장 주사바늘 유닛

카테터 외장 주사바늘 유닛(over-the-needle unit)은 주사바늘 외부에 플라스틱 카테터가 있는 기구이다. 이 기구는 말초정맥 주사로 확보를 위해 가장 많이 사용되는 정맥 천자 기구이다. 카테터 외장 주사바늘 유닛으로 정맥로를 확보할 때에는 주사바늘로 정맥을 천자 한 후 플라스틱 카테터를 정맥 속으로 밀어 넣고 주사바늘을 제거하여 플라스틱 카테터만을 정맥 내에 남겨놓게 된다(그림 13-2).

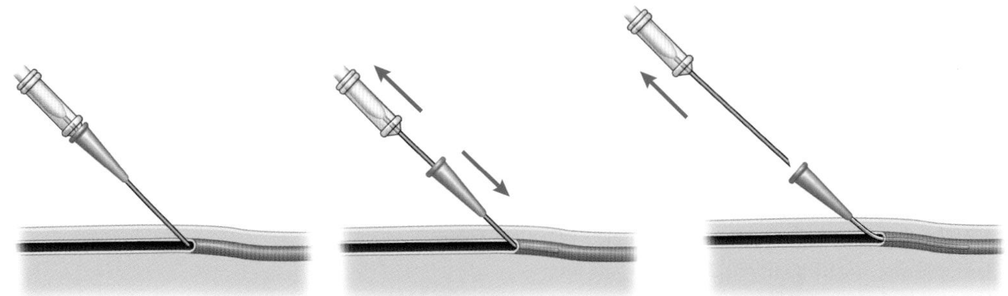

그림 13-2. 카테터 외장 주사바늘 유닛을 사용하여 정맥 천자 하는 방법

### (2) 카테터 내장 주사바늘 유닛

카테터 내장 주사바늘 유닛(through-the-needle unit)은 카테터보다 지름이 큰 주사바늘 속에 카테터가 들어있는 기구이다. 주사바늘로 정맥을 천자 한 후 주사바늘 속에 들어있는 카테터를 주사바늘을 통하여 정맥으로 밀어 넣도록 고안되어 있다. 이 유닛은 목정맥을 천자 한 후 중심정맥까지 긴 카테터를 넣는 방법으로 유용하다. 그러나 이 형태의 주사바늘 유닛은 삽관 과정에서 카테터가 손상될 수가 있어서 주의해야 하며, 최근에는 거의 사용되지 않는다.

### (3) 유도형 카테터 유닛

유도형 카테터 유닛(catheter with a guidewire)은 주사바늘과 유도 철심(guidewire)을 사용하여 카테터를 삽관하는 기구이다. 유도 철심을 사용하여 카테터를 삽입하는 방법을 셀딩거법(Seldinger method)이라 한다. 셀딩거법은 주사바늘로 정맥을 천자 한 후 주사바늘을 통하여 유도 철심을 정맥에 넣고 주사바늘을 제거한 뒤, 유도 철심을 통하여 카테터를 삽관하는 방법이다(그림 13-3). 최근 사용되는 중심정맥용 카테터는 대부분 유도형 카테터다.

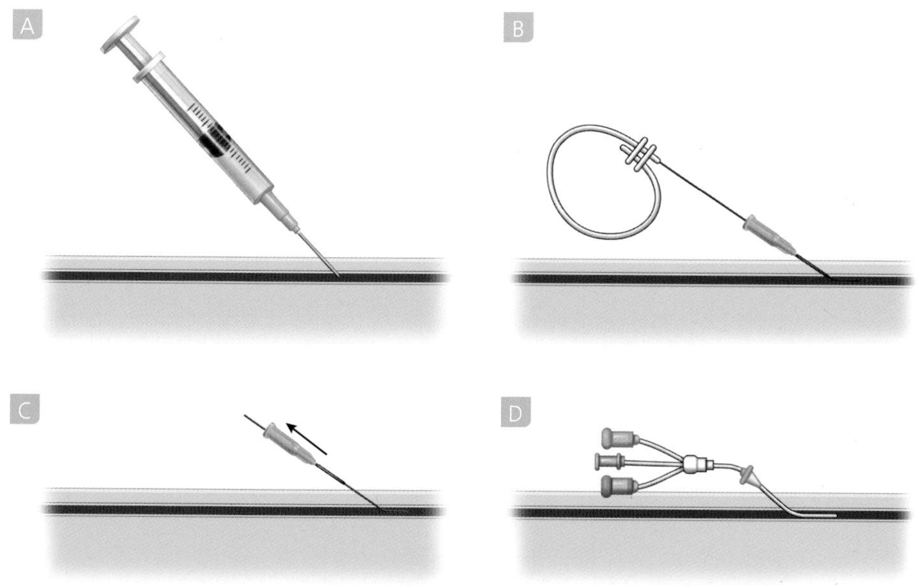


그림 13-3. 유도형 카테터 유닛을 사용하여 정맥 천자 하는 방법.
**A.** 주사바늘로 정맥을 천자 한다.
**B.** 주사바늘을 통하여 유도 철심을 정맥으로 삽입한다.
**C.** 유도 철심을 남긴 채 주사바늘을 제거한다.
**D.** 유도 철심을 따라 카테터를 삽입한 후 유도 철심을 제거한다.

표 13-5. 정맥주사기구의 크기에 따른 분당 수액투여량

| 정맥주사기구의 제원 | | 1분간 투여량(mL) |
|---|---|---|
| 내경(gauge) | 길이(cm) | |
| 18 | 4.3 | 55 |
| 16 | 20 | 25 |
| 16 | 13.3 | 57 |
| 16 | 5.7 | 83 |
| 14 | 5.7 | 94 |
| 8.5 French | 12 | 108 |

유도형 카테터 유닛을 사용하면 정맥 손상의 가능성이 작고 카테터 속에 여러 개의 통로가 있는 다구형(multi-lumen) 카테터를 삽관할 수 있다는 장점이 있다. 현재 사용되고 있는 중심정맥 용 카테터 삽관에는 거의 유도형 카테터 유닛이 사용된다.

### 2) 정맥주사용 기구에 따른 수액투여속도

정맥 내로 수액을 투여할 때 수액투여속도는 사용된 정맥주사용 기구의 내경과 길이에 따라 달라진다. 주사기구의 내경이 클수록 단위시간 동안 많은 양의 수액을 투여할 수 있으며, 주사기구의 길이가 길수록 단위시간 동안 투여할 수 있는 수액의 양은 적어진다. 따라서 같은 내경의 주사기구를 사용할 때에는 가능한 짧은 것을 선택하여야 다량의 수액을 투여하는 데 유리하다(표 13-5).

## 4. 말초정맥 천자술

### 1) 말초정맥로

말초정맥 천자는 술기가 쉽고, 심폐소생술 중에도 인공호흡이나 가슴압박에 지장을 주지 않고 할 수 있다. 그러나 심장정지와 쇼크 상태와 같이 말초정맥이 수축 또는 허탈하여 있는 상태에서는 천자 하기가 쉽지 않으므로 평소 반복 연습이 필요하다.

말초정맥으로는 약물이나 수액을 쉽게 투여할 수 있으나, 고농도 수액이나 자극적인 약물을 투여하는 데에는 제한이 있다. 심폐소생술 중 말초정맥으로 약물을 투여하면 중심

정맥으로 투여하는 것보다 약물의 순환시간이 지연되며 혈중농도가 낮게 유지된다.

말초정맥로를 확보할 때는 팔과 다리의 표재정맥과 외목정맥(external jugular vein)을 천자 하기가 가장 쉽다. 팔에서는 팔꿈치 앞에 있는 자쪽피부정맥(basilic vein)과 노쪽피부정맥(cephalic vein)이 주로 이용되며, 다리에서는 장두렁정맥(long saphenous vein)이 이용된다. 심장정지 상태이거나 쇼크 상태에서는 정맥이 잘 보이지 않으므로, 비교적 찾기 쉬운 팔 부위의 정맥을 천자 한다.

### 2) 말초정맥 천자 방법

말초정맥을 천자 할 때는 천자 부위보다 심장과 가까운 부위를 고무줄이나 커프로 조여 주어 정맥이 확장되도록 한다. 외목정맥을 천자 할 때는 머리를 심장보다 낮게 하여 외목정맥이 확장되도록 한다.

의식이 있는 환자에서는 가능하면 천자 할 부위를 부분마취 한다. 천자 할 정맥이 위치한 곳에서 0.5-1.0 cm 정도 떨어진 원위부에서 정맥을 향해 천자 한다. 정맥이 천자 되면 주사기로 혈액이 역류하므로 쉽게 천자 여부를 알 수 있다.

## 5. 중심정맥 천자술

### 1) 중심정맥로

중심정맥은 심장정지 또는 쇼크 상태에서도 완전히 허탈 되지 않으므로, 말초정맥을 천자 할 때보다 비교적 쉽게 천자 할 수 있다. 중심정맥로를 확보하면 중심정맥압을 측정할 수 있으며, 고농도의 수액이나 자극적인 약물도 투여할 수 있다.

말초정맥으로도 긴 카테터를 삽입하면 중심정맥에 카테터를 위치시킬 수 있지만, 속목정맥(internal jugular vein), 빗장밑정맥(subclavian vein), 대퇴정맥(femoral vein)을 천자 하면 쉽게 대정맥 내에 카테터를 삽입할 수 있다.

응급상황에서 중심정맥을 천자 할 때 가장 안전하고 접근하기 좋은 곳은 속목정맥이다. 속목정맥은 빗장밑정맥에 비하여 기흉 또는 혈흉의 발생 가능성이 적고, 천자 후 출혈이 발생해도 외부에서 압박할 수 있다. 대퇴정맥은 비교적 굵고 천자 하기 쉬우나 하대정맥의 원위부까지 카테터를 위치할 수 없어서 중심정맥압을 측정할 수 없다.

### 2) 중심정맥 천자 시 주의할 사항

중심정맥을 천자 할 때는 천자 할 정맥의 정확한 해부학적 구조와 올바른 천자 방법을 알아야 한다. 중심정맥은 주로 동맥의 바로 옆이나 흉곽 내에 있으므로, 정확한 방법으로 천자 하지 않으면 동맥이 천자 되거나 기흉, 혈흉 등의 합병증이 초래될 수 있다.

동맥이 천자 되면 양압에 의하여 갑자기 선홍색의 혈액이 주사기로 유입되므로 동맥이 천자 되었음을 금방 알 수 있다. 중심정맥을 천자 할 때는 공기 색전이 발생할 수 있으므로, 주사바늘이나 카테터를 통하여 공기가 유입되지 않도록 주의한다. 공기 색전을 방지하기 위해 환자가 호흡이 있으며 가능한 호기 시에 연결조작을 해야 하며, 기계 호흡 중인 환자는 흡기 시에 연결조작을 한다. 초음파 장비가 있는 경우에는 혈관을 관찰하면서 안전하게 중심정맥을 천자 할 수 있다(표 13-6).

### 3) 중심정맥 천자술의 합병증

중심정맥 천자 중에는 정맥이 파열되거나 주변 동맥이 천자 되어 출혈이 발생할 수 있다. 그 외에도 기관 등 주변 조직이 손상되거나, 혈종에 의하여 기도가 폐쇄될 수도 있다. 또한, 늑막 또는 흉곽 내 구조물이 손상되어 기흉 또는 혈흉이 발생할 수 있으므로, 천자가 끝난 후에는 즉시 흉부 방사선 촬영을 한다.

카테터를 삽관하는 과정에서 유도 철심 또는 카테터가 심장을 천공하여 심장눌림증이 발생할 수 있으며, 유도 철심 또는 카테터가 심방 또는 심실에 닿아서 우각차단 또는 부정맥이 발생할 수 있다. 따라서 카테터가 우심방으로 들어가지 않도록 상대정맥 내에 위치시켜야 한다.

표 13-6. 중심정맥을 천자 할 때 주의하여야 할 사항

1. 상체의 중심정맥을 천자 할 때는 공기 색전을 방지하기 위해 15° 정도의 트렌델렌부르그(Trendelenburg) 자세를 유지한다.
2. 주사바늘을 삽입할 때는 주사기로 음압을 계속 유지한다.
3. 동맥이 천자 되었을 때는 주사바늘을 빼고 10분 이상 충분한 압박을 가하여 지혈한다.
4. 정맥이 천자 되지 않았을 때는 주사바늘을 빼낸 후 다시 천자 한다. 주사바늘이 들어가 있는 상태에서 주사바늘을 이리저리 돌려서는 안 된다.
5. 정맥을 천자 한 후 주사기를 제거하고 유도 철심을 넣거나 수액 관과 연결할 때는 주사바늘을 막아 공기가 정맥으로 유입되는 것을 방지한다.
6. 정맥이 정확히 천자 되었더라도 도관이나 유도 철심이 삽관되지 않으면 무리하게 삽관하지 말고 다시 천자 해야 합병증을 방지할 수 있다.
7. 초음파 장비가 있으면 초음파 가이드 천자를 한다.

카테터를 삽관하는 동안에는 카테터를 통하여 공기가 색전 될 수도 있다. 카테터를 삽입한 후 시간이 경과하면 카테터 관련 감염(catheter-related infection)의 가능성이 커지고 카테터 주변에 혈전이 발생하여 폐로 색전 될 수 있다.

## 4) 중심정맥 천자 방법

### (1) 속목정맥 천자술

속목정맥은 흉곽 쪽에서는 온목동맥(총경동맥, common carotid artery)의 전, 외측에 위치하다가 점차 온목동맥의 외측을 지나, 두개골 쪽에서는 속목동맥의 뒤쪽에 위치한다. 따라서 온목동맥을 촉지하면서 온목동맥과 속목정맥의 위치를 고려하면 속목정맥을 쉽게 천자 할 수 있다.

속목정맥을 천자 할 때는 가능한 좌측보다는 우측을 천자 하는 것이 유리하다. 우측 속목정맥은 좌측 속목정맥보다 상대정맥과 일직 선상에 있으므로 상대정맥으로 카테터를 삽입하기가 유리하다. 또한, 흉관(thoracic duct)이 좌측에 위치하므로 흉관을 훼손할 우려가 적고, 우측의 늑막이 좌측보다 약간 아래에 위치하므로 기흉의 기회가 적기 때문이다.

속목정맥을 천자 하려면 환자를 가능한 트렌델렌부르그 자세로 하여 속목정맥이 팽대

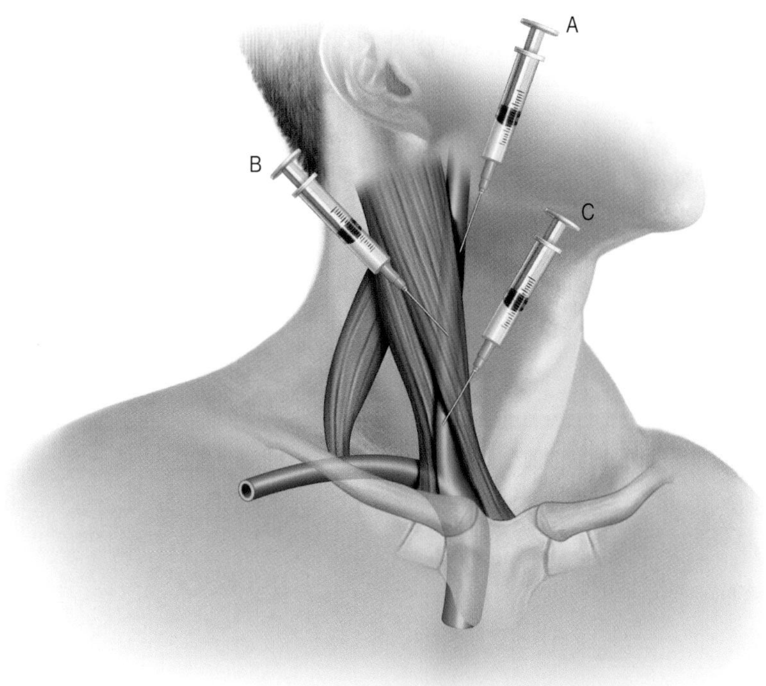


그림 13-4. 속목정맥을 천자 할 수 있는 위치. **A.** 전면 접근법, **B.** 후면 접근법, **C.** 중앙 접근법

되도록 한다. 속목정맥은 세 가지 접근법으로 천자 할 수 있다(그림 13-4).

### ① 전면 접근법

전면 접근법(anterior approach)은 목의 중간 정도에서 흉쇄유돌근의 앞쪽으로 온목동맥을 확인한 후 온목동맥의 바깥쪽을 천자 하는 방법이다(그림 13-5). 즉 흉쇄유돌근의 전면에서 온목동맥 맥박이 확인되면, 온목동맥의 외측으로 약 1 cm 부위를 천자 한다. 천자 할 때에는 빗장뼈의 가운데를 향하여 천자 하며 주사바늘을 약 60o 정도로 세워 천자 한다.

전면 접근법으로 천자 할 때는 피부에서 3 cm 이내에 속목정맥이 위치하므로 지나치게 깊이 천자 하지 않아야 한다. 전면 접근법을 시도할 때 가장 주의하여야 할 점은 온목동맥을 천자 하지 않도록 온목동맥을 확인한 상태에서 반드시 외측에 천자 부위를 정해야 한다는 것이다.

### ② 후면 접근법

후면 접근법(posterior approach)은 흉쇄유돌근 아래쪽 1/3지점(또는 빗장뼈에서 약 세 손가락 넓이 상부와 흉쇄유돌근이 만나는 지점)의 후면을 천자 하는 방법이다(그림 13-6). 천자 부위를 결정한 후 상 흉골각(sternal angle)을 향하여 전면으로 약 15o 정도의 방향으로 천자 한다. 후면 접근법으로 속목정맥이 천자 되려면 주사바늘이 피부로부터 약 5-7 cm

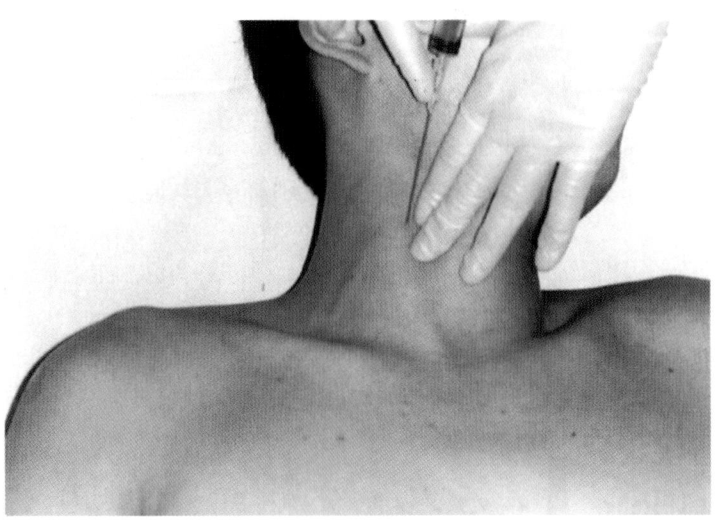

그림 13-5. 전면 접근법에서 속목정맥 천자 위치. 목의 중간 정도에서 흉쇄유돌근의 앞쪽에서 온목동맥을 만져서 맥박을 확인한 후 온목동맥의 바깥쪽을 천자 한다.

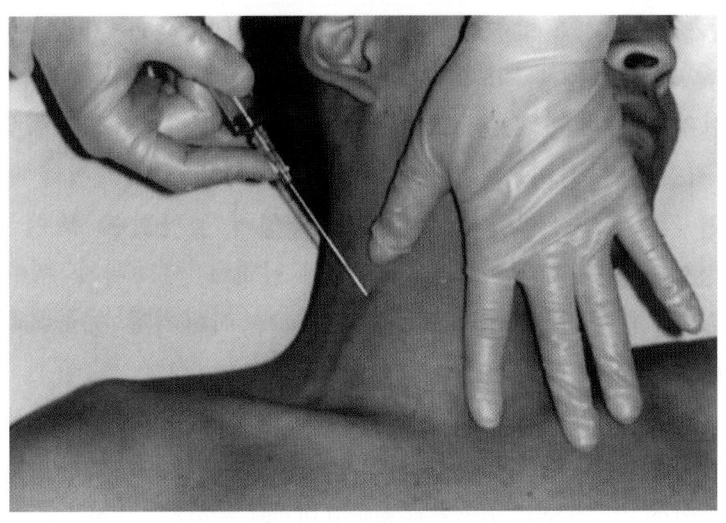

그림 13-6. 후면 접근법에서 속목정맥 천자 위치. 흉쇄유돌근 아래쪽 1/3지점(또는 빗장뼈에서 약 세 손가락 넓이 위쪽과 흉쇄유돌근이 만나는 지점)의 후면을 천자 한다.

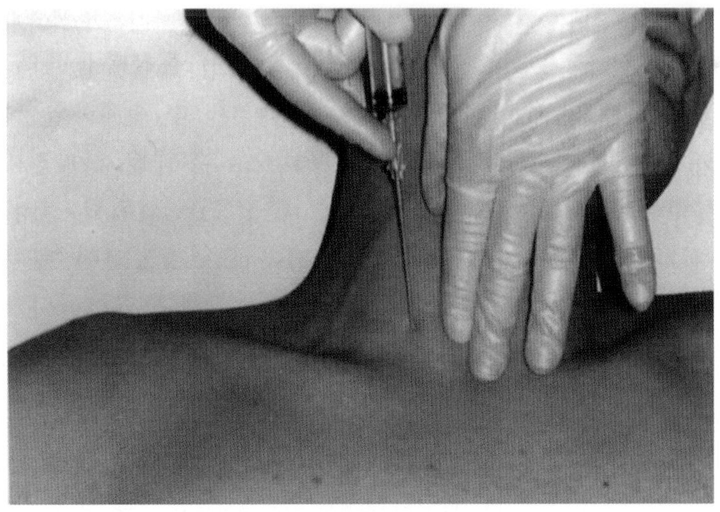

그림 13-7. 중앙 접근법에서 속목정맥 천자 위치. 흉쇄유돌근의 흉골 부착부와 빗장뼈 부착부 사이의 삼각지역을 천자 한다.

정도 들어가야 속목정맥이 천자 된다.

### ③ 중앙 접근법

중앙 접근법(central approach)은 환자의 머리를 한쪽 방향으로 돌린 후, 흉쇄유돌근의 흉골 부착부와 빗장뼈 부착부 사이의 삼각지역을 천자 하는 방법이다(그림 13-7). 상 흉골 삼각에서 목동맥의 맥박이 느껴질 때는 목동맥의 맥박이 만져지는 곳의 바로 외측을 천자

하면 된다. 중앙 접근법으로 속목정맥을 천자 할 때는 삼각지역의 첨부(머리 쪽)에서 등 쪽으로 약 45o의 각도로 주사바늘을 밀어 넣는다. 대개 2 cm 이내에서 속목정맥이 천자 되므로 주사바늘을 4 cm까지 밀어 넣어도 속목정맥이 천자 되지 않으면 서서히 주사바늘을 빼낸 후 다시 시도한다.

### (2) 빗장밑정맥 천자술

빗장밑정맥은 겨드랑정맥(axillary vein)이 제1 늑골의 외측 연을 통과하면서 시작된다. 빗장밑정맥은 약 3-4 cm의 길이이며 지름은 1-2 cm이다. 빗장밑정맥은 제1 늑골을 가로지르면서 빗장뼈를 지나 빗장뼈와 흉골, 제1 늑골이 합쳐지는 지점에서 속목정맥과 만나게 된다. 빗장밑정맥은 빗장밑동맥의 앞쪽으로 지나가기 때문에 외부에서 천자 할 수 있다.

빗장밑정맥을 천자 할 때는 기흉 또는 혈흉이 발생할 수 있으므로 천자의 위치 및 천자 방법에 주의를 기울여야 한다. 빗장뼈에서 너무 아래쪽을 천자 하거나 지나치게 빗장뼈의 원위부에서 천자 하면 기흉 또는 혈흉의 발생 가능성이 커진다. 또한, 빗장뼈의 근위부에서 천자 하면 빗장밑정맥이 천자 되더라도 빗장뼈 또는 인대에 카테터가 끼이게 되어 카테터를 정맥 내로 진입시킬 수 없는 때도 있다. 주사바늘이 지나치게 등 쪽으로 향하게 천자하면 빗장밑동맥이 천자 될 수 있다.

빗장밑정맥을 천자 하는 방법에는 세 가지 접근법이 있다. 빗장밑정맥은 빗장뼈를 기준으로 하여 빗장뼈의 위와 아래에서 천자 할 수 있으며, 외목정맥을 천자 한 후 외목정맥을 따리 빗장밑정맥으로 카테터를 삽입하는 방법이 있다.

#### ① 빗장뼈 밑 접근법

빗장뼈 밑 접근법(infraclavicular approach)은 빗장뼈 아래의 외측에서 빗장밑정맥을 천자 하는 방법이다(그림 13-8). 빗장밑정맥을 천자 할 때는 환자의 머리를 약 15o 정도 낮게 한 후, 환자의 머리를 천자 하는 부위의 반대쪽으로 향하도록 한다. 환자의 자세를 잡은 후 빗장뼈의 외측 1/3지점에서 빗장뼈 아래로 약 1 cm 정도 떨어진 부위에서 천자를 시작한다. 주사바늘이 피부를 통과하면 천자 하지 않는 손의 검지로 상 흉골 절흔(suprasternal notch)을 누르면서 주사바늘을 상 흉골 절흔 쪽으로 향하도록 삽입한다. 이때 주사바늘은 상 흉골 절흔을 누르고 있는 검지의 바로 뒤쪽을 향하여 수평을 유지한다. 보통 3-4 cm 정도 주사바늘을 삽관하면 빗장밑정맥이 천자 되므로 5 cm 이상 주사바늘이 들어간 후에도 정맥이 천자 되지 않으면 더 깊이 천자 해서는 안 된다.

주사바늘을 삽입할 때는 주사기로 계속 음압을 유지하여 공기 색전을 방지한다. 정맥이 천자 되지 않았을 때는 주사바늘을 피하까지 빼낸 후 방향을 전환하여 다시 시도한다.

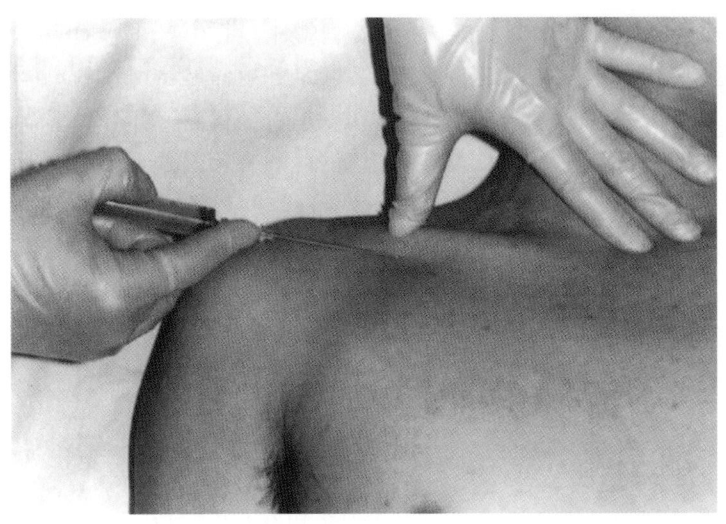

그림 13-8. 빗장뼈 밑 접근법에서 빗장밑정맥 천자 위치. 빗장뼈 아래의 외측에서 빗장밑정맥을 천자 한다. 환자의 머리를 약 15° 정도 낮게 한 후 환자의 머리를 천자 하는 곳의 반대쪽으로 향하도록 한다.

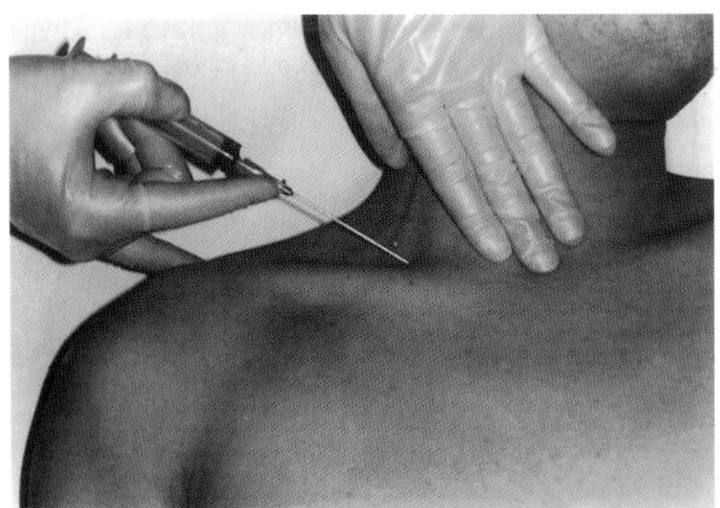

그림 13-9. 빗장뼈 위 접근법에서 빗장밑정맥 천자 위치. 흉쇄유돌근이 빗장뼈에 접합되는 부위를 확인한 후, 빗장뼈의 흉골 쪽 끝에서부터 외측으로 1 cm 떨어진 부위에서 빗장뼈의 뒤쪽으로 1 cm 위치를 천자 한다.

흉근이 발달하여 있거나 비대한 환자에서는 주사바늘의 진입 방향을 10-20° 정도 등 쪽으로 향하도록 천자 해야 빗장밑정맥에 도달할 수 있다.

### ② 빗장뼈 위 접근법

빗장뼈 위 접근법(supraclavicular approach)은 빗장밑정맥이 속목정맥과 만나는 곳을 천자 하는 방법이다(그림 13-9). 먼저 천자 위치를 정하기 위하여 흉쇄유돌근이 빗장뼈에 접합되는 부위를 확인한다. 빗장뼈의 흉골 쪽 끝에서부터 외측으로 1 cm 떨어진 부위에서 빗장뼈의 뒤쪽으로 1 cm 지점의 부위를 천자 한다. 천자 할 때에는 주사바늘을 수평면보다 앞쪽으로 10° 정도 향하게 하며, 몸의 중심 쪽으로 향하도록 천자 하여야 유도 철심과 카테터의 진입이 쉬워진다. 보통 피부로부터 주사바늘이 1-2 cm 정도 들어가면 빗장밑정맥이 천자 되므로 3 cm 정도 진입하여도 정맥이 천자 되지 않으면 주사기로 음압을 유지한 상태로 주사바늘을 피하까지 빼낸 후 방향을 바꾸어 천자를 다시 시도한다. 빗장뼈 위 접근법을 시도할 때에도 지나치게 깊이 천자 하면 혈흉 또는 기흉의 발생 가능성이 커진다.

#### ③ 외목정맥 천자에 의한 빗장밑정맥 삽관

이 방법은 외목정맥을 천자 한 후 유도 철심을 빗장밑정맥까지 밀어 넣고 유도 철심을 통해 카테터를 빗장밑정맥까지 넣는 방법이다.

외목정맥 천자를 통하여 빗장밑정맥에 카테터를 넣을 때 가장 주의하여야 할 점은 유도 철심이나 카테터를 밀어 넣을 때 무리한 힘을 가하지 말아야 한다는 것이다. 무리하게 유도 철심을 밀어 넣으면 유도 철심에 의하여 정맥이 파열되거나 유도 철심이 다른 구조물 속으로 삽입될 수 있다.

### (3) 대퇴정맥 천자술

대퇴정맥은 서혜 인대의 바로 아랫부분에서 대퇴동맥의 내측에 위치한다. 대퇴동맥의

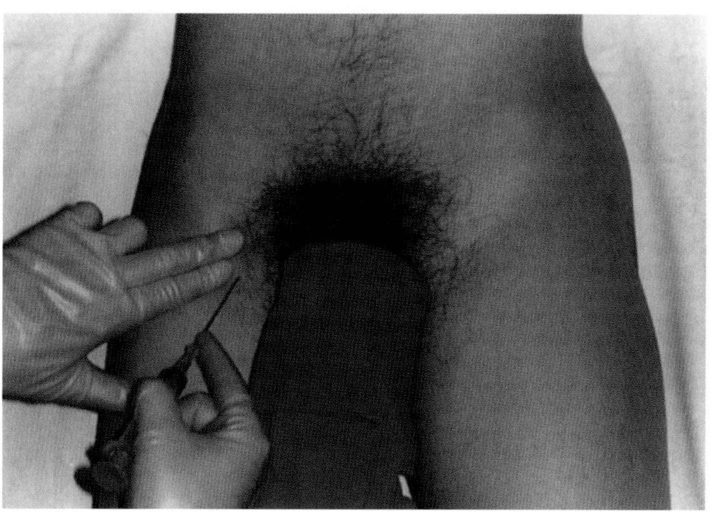

그림 13-10. 대퇴정맥 천자 위치. 서혜 인대의 아래에서 대퇴동맥을 확인한 후, 대퇴동맥으로부터 1 cm 정도 안쪽에 있는 대퇴정맥을 약 45° 정도의 각도로 천자 한다.

맥박이 만져지는 환자에서는 대퇴동맥이 만져지는 부분에서 손가락 하나 넓이 정도의 내측을 천자 하면 쉽게 대퇴정맥을 천자 할 수 있다. 심폐소생술 중에는 대퇴동맥의 맥박이 만져지는 것이 아니라 하대정맥을 통한 가슴압박의 박동이 대퇴정맥으로 전달되어 마치 맥박이 만져지는 것처럼 느껴질 수 있다. 따라서 심폐소생술 중 대퇴정맥을 확보할 때 박동이 있는 부분을 천자 하면 대퇴정맥이 천자 될 수도 있다.

대퇴정맥을 천자 할 때는 서혜 인대의 아래에서 대퇴동맥을 확인한 후, 대퇴동맥으로부터 1 cm 정도 내측에 있는 대퇴정맥을 약 45° 정도의 각도로 천자 한다(그림 13-10).

대퇴정맥 천자 시 가장 흔히 발생하는 합병증은 대퇴동맥 천자 또는 대퇴정맥 파열에 의한 혈종이다. 드물게는 서혜인대 상부의 대퇴동맥 또는 대퇴정맥을 파열시켜 혈복증 또는 후복막혈종을 초래할 수도 있다. 또한, 심폐소생술 중에 대퇴동맥으로 에피네프린이 투여되면 다리의 괴사가 초래될 수도 있다.

# 제 14 장

# 전문심장소생술 약물

## 1. 개요

전문심장소생술에서 투여하는 약물은 대부분 심혈관계에 작용하여 심장수축력, 혈압, 심박수를 조절하기 위하여 투여된다. 전문심장소생술 중 투여되는 약물은 혈역학적 변화를 초래하는 효과가 있으므로, 각 약물의 특성, 적응증, 금기, 부작용에 대한 지식을 가지고 투여해야 한다. 또한, 신속한 약물투여를 위해 응급환자를 치료하는 의료시설에는 전문심장소생술 중에 투여되는 약물을 항상 준비해 놓아야 한다.

전문심장소생술에서 약물을 투여하는 목적은 환자의 상태에 따라 달라진다. 심장정지 환자에서는 심폐소생술 중 조직 관류압을 유지하고, 심장 박동을 회복시키기 위하여 약물이 투여된다. 심장박동이 유지되고 있는 환자에서는 적절한 조직 관류압과 심장 기능을 유지하고, 부정맥을 방지하거나 치료하기 위하여 약물을 투여한다. 때로는 대사성 산증을 교정하고, 심부전의 치료를 위한 약물이 투여되기도 한다.

전문심장소생술 중에 투여되는 약물은 유사한 상황에 여러 가지 약제가 사용되므로, 약물을 투여할 때에는 약물투여의 목적과 선택된 약물이 적절한지를 항상 확인해야 한다.

전문심장소생술에서 사용되는 약물은 심폐소생술 중에 투여하는 약물, 심근 수축력 및 혈압을 상승시키는 약물, 항부정맥제, 혈관확장제, 베타 교감신경 차단제, 심근경색환자에게 투여되는 약물, 이뇨제, 기타의 약물로 나눌 수 있다(표 14-1).

표 14-1. 전문심장소생술에서 사용되는 약물

| 심폐소생술 중 투여하는 약물 | 에피네프린<br>바소프레신<br>아미오다론<br>리도카인<br>중탄산나트륨 |
|---|---|
| 심근 수축력 또는 혈압 조절용 약물 | 에피네프린<br>노르에피네프린<br>도파민<br>도부타민<br>디곡신<br>암리논 |
| 항부정맥제 | 아미오다론<br>리도가인<br>프로케이나마이드<br>베라파밀<br>딜티아젬<br>아데노신 |
| 혈관확장제 | 나이트로글리세린<br>니트로프루시드 |
| 베타 교감신경 차단제 | 프로프라놀롤<br>메토프롤롤<br>에스몰롤 |
| 이뇨제 | 후로세미드 |
| 진통제 | 모르핀 |

## 2. 심폐소생술 중 투여하는 약물

심폐소생술 중 투여되는 약물은 자발순환을 회복시키기 위하여 투여된다. 혈관수축제는 심폐소생술 중 조직 관류압을 유지하기 위하여 투여한다. 항부정맥제는 제세동 역치를 감소시키며, 부정맥의 재발을 방지하기 위해 투여된다. 심장정지로 인하여 발생하는 조직의 산증을 치료하거나 고칼륨혈증을 치료하기 위해 중탄산나트륨(sodium bicarbonate, $NaHCO_3$)을 투여하기도 한다. 약물과 더불어 조직으로의 산소 공급을 증가시키기 위해 가능하면 고농도(100%)의 산소를 공급한다.

심폐소생술 중에는 순환량이 정상 심박출량의 20-30% 내외에 불과하므로, 약물의 순환시간(circulation time)과 혈중 최고농도(peak concentration) 도달 시간이 정상 순환상태보다 지연된다. 또한, 투여된 약물의 대사가 정상 상태보다 느리게 진행되므로 약물을 반복 투여할 때에는 약물의 대사 속도를 고려한다.

약물을 투여할 때에는 심장정지 환자의 심전도 소견, 산-염기 상태, 체중을 고려하여 적절한 약물과 투여용량 및 방법을 결정한다. 심폐소생술 중 투여되는 약물 중에는 투여 간격이나 용량에 대하여 논란이 있는 약제들이 있다. 그러나 심폐소생술이 진행되고 있는 상황에서 신속히 약물을 투여하려면, 환자의 심전도 소견이 확인되는 대로 표준화된 지침에 따라 일관적으로 약물을 투여하는 것이 권장된다.

심폐소생술 중에 사용되는 약제 중 에피네프린은 심폐소생술이 진행되는 중 통상적으로 투여되며, 바소프레신, 아미오다론, 리도카인, 아트로핀, 중탄산나트륨, 프로케이나마이드, 마그네슘, 염화칼슘은 환자의 상태에 따라 투여되거나 다른 약물의 대체 약물로서 투여된다(표 14-2). 아미오다론, 리도카인, 프로케이나마이드는 항부정맥제에서 다루었다.

### 1) 에피네프린

에피네프린은 알파(α) 및 베타(β) 교감신경 수용체(adrenergic receptor)를 모두 흥분시키는 강력한 카테콜아민(catecholamine)으로서, 다양한 심혈관계 작용이 있다. 에피네프린을 투여하면 말초혈관저항의 상승, 수축기 및 이완기 혈압의 상승, 심근의 전기적 흥분성 증가, 관상동맥으로의 혈류증가, 심근 수축력 증가, 심근 산소소모량 증가, 심근 자율성 증가 등 심혈관계 효과가 발생한다.

표 14-2. 심장정지 환자에서 투여되는 약물

| 약제명 | 적응증 | 투여용량 |
|---|---|---|
| 에피네프린 | 모든 심장정지 | 3-5분 간격으로 1 mg |
| 아미오다론 | 제세동에 반응하지 않는 심실세동 및 무맥성 심실빈맥 | 300 mg (첫 용량)<br>150 mg (두 번째 용량) |
| 바소프레신 | 모든 심장정지 환자에서 첫 번째 또는 두 번째 에피네프린의 대체 약물로 사용 | 40IU bolus |
| 리도카인 | 제세동에 반응하지 않는 심실세동 및 무맥성 심실빈맥 | 1-1.5 mg/kg (첫 용량)<br>0.5-0.75 mg/kg (두 번째 용량) |
| 아트로핀 | 서맥 | 3-5분 간격으로 0.5-1.0 mg |
| 중탄산나트륨 | 대사성 산증에 의한 심장정지<br>고칼륨혈증 | 1 m Eq/kg |
| 마그네슘 | 저마그네슘혈증을 동반한 심장정지 | 1-2 g |
| 염화칼슘 | 고칼륨혈증, 저칼슘혈증 및 칼슘 통로 차단제중독에 의한 심장정지 | 8-16 mg/kg |

### (1) 심장정지에서의 효과

에피네프린은 심장정지 환자에서 말초혈관을 수축시켜 말초혈관의 허탈(collapse)을 방지함으로써, 관상동맥 및 뇌 관류압을 높인다. 그뿐만 아니라 에피네프린의 알파 교감신경 흥분작용은 심실세동 환자에서 제세동의 역치를 감소시킴으로써 제세동의 가능성을 높인다.

심장정지 환자에서 에피네프린 투여의 효과는 주로 알파 교감신경 흥분작용에 의한 것이다. 심장정지로 유발된 극심한 허혈 상태에서는 알파 교감신경 수용체 중 알파 1 수용체의 기능은 마비되고 주로 알파 2 수용체의 작용으로 혈관수축이 발생한다. 심장정지 환자에게 순수한 알파 교감신경흥분제인 methoxamine이나 phenylephrine을 투여해도 에피네프린을 투여했을 때와 유사한 효과가 발생한다. 에피네프린의 베타 교감신경 흥뷰작용은 심근의 산소소모량을 증가시키고 심장내막으로의 관류량을 감소시켜 심근의 젖산염(lactate) 생성을 증가시킨다. 그러나 에피네프린의 베타 교감신경 작용은 심폐소생술 중 뇌 혈류를 증가시키므로, 심장정지 환자에게 순수한 알파 교감신경 작용제를 투여하는 것보다 에피네프린을 투여하는 것이 권장된다.

에피네프린의 베타 교감신경 작용이 심근의 산소 요구량을 증가시키고, 심근의 괴사를 초래할 수 있으므로 에피네프린을 대체할 수 있는 약제에 관한 연구가 계속됐다. 최근 에피네프린이 병원밖 심장정지 환자에서 위약과 비교하면 생존율을 높인다는 것이 대규모 임상연구에서 확인되었다. 그러나, 이 연구에서 에피네프린이 위약과 비교하면 병원밖 심장정지 환자의 뇌기능회복률을 높이지는 않은 것으로 알려졌다. 현재로서는 에피네프린을 대체할 수 있는 약물이 없으므로, 모든 심장정지 환자에게 에피네프린을 투여한다.

### (2) 적응증 및 표준 투여량

에피네프린은 심장정지의 원인, 초기 심전도 소견과 관계없이 모든 심장정지 환자에게 투여한다.

심폐소생술이 진행되는 동안 3-5분마다 1.0 mg의 에피네프린을 정맥 내로 투여한다. 정맥로가 아직 확보되지 않은 심장정지 환자에서는 에피네프린을 골내(intraosseous)주사로 투여한다. 충격필요리듬(심실세동 또는 무맥성 심실빈맥)이 관찰되는 환자에서는 에피네프린 투여를 위한 주사로 확보에 우선하여 제세동한다. 충격불필요리듬(무맥성 전기활동 또는 무수축)이 관찰되는 경우에는 에피네프린을 빨리 투여할수록 생존율이 높아지므로, 심폐소생술이 시작되면 에피네프린을 신속히 투여한다.

기관내(intratracheal)로 투여된 에피네프린의 흡수는 예측할 수 없으므로 기관 내 투여는 권장되지 않는다. 정맥주사로와 골내 주사로가 모두 확보되지 않아 불가피하게 에피네프린을 기관내로 투여할 때에는 정맥 내로 투여할 때보다 2-2.5배의 용량을 투여한다. 기관내로 투여된 에피네프린의 흡수량은 환자의 허파꽈리 내 상태에 따라 다르다. 에피네프린 자체의 혈관수축 작용 때문에 흡수가 지연될 수 있으며, 특히 폐부종이 있는 환자에서는 흡수가 더 지연된다.

### (3) 투여량에 대한 논란과 새로운 투여방법

성인에서 에피네프린의 투여량은 체중과는 무관한 용량으로 투여되고 있다. 현재의 에피네프린투여량은 과거에 흉부외과 의사들이 개심 수술 중 심장정지가 발생했을 때, 심장으로 1-3 mg의 에피네프린을 투여한 것에서 비롯되었다. 심장정지 중에는 현재의 권고 용량(0.01-0.017 mg/kg)보다 월등히 많은 양인 0.045-0.2 mg/kg의 에피네프린이 투여되어야 혈역학적으로 가장 효과적인 것으로 알려졌다. 또한, 고용량의 에피네프린을 투여하면 권고 용량을 투여할 때보다 심장정지 환자의 자발순환 회복률이 높아진다. 이에 따라 권고 용량보다는 고용량의 에피네프린이 투여되어야 한다는 주장이 제기되어 다양한 방법의 에피네프린 투여방법이 연구된 바 있다. 그러나 고용량의 에피네프린을 투여하면 자발순환회복률은 높아지지만, 권고 용량을 투여한 군과 실제 생존율은 차이가 없다. 최근 권고 용량보다 많은 양의 에피네프린이 투여될 경우 환자의 단기 사망률이 높아지는 등, 고용량 에피네프린이 오히려 장기 생존율을 감소시킨다는 결과가 보고되어 고용량 에피네프린 용법은 더는 권장되지 않는다. 소아에서도 고용량 에피네프린 투여가 생존율을 증가시킨다는 증거는 없다. 따라서 심장정지 환자에게 투여하는 에피네프린의 권고 용량은 1 mg이다.

### (4) 쇼크에서의 투여

에피네프린은 일반적으로 사용되는 혈관수축제에 반응하지 않는 쇼크 환자의 혈압을 유지하거나 심박수를 증가시키기 위해 지속적으로 정맥 주사할 수 있다. 쇼크 환자에게 에피네프린을 사용할 때에는 분당 0.1-0.5 ug/kg의 양으로 시작하여 혈압이 유지될 때까지 점차 증량한다.

### (5) 에피네프린 투여의 부작용

에피네프린이 정맥 밖으로 유출되면 조직의 괴사를 초래하므로, 지속적으로 정맥주사할 때는 가능하면 중심정맥으로 투여한다.

에피네프린은 알칼리성 용액에서 자동산화(autooxidation)되므로, 알칼리 용액과 함께 투여하면 약리작용이 저하된다. 따라서 중탄산나트륨과 섞어서 투여하면 적절한 약리작용이 나타나지 않을 수 있다.

에피네프린은 심근 수축력과 심박수를 증가시키므로 소량을 투여해도 심근의 허혈을 초래할 수 있다. 심근허혈의 가능성이 있는 환자에서는 가능한 에피네프린을 투여하지 않아야 하며, 부득이 에피네프린을 투여할 때에는 심근허혈의 발생 여부를 확인하면서 투여량을 조절한다.

에피네프린은 심실 부정맥을 유발할 수 있다. 심근의 자율성을 증가시키는 약물(디지탈리스)이 투여되고 있는 환자에게 에피네프린을 투여할 때는 심실 부정맥의 발생에 대비해야 한다.

## 2) 바소프레신

바소프레신은 체내에서 분비되는 항 이뇨호르몬(antidiuretic hormone)이다. 바소프레신을 고용량 투여하면 V1 수용체(V1 receptor)에 작용하여 혈관수축작용이 발생한다. 심장정지 환자에게 바소프레신을 투여하면 혈관의 평활근을 수축시켜 말초혈관 저항을 증가시킨다. 심폐소생술이 진행되는 동안 바소프레신은 특히 피부, 근육, 장으로의 혈류를 감소시키는 반면, 관상동맥 및 콩팥 동맥의 수축을 일으키지 않으면서 뇌혈관을 이완시킨다. 바소프레신은 에피네프린과는 달리 베타 교감신경 작용이 없으므로, 심근의 산소요구량을 증가시키지 않는다.

### (1) 투여의 적응증

심장정지 환자에서 바소프레신은 관상동맥 관류압, 뇌 혈류량 및 뇌로의 산소 공급을 증가시킨다. 또한, 바소프레신은 심실세동의 진폭을 증가시키고 세동파 빈도를 높이는 것으로 알려졌다. 동물연구에서 바소프레신은 에피네프린과 유사하거나 우수한 혈역학적 효과가 있는 것으로 증명되어 에피네프린을 대체할 수 있는 약물로 인정받게 되었다. 심장정지 환자를 대상으로 한 대단위 연구에서 바소프레신을 투여받은 군과 에피네프린을 투여받은 군은 유사한 생존율을 보이는 것으로 나타났다. 이 연구의 세부 분석에서 무수축 상태의 심장정지 환자에서 바소프레신이 에피네프린과 비교하면 순환회복률을 높이는 것으로 나타났다. 바소프레신은 심장정지 환자에서 심장정지 리듬과 관계없이 첫 번째 또는 두 번째 에피네프린 투여를 대신하는 방법으로 사용하는 것이 권장된다. 미국심장협회의 전문소생술 가이드라인에서는 심장정지 환자에게 바소프레신을 투여하는 것을 더는 권장하지 않는다.

### (2) 투여방법

심장정지 환자에게 바소프레신을 투여할 때에는 40IU를 정맥으로 투여한다. 바소프레신은 약물의 반감기가 10-20분이므로 심폐소생술 중에 한 번만 투여한다. 바소프레신은 첫 번째 또는 두 번째 에피네프린 투여를 대신하여 투여할 수 있다. 바소프레신을 반복 투여하는 때도 혈역학적 효과가 발생하는 것으로 알려져 있으나, 현재로서는 반복투여는 권장되지 않는다.

### (3) 바소프레신과 에피네프린의 동시 투여

바소프레신과 에피네프린을 동시에 투여하면 뇌 혈류량이 감소하는 것으로 알려져 있으므로 동시에 투여하지 않는다. 심장정지 환자를 대상으로 한 대규모 임상연구에서도 바소프레신과 에피네프린을 동시에 투여받은 군과 에피네프린을 단독 투여받은 군 사이에 생존율의 차이는 없는 것으로 나타났다. 즉, 에피네프린과 더불어 바소프레신을 함께 투여하더라도 심장정지 환자의 생존율이 높아지지 않는다.

## 3) 아트로핀

아트로핀은 부교감신경 차단제이므로 동방결절의 흥분성을 증가시키고, 방실결절에서의 전도를 촉진한다. 아트로핀은 부교감신경작용의 증가로 인하여 발생한 서맥, 말초혈관 저항 감소, 저혈압을 치료하기 위해 투여된다.

### (1) 아트로핀투여의 적응증

아트로핀은 임상 증상을 초래하는 모든 종류의 서맥 치료에 사용된다. 아트로핀은 부교감신경작용을 차단하므로 미주신경이 과도하게 항진되어 발생하는 서맥의 치료에 효과적이다. 저혈압과 함께 빈맥이 동반되지 않고 분당 60-100회 정도의 심박수가 유지되고 있는 환자(relative bradycardia)에게 아트로핀을 투여하면 저혈압을 교정할 수 있다.

아트로핀을 투여하면 부교감신경차단작용으로 상대적으로 교감신경 흥분작용이 발생하는 효과가 있다. 아트로핀에 의해 발생하는 상대적 교감신경 흥분작용은 가끔 심실의 빈맥성 부정맥을 초래하는 경우가 있다. 예를 들어, 심근허혈에 의하여 2도 II형 방실차단이나 완전 방실차단이 발생한 환자 중 QRS 간격이 연장된 경우에는 아트로핀을 투여하면 오히려 심실박동수를 감소시키거나 심실세동 등 빈맥성 부정맥이 발생하는 경우가 있다.

무수축은 장시간의 심실세동 또는 심근허혈에 의하여 발생하므로 아트로핀투여로 회복시킬 수 없다. 따라서 무수축 환자에게 통상적으로 아트로핀을 투여하는 것은 권장되지 않는다. 그러나 무수축 환자 중 미주신경 작용의 항진으로 무수축이 발생한 경우에는 아트로핀투여로 자발순환이 회복될 수 있다.

#### (2) 투여방법

서맥 환자에게 아트로핀을 투여할 때에는 0.5-1.0 mg을 정맥 투여하며, 적절한 심박수가 유지 될 때까지 3-5분 간격으로 반복 투여한다. 아트로핀 투여량이 총 3 mg(0.04 mg/kg)을 초과하면, 미주신경 작용이 완전히 차단되므로 더 이상의 용량을 투여하는 것은 의미가 없다.

정맥로 또는 골간주사로가 없는 환자에게는 기관으로 아트로핀을 투여할 수 있다. 기관으로 아트로핀을 투여할 때에는 1.0-2.0 mg의 아트로핀을 10 mL 이상의 생리식염수에 섞어서 기관 내 카테터를 통하여 투여한다.

#### (3) 투여 시 주의사항

심근경색 등 심근의 허혈이 동반된 환자에서는 아트로핀에 의하여 심근의 허혈이 악화될 수 있으므로 가능한 반복하여 투여하지 않는다. 심근 허혈이 있는 환자에게 적절한 심박수를 유지하기 위해 반복적으로 아트로핀투여가 필요한 경우에는 가능한 한 조속히 심장박동조율을 한다.

0.5 mg 이하의 아트로핀을 투여하면 오히려 서맥을 초래할 수 있다. 과량의 아트로핀이 투여되면 과도한 부교감신경차단 효과에 의하여 빈맥, 고열, 의식장애, 혼수 등이 생길 수 있다.

### 4) 중탄산나트륨

#### (1) 심장정지에서 산-염기 변화

심장정지가 발생하면 혈류가 중단되어 조직으로의 산소 공급이 차단되고, 조직에서 발생한 이산화탄소가 제거되지 않는다. 조직에서는 혐기성 대사로 인하여 젖산염이 축적되고, 세포 내 이산화탄소 분압이 상승하여 산성화가 진행된다.

심폐소생술 중에는 조직 관류량이 매우 적으므로 조직 내 이산화탄소가 충분히 제거되지 않는다. 또한, 폐 관류량이 적으므로 정맥의 이산화탄소가 폐를 통하여 충분히 배출될 수 없다. 그 결과, 심폐소생술이 진행되면 정맥의 이산화탄소 분압이 계속 상승하여 정맥혈의 호흡성 산성화가 심화된다. 정맥혈과 세포의 이산화탄소 분압 상승은 세포의 정상 기능을 저해하며, 심근 수축력을 감소시키고, 제세동 역치를 높인다. 한편 심폐소생술 중에는 정상보다 폐를 더 많이 환기하므로, 폐에서 환기된 동맥혈의 이산화탄소 분압은 정상보다 감소한다. 결국, 심폐소생술 중에는 조직 및 정맥혈의 호흡성 산성화가 계속되고, 동맥혈의 호흡성 알칼리화가 진행되어 정맥혈과 동맥혈의 pH 차이가 증가한다. 이러한 현상을 veno-arterial paradox라 한다. 이처럼 심폐소생술 중에는 정맥혈의 호흡성 산성화, 동맥혈의 호흡성 알칼리화 및 대사성 산성화가 진행되므로, 환자의 체내에는 세 가지의 산-염기 변화가 발생한다. 따라서 심폐소생술 중인 환자에게 특정한 약제를 투여하여 산-염기 변화를 모두 교정할 수 없다. 심장정지 환자의 산-염기 변화를 교정할 수 있는 가장 이상적인 방법은 산-염기 상태를 교정하는 약제를 투여하는 것보다는 빨리 자발순환을 회복시켜 조직 관류를 정상화하는 것이다.

### (2) 중탄산나트륨의 작용기전

중탄산나트륨(sodium bicarbonate: $NaHCO_3$)은 혈액 내에서 sodium ion과 bicarbonate ion($HCO_3^-$)으로 해리되고, bicarbonate ion은 혈액 내 H+ ion과 결합하여 carbonic acid($H_2CO_3$)가 된다. Carbonic acid는 $H_2O$ 및 $CO_2$ 상태와 평형을 이루므로 폐를 통하여 CO2가 배출되면 체내의 H+ ion이 계속 제거되어 혈중 pH를 높이게 된다. 중탄산나트륨에 의하여 대사성 산증이 교정되려면, 정상적인 폐 관류와 폐 환기가 유지되어야 한다. 심폐소생술 중에는 폐 관류량이 매우 적으므로 $CO_2$의 배출이 충분하지 않다. 따라서 심폐소생술 중에 중탄산나트륨을 투여하면 오히려 세포 및 정맥 내의 $CO_2$ 농도가 상승한다. 상승한 $CO_2$는 세포 내로 투과되어 세포 내 $CO_2$ 농도를 증가시켜 세포 내 호흡성 산성화를 초래한다.

### (3) 중탄산나트륨 투여의 적응증

심장정지 초기에 발생하는 혈액의 산성화는 제세동 역치, 순환회복률, 초기 생존율, 약제에 대한 반응에 영향을 미치지 않는 것으로 알려져 있다. 따라서 심장정지 환자에게 혈액의 산성화를 막기 위하여 약제를 투여하는 것은 생존율을 높이는 데 도움이 되지 않는다. 심폐소생술 중에는 혈류량을 증가시키는 것만이 산증의 진행을 억제할 수 있으며, 자발순환이 회복되어 조직으로 정상적인 혈류가 유지되어야 산증이 교정될 수 있다. 따라서 심폐소생술 중 모든 환자에게 관례로 중탄산나트륨을 투여하는 것은 권장되지 않는다.

중탄산나트륨은 산증이 심장정지의 원인이 되었거나 산증을 교정하여야 자발순환이 회복될 수 있는 환자에게만 투여한다(표 14-3).

심장정지로부터 자발순환이 회복된 후에는 조직에 축적되어 있던 젖산염이 혈액으로 유입되어 발생하는 산증을 교정하기 위하여 중탄산나트륨을 투여할 수 있다. 중탄산나트

표 14-3. 심장정지 환자에서 중탄산나트륨 투여의 적응증

| |
|---|
| 1. 대사성 산증에 의한 심장정지 |
| 2. 심장정지 발생 이전에 중증도의 대사성 산증이 있었던 환자 |
| 3. 고칼륨혈증에 의한 심장정지 |
| 4. 항우울제 또는 바비튜르산염(barbiturate) 중독에 의한 심장정지 |

륨 투여가 필요할 때에도 제세동, 기관내삽관 및 인공호흡, 에피네프린 투여가 완료된 후에 투여하는 것이 권장된다.

### (4) 투여방법

중탄산나트륨 투여가 필요한 환자에게는 최초 1mEq/kg의 중탄산나트륨을 투여하며, 10분마다 최초 양의 반을 투여한다. 반복투여 시에는 가능한 동맥혈 가스검사를 하여 염기결핍(base deficit)의 양을 측정한 후 필요한 중탄산나트륨 양을 계산하여 투여한다.

pH가 정상이 될 때까지 중탄산나트륨을 투여하면 자발순환이 회복된 후에 젖산염이 대사되어 대사성 알칼리증이 유발될 수 있다. pH가 7.0-7.1 이상이 되면 중탄산나트륨 투여를 중단하고 동맥혈 가스검사 결과를 다시 확인한 후 추가 투여 여부를 결정한다.

### (5) 중탄산나트륨의 부작용

중탄산나트륨의 투여는 조직의 산소 부족 상태를 악화시킬 수 있다. 중탄산나트륨은 산소해리곡선을 좌측으로 편향시켜 산소 해리를 억제하므로, 중탄산나트륨을 투여하면 조직으로의 산소공급량이 감소할 수 있기 때문이다.

중탄산나트륨에는 고농도의 Na+이 포함되어 있다. 중탄산나트륨이 대량으로 투여되면 혈액 내 Na+이 축적되어 고나트륨혈증을 발생하며, 혈액의 삼투압이 증가한다.

중탄산나트륨에 의해 증가한 이산화탄소는 세포막을 쉽게 통과하므로 세포 내 호흡성 산증이 더 진행된다. 심장정지 또는 심폐소생술 중에는 심근의 이산화탄소 분압이 400 mmHg 이상으로 높아질 수 있다. 심근 내 이산화탄소 분압이 300 mmHg 이상 증가하면 심근 내 pH가 6.1 이하로 감소하게 되어 심근 수축력이 급격히 감소한다. 대사성 산증에 의한 심근 수축력 감소는 서서히 진행되지만, 세포 내 이산화탄소의 증가로 인한 호흡성 산증은 빠르게 진행되므로 심근 수축력이 급격히 저하한다. 중탄산나트륨을 투여하면 심근 내 이산화탄소 분압이 급속히 상승하므로, 중탄산나트륨의 투여는 심근 수축력을 더욱 감소시킬 수 있다. 또한, 중탄산나트륨을 투여하면 뇌척수액과 뇌세포의 호흡성 산증을 일으켜 뇌 기능장애가 초래된다. 중탄산나트륨의 투여는 말초혈관 저항을 감소시켜 심폐소생술 중 관상동맥 관류압이 낮아진다. 중탄산나트륨에 의한 pH의 상승은 심폐소생술 중

표 14-4. 중탄산나트륨 투여로 발생할 수 있는 부작용

| |
|---|
| 1. 조직으로의 산소 공급량 감소 |
| 2. 고나트륨혈증 |
| 3. 고삼투압혈증 |
| 4. 호흡성 산증으로 인한 심근 수축력 감소 또는 전기-기계 해리 발생 |
| 5. 에피네프린의 불활성화 |
| 6. 산증의 과다 교정으로 인한 알칼리혈증 |
| 7. 관상동맥 관류압의 저하 |

투여되는 에피네프린을 불활성화시킬 수 있다(표 14-4).

## 5) 마그네슘

마그네슘(magnesium)은 세포 내 여러 가지 효소의 cofactor로 작용하며, 특히 세포막 Na+/K+ pump의 작용에 필수적인 역할을 한다. 마그네슘은 칼슘에 대해 대항작용을 하므로 신경 말단에서 근육으로의 전도를 차단한다.

마그네슘이 심근에서 어떤 역할을 하는지는 잘 알려지지 않았으나, 마그네슘이 결핍되면 여러 가지 부정맥이 생기며 급사와도 연관이 있다고 알려져 있다.

### (1) 적응증

모든 심실세동 환자에게 마그네슘을 관례로 투여하는 것은 권장되지 않는다. 비틀림 심실빈맥으로 심실세동이 발생한 환자의 치료에 마그네슘이 사용된다. 심장정지 전 마그네슘결핍이 있었거나 결핍이 의심되는 환자에게도 마그네슘을 투여한다.

일반적인 치료에 반응하지 않는 심실상 빈맥 환자에서 마그네슘결핍이 의심되면 마그네슘을 투여한다. 비틀림 심실빈맥이나 디지탈리스 중독환자에게는 혈중 마그네슘 농도와 관계없이 마그네슘을 투여해볼 수 있다.

### (2) 투여방법

비틀림 심실빈맥에 의한 심실세동 또는 심실빈맥 환자에게는 1-2g (50% 용액 2-4 mL)을 빠른 속도로 정맥 내 투여한다. 맥박이 만져지는 심실빈맥 환자에게는 1-2g의 마그네슘을 10 mL의 포도당 용액과 섞어서 1-2분에 걸쳐서 정맥주사한다. 최초의 마그네슘 투여 후 반응이 없으면 5-15분 후에 재투여할 수 있다.

마그네슘을 투여할 때에는 저혈압 또는 무수축이 발생할 수 있으므로 유의한다. 마그네슘결핍이 있는 환자에게는 저마그네슘혈증이 교정될 때까지 시간당 0.5-1.0 g(4-8 mEq)

를 정맥 투여한다. 비틀림 심실빈맥 환자에게도 1-2 g (50% 용액 2-4 mL)을 빠른 속도로 정맥 내 투여하며, 때로는 매우 많은 양(5 g 이상)을 투여해야 하는 때도 있다.

### (3) 부작용

마그네슘은 서서히 투여되면 부작용이 거의 없다. 그러나 급속히 투여되는 경우에는 안면홍조, 발한, 서맥과 같은 경도의 부작용에서부터, 저혈압, 무수축 등 중증의 심혈관계 부작용을 유발한다. 또한, 마그네슘은 신경-근육 전달을 차단하므로 반사작용의 감소, 근육 마비, 호흡 마비 등이 초래될 수 있다. 따라서 마그네슘을 투여할 때에는 마그네슘 독성에 대비하여 칼슘을 준비하는 것이 권장된다.

## 6) 칼슘

칼슘(calcium)은 심근 수축력을 증가시키고 혈관을 수축시키므로, 과거에는 심장정지 환자에게 항상 투여되던 약제이다. 칼슘은 심근세포가 전기적으로 흥분할 때 세포 외부에서 세포 내로 들어와 심근의 전기적 흥분상태를 유지하는 역할을 하며, 세포 내에서는 트로포닌(troponin)과 결합함으로써 심근을 수축시킨다. 또한, 혈관의 평활근을 수축시키므로 후부하를 증가시켜 혈압을 높인다.

심장정지 상태인 환자에게 칼슘을 투여하면, 세포 내 칼슘농도가 증가하면서 크산틴산화효소(xanthine oxidase) 등을 활성화해 세포 손상이 가속된다. 칼슘은 관상동맥 및 뇌동맥을 수축시켜 심폐소생술 중 관상동맥 혈류와 뇌 혈류를 감소시킬 수 있다. 따라서 심장정지 환자에게 칼슘을 관례로 투여하는 것은 권장되지 않는다.

### (1) 칼슘 투여의 적응증 및 투여방법

칼슘은 고칼륨혈증, 저칼슘혈증 및 칼슘 통로 차단제중독으로 심장정지가 발생한 환자에게 투여한다. 이 경우에는 10% 용액의 칼슘($CaCl_2$)을 8-16 mg/kg 정도 투여하며, 필요에 따라 10-30분 간격으로 반복 투여한다. 칼슘길항제 중독을 예방하기 위한 목적으로 칼슘을 투여할 때는 10% 용액의 칼슘을 체중 1 kg당 2-4 mg 투여한다. 칼슘을 투여할 때는 $CaCl_2$ 형태의 용액을 사용하는 것이 혈중 이온화된 칼슘의 농도를 적절히 유지하는 데 유리하다.

### (2) 칼슘 투여 시 주의사항

칼슘은 중탄산나트륨과 함께 투여되면 반응하여 carbonate 침전물을 형성하므로, 중탄산나트륨과 같은 정맥로로 투여하지 않는다.

칼슘은 심근의 흥분성을 증가시키므로 디지탈리스가 투여되고 있는 환자에서는 부정맥을 유발할 가능성이 크다. 또한, 칼슘은 관상동맥 및 뇌동맥의 경련을 유발할 수 있다는 점을 유의한다.

자발순환이 유지되고 있는 상태에서 칼슘을 투여하면 심장 박동이 느려질 수 있으므로 서서히 투여한다.

### 7) 스테로이드

현재로서는 심장정지의 치료 과정에서 스테로이드(steroid)의 관례적 투여는 권장되지 않는다. 심장정지의 치료에 스테로이드(특히 부신피질호르몬)를 투여하면 생존율을 높일 수 있다는 연구가 있다. 스테로이드는 심장정지의 치료에 에피네프린, 바소프레신과 함께 사용되어 연구된 바 있다. 최근 병원 내 심장정지 환자를 대상으로 심폐소생술 중 스테로이드(메틸프레드니솔론)-에피네프린-바소프레신을 함께 투여한 환자군과 에피네프린만을 투여한 환자군을 비교한 결과, 스테로이드-에피네프린-바소프레신을 함께 투여한 환자군의 생존율이 높았다는 보고가 있다. 이 연구에서는 세 약제가 병합되어 투여되었기 때문에 스테로이드가 심장정지 환자의 생존율을 높였는지는 알 수 없다. 심장정지 치료에서 스테로이드 투여의 효과는 추가 연구를 통하여 확인되어야 할 것이다.

## 3. 항부정맥제

대부분 심장정지 환자가 부정맥에 의하여 심장정지가 발생하며, 심장정지로부터 소생된 후에도 24시간 이내에는 다양한 부정맥이 발생할 수 있다. 따라서 응급의료인은 심장정지가 임박한 환자, 심장정지 상태인 환자 및 심장정지 후 상태의 환자에서 발생하는 부정맥을 치료하기 위한 항부정맥제(antiarrhythmic agents)에 대한 충분한 지식을 갖추고 있어야 한다.

응급상황에서 사용되는 항부정맥제는 정맥투여가 가능하고, 약제의 효과가 빨리 시작되어야 하며, 반복투여 후에도 약제의 부작용이 비교적 적은 약물이어야 한다. 심실성 부정맥의 치료제로서는 아미오다론, 리도카인, 프로케이나마이드 등이 주로 사용되며, 심실상 부정맥의 치료에는 칼슘 통로 차단제인 베라파밀, 딜티아젬과 아데노신이 사용된다(표 14-5).

표 14-5. 전문심장소생술에서 주로 사용되는 항부정맥제

| 약제명 | 적응증 | 정맥투여 용량 | 주요 부작용 |
|---|---|---|---|
| 아미오다론 | 심실세동<br>심실빈맥<br>심실상 빈맥 | 심실세동 시 300 mg<br>기타 150 mg<br>유지용량: 1 mg/min(첫 6시간)<br>0.5 mg/min(이후 18시간) | 저혈압<br>서맥 |
| 리도카인 | 심실세동<br>심실빈맥<br>심실 기외수축 | 부하 용량:<br>0.5-0.75 mg/kg(심실빈맥, 기외수축)<br>1.0-1.5 mg/kg(심실세동)<br>(최대 3 mg/kg)<br>유지용량: 1-4 mg/min.<br>(30-50 ug/kg/min.) | 과량 투여 시 신경 장애,<br>심근 수축력 감소,<br>저혈압, 의식장애,<br>경련 |
| 프로케이나마이드 | 심실세동<br>심실빈맥<br>심실 기외수축<br>조기흥분증후군과 연관된 심실상 빈맥 | 부하 용량: 20-30 mg/min. (최대 17 mg/kg)<br>유지용량: 1-4 mg/min. | 저혈압, 서맥,<br>전도 장애,<br>비틀림 심실빈맥 |
| 베라파밀 | 발작성 심실상 빈맥<br>심방세동<br>심방조동<br>다발성 심방빈맥 | 최초 2.5-5.0 mg<br>반복투여 시 5-10 mg<br>(총투여량 < 30 mg) | 심부전, 저혈압,<br>방실결절 전도 장애,<br>서맥 |
| 딜티아젬 | 심방세동<br>심방조동<br>발작성 심실상 빈맥 | 부하 용량: 0.25 mg/kg<br>유지용량: 5-15 mg/hour | 심부전, 저혈압,<br>방실결절 전도 장애,<br>서맥 |
| 아데노신 | 발작성 심실상 빈맥 | 최초 6 mg<br>반복투여 시 12 mg | 안면홍조<br>호흡곤란, 흉통<br>서맥, 무수축<br>일시적인 저혈압, |

### 1) 아미오다론

아미오다론은 갑상선 호르몬, 프로케이나마이드와 유사한 구조를 가진 iodinated benzofran으로서, 나트륨, 칼륨 및 칼슘 통로와 알파 및 베타 교감신경 차단작용이 있는 항부정맥제이다. 아미오다론은 장기간 사용하였을 때 발생하는 치명적인 폐 섬유화와 갑상선 기능장애의 발생으로 인하여 그동안 사용에 많은 제한을 받아오던 항부정맥제이다. 최근 제세동에 반응하지 않는 심실세동 환자에게 투여하였을 때, 제세동 성공률을 증가시키는 것으로 증명되면서 심실세동의 치료에 사용되고 있다.

### (1) 항부정맥 작용

아미오다론은 심방과 심실 세포의 탈분극 기간과 불응기를 연장하며, phase 0의 속도를 감소시키는 작용이 있다. 또한, 동방결절의 phase 4를 지연시키며, 방실결절의 전도속도를 지연시키는 작용을 한다. 그 결과로서 아미오다론은 심실세동, 심실빈맥 등 심실성 부정맥의 치료와 심실상 부정맥의 치료에 효과적이다.

### (2) 심실세동에서의 투여

아미오다론은 심실세동의 제세동 역치를 감소시키는 것으로 알려져 심실세동의 치료에 사용하게 되었다. 아미오다론은 교감신경 차단작용으로 인하여 정맥투여 시 말초혈관 저항을 감소시키는 효과가 있으나, 프로케이나마이드 등의 다른 항부정맥제에 비하여 말초혈관 저항 효과가 낮다. 제세동에 반응하지 않는 심실세동 환자에서 시행된 임상시험에서 아미오다론이 위약과 비교하면 순환회복률을 증가시키는 것으로 증명되었다.

### (3) 심실빈맥 및 심실상 부정맥에서의 투여

아미오다론은 좌심실의 수축력을 저하하지 않으므로, 좌심실 기능이 저하된 심실빈맥, 심실상 부정맥의 치료에 사용된다. 아미오다론은 다른 항부정맥제에 비하여 부정맥 유발 효과(proarrhythmic effect)가 비교적 낮다. 아미오다론은 심방세동 환자에서 심실박동수를 조절하는 데에도 효과적이다.

### (4) 용량 및 투여방법

#### ① 심실세동의 치료

아미오다론은 제세동 후에도 심실세동이 계속되는 환자에게 투여한다. 보통 3회의 제세동에도 심실세동이 계속되면 아미오다론을 투여한다. 지속적인 심실세동 환자에게 아미오다론을 투여할 때에는 300 mg을 20-30 mL의 생리식염수와 섞어서 빠른 속도로 정맥주사한다. 아미오다론 투여 후의 제세동 시도에도 불구하고 심실세동이 계속되면 150 mg을 추가 투여한다. 심실세동이 재발한 경우에는 150 mg의 아미오다론을 추가로 투여한다.

#### ② 심실빈맥, 심실상 빈맥의 치료

150 mg의 아미오다론을 10분에 걸쳐 정맥주사한다. 주사 후 유지용량은 첫 6시간 동안은 분당 1 mg의 속도로 투여하며, 그 후 18시간 동안에는 분당 0.5 mg의 속도로 투여한다. 일일 총투여량은 2 g이다.

(5) 부작용

아미오다론의 가장 흔하고 중요한 부작용은 저혈압과 서맥이다. 저혈압과 서맥의 발생은 약물의 투여속도에 따라 좌우되므로, 약물의 투여속도를 조절하여 부작용을 예방할 수 있다. 아미오다론에 의해 발생하는 저혈압은 아미오다론 제제에 들어있는 용매에 의해 발생한다. 저혈압이 발생하면 수액을 투여하고 혈관수축제를 사용한다. 혈역학적 변화를 초래하는 서맥이 발생하면 일시적으로 심장박동조율을 한다.

## 2) 리도카인

리도카인은 Class Ib 항부정맥제로서 심실 조기수축, 심실빈맥, 심실세동의 치료에 사용된다. 리도카인은 치료용량에서는 심근 수축력과 혈압, 심근의 전도 상태에 영향을 주지 않는 안전한 약물이다. 리도카인은 항부정맥제을 투여할 때 발생하는 부정맥 유발 효과가 다른 항부정맥제에 비해 적다.

(1) 항부정맥 작용

허혈 상태인 심근은 활동전위 시간이 단축됨으로써 불응기가 짧아져 주변의 정상 심근보다 흥분성을 빨리 회복한다. 따라서 정상 심근조직과 허혈 조직 사이에 전위차가 형성되고, 두 조직 사이의 불응기 차이에 의하여 회귀 빈맥이 발생한다. 리도카인은 심근세포의 상대적 불응기를 단축하고, 심근의 자율성을 감소시킨다. 리도카인이 투여되면, 정상 심근조직의 불응기는 짧아지고 허혈 조직의 불응기는 길어져 두 조직 사이의 불응기 차이가 작아지므로, 회귀에 의한 부정맥의 발생이 억제 또는 치료된다.

리도카인의 항부정맥 효과는 약물의 혈중농도와 연관이 있다. 일반적으로 리도카인이 심실세동을 억제하려면 혈중농도가 6 ug/mL 이상의 고농도로 유지되어야 하며, 심실 조기수축을 억제하려면 혈중농도를 2-5 ug/mL로 유지한다.

(2) 심실세동과 리도카인투여

리도카인은 제세동에 반응하지 않는 심실세동 환자에게 투여했을 때 위약을 투여하는 경우보다 생존율을 높이지는 않으나, 순환회복률을 높이는 것으로 알려졌다. 따라서 리도카인은 제세동에 반응하지 않는 심실세동의 치료에 사용된다. 현재의 지침에서는 제세동에 반응하지 않는 심실세동의 치료에 아미오다론과 리도카인이 동등한 우선순위로 권장하고 있다.

### (3) 급성 심근경색 환자에서 예방적 목적의 리도카인투여

심실세동이 발생하지 않은 급성 심근경색 환자에서 심실세동을 예방할 목적으로 리도카인을 관례로 투여하는 것은 권장되지 않는다. 예방적 목적으로 급성 심근경색 환자에게 리도카인을 투여하더라도 급성 심근경색 환자의 생존율을 증가시키지 않는다.

### (4) 적응증

심실세동 또는 무맥성 심실빈맥 환자에서 제세동 후에도 심실세동이 지속되면 리도카인을 투여한다. 저칼륨혈증, 심근허혈, 심실 기능장애가 있는 환자에게는 심실세동이나 무맥성 심실빈맥이 치료되고 난 후에도 심실세동의 재발을 막기 위하여 리도카인을 계속 투여한다.

리도카인은 심실세동 또는 심실빈맥의 치료뿐 아니라 모든 종류의 심실 조기수축을 억제하는 데 유용하다. 리도카인은 심실 이탈율동이나 심실 고유율동의 발생도 억제하므로, 가능한 임상적으로 증상을 유발하는 심실 조기수축의 치료에만 투여한다.

### (5) 투여량 및 투여방법

#### ① 심폐소생술 중 투여

심폐소생술 중에는 순환혈류량이 정상보다 매우 적고 혈액의 순환시간이 길어지므로, 급속히 치료용량에 도달할 수 있도록 덩이(bolus)로 투여한다. 제세동에 반응하지 않는 심실세동 환자에게는 한 번에 1.0-1.5 mg/kg을 투여한다. 5-10분 간격으로 0.5-0.75 mg/kg을 반복 투여할 수 있다. 리도카인투여 총용량은 총 3 mg/kg 이상을 넘지 않도록 한다.

기관 내로 리도카인을 투여할 때에는 정맥 내로 투여할 때보다 2-2.5배의 용량을 투여한다.

순환이 회복되면 분당 1-4 mg(분당 30-50 ug/kg)의 속도로 정맥주사한다. 리도카인의 반감기는 24-48시간이므로 지속적으로 투여할 때는 용량을 줄이고 리도카인의 혈중농도를 측정한다.

#### ② 심실성 부정맥에서의 투여

심장정지 상태가 아닌 환자에서는 최초 0.5-0.75 mg/kg을 덩이 투여한 후 분당 1-4 mg(분당 30-50 ug/kg)의 속도로 정맥주사한다. 두 번째 덩이 투여는 10분 후에 하는데 0.5 mg/kg을 투여한다. 두 번의 덩이 투여 후에도 심실 부정맥이 계속되면 5-10분 간격으로 0.5-0.75 mg/kg 을 반복 투여한다. 이때에도 총 용량이 3 mg/kg을 넘지 않도록 한다. 지속적으로 리도카인을 투여할 때에는 리도카인의 혈중농도를 측정하면서 용량을 조절한다.

③ 투여량의 조절

리도카인은 간에서 대사되며, 리도카인의 대사율은 간으로의 혈류에 의하여 결정된다. 따라서 간으로의 혈류가 감소하여 있는 환자에게 리도카인을 투여할 때에는 수시로 혈중농도를 측정하고 부작용의 발생 여부를 자주 확인한다.

심근경색, 심부전, 쇼크 상태인 환자에게 리도카인을 투여할 때에는 투여량을 50% 정도 감소하여 투여한다. 또한, 간 질환이 있는 환자 또는 70세 이상의 노인에게도 용량을 줄여서 투여한다.

리도카인투여 후 24-48시간이 지나면 반감기가 연장되므로, 투여 후 24시간이 지난 다음부터는 용량을 약 50% 정도 줄여주어야 한다. 신부전 환자에서는 리도카인의 용량을 줄일 필요는 없으나 리도카인이 간에서 대사된 후 발생하는 대사물이 신장으로 배설되므로, 이러한 대사물이 축적되어 신경 손상을 유발할 수 있다.

### (6) 투여 시 주의사항

리도카인은 치료용량에서는 심혈관계 부작용이 거의 없는 약물이다. 그러나 과량이 투여되어 혈중농도가 치료농도보다 높아지면 신경 장애, 심근 수축력 감소, 혈압 하강 등의 부작용을 초래할 수 있다.

리도카인에 의한 신경 독작용은 의식장애, 언어 장애, 근육 경축, 감각 이상 등으로 발현되며, 대발작 또는 부분 발작을 동반하는 경련이 발생할 수도 있다. 부작용이 발생하면 즉시 리도카인투여를 중단하고 경련이 반복되면 항경련제를 투여한다.

리도카인에 의한 심근 수축력 감소는 주로 기왕에 심근질환을 앓고 있는 환자에서 발생한다. 심근질환이 있는 환자에서는 혈중 리도카인농도가 정상인보다 비교적 높게 유지되므로 리도카인 부작용이 발생할 가능성이 크다. 리도카인은 일반적으로 심근의 전도 장애를 유발하지는 않으나, 과량이 투여되면 방실차단, 자율성의 억제 등이 발생할 수 있다.

## 3) 프로케이나마이드

프로케이나마이드는 class Ia 항부정맥제로서 리도카인에 반응하지 않는 심실성 부정맥을 치료하는 데 주로 사용된다. 프로케이나마이드는 심근의 탈분극 기간과 불응기를 연장하므로, 심근의 자율성이 억제되고 심실 내 전도속도가 느려진다. 따라서 프로케이나마이드를 투여하면 심전도상 QT 간격의 연장과 QRS파의 확장이 관찰될 수 있다. 프로케이나마이드는 우리나라에서 사용되지 않고 있다.

### (1) 투여의 적응

프로케이나마이드를 빠른 속도로 투여하면 심각한 저혈압이 발생하며, 투여 후에는 10분 이상에 걸쳐 서서히 치료농도에 도달하므로, 심실세동 치료의 일차 약물로는 사용되지 않는다.

프로케이나마이드는 리도카인투여에 치료되지 않는 심실 조기수축, 심실빈맥의 치료에 유용하다. 프로케이나마이드는 심실상 빈맥의 치료에도 투여될 수 있다. 특히 심실상 빈맥이 조기흥분증후군과 연관되어 있을 가능성이 있으면, 다른 약물보다 프로케이나마이드를 투여하는 것이 유리하다.

### (2) 투여방법

프로케이나마이드의 부하량은 부정맥이 없어질 때까지 분당 20-30 mg의 속도로 정맥 투여하되, 총 용량이 17 mg/kg을 넘지 않도록 한다. 프로케이나마이드 투여 중 저혈압, QRS파의 연장이 발생하면 투여를 중지해야 한다(표 14-6). 부정맥이 조절되면 분당 1-4 mg의 속도로 계속 정맥주사한다. 다른 투여방법은 최초 17 mg/kg의 프로케이나마이드를 1시간에 걸쳐서 정맥 주사한 후 분당 2.8 mg의 속도로 계속 주사하는 방법이다.

심장 기능이나 신장기능 부전이 있는 환자에서는 최초 투여량을 12 mg/kg로 줄여주어야 하며, 유지량도 분당 1.4 mg의 속도로 투여한다.

프로케이나마이드의 적정 혈중 치료농도는 4-10 ug/mL이며, 정맥투여 후 15분 정도 경과하면 치료농도에 도달한다. 심장 또는 신장기능 부전이 있거나, 분당 3 mg 이상의 속도로 장시간 투여한 경우에는 반드시 혈중 프로케이나마이드 농도를 측정한다.

### (3) 투여 시 주의사항

프로케이나마이드는 교감신경절 차단작용이 있으므로 투여 중 급격히 저혈압이 발생할 수 있다. 프로케이나마이드의 혈압 하강효과는 프로케이나마이드를 빠른 속도로 투여

표 14-6. 부하 용량의 프로케이나마이드 투여 중 투여를 중지하여야 하는 경우

| |
|---|
| 1. 부정맥이 소실되는 경우 |
| 2. 저혈압이 발생하는 경우 |
| 3. QRS의 폭이 50% 이상 증가하는 경우 |
| 4. 총 부하량이 1,000 mg을 초과하는 경우 |

하거나, 프로케이나마이드의 혈중농도가 높을 때 현저하다. 프로케이나마이드는 심장의 자율성을 억제하고 전도속도를 지연시키므로, 투여 중 서맥이나 전도 장애가 발생할 수 있다.

프로케이나마이드의 부작용은 프로케이나마이드를 분당 30 mg 이상 투여할 때 주로 발생한다. 따라서 프로케이나마이드를 투여할 때는 반드시 혈압과 심전도를 감시하여야 하며, 현저한 저혈압이 발생하거나, QRS 간격 또는 QT 간격이 원래보다 50% 이상 증가하는 경우에는 투여를 중지하거나 투여속도를 줄여야 한다.

프로케이나마이드를 투여하면 QT 간격이 연장되어 비틀림 심실빈맥이 발생할 수 있다. 프로케이나마이드에 의한 비틀림 심실빈맥은 저마그네슘혈증 또는 저칼륨혈증이 있으면 자주 발생한다.

### 4) 베라파밀

베라파밀은 심근과 혈관에 있는 slow channel을 차단하여 Ca++과 Na+의 세포 내 유입을 억제하는 칼슘 통로 차단제이다. 베라파밀을 투여하면 방실결절의 불응기가 연장되며 심박수가 감소한다. 또한, 심근의 수축력이 감소하며, 관상동맥을 포함한 대부분 동맥이 이완되므로 심장의 후부하가 감소한다. 따라서 베라파밀은 심근의 산소소모량을 줄이고 관상동맥을 확장해 심근으로의 혈류를 증가시킨다.

베라파밀은 방실결절의 불응기를 연장하므로 심실상 빈맥의 예방과 치료에 사용되며, 심방세동 또는 심방조동 환자의 심실박동수를 조절하는 데 사용된다.

#### (1) 베라파밀투여의 적응

##### ① 발작성 심실상 빈맥

베라파밀은 아데노신이 사용되기 전까지는 심실상 빈맥 환자를 치료하는 가장 중요한 약물이었다. 발작성 심실상 빈맥은 방실결절 내에서 발생한 회귀 빈맥과 방실결절과 방실결절 이외의 통로를 통한 회귀 빈맥에 의해 발생한다. 베라파밀은 방실결절의 불응기를 연장함으로써 방실결절을 통한 빈맥을 모두 차단할 수 있으므로, 혈역학적 변화가 초래되지 않은 발작성 심실상 빈맥 환자에게 투여하면 90% 이상의 환자에서 빈맥이 치료된다. 그러나 현재는 베라파밀보다 혈역학적 변화를 적게 초래하고 작용시간이 짧은 아데노신이 발작성 심실상 빈맥 치료를 위하여 최초로 투여되어야 하는 약물로 자리 잡고 있다. 따라서 발작성 심실상 빈맥 환자를 치료할 때에는 먼저 아데노신을 투여하고 반복적인 아데노신 투여에도 반응하지 않으면 베라파밀을 투여한다.

② 기타 심실상 빈맥

베라파밀은 심방세동과 심방조동 환자에서 심실박동수를 조절하기 위하여 투여한다. 심실 박출률을 알 수 없는 심방세동 환자에서는 베라파밀보다는 딜티아젬이 심실박동수 조절에 유용하다.

다발성 심방빈맥 환자에서 원인이 교정되지 않을 때, 심실박동수를 조절할 목적으로 베라파밀을 투여한다.

### (2) 투여 방법

베라파밀을 투여할 때에는 최초 2.5-5.0 mg을 1-2분에 걸쳐 투여한다. 최초 투여된 베라파밀은 투여 후 3-5분이 경과하면 효과를 나타낸다. 최초의 베라파밀투여에 반응이 없으면 반복하여 투여할 수 있다. 두 번째 베라파밀을 투여할 때에는 최초 투여 후 15-30분이 지난 후 최초용량의 2배(5-10 mg)를 1-2분에 걸쳐서 투여한다.

베라파밀을 투여하는 또 다른 방법은 5 mg을 15분 간격으로 빈맥이 소실될 때까지 반복 투여하는 것이다. 이때 총투여량은 30 mg을 넘지 않는다.

고령의 환자에서 빠른 속도로 베라파밀을 투여하면 무수축이나 완전 방실차단이 발생할 수 있으므로 3분 이상에 걸쳐 서서히 투여한다.

8세 이하의 소아에서는 베라파밀투여가 권장되지 않는다. 8세에서 15세 사이의 소아에서는 0.1-0.3 mg/kg의 용량을 1분 이상에 걸쳐 투여하되 1회 투여량이 5 mg을 넘지 않도록 한다. 최초의 투여에 반응하지 않으면 0.1-0.2 mg/kg의 베라파밀을 최초 투여 후 15-30분이 지난 후에 반복 투여한다.

### (3) 투여 시 주의사항

베라파밀은 혈관을 확장하고 심근 수축력을 감소시키므로 저혈압을 초래할 수 있다. 일반적으로 베라파밀에 의한 심근 수축력 감소와 후부하 감소가 서로 상쇄되어 심박출량은 일정하게 유지된다. 따라서 심근 수축력이 정상인 사람에서는 베라파밀이 투여되어도 저혈압이 유발되지 않는다. 그러나 심근 수축력에 장애가 있는 심부전 환자에서는 심각한 저혈압을 초래할 수 있다. 따라서 베라파밀을 투여할 때는 반드시 환자의 심근 수축력을 고려해야 하며, 저혈압이 발생하면 칼슘을 정맥주사한다.

베라파밀은 몇 가지 약물과 상호 작용하여 다른 약물의 작용을 항진시킬 수 있다. 특히 베라파밀이 베타 교감신경 차단제 등 심근 수축력과 심박수를 동시에 저하하는 약물과 함께 투여되면 쇼크와 서맥이 발생할 수 있다. 디지탈리스가 투여되고 있는 환자에게 베라파밀을 투여할 때도 주의를 필요로 한다. 디지탈리스는 심근의 수축력을 증가시키므로 베라파밀과 함께 투여해도 심근 수축력에 심각한 장애가 발생하지 않는다. 그러나 디지탈리스에 의하여 방실결절 전 도장 애가 동반된 환자에게 베라파밀을 투여하면 완전 방실차단이 초래될 수 있다.

방실결절 또는 동방결절의 기능장애로 서맥이 발생할 가능성이 있는 환자에게 베라파밀을 투여하면 심각한 서맥이 유발된다. 또한, 베라파밀을 투여한 후 전기 심장율동전환을 시도하면 정상 동리듬이 회복되더라도 서맥이 동반될 수 있다.

베라파밀투여 시 가장 유의하여야 할 점은 QRS 간격이 연장된 빈맥 환자에서는 베라파밀을 절대로 투여하지 않아야 한다는 것이다. 심실빈맥 환자에게 베라파밀 또는 딜티아젬을 투여하면 심각한 저혈압이 초래될 수 있으며, 때로는 심실세동이 유발될 수도 있다. 또한, Wolf-Parkinson-White 조기흥분증후군 환자에서 역행성 회귀에 의한 빈맥이 발생하면 QRS 간격이 연장된 빈맥으로 관찰된다. 이러한 환자에서 베라파밀이 투여되면 베라파밀에 의해 방실전도가 차단되고, 켄트 다발(Kent bundle)의 불응기가 짧아져 심실박동수가 더 빨라져 쇼크가 발생하거나 심실세동을 초래한다. 따라서 QRS 간격이 연장된 환자나 조기흥분증후군으로 진단된 환자에게는 베라파밀을 절대로 투여해서는 안 된다.

### 5) 아데노신

아데노신은 핵산의 구성성분으로서 체내에 존재하는 물질이다. 아데노신은 동방결절의 자율성을 억제하고 방실결절의 전도속도를 저하하므로, 방실결절을 통과하는 회귀로 발생한 심실상 빈맥의 치료에 사용된다.

아데노신은 혈액 내에서의 반감기가 약 5초 정도이며, 투여 후에는 10-40초 정도 치료 효과가 유지된다. 따라서 아데노신을 투여한 후 1-2분 이내에 빈맥이 치료되지 않으면 즉시 반복 투여한다.

#### (1) 투여의 적응

아데노신은 방실결절을 통과하는 심실상 빈맥의 치료에 사용된다. 아데노신은 발작성 심실상 빈맥 치료 과정에서 최초로 투여되는 약물이다.

아데노신은 주로 방실결절에만 작용하므로 방실결절을 회귀로로서 이용하지 않는 심실상 빈맥의 치료에는 사용되지 않는다. 심방세동, 심방조동, 심실빈맥이 발생한 환자에게 아데노신을 투여하더라도 일시적인 방실결절 차단 효과만 나타날 뿐 빈맥이 치료되지 않는다.

아데노신은 심실상 빈맥의 감별진단에도 유용하다. QRS파의 폭이 확장되어 있으나 심실상 빈맥이 의심되는 경우에는 아데노신 투여를 시도할 수 있다. 아데노신은 약물의 작용시간이 매우 짧으므로 조기흥분증후군에서 발생한 심실상 빈맥 환자에게 투여되더라도 베라파밀이나 딜티아젬보다 심실세동을 유발할 가능성이 작다.

### (2) 투여방법

발작성 심실상 빈맥을 치료할 때에는 최초 6 mg을 1-2초 이내에 빠른 속도로 투여하며, 최초 투여 후 1-2분 이내에 반응하지 않으면 12 mg을 같은 방법으로 투여한다. 아데노신을 투여한 후에는 20 mL 정도의 생리식염수를 빠른 속도로 주사하여 아데노신이 중심정맥에 빨리 도달할 수 있도록 해주어야 한다. 아데노신에 대한 반응은 사람에 따라 약간씩 차이가 있으나, 빠른 속도로 투여하면 일시적인 무수축 상태에 빠지는 환자가 있다. 아데노신 투여 후에 발생하는 무수축이 15초 이상 지속되는 경우는 거의 없다.

### (3) 투여 시 주의사항

아데노신은 심각한 합병증을 유발하지 않는 비교적 안전한 약물이다. 그러나 아데노신을 투여받은 환자의 약 40%에서 가벼운 부작용이 발생한다. 아데노신을 투여받은 환자가 가장 흔히 호소하는 증상은 안면홍조, 호흡곤란, 흉통이다. 이러한 부작용은 아데노신의 약물효과가 사라지는 1-2분 이내에 소실된다.

아데노신 투여 후 빈맥이 치료되지 않으면 일시적 저혈압이 발생할 수 있으나, 아데노신의 약물효과가 사라지면 저혈압도 소실된다.

아데노신에 의하여 심실상 빈맥이 중지되는 순간에는 심실 조기수축이나 동서맥이 발생하는 경우가 많다. 방실결절 전도 장애나 동방결절 기능장애가 있는 환자에서는 아데노신 투여 후 심각한 서맥이 발생할 수 있다.

심장이식 수술을 받은 환자는 소량의 아데노신 투여 후에도 무수축이 발생할 수 있으므로 투여량을 줄여주어야 한다.

아미노필린(aminophylline) 등 methylxanthine 계통의 약물은 아데노신 수용체를 차단하므로 아데노신의 약물효과를 감소시키며, dipyridamole은 아데노신의 대사를 지연시켜 아데노신의 작용을 항진시킨다. 따라서 이러한 약물을 투여받는 환자에게 아데노신을 투여할 때는 약물의 상호작용을 고려하여 약물의 양을 조절한다.

아데노신은 작용시간이 너무 짧아서 아데노신에 의하여 심실상 빈맥이 정상 동성 리듬으로 회복된 후 재발하는 경향이 높다. 재발하면 아데노신을 반복 투여할 수 있으나, 아데노신의 반복투여 후에도 반복적으로 재발하는 심실상 빈맥 환자에게는 베라파밀이나 딜티아젬을 투여하는 것이 권장된다.

## 3. 심근 수축력 및 혈압 조절 약물

심부전 또는 심장성 쇼크가 발생한 환자는 심각한 혈역학적 악순환에 빠질 수 있다. 예를 들면, 급성 심근경색으로 심근이 손상되어 심근 수축력이 감소하면 심박출량이 감소한다. 심박출량의 감소는 관상동맥 혈류의 감소를 초래하므로 심근의 허혈이 진행되며, 심근의 허혈이 심화되면 심근 수축력이 다시 감소하는 악순환이 발생한다.

혈역학적 변화가 초래된 환자에 대한 가장 이상적인 치료는 혈역학적 변화를 초래한 원인을 교정하는 것이다. 그러나 원인을 알 수 없거나 원인을 즉시 교정할 수 없는 환자에게는 우선하여 심근 수축력을 증가시키거나 말초혈관 저항을 증가 또는 감소시키는 약물을 투여하여 혈역학적 변화를 교정한다.

### 1) 교감신경 수용체에 작용하는 약물

혈역학적 변화가 초래된 환자에게 사용하는 약물은 주로 심근의 수축력을 강화하거나

표 14-7. 교감신경 수용체에 작용하는 약물

| 약제명 | 적응증 | 시작용량 | 주요 부작용 |
|---|---|---|---|
| 에피네프린 | 서맥을 동반한 저혈압 | 0.1–0.5 ug/kg/min. | 심근 허혈<br>부정맥<br>고혈압 |
| 노르에피네프린 | 패혈증 또는 척추손상에 의한 저혈압<br>다른 약제에 반응하지 않는 쇼크 | 0.1–0.5 ug/kg/min. | 조직괴사<br>심근 허혈<br>부정맥 |
| 도파민 | 저혈압<br>여러 가지 원인의 쇼크 | 5–10 ug/kg/min. | 심근 허혈<br>폐부종<br>부정맥 |
| 도부타민 | 심부전<br>폐부종<br>우심실 경색 | 5–10 ug/kg/min. | 빈맥<br>부정맥<br>심근 허혈 |
| 이소프로테레놀 | 저혈압이 동반되지 않은 서맥<br>심장 이식환자에서<br>발생한 서맥 | 2–10 ug/min. | 심근 허혈<br>부정맥 |

혈관의 수축을 초래하는 약물이다. 심근 수축력을 증가시키거나 혈압을 상승시키기 위한 약물로는 주로 교감신경 수용체에 작용하는 약물이 사용된다(표 14-7).

### 〈교감신경 수용체〉

교감신경 수용체는 심장, 혈관, 기관지, 소화기 등에 광범위하게 분포되어 있다. 교감신경 수용체는 각 수용체의 특성에 따라 알파(α) 수용체, 베타(β) 수용체 및 도파민(dopaminergic) 수용체로 분류된다.

알파 수용체는 알파 1 수용체와 알파 2 수용체로 구분된다. 알파 1 수용체는 혈관에 분포하여 혈관을 수축시킨다. 알파 1 수용체를 흥분시키는 약물은 혈관을 수축시켜 말초혈관 저항을 증가시킴으로써 혈압을 높이고, 그 결과로서 심장의 후부하를 증가시킨다. 알파 1 수용체는 심근과 관상동맥에도 분포한다. 심근에 분포하는 알파1 수용체가 흥분하면 심근의 수축력이 증가하고 심박수가 감소한다. 관상동맥에 분포하는 알파 수용체는 심장 외막에 위치하는 지름이 큰 관상동맥에 주로 분포하여 관상동맥을 수축시킨다. 정상적으로는 알파 수용체에 의한 관상동맥수축은 아데노신 등에 의해 즉시 호전되지만, 관상동맥 병변이 있는 환자에서는 약간의 알파 수용체 흥분작용으로도 비정상적으로 과도한 관상동맥수축이 발생할 수 있다. 따라서 관상동맥질환이 있거나 심근의 허혈이 동반된 환자에게 알파 수용체를 흥분시키는 약물을 투여할 때는 심근 허혈의 발생 가능성이 있으므로 주의한다.

알파 2 수용체는 주로 알파 1 수용체를 조절하여 혈관의 긴장도를 조절하는 기능을 한다. 신경절에 분포하는 알파2 수용체가 흥분되면 신경 말단에서의 노르에피네프린분비를 억제하여 알파 1 수용체에 의한 혈관수축작용을 억제한다. 신경 말단에 분포하는 알파 2 수용체는 혈관을 수축시키는데, 특히 관상동맥 연축(spasm)과 연관이 있는 것으로 알려져 있다. 칼슘길항제는 알파 2 수용체에 의한 관상동맥 연축을 역전시킬 수 있다.

베타 수용체는 베타 1 수용체와 베타 2 수용체로 구분된다. 베타 1 수용체는 주로 심근에 분포하여 심근 수축력과 심박수를 증가시킨다. 베타 2 수용체는 혈관, 기관지, 자궁, 소화기의 횡문근을 이완시키는 작용을 한다. 또한, 베타 2 수용체는 지방 대사와 포도당 대사를 항진시키며, 칼륨의 세포 내 이동을 촉진하여 저칼륨혈증을 유발할 수 있다. 베타 2 수용체에 의한 저칼륨혈증은 심근허혈 동안에 심장 부정맥의 발생과 연관이 있다. 따라서 심근허혈이 발생한 환자에게 베타 교감신경 차단제를 투여하는 것은 부정맥을 방지하는 효과도 있다.

도파민 수용체가 흥분되면 신장과 창자사이막(mesentery)에 있는 혈관이 이완된다. 도파민 수용체의 흥분은 소량의 도파민이 투여될 때만 발생하며, 도파민의 혈중농도가 증가하면 알파 교감신경 수용체 효과가 발생하여 신장과 창자사이막의 혈관을 수축시킨다.

### (1) 노르에피네프린

노르에피네프린(norepinephrine)은 에피네프린과 유사한 구조로 되어있는 카테콜아민이다. 노르에피네프린은 강력한 알파 1 수용체 흥분작용과 베타 1 수용체 흥분작용이 있다. 노르에피네프린을 투여하면 심근 수축력과 심박수가 증가하며, 동맥이 수축하여 말초혈관 저항이 증가한다. 노르에피네프린을 투여하면 심근 수축력이 증가하지만, 말초혈관 저항이 함께 증가하므로 심박출량은 오히려 감소할 수 있다. 노르에피네프린은 강력한 심근수축작용으로 심근의 산소 요구량을 증가시키고, 알파 수용체효과에 의해 관상동맥수축을 초래하므로 심근허혈을 유발할 수 있다.

#### ① 투여의 적응

노르에피네프린은 말초혈관저항의 감소로 인하여 쇼크가 발생한 환자의 혈압을 높이기 위해 사용된다. 따라서 노르에피네프린은 패혈증이나 척추손상에 의해 말초혈관 저항이 감소하여 쇼크가 발생한 환자에게 효과적이다. 패혈성 쇼크의 치료에는 노르에피네프린을 투여하는 것이 도파민 또는 바소프레신을 투여하는 것보다 효과적이다. 심근경색 또는 심부전으로 쇼크가 발생한 환자에게 노르에피네프린을 투여하면 심각한 심근허혈이 발생할 수 있으므로, 가능한 투여하지 않는다. 고용량의 노르에피네프린을 지속적으로 투여하면 말초 순환 관류의 저하와 심근허혈이 발생할 수 있다.

#### ② 투여방법

노르에피네프린을 투여할 때에는 분당 0.1-0.5 ug/kg의 속도로 시작한다. 그 후 혈압을 측정하면서 서서히 용량을 증가시켜 수축기 혈압이 90 mmHg 이상으로 유지되도록 투여량을 조절한다. 노르에피네프린을 투여하다가 갑자기 중단하면 혈압이 급격히 하강하므로, 노르에피네프린을 중단하고자 할 때는 용량을 서서히 줄여야 한다.

#### ③ 투여 시 주의사항

노르에피네프린은 강력한 혈관수축을 유발하므로 혈관 밖으로 유출되면 심각한 조직괴사를 일으킨다. 따라서 노르에피네프린을 투여할 때에는 가능한 중심정맥으로 투여하는 것이 안전하다. 만약 혈관 밖으로 노르에피네프린이 유출되었을 때는 5-10 mg의 phentolamine을 10mL 정도의 생리식염수에 희석하여 노르에피네프린이 유출된 곳 주위에 주사해야 조직괴사를 줄일 수 있다. 노르에피네프린은 심근의 허혈을 초래하므로 심근허혈이 의심되는 경우에는 투여할 때 고도의 주의를 필요로 한다.

순환량이 감소하여 있는 환자에게는 노르에피네프린을 투여해서는 안 된다. 순환량이 부족한 환자에서는 이미 말초혈관 저항이 증가하여 있다. 따라서 노르에피네프린을 투여하더라도 적절한 혈압상승효과를 기대할 수 없으며, 오히려 심각한 심근허혈을 초래할 수 있다. 혈액량 감소(hypovolemic) 쇼크나 심근허혈이 있는 환자에게 노르에피네프린을 투여하면 심실빈맥 또는 심실세동이 발생할 수 있다.

노르에피네프린을 투여하는 동안에는 강력한 혈관수축작용으로 중심 동맥의 혈압과 말초동맥의 혈압 차이가 벌어진다. 따라서 노르에피네프린을 투여할 때에는 가능한 혈역학적 감시를 해야 한다.

### (2) 도파민

도파민(dopamine)은 투여량에 따라 약물의 효과가 달라진다. 분당 5 ug/kg 이하의 속도로 투여하면, 도파민 수용체에 작용하여 신장, 창자사이막, 뇌혈관이 이완되어 이들 장기로의 혈류가 증가하며 심박수와 혈압은 변하지 않는다 분당 5 10 ug/kg의 속도로 투여하면, 베타 1 수용체와 알파 수용체에 작용하여 심박출량이 증가하고 말초혈관 저항이 높아진다. 또한, 정맥의 긴장도가 증가하여 중심정맥압이 높아지므로 심장으로의 정맥혈 환류량이 증가한다. 분당 10 ug/kg 이상으로 투여되면 주로 알파 수용체에 작용하여 신장, 창자사이막에 분포하는 혈관과 말초동맥 및 정맥을 수축시켜 말초혈관 저항 및 폐혈관 저항이 현저히 높아지고 심장으로의 정맥혈 환류도 증가한다. 분당 20 ug 이상 투여되면 노르에피네프린 투여 시와 같이 심각한 말초혈관저항의 증가, 심박수의 증가로 심박출량이 감소할 수 있다.

#### ① 투여의 적응 및 투여방법

도파민은 투여량에 따라 다양한 혈역학적 효과를 나타내므로 여러 가지 조건의 환자에게 투여될 수 있다.

도파민 투여의 가장 중요한 적응증은 순환량이 정상이지만 저혈압이 발생한 환자이다. 말초혈관 저항이 증가하여 있거나, 폐부종이 동반된 환자에게 도파민을 투여할 때에는 도파민 수용체효과만 유지되도록 소량의 도파민을 투여한다. 이러한 환자에서 알파 수용체 효과가 발생하도록 도파민을 투여하면 환자의 임상 증상을 오히려 악화시킨다. 따라서 도파민은 체액량의 부족이나 과다 없이 수축기 혈압이 90 mmHg 이하이면서 의식장애, 소변 감소증 등의 임상 증상이 동반된 환자에게 투여되어야 한다. 서맥을 동반한 저혈압 환자에게도 심박수를 증가시키고 혈압을 높이기 위해 도파민을 투여한다.

저혈압을 치료하기 위해 도파민을 투여할 때에는 분당 5-10 ug/kg의 속도로 투여를 시작한 후, 환자의 혈역학적 상태를 관찰하면서 용량을 조절한다.

② 투여 시 주의사항

저용량의 도파민을 투여할 때에는 대개 부작용이 없다. 그러나 고용량의 도파민은 심근 수축력, 심박수, 말초혈관 저항을 증가시키므로 심근의 허혈을 유발하고 심박출량을 감소시킬 수 있다. 또한, 고용량의 도파민은 폐혈관 저항을 증가시키고 폐부종을 악화시킬 수 있다. 분당 20 ug/kg 이상의 도파민 투여가 필요한 환자에게는 노르에피네프린을 투여한다.

심근허혈이 동반된 환자에게 다량의 도파민을 투여하는 것은 위험하다. 심근경색으로 인하여 심근의 수축력에 장애가 발생한 환자에서 도파민을 투여할 때는 가능한 혈역학적 감시를 한다.

도파민은 심실상 빈맥이나 심실성 부정맥을 유발하거나 악화시킬 수 있다. 도파민은 정맥을 수축시켜 심장으로의 정맥혈 환류를 증가시킨다. 따라서 폐부종이 있는 환자에서는 소량의 도파민이 투여되어도 폐부종이 악화할 수 있으므로 유의한다.

도파민은 몇몇 약제와 상호 작용하여 약물의 효과가 상승 또는 억제된다. 도부타민을 투여 중인 환자에게 도파민을 투여하면 효과적이지만, phenytoin을 복용하고 있는 환자에게 도파민을 투여하면 저혈압이 발생할 수 있다.

도파민은 알칼리 용액에서 불활성화되므로 중탄산나트륨이 들어있는 용액과 섞어서 사용해서는 안 된다.

고농도의 도파민이 혈관 밖으로 유출되면 노르에피네프린과 같이 조직괴사를 유발할 수 있다. 도파민이 혈관 밖으로 유출되었을 경우의 치료는 노르에피네프린 유출 시의 치료와 같다.

(3) 도부타민

도부타민(dobutamine)은 심근의 베타 수용체와 알파 1 수용체에 작용하는 약물이다. 도부타민은 말초혈관에 분포하는 알파 1 수용체에 대한 작용도 있으나 강력한 베타 2 수용체 작용으로 인하여 말초혈관을 확장한다. 따라서 도부타민이 투여되면 심근 수축력이 증가하고 말초혈관 저항이 감소하여 심박출량이 증가한다.

도부타민은 도파민과는 달리 폐모세혈관 쐐기압을 감소시키므로 폐부종이 있는 환자에게도 투여할 수 있다. 도부타민은 분당 20 ug/kg 이하의 용량에서는 빈맥을 유발하지 않는다. 도부타민은 심박출량을 증가시켜 신장, 창자사이막, 뇌로의 혈류를 증가시키나, 도파민과는 달리 이들 장기의 혈관을 직접 이완시키지는 않는다. 또한, 도부타민은 노르에피네프린분비를 유발하지 않으므로 심근의 산소 요구량을 증가시키지 않으며, 관상동맥 혈류를 증가시키므로 심근의 허혈을 유발하지 않는다. 따라서 심근의 허혈이 동반된 환자에게 빈맥을 유발하지 않는 용량의 도부타민을 투여하는 것은 위험하지 않다.

#### ① 투여의 적응 및 투여방법

도부타민은 심박출량의 감소로 폐부종이 발생한 환자, 폐부종이 동반된 저혈압 환자, 중증의 좌심실 부전이 발생한 환자에게 효과적인 약물이다. 우심실 경색환자에게도 수액과 함께 도부타민을 투여하면 저혈압을 치료할 수 있다. 도부타민은 패혈증에 의한 쇼크와 동반된 심부전에도 효과적이다.

도부타민은 보통 분당 5-10 ug/kg의 용량으로 투여를 시작한다. 처음에는 소량으로 시작하여 혈역학적 감시상 적절한 혈역학적 효과가 나타나면 최소용량으로 유지한다. 관상동맥질환이 있는 환자에서는 투여 전보다 심박수가 10% 이상 증가하지 않도록 용량을 유지한다.

#### ② 투여 시 주의사항

도부타민이 분당 20 ug/kg 이하의 용량으로 투여될 때에는 비교적 부작용이 없다. 그러나 20 ug/kg 이상으로 투여하면 두통, 오심, 빈맥, 고혈압, 심실 부정맥 등이 초래될 수 있다.

도부타민 투여 중 빈맥이 발생하면 심근 허혈이 유발될 수 있다. 관상동맥질환이 있는 환자에게 고용량의 도부타민을 투여할 때에는 주의를 필요로 한다.

### (4) 이소프로테레놀

이소프로테레놀(isoproterenol)은 베타 수용체만을 주로 흥분시키는 약물이다. 이소프로테레놀을 투여하면 심근 수축력과 심박수가 증가하여 심박출량과 심근의 산소소모량이 증가한다. 그러나 이소프로테레놀은 동맥과 정맥을 이완시키므로, 말초혈관 저항이 감소하고 정맥에 혈액이 저류되므로 혈압은 오히려 하강한다.

#### ① 투여의 적응 및 투여방법

이소프로테레놀은 서맥 환자에서 심박수를 증가시키기 위하여 투여한다. 혈역학적 변화가 발생한 서맥 환자에게는 아트로핀을 투여하거나 경피 심장박동조율을 하는 것이 더 효과적이다. 이소프로테레놀은 심근의 산소 요구량을 증가시키고 부정맥을 유발할 수 있다.

심장이식을 받은 환자에서 서맥이 발생한 경우에는 이소프로테레놀이 가장 효과적이다. 서맥을 조절할 목적으로 이소프로테레놀을 투여할 때에는 분당 10 ug 이하의 용량으로도 충분하다. 최초 분당 2 ug으로 투여를 시작하여 심박수가 60회 이상이 될 때까지 서서히 증량하며, 일단 심박수가 유지되면 더 용량을 증가시키지 않는다.

#### ② 투여 시 주의사항

이소프로테레놀은 심근의 허혈을 초래하므로 관상동맥질환이 있는 환자에게 투여하는 것은 금기이다. 이소프로테레놀 투여 중에는 심실빈맥, 심실세동 등 치명적인 심실 부정맥이 발생할 수 있다. 이소프로테레놀은 저칼륨혈증을 초래하며, 디지탈리스 중독환자에게 이소프로테레놀을 투여하면 심실 부정맥의 발생 가능성이 커진다.

## 2) 교감신경 수용체에 작용하지 않고 심근 수축력을 증가시키는 약물

교감신경 수용체에 작용하지 않고 심근 수축력을 증가시키는 약물들에는 디지탈리스, 암리논 등이 있다. 디지탈리스는 세포막의 Na+-K+ ATPase를 억제하므로, 세포 내 칼슘농도를 높여 심근 수축력을 증가시킨다. 암리논(amrinone)과 미리논(mirinone)은 포스포디에스테라제(phosphodiesterase)를 억제하여 c-AMP의 대사를 방해함으로써 심근 수축력을 증가시킨다. 디지탈리스와 암리논 등의 약물은 교감신경 수용체에 작용하지 않으므로 교감신경 수용체를 차단하는 약물에 의해 작용이 억제되지 않는다.

### (1) 디곡신

디곡신(digoxin)은 다른 디지탈리스에 비해 약물작용이 빨리 나타나고, 반감기가 비교적 길지 않아서 디지탈리스 중 가장 널리 사용되는 약물이다. 디지탈리스는 심근세포 내 칼슘농도를 높이고, 미주신경작용을 항진한다. 따라서 디곡신을 투여하면 심근 수축력이 증가하고 심박수가 감소한다.

#### ① 투여의 적응

디곡신은 심근 수축력을 증가시키는데 있어서 교감신경계에 작용하는 약물보다 효과적이지 않다. 특히 급성 심부전 환자에게 투여될 경우, 심근 수축력의 단기 향상에는 큰 도움이 되지 않는 것으로 알려졌다. 급성 심부전이 발생한 환자에서는 도부타민 등의 약물이 디곡신보다 효과적이다. 디곡신은 주로 만성적으로 심부전이 발생한 환자에게 투여될 때 적절한 효능을 발휘할 수 있다.

디곡신은 방실결절의 전도속도를 느리게 하므로 심방세동, 심방조동으로 심박수가 빨라졌을 때, 심박수를 조절하기 위해 투여된다. 또한, 심실상 빈맥이 발생하였을 때, 디곡신을 투여하면 빈맥이 종료될 수도 있다. 그러나 방실결절을 통과하지 않는 회귀성 빈맥에서 투여되면 오히려 심실성 부정맥을 유발할 수 있으므로 주의한다.

#### ② 투여방법

디곡신은 복용시키거나 정맥으로 투여한다. 응급상황에서는 정맥으로 디곡신을 투여한다. 정맥으로 투여된 디곡신은 약 30분 이내에 효능이 시작되어 2-3시간이 경과하면 최대효과가 나타난다. 심근 수축력을 항진시키는 효과보다는 심박수를 감소시키는 효과가 먼저 나타난다. 응급상황에서는 최초 0.5-0.75 mg(10-15 ug/kg)을 정맥 주사하고, 1일 0.25-0.5 mg을 투여한다. 디곡신 투여량은 환자의 체중과 신장기능에 따라 조절한다.

#### ③ 투여 시 주의사항

디곡신에 의한 부작용은 주로 디곡신의 혈중농도가 적정치료농도보다 높을 때 발생한다. 일반적으로 혈중농도가 2.5ng/mL 이상이면 디곡신 중독이 발생한다. 저칼륨혈증, 저마그네슘혈증, 저칼슘혈증이 동반되어 있을 때는 치료용량의 디곡신이 투여되어도 부작용이 발생할 수 있다.

디곡신에 의한 부작용은 전신증상과 부정맥으로 구분된다. 전신증상은 오심, 구토, 설사 등의 소화기 증상에서부터 시력 또는 시야의 변화, 의식장애 등이 발생할 수 있다. 디곡신 중독에 의한 부정맥은 주로 자율성 증가와 방실전도 차단으로 발생한다. 디곡신 중독환자에서 흔히 발생하는 부정맥은 심방 또는 심실 조기수축, 심실빈맥이다. 가속 접합부 율동(accelerated junctional rhythm), 비발작성 접합부 빈맥(non-paroxysmal junctional tachycardia), 2:1 방실차단을 동반한 발작성 심방빈맥, 고도의 방실 차단은 디곡신 중독의 특징적인 부정맥이다. 대량의 디곡신에 중독된 경우에는 고칼륨혈증이 발생할 수 있으며, 관상동맥과 창자사이막 동맥의 수축을 유발하여 심근과 소화계에 심각한 허혈이 발생할 수도 있다.

디곡신이 퀴니딘(quinidine), 베라파밀, 아미오다론과 함께 투여되면 디곡신의 제거율이 감소하므로, 이러한 약제를 투여받는 환자에서는 투여용량을 줄여주어야 한다.

#### ④ 디곡신 중독의 치료

디곡신 중독이 의심될 때에는 즉시 디곡신 투여를 중지하고 혈중농도를 측정한다. 또한, 칼륨, 마그네슘, 칼슘의 혈중농도를 측정하고, 결핍된 이온은 보충해주어야 한다. 특히 이뇨제를 투여받는 환자에서는 저칼륨혈증이 발생하여 있는 경우가 많으므로 즉시 칼륨을 보충한다. 방실차단이 동반된 환자에서는 칼륨을 정맥으로 투여하는 동안에 방실차단이 악화할 수 있으므로 주의한다.

심실빈맥 등의 심실성 부정맥이 발생한 경우에는 리도카인, 페니토인(phenytoin)을 투여한다. 심실상 빈맥이 발생하면 베타 교감신경 차단제인 프로프라놀롤을 투여한다. 심실상 빈맥이 발생하였더라도 방실차단이 동반된 환자에서는 베타 교감신경 차단제를 투여해서는 안 된다. 디곡신 중독환자에게 이소프로테레놀 등 교감신경에 작용하는 약물을 투여하면 심실세동이 유발될 수 있다. 따라서 방실차단과 함께 서맥이 발생한 환자에게서도 교감신경흥분제를 투여하는 것보다는 일시적 심장박동조율이 권장된다.

디곡신 중독에 의한 빈맥이 생명을 위협하는 경우가 아니면 가능한 전기 심장율동전환을 시도하지 않는 것이 좋다. 디곡신은 심근의 자율성을 항진시키므로 전기 심장율동전환을 시도할 경우 심실세동이 발생할 수 있다. 심실세동이 발생하였을 때는 일반적으로 권장되는 에너지(120-200J)로 제세동한다.

디곡신 중독 시 가장 좋은 치료방법은 디곡신에 대한 항체를 투여하는 것이다.

### (2) 암리논

암리논(amrinone)은 포스포디에스테라제 억제제로서 도부타민과 유사한 혈역학적 작용이 있다. 암리논은 심근 수축력을 증가시키고 약간의 혈관 이완작용이 있다. 따라서 치료용량의 암리논이 투여되면 혈역학적으로는 심박출량이 증가하고, 말초혈관 저항이 감소한다. 암리논은 교감신경 수용체에 작용하지 않으므로 교감신경 차단제와 함께 투여되어도 약물의 효과가 지속한다. 암리논은 심부전 환자의 치료에는 매우 유용한 약제이지만, 심근의 허혈을 초래할 수 있으므로 관상동맥질환이 있는 환자에게는 권장되지 않는다.

#### ① 투여의 적응 및 투여방법

암리논은 일반적인 치료에 반응하지 않는 심부전을 치료할 때 투여한다.

암리논은 최초 0.75 mg/kg의 용량을 투여한 후 분당 2-5 ug/kg의 속도로 투여를 시작하여 환자의 혈역학적 상태에 따라 분당 10-15 ug/kg의 양까지 증량한다. 암리논이 처음 투여될 때 혈관 확장작용이 과도하게 발생할 수 있으므로, 환자의 혈압을 자세히 관찰하면서 2-5분에 걸쳐 서서히 투여한다.

#### ② 투여 시 주의사항

암리논은 포도당 용액과는 섞이지 않으므로 생리식염수와 섞어서 투여한다.

심부전과 함께 저혈압이 동반된 환자에게 암리논을 처음 투여할 때에는 심각한 저혈압이 발생할 수 있다. 암리논은 심근의 허혈을 유발할 수 있으므로 심근허혈이 의심되는 환자에게는 투여하지 않는다.

암리논은 혈소판의 수명을 단축하므로, 암리논을 투여받은 환자의 약 2-3%에서 혈소판 감소증이 발생할 수 있다. 암리논에 의하여 유발된 혈소판 감소증은 투여를 중단하면 정상화된다.

암리논은 sulfite를 함유하고 있으므로 sulfite에 과민성이 있는 환자에게는 투여할 수 없다.

### 3) 혈관확장제

응급상황에서 투여되는 혈관확장제는 약물의 작용 속도가 빠르면서 작용시간이 짧고, 투여량에 따른 혈역학적 효과를 예측할 수 있어야 하며, 정맥투여가 가능해야 한다. 또한, 투여중단에 따른 반동 효과가 작고 빈맥이나 심근허혈 등의 부작용이 적어야 한다. 응급상황에서 흔히 투여되는 혈관확장제에는 니트로프루시드(nitroprusside)와 나이트로글리세린이 있다.

#### (1) 니트로프루시드

니트로프루시드는 투여 시작과 함께 약물효과가 발생하고, 투여를 중지하면 수 분 내에 약물효과가 중단되므로 응급상황에서 투여하기에 이상적인 약물이다.

니트로프루시드는 동맥과 정맥을 모두 확장하는 강력한 혈관확장제이다. 니트로프루시드를 투여하면 동맥이 이완되어 말초혈관 저항이 감소하며, 정맥이 이완되어 심장의 전부하가 감소한다. 니트로프루시드가 투여되는 동안에는 말초 저항의 감소가 현저하므로, 심부전에서도 심박출량을 증가시켜 혈관 확장에 따른 혈압 강하를 일부 보상할 수 있다. 니트로프루시드는 후부하를 감소시키므로 심장의 산소 요구량을 줄이지만, 혈압강하로 인하여 관상동맥 관류압이 감소하므로 심근허혈이 동반된 환자에게는 주의하여 투여한다. 니트로프루시드는 전부하를 감소시켜 폐모세혈관 쐐기압을 떨어뜨리므로 폐부종이 동반된 심부전 환자에게도 투여할 수 있다.

##### ① 투여의 적응 및 투여방법

니트로프루시드는 말초혈관 저항이 증가하여 있는 여러 응급질환에서 가장 유용하게 투여되는 약물이다. 니트로프루시드는 고혈압 뇌증(hypertensive encephalopathy), 고혈압을 동반한 대동맥박리 환자의 혈압조절을 위하여 투여된다. 급성 좌심실부전이 발생한 환자에게도 후부하를 감소시키기 위하여 니트로프루시드를 주의하여 투여할 수 있다.

니트로프루시드는 최초 분당 0.1 ug/kg로 투여를 시작하여 혈압을 측정하면서 용량을 조절하는데, 보통 분당 0.5-8.0 ug/kg의 용량으로 혈압을 조절한다.

② 투여 시 주의사항

니트로프루시드 투여 중 가장 흔히 발생하는 문제는 저혈압이다. 니트로프루시드는 빨리 약물효과가 발생하고 매우 강력하므로, 계속 혈압을 측정하지 않으면 순식간에 저혈압에 빠지는 경우가 있다. 특히 순환량이 부족한 환자나 고령인 환자에서 저혈압이 자주 발생한다.

니트로프루시드는 심근허혈을 악화시키므로, 심근허혈이 동반된 환자에게는 니트로프루시드 대신 나이트로글리세린을 선택한다.

니트로프루시드는 대사되어 황시안산염(thiocyanate)을 생성한다. 니트로프루시드가 과량 투여되거나 니트로프루시드의 대사 또는 배설에 장애가 있는 환자에서는 황시안산염 독성이 발생할 수 있다. 니트로프루시드를 분당 3 ug/kg 이상 투여하고 있는 환자나 2-3일 이상 장기간 투여하는 환자, 간 또는 신장기능 장애가 있는 환자에서는 주기적으로 혈중 황시안산염 농도를 측정한다. 황시안산염 독성에 의한 부작용은 이명, 시력장애, 오심, 복통, 의식장애, 경련 등이다.

니트로프루시드는 햇빛에 노출되면 파괴되므로, 니트로프루시드를 투여할 때에는 반드시 약물이 햇빛에 노출되지 않도록 알루미늄 포일 등 햇빛이 투과되지 않는 물질로 니트로프루시드가 통과하는 모든 부분을 덮어주어야 한다.

(2) 나이트로글리세린

나이트로글리세린(nitroglycerin)은 혈관 벽에 있는 수용체와 결합하여 혈관의 평활근을 이완시킨다. 나이트로글리세린은 정맥을 이완시켜 심장의 전부하를 줄이므로, 심근의 운동량이 감소하여 심근의 산소 요구량이 줄어든다. 또한, 나이트로글리세린은 심장 외막의 관상동맥을 확장하고, 측부 순환량을 증가시키며, 관상동맥에 유발된 혈관 연축을 역전시키는 작용이 있다.

나이트로글리세린이 혀 밑(sublingual)으로 투여되면 말초혈관 저항에 대한 작용은 매우 약하지만, 심근의 전부하를 감소시키며, 정맥 내로 투여되면 말초혈관 저항과 심근의 전부하를 모두 감소시켜 심근의 산소 요구량을 줄인다. 니트로프루시드는 전부하가 현저히 감소하더라도 혈관 확장작용이 그대로 유지되는 반면, 나이트로글리세린은 전부하가 감소하면 혈관 확장 효과가 작아지므로 니트로프루시드보다 안전한 약물이다.

① 투여의 적응 및 투여방법

심 허혈이 발생한 모든 환자가 나이트로글리세린 투여의 적응이 된다. 안정형 및 불안정형 협심증, 심근경색, 관상동맥 연축에 의한 이형 협심증 환자에게 나이트로글리세린을 투여한다. 또한, 나이트로글리세린은 허혈성 심장질환에 의한 울혈성 심부전 환자의 치료에도 사용된다.

협심증이 발생했을 때는 혀 밑으로 나이트로글리세린을 투여한다. 흉통은 0.3-0.4 mg의 나이트로글리세린을 혀 밑으로 투여한 후 1-2분 정도 경과하면 소실되며, 통증이 소실되지 않으면 5분 간격으로 2회 반복 투여할 수 있다. 나이트로글리세린은 분무(spray) 형태로서도 투여될 수 있는데, 1회 0.4 mg 정도가 투여될 수 있도록 장치된 분무기를 사용하여 구강 점막에 분무한다. 피부를 통하여 투여할 때는 2% 나이트로글리세린 연고를 2-4인치 정도 피부에 발라준다.

급성 심근경색, 불안정성 협심증 및 심근허혈에 의한 울혈성 심부전 환자에게는 정맥 투여가 권장된다. 나이트로글리세린을 정맥 주사할 때에는 최초 12.5-25 ug을 투여한 후 분당 10-20 ug의 속도로 투여하면서 점차 용량을 증량한다.

나이트로글리세린 정맥 주사로서 적절한 약물효과를 얻으려면, 환자의 흉통이 소실되거나, 수축기 혈압이 최초보다 10-20% 이상 감소할 때까지 5-10분 간격으로 용량을 분당 5-10 ug 정도씩 올리면서 용량을 조절한다. 보통 분당 50-200 ug 정도의 용량으로 적절한 효과를 얻을 수 있다.

나이트로글리세린을 24시간 이상 지속적으로 투여하면 같은 효과를 얻기 위하여 점차 더 많은 양의 나이트로글리세린이 투여되어야 한다.

② 투여 시 주의사항

흉통을 주소로 내원한 환자에게 나이트로글리세린을 투여하여 흉통이 소실되었더라도, 흉통의 원인이 반드시 심근의 허혈에 기인한 것으로 판단해서는 안 된다. 식도 연축 등의 질환은 협심증과 유사한 흉통을 유발하며 나이트로글리세린 혀 밑 투여에 반응한다. 따라서 나이트로글리세린 혀 밑 투여에 대한 반응만으로 흉통의 원인을 알아낼 수는 없다.

심근경색환자에서 나이트로글리세린 정맥투여로 저혈압이 발생하면 심근의 허혈이 악화할 수 있으므로 유의한다. 심근경색환자에서 나이트로글리세린을 투여할 때에는 수축기 혈압을 110 mmHg 내외로 유지하며, 최초의 혈압보다 약 10% 정도 감소한 수축기 혈압을 유지하는 것이 안전하다.

나이트로글리세린 투여 중 저혈압이 발생하면 즉시 용량을 줄이거나 투여를 중지하고 수액을 투여하여 심장의 전부하를 증가시킨다. 종종 저혈압과 함께 서맥이 동반되는 때도 있는데, 서맥이 발생하면 아트로핀을 투여한다.

나이트로글리세린은 폐에서 환기/관류이상을 유발하여 저산소증을 유발할 수 있으며, 메트헤모글로빈혈증(methemoglobinemia)를 일으키기도 한다.

### 4) 베타 교감신경 차단제

베타 교감신경 차단제(beta-adrenergic blocker)는 베타 교감신경 수용체에 결합하여 수용체의 작용을 차단함으로 약물작용이 나타난다. 베타 교감신경 차단제를 투여하면 심박수, 심근 수축력 및 심근의 산소 요구량이 감소하며, 혈압이 하강한다. 또한, 심장의 자율성이 저하되며, 방실결절에서의 전도속도가 느려진다. 베타 교감신경 차단제는 약제에 따라 베타 1 교감신경 수용체만을 차단하는 약물(메토프롤롤: metoprolol, 아테놀롤: atenolol, 에스몰롤: esmolol)이 있고, 베타 1 교감신경 수용체뿐 아니라 베타 2 교감신경 수용체까지도 차단하는 약물(프로프라놀롤: propranolol)이 있다. 베타 2 교감신경 수용체도 차단하는 약물은 기관지 천식이나 녹내장이 있는 환자에게는 투여할 수 없다.

응급상황에서는 정맥 내로 투여할 수 있는 프로프라놀롤, 메토프롤롤, 에스몰롤이 사용된다.

#### (1) 베타 교감신경 차단제 투여의 적응

베타 교감신경 차단제는 베타 교감신경 수용체의 흥분이나 카테콜아민이 증가하여 발생한 심실상 빈맥과 심실성 빈맥의 치료에 효과적이다.

베타 교감신경 차단제는 다른 치료약제에 반응하지 않는 재발성 심실빈맥, 심실세동 및 심실상 빈맥(심방세동, 심방조동, 다소성 심방빈맥)의 치료에 사용된다. 급성 심근경색 환자에게 베타 교감신경 차단제를 투여하면 심실세동의 발생률이 감소한다. 협심증 환자에서는 심근의 산소 요구량을 감소시킬 목적으로 베타 교감신경 차단제를 투여한다.

#### (2) 응급상황에서 사용되는 베타 교감신경 차단제

##### ① 프로프라놀롤

프로프라놀롤은 베타 1 및 베타 2 교감신경 수용체를 모두 차단하는 약물이다. 프로프라놀롤을 정맥 투여할 때에는 1-3 mg을 2-5분에 걸쳐서 투여한다. 2분마다 반복 투여할 수 있으며 총투여량이 0.1 mg/kg을 넘지 않도록 한다.

프로프라놀롤은 베타 2 교감신경 수용체도 차단하므로 기관지 천식, 만성 폐색성 폐질환, 녹내장이 있는 환자에게 투여해서는 안 된다.

② 메토프롤롤

메토프롤롤은 베타 1 교감신경 수용체를 선택적으로 차단하는 약물이다. 베타 1 교감신경 차단작용의 효능은 프로프라놀롤과 같다. 메토프롤롤을 정맥 투여할 때에는 5 mg을 2-5분에 걸쳐서 투여하며, 5분 간격으로 총 15 mg까지 투여할 수 있다.

③ 아테놀롤

아테놀롤은 베타 1 교감신경 수용체를 선택적으로 차단하는 약물이다. 아테놀롤의 베타 1 교감신경 차단 효능은 프로프라놀롤과 같다. 아테놀롤을 투여할 때에는 5 mg을 5분 이상에 걸쳐 정맥투여하며, 10분 후에 5 mg을 투여할 수 있다.

④ 에스몰롤

에스몰롤은 약물의 작용시간이 짧고 빠른 심장 선택적(cardio-selective) 베타 교감신경 차단제이다. 에스몰롤은 심실상 빈맥이 발생한 환자에서 심실박동수를 조절하거나 고혈압이 있는 환자에게 사용한다. 보통 0.5 mg/kg를 1분 정도에 걸쳐 부하 용량으로 투여한 후 분당 50 ug/kg의 속도로 투여한다. 5분 후에도 원하는 효과가 나타나지 않으면 5분 간격으로 부하 용량을 증량하면서 반복 투여할 수 있다.

⑤ 라베탈롤

라베탈롤(labetalol)은 알파 교감신경 수용체와 베타 교감신경 수용체를 동시에 차단하는 약물이다. 라베탈롤의 베타 교감신경 차단작용은 알파 교감신경 차단작용보다 3-7배 정도 강하다.

라베탈롤은 주로 고혈압 환자의 혈압을 강하시킬 목적으로 투여된다. 라베탈롤에 의한 혈압강하작용은 주로 알파 교감신경 차단 효과에 의한 말초 저항의 감소로 발생한다. 일반적으로 혈압이 강하하면 반사적으로 빈맥이 발생하지만, 라베탈롤을 투여하면 혈압이 강하하더라도 베타 교감신경 차단작용 때문에 빈맥이 발생하지 않는다. 라베탈롤 투여 시 심박출량의 감소는 현저하지 않다.

라베탈롤은 최초 20 mg을 투여한 후 혈압을 측정하면서 10분 간격으로 20-80 mg을 투여할 수 있다. 지속적으로 정맥 투여할 때에는 혈압의 변화를 관찰하면서 분당 2 mg의 속도로 투여한다. 라베탈롤을 투여하면 체위성 저혈압이 발생할 수 있다.

#### (3) 베타 교감신경 차단제 투여 시 주의사항

기관지 천식 환자에서 베타 2 교감신경 수용체를 차단하는 약물을 투여하면 기관지 경련이 유발될 수 있다. 베타 교감신경 차단제를 투여하기 전에는 반드시 병력을 확인하여 기관지 천식이나 녹내장이 없는지 확인한다. 기관지 천식이 유발되면 기관지 확장제를 투여한다.

베타 교감신경 차단제의 가장 흔한 부작용은 저혈압과 울혈성 심부전을 유발할 수 있다는 것이다. 특히 심근 수축력이 감소하여 있는 환자에게 베타 교감신경 차단제를 투여하면 쉽게 심부전에 빠지므로 유의한다. 서맥이나 방실결절 전도 장애가 있는 환자에게 베타 교감신경 차단제를 투여하면 심각한 서맥이 발생할 수 있다. 따라서 베타 교감신경 차단제를 투여할 때에는 혈압과 심전도를 감시하고 환자의 상태를 살피면서 서서히 투여한다.

베타 교감신경 차단제를 투여한 후 서맥이 발생하면 아트로핀, 도파민, 또는 에피네프린을 투여하거나 심장박동조율을 한다. 베타 교감신경 차단제는 항고혈압 약물, 칼슘길항제 등과 함께 투여될 때 약물의 상호작용 때문에 항진된 약물효과를 나타낼 수 있으므로 주의한다.

## 4. 폐부종 치료약물

폐부종의 치료에는 산소, 심근 수축력을 향상시키는 약물, 혈관 이완제, 이뇨제 등 다양한 약물이 사용된다. 이미 서술된 약물을 제외하고 이뇨제와 모르핀에 관하여 기술하였다.

### 1) 이뇨제

폐부종의 치료에서 가장 흔히 사용되는 이뇨제는 후로세미드(furosemide)이다. 후로세미드는 신사구체의 Henle씨 고리에서 Na과 Cl의 재흡수를 억제함으로써 강력한 이뇨작용을 하는 약물이다. 후로세미드는 약물의 작용이 빠르게 나타나고 반복투여 시에도 효과적인 이뇨 반응을 나타낸다. 후로세미드는 급성 울혈성 심부전 환자에서 전부하를 줄이는 유용한 약제이다. 후로세미드는 이뇨작용이 발생하기 전에 정맥을 이완시킴으로써 중심정맥압을 저하해 심장의 전부하를 줄인다. 즉 후로세미드를 투여하면 정맥 이완작용이 발생하고, 약 10분이 지나면 이뇨작용이 시작되어 약 6시간 정도 지속한다.

#### (1) 투여의 적응 및 투여방법

후로세미드는 좌심실부전 또는 순환량 증가 때문에 폐울혈이 발생한 환자에게 투여한다.

후로세미드를 정맥 투여할 때에는 20-40 mg(0.5-1.0 mg/kg)을 1-2분에 걸쳐 서서히 투여한다. 반복투여가 필요할 때는 6-8시간 간격으로 20-40 mg을 정맥주사한다. 간헐적인 투여만으로는 이뇨 반응이 발생하지 않는 환자에서는 시간당 0.25-0.75 mg/kg의 후로세미드를 지속적으로 정맥 주사하면 효과적인 이뇨작용을 기대할 수 있다.

#### (2) 투여 시 주의사항

후로세미드를 반복 투여하면 강력한 이뇨 효과에 의하여 탈수나 저혈압이 발생할 수 있다. 또한, 장기간 투여하면 저나트륨혈증, 저칼륨혈증, 저칼슘혈증, 저마그네슘혈증 등의 전해질 이상이 발생할 수 있고, 대사성 알칼리증이 발생할 수 있다.

### 2) 모르핀

모르핀(morphine)은 강력한 진통작용이 있으므로, 심근의 허혈로 흉통이 발생한 환자에게 투여한다. 모르핀은 정맥을 이완시켜 심장으로의 정맥혈 환류를 감소시키며, 약간의 동맥 이완작용이 있으므로 폐부종 환자에게 사용된다. 모르핀의 진정작용은 허혈성 흉통 환자와 폐부종 환자 모두에서 환자의 불안감을 줄여주므로, 모르핀을 투여하면 심근의 산소 요구량과 카테콜아민 분비량이 감소한다. 그러나 모르핀의 투여는 호흡부전의 빈도를 높일 수 있으며, 모르핀의 투여가 환자의 예후에 영향을 주지는 않는다.

#### (1) 투여의 적응 및 투여방법

모르핀은 협심증 또는 급성 심근경색 환자의 흉통을 경감시켜주기 위하여 투여하거나, 폐부종을 치료할 목적으로 투여한다. 심근허혈에 의한 흉통 경감을 목적으로 모르핀을 투여할 때에는 2-5 mg을 5-15분 간격으로 정맥 투여한다.

#### (2) 투여 시 주의사항

모르핀을 투여하면 종종 오심, 구토, 서맥, 저혈압이 유발될 수가 있다. 모르핀의 부작용은 주로 모르핀의 부교감신경 항진 작용에 기인한다.

모르핀투여 후 부교감신경 항진 작용 때문에 정맥 이완과 서맥이 발생하면서 혈압이 하강할 수 있다. 특히 급성 하벽 심근경색 환자에서는 서맥을 동반한 저혈압이 자주 발생하므로, 모르핀을 투여한 후에는 반드시 환자의 맥박과 혈압을 확인한다. 저혈압이 발생하면 수액을 투여하고, 서맥이 동반된 환자에서는 아트로핀을 투여하면 저혈압이 쉽게 치료될 수 있다. 저혈압이 지속되면 0.4 mg의 날록손(naloxone)을 정맥 투여한다. 과량의 모르핀이 투여되면 호흡부전이 발생할 수 있다.

# 제 15 장

# 특수 상황의 심장정지

심장정지를 유발하는 질환 중에는 급성 심근경색, 부정맥 등에 의한 심장정지와는 다른 치료를 해야 하는 경우가 있다. 예를 들면 저체온증에 의하여 심장정지가 발생한 환자에서는 환자를 다루는 방법에서부터 일반적인 심장정지 환자와 다를 뿐 아니라, 환자의 체온을 높이기 위한 치료를 병행해야 한다. 전문심장소생술을 하는 응급의료종사자는 치료방법에 변화를 주어야 하는 특수질환과 연관된 심장정지를 이해하고 치료할 수 있어야 한다. 이러한 질환에는 저체온증, 익사, 외상에 의한 심장정지, 감전 또는 낙뢰에 의한 심장정지, 임신 중 발생한 심장정지 등이 있다.

## 1. 심장정지과 저체온증

저체온증(hypothermia)은 체온이 일정 온도 이하로 떨어져 생체기능을 원활히 수행할 수 없는 상태를 말한다. 일반적으로 중심체온이 35℃ 이하로 떨어지면 저체온증이라 한다. 저체온증에 빠진 환자는 체온에 따라 다양한 임상 증상이 발생한다(표 15-1). 중증의 저체온증은 체온이 30℃ 아래로 떨어지는 경우를 말한다.

체온이 낮아질 때 인체의 반응은 두 가지로 나타난다. 경도의 저체온 상태에서는 체온을 유지하기 위하여 오한 등의 여러 가지 반응이 시작되지만, 중증의 저체온 상태가 되면 뇌 혈류량과 뇌의 산소소모량이 감소하고 심박출량을 저하하여 대사량을 줄이게 된다. 따라서 중증의 저체온 상태가 되면 대사량이 줄어들어 임상적으로 사망한 듯한 양상을 보이게 된다.

표 15-1. 저체온에서 체온에 따른 임상 양상

| 체온 | 임상 양상 |
|---|---|
| 32-35℃ | 오한, 말초혈관수축, 대사량의 증가, 빈맥, 과호흡 |
| 28-32℃ | 대사량 감소, 오한의 소실, 의식장애, 서맥, 부정맥 |
| 24-28℃ | 서맥, 저혈압, 혼수, 무수축, 심실세동 |
| <24℃ | 저 혈류 상태 또는 심장정지 발생 |

저체온 상태인 환자에서 심장정지가 발생하면 체온을 정상화하기 전에는 자발순환이 회복되지 않는 경우가 많다. 저체온증에 의한 심장정지 환자 중 일부는 신경학적 후유증 없이 회복될 수 있으므로, 저체온증이 지속되는 환자에서는 체온이 정상화될 때까지 사망을 선고해서는 안 된다.

## 1) 저체온 환자의 심폐소생술

### (1) 환자평가와 기본소생술

심장정지가 의심되는 저체온 환자에게는 일반적인 기본소생술을 한다. 다만, 체온손실을 막고 체온을 높이기 위한 치료를 하여야 하며, 저체온 상태에서 발생하는 여러 생리적 현상을 고려하여 치료를 진행한다.

저체온이 발생하면 모든 생리현상이 저하되므로 환자가 사망한 것 같이 보일 수 있다. 심장정지 여부를 판단할 때에는 최소 1분 동안 환자의 생체 신호를 확인하여야 하며, 심전도 감시 장치에 발생하는 전기신호를 자세히 관찰한다. 환자가 반응이 없고 호흡이 없거나 비정상이면 맥박을 확인한 후 즉시 심폐소생술을 시작한다. 심폐소생술과 더불어 환자의 체온손실을 막고 체온을 올려주기 위한 치료를 시작한다(표 15-2). 일반적인 심폐소생술에

표 15-2. 저체온 환자의 기본소생술 시 주의할 점

1. 약간의 자극에 의해서도 심실세동이 발생할 수 있으므로 환자의 체위를 바꿀 때도 주의한다.
2. 저체온증 환자에서 목동맥의 맥박을 확인할 때에는 심장 박동이 매우 느리고 말초혈관이 수축하여 있다는 점을 고려한다.
3. 맥박이 있는 환자에서는 가슴압박에 의하여 심실세동이 유발될 수 있으므로 자발순환이 있으면 심박수가 매우 느리더라도 가슴압박을 하지 않는다.
4. 지속적인 체온손실을 막기 위하여 젖은 의복 등을 제거하고 담요 등으로 환자를 싸주어야 하며 따뜻한 산소를 흡입시킨다.
5. 환자를 이송할 때에는 환자를 수평 자세로 유지하여야 하며, 환자의 머리가 심장의 위치보다 높아지지 않도록 한다.

서와같이 심폐소생술의 중단을 최소화하도록 노력해야 한다.

## 2) 저체온 환자의 전문소생술

저체온 환자의 전문소생술은 체온을 높이기 위한 가온요법(rewarming)을 제외하면 일반적인 심장정지 환자의 전문소생술 과정과 같다(그림 15-1)

### (1) 심전도 감시

저체온 환자에서는 부정맥이 발생할 가능성이 크므로 환자를 이송하거나 움직이기 전에 반드시 심전도 감시를 시작한다. 중증의 저체온 상태인 환자에서는 피부에 부착하는 전극으로는 심전도가 기록되지 않는 경우가 있으므로, 바늘 모양의 전극을 피부에 꽂아 심전도를 기록하는 것이 좋다. 저체온 환자에서는 생리적으로 서맥이 발생하므로, 혈역학적으로 불안정하지 않으면 서맥을 치료하기 위하여 약물을 투여하거나 인공심장박동조율을

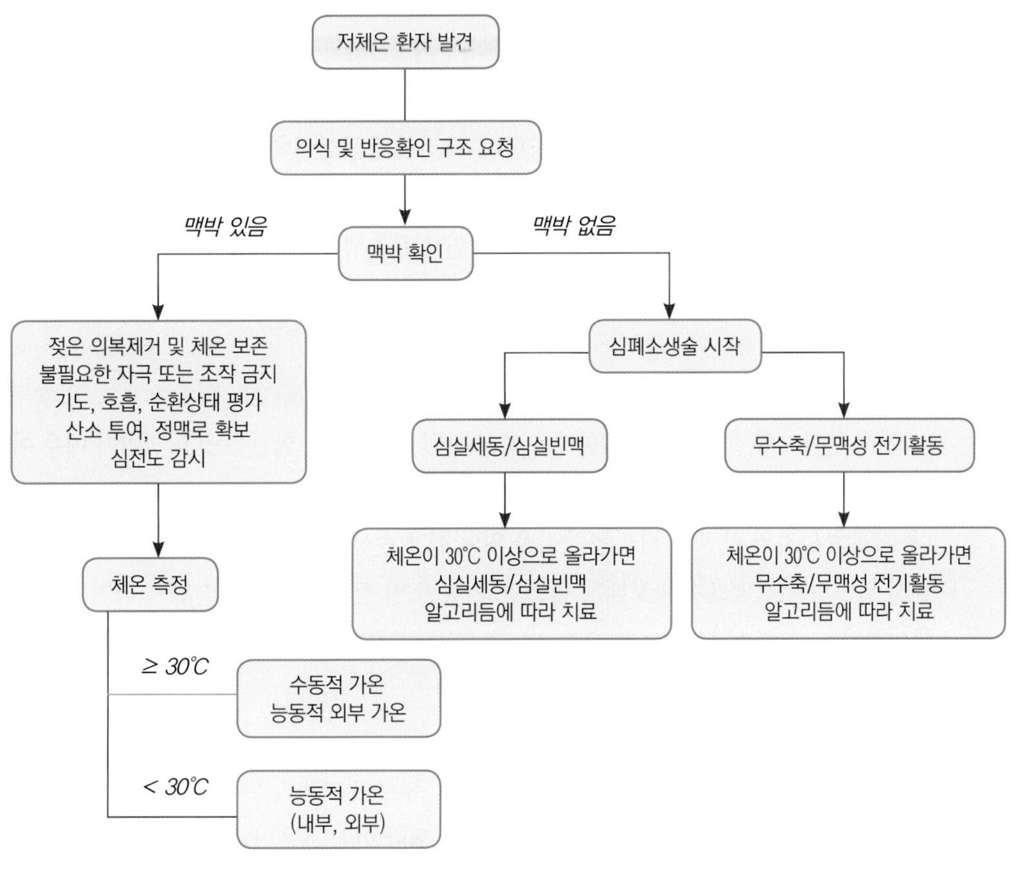


그림 15-1. 저체온 환자의 전문소생술 순서

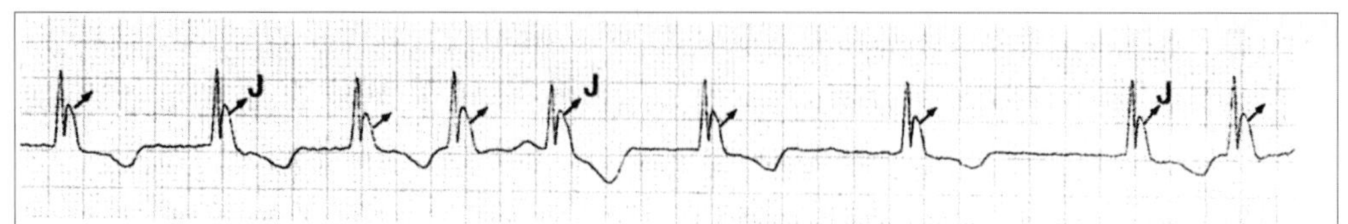


그림 15-2. 저체온 환자의 심전도. 특징적인 hypothermic J (Osborn) wave가 QRS파와 ST분절 사이에 서 관찰된다.

할 필요는 없다.

저체온 환자에서는 심전도상 QRS파와 ST분절 사이에 특징적인 변화(Osborn wave)가 발생한다(그림 15-2).

### (2) 저체온 환자의 제세동

30℃ 이하인 중증의 저체온 환자에게 심실세동이 발생하였을 때 반복적인 제세동이 효과적인지에 대해서는 잘 알려지지 않았다. 또한, 30℃ 이하에서는 제세동에 성공하더라도 다시 심실세동이 발생할 가능성이 크다. 따라서 최초 3회의 제세동 후에도 심실세동이 계속되면 더 제세동을 시도하지 않고 환자의 체온을 높이기 위한 치료를 한 후 체온이 30℃ 이상이 되면 제세동을 시도하도록 권장한다. 그러나 동물실험에서 저체온 상태가 심실세동의 제세동에 영향을 주지 않는다는 보고가 있으며, 저체온 상태에서의 제세동에 대한 임상 보고는 없으므로 일부 전문가들은 일반적인 전문소생술을 적용하는 것을 권장하기도 한다.

### (3) 정맥로 확보

저체온 환자의 말초혈관은 심하게 수축하여 있으므로 말초혈관을 천자 하기가 매우 어렵다. 또한, 말초혈관으로 약물을 투여하면 약물의 효과가 나타나기까지 오랜 시간이 걸린다. 저체온 환자의 팔 또는 다리는 동상을 입어 쉽게 손상되기가 쉽다. 따라서 저체온 환자에서 말초혈관 정맥로가 확보되지 않으면, 가능한 한 빨리 중심정맥을 천자 하여 약물을 투여한다.

### (4) 저체온 환자에서의 약물투여

저체온 상태에서는 약물의 효과 발현이 느리고, 누적 효과가 발생할 가능성이 있으므로 30℃ 미만인 저체온 환자에게는 약물투여를 제한한다. 체온이 30℃ 이상으로 상승하면 에피네프린, 아미오다론 등의 약물을 투여하도록 권장한다. 그러나 저체온 상태에서도

에피네프린은 관상동맥 관류압을 상승시키므로, 저체온 환자에서도 일반적인 전문소생술에서와 같은 방법으로 약물을 투여하는 것을 권장하는 전문가들도 있다.

#### (5) 체온 측정

저체온을 진단하려면 35℃ 미만을 측정할 수 있는 체온계로 체온을 측정해야 한다.

저체온 환자는 심한 말초혈관수축으로 인하여 몸 중심부의 체온과 구강 또는 겨드랑이 체온의 차이가 크다. 식도 내로 삽입하는 체온계로 측정한 체온이 중심 체온(심장 내 혈액의 온도)에 가장 가깝다. 식도 체온계가 없으면 고막 체온계를 사용한다. 고막 체온계 중에는 낮은 체온을 측정할 수 없는 때도 있으므로, 병원 내에서는 식도 체온계를 사용하는 것이 권장된다. 직장과 방광 온도는 체온 변화를 반영하는 데 시간 차이가 있지만, 방광 또는 직장에 체온계를 삽입하여 체온을 측정할 수도 있다.

### 3) 저체온의 치료

저체온증 환자의 체온을 올려주는 방법(가온법: rewarming)에는 외부에서 열을 가하지 않고 환자의 체열이 발산되는 것을 막아주는 수동 가온법(passive rewarming)과 외부에서 열을 가하여 체온을 올려주는 능동 가온법(active rewarming)이 있다.

수동 가온법은 체온이 30℃ 이상인 환자에서 사용되는 방법으로서, 체내에서 체온을 상승시키는 기전(오한, 대사량의 증가 등)이 유지되고 있는 환자에서 담요 등으로 환자의 체열이 발산되는 것을 막아주는 방법이다.

능동 가온법에는 인체의 외부에서 열을 가하는 방법(외부 가온법: external rewarming)과 신체 내부로 열을 가하여 체온을 올리는 방법(내부 가온법: internal rewarming)이 있다.

체온이 30℃ 미만인 환자에게 외부에서 열을 가하면 피부의 혈관이 확장되면서 내부 장기로부터의 혈액이 피부로 순환되어 오히려 내부 장기의 온도가 하강하는 현상(after-drop)이 발생할 수 있다. 따라서 중증의 저체온증 환자에게는 가능한 한 먼저 내부 가온을 한 후에 체온이 30℃ 이상이 되면 외부 가온을 한다. 최근의 임상 보고에서는 외부 가온법을 사용하더라도 체온을 높이는 효과가 있는 것으로 알려졌다. 체온이 30℃ 이상인 환자에서는 외부 가온과 수동 가온(passive rewarming)을 한다.

환자가 발생한 현장에서는 환자의 체온을 정확히 알 수 없는 때도 있으므로, 현장에서부터의 가온은 권장되지 않는다. 현장에서는 환자의 체온이 더 손실되는 것을 방지하는 조치가 우선되어야 한다.

### 4) 환자이송

현장에서는 환자가 체열을 더 잃지 않도록 보호하면서 환자를 즉시 병원으로 이송한다. 저체온 상태의 환자에서는 매우 적은 순환량으로 조직 관류가 이루어지고 있으므로 환자를 이송할 때는 반드시 수평 상태를 유지한다. 환자의 머리가 심장의 위치보다 높아지면 뇌로의 혈류량이 급격히 감소하여 심각한 뇌 손상을 받을 수 있다. 환자를 이송할 때에는 가능한 환자에게 사소한 자극도 주지 않도록 노력해야 한다. 저체온 상태의 심장은 쉽게 부정맥에 빠질 수 있으므로 사소한 자극이나 조작이 심실세동을 유발할 수도 있다. 체온이 32°C 미만인 환자는 내부 가온과 전문소생술이 가능한 병원으로 이송해야 한다.

### 5) 병원 치료

환자가 병원에 도착한 후에도 심장정지 상태이면, 심폐소생술을 계속하면서 내부 가온(active internal rewarming)을 시작한다. 폐 환기 상태가 좋지 않은 환자는 기관내삽관 후 기계 호흡을 시작한다. 기계 호흡은 환자에게 효과적인 폐 환기를 제공하는 것뿐만 아니라,

표 15-3. 환자의 체온과 가온(rewarming) 방법

| 체온 | 가온법 | |
|---|---|---|
| 34-36°C | 수동 가온법<br>(Passive rewarming) | Blanket<br>Wind shield |
| | 능동 외부 가온법<br>(Active external rewarming) | Warm oxygen inhalation<br>Hot water bottle<br>Warm pack |
| 30-34°C | 수동 가온법 | Blanket<br>Wind shield |
| | 능동 외부 가온법 | Electrical warming device<br>Charcoal warming device<br>Hot water bottle<br>Heating pads<br>Radiant heat source<br>Warming bed |
| < 30°C | 능동 내부 가온법<br>(Active internal rewarming) | Warm IV fluid (42-44°C)<br>Warm, humid oxygen (42°C-46°C)<br>Warm peritoneal lavage (42°C-43°C)<br>Warm gastric lavage (42°C-43°C)<br>Warm pleural lavage<br>Extracorporeal rewarming |

고온의 100% 산소를 제공함으로써 환자의 체온을 상승시키려는 목적으로 시행된다. 또한, 폐 흡인을 예방하는 목적으로도 기관내삽관을 한다.

체온이 상승을 위한 치료가 우선되어야 하며, 환자의 체온에 따라 체온을 높이기 위한 가온방법을 선택한다(표 15-3). 체외순환장치를 사용하면 혈류량을 유지할 수 있을 뿐 아니라, 효과적으로 가온할 수 있다. 환자를 가온할 때는 몇 가지 주의할 점이 있다. 저체온 상태가 45-60분 이상 지속하였던 환자에서는 혈관의 투과력이 증가하여 체액 손실이 심하다. 따라서 가온 중에 환자의 혈역학적 상태를 감시하면서 수액을 공급한다. 가온 중에 심한 고칼륨혈증이 발생하는 예도 있다. 특히 동상이나 사지의 분쇄손상이 동반된 경우에는 고칼륨혈증이 발생할 수 있으므로, 혈중 칼륨농도를 주기적으로 측정하고 심전도 감시를 한다. 고칼륨혈증이 발생하면 칼슘, 중탄산나트륨, 인슐린과 포도당을 정맥 주사하며, kal-limate 관장 등 일반적인 고칼륨혈증에 대해 치료를 한다.

## 2. 익수에 의한 심장정지

익수(drowning)는 액성 매질에 인체가 잠김으로써 호흡 장애가 발생하는 일련의 과정을 말한다. 일반적으로 물에 빠지면 폐로 물이 흡인되고 후두 경련이 유발되어 저산소증이 발생하여 심장정지에 이르게 된다. 약 10-20%의 환자에서는 익수 직후에 심한 후두 경련이 발생하여 폐로는 물이 흡인되지 않은 상태로 저산소증이 발생하여 심장정지 상태에 이를 수도 있다. 익수환자에서 발생하는 또 다른 문제점은 저체온증의 발생이다. 저체온증은 환자가 빠졌던 물의 온도가 체온보다 낮아서 발생하기도 하지만, 환자를 구조한 후 소생술을 시행하는 과정에 환자의 체온이 손실되어 발생하기도 한다. 따라서 익수환자에게 소생술을 할 때는 환자의 체온이 손실되지 않도록 보호조치를 취한다.

인체가 물에 빠진 후 발생하는 잠수 사고는 익사(fatal-drowning)과 익수(nonfatal-drowning)로 구분된다. 익사는 환자가 잠수 된 후 24시간 이내에 사망하는 것을 말하며, 익수는 24시간 이상 생존한 경우를 말한다. 그러나 최근에는 24시간의 기준과 관계없이 잠수 사고에 의한 사망은 모두 익사(fatal drowning 또는 drowning-related death)로 분류한다. 익수는 환자가 구조되어 익사의 과정이 중단되고 생존한 경우를 말한다.

### 1) 현장에서의 응급치료 및 기본소생술

익수환자를 발견한 구조자는 가능한 한 빨리 환자를 물 밖으로 꺼내야 한다. 익수환자에서도 일반적인 심장정지 환자에게서와같이 기본소생술 순서를 C-A-B로 한다. 그러나 익수에 의한 심장정지는 호흡부전에 의한 저산소증이 원인이므로 A-B-C의 순서로 심폐소생술을 하자고 주장하는 전문가도 있다. 환자가 물에서 구조된 후에는 즉시 심폐소생술을 한다. 전문 교육을 받은 구조자는 환자를 물에서 꺼내면서 입-입 또는 입-코 인공호흡을 하거나 보트 위에서 심폐소생술을 할 수도 있다.

모든 익수환자를 구조하면서 경추 보호대를 사용할 필요는 없다. 일반적으로는 익수환자에서 경추손상이 항상 동반되는 것은 아니므로 모든 익수환자에게 경추 보호대를 하는 것은 권장되지 않는다. 다이빙하였거나, 높은 곳에서 물 썰매를 타다가 익수된 경우, 외상이 있는 경우, 술에 취한 상태일 때는 경추 보호대를 사용한다. 환자의 자세를 바꿀 때도 통나무 굴리기법(log roll)을 사용하여 경추손상이 악화하지 않도록 한다(표 15-4). 경추손상이 의심되는 경우에는 인공호흡 중에도 가능한 머리젖히기 방법보다는 턱 들기 방법을 사용한다.

심장정지 상태이면 가슴압박을 시작한다. 환자를 구조한 장소가 환자를 수평 상태로 유지할 수 없는 상황이면 뇌로의 혈류를 유지할 수 없으므로, 환자를 편평한 곳으로 옮긴 후부터 가슴압박을 시작한다.

익수된 환자는 저체온 상태에 있는 경우가 많으므로 체온을 보존해주는 치료를 병행한다. 기본소생술이 시행되는 동안 젖은 옷을 제거하고 환자를 담요로 싸주어 체온의 발산을 막아야 하며, 따뜻한 산소를 흡입시킨다. 저체온증이 동반되어 있으면 저체온증의 치료에 따라 치료한다.

익수환자에서 폐로 흡입된 물은 그 양이 많지 않을 뿐 아니라 폐 모세혈관을 통하여 쉽게 흡수되므로, 물로부터 구조된 환자의 폐 속에는 물이 거의 없다. 따라서 폐 속으로 흡입

표 15-4. 익수환자에서 경추 보호대를 사용해야 하는 경우

| 다이빙 후 익수된 경우<br>높은 장소에서 물에 떨어진 경우(추락, 물설매 등)<br>외상이 관찰되는 경우<br>술에 취한 환자인 경우 |
|---|

표 15-5. 익수환자의 기본소생술 중 주의사항

| 1. 경추손상이 동반되어 있는지를 확인한다.<br>2. 체온을 측정하고 체온을 보존한다.<br>3. 체내의 물을 배출시키려고 시도하지 않는다.<br>4. 호흡이 있는 환자에게도 반드시 산소를 투여한다. |
|---|

된 물을 배출시키려고 시도해서는 안 된다. 이러한 시도는 기본소생술을 지연시키고 경추 손상을 악화시킬 수 있다. 기도에 이물이 분명히 들어있는 경우를 제외하고는 하임리히법을 해서는 안 된다(표 15-5).

익수환자를 심폐소생술 하는 동안에 환자가 구토하는 경우가 많다. 환자가 구토하면 환자의 경추를 보호하면서 환자를 옆으로 돌려 구토물을 제거한 후 심폐소생술을 계속한다.

익수환자는 순환 혈장량이 감소하는 경우가 많으므로 수액을 정맥주사한다.

### 2) 저산소증에 대한 치료

익수환자가 심장정지로부터 회복된 후 가장 흔히 접하게 되는 문제는 저산소증이다. 따라서 모든 환자에게 고농도의 산소를 투여하여야 하며, 맥박산소측정기(pulse oximetry)로 저산소증의 유무를 감시한다. 호흡부전이 있는 환자에서는 호기말 이산화탄소 분압을 감시하여 환기량이 적절한지 감시한다. 산소투여에도 불구하고 저산소증($PaO_2$ < 55-60 mmHg)가 지속되는 환자에서는 기계 호흡을 시작한다. 고농도의 산소투여에도 불구하고 저산소증이 지속되면 호기말 양압 치료를 병행한다(그림 15-3). 익수환자에서는 급성호흡부전증후군과 폐렴이 발생할 가능성이 크다. 고농도의 산소 및 호흡기 치료에도 저산소증

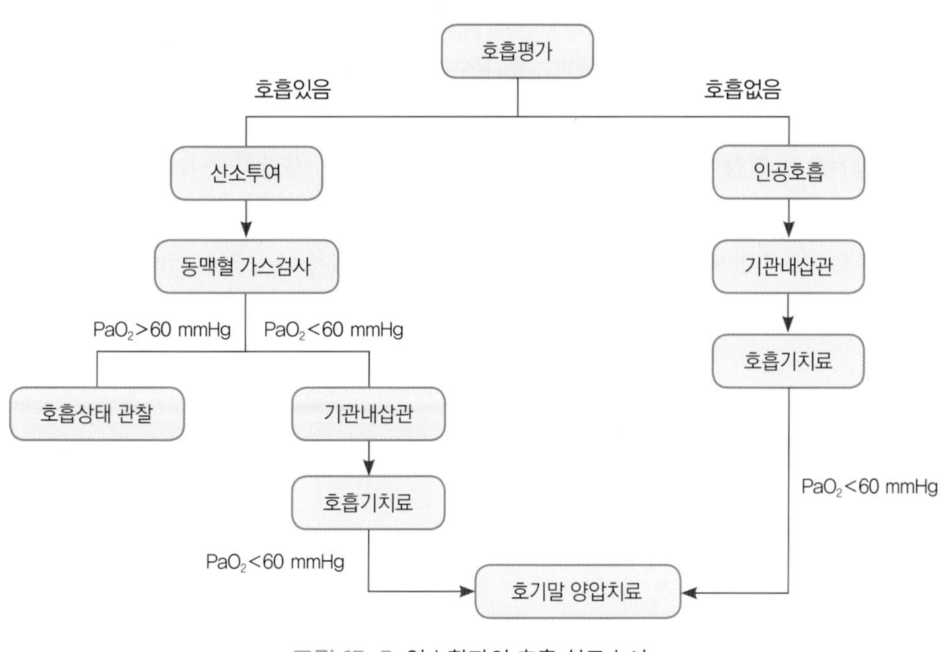


그림 15-3. 익수환자의 호흡 치료순서

이 계속되는 경우에는 체외막산소기(extracorporeal membrane oxygenator)를 사용한다.

### 3) 익수환자의 예후

익수환자에서 예후를 결정하는 가장 중요한 요소는 환자가 잠수 된 물의 특성(민물 또는 바닷물)이 아니라, 잠수 되어있던 시간과 익수로 발생한 저산소증에 노출된 기간과 중증도이다.

소아와 청소년 익수환자를 대상으로 조사한 결과에서 잠수시간이 25분 이상, 심폐소생술 시간이 25분 이상, 응급실에 내원할 당시에도 심장정지 상태였던 환자는 100% 사망한 것으로 나타났다. 잠수시간이 10분 이내면 10분 이상인 경우보다 생존율이 높다. 또한, 초기 심전도 소견에서 심실빈맥 또는 심실세동이 관찰되었거나, 동공반사가 없는 경우, 심한 산독증, 호흡 정지가 관찰되는 경우에도 사망률이 높은 것으로 알려졌다. 폐의 청진소견, 기침의 여부, 저혈압, 호흡의 여부, 맥박의 유무에 따라 익수환자의 중증도를 구분함으로써 예후를 예측할 수 있다(표 15-6).

## 3. 감전에 의한 심장정지

인체에 전기가 흐르면 전기현상에 의한 손상과 열에 의한 손상이 발생한다. 전기에 의한 손상의 정도는 접촉된 전기의 전압, 통과된 전류량, 전기의 종류(교류 또는 직류), 인체에서의 통과경로, 접촉된 시간 등에 따라 달라진다.

일반적으로 전압이 같으면 교류가 직류보다 위험하다. 사람의 근육은 초당 40-150 cycle의 교류에 반응하여 수축할 수 있다. 따라서 교류에 접촉되면 주파수만큼 반복적인 경련성 근육수축이 발생하여 전기접촉면으로부터 접촉 부위를 떼어낼 수 없으므로 오랜 시

표 15-6. 익수 환자의 중증도 분류와 예후

| 중증도 | 정의 | 사망률(%) |
|---|---|---|
| 1 | 정상 폐 청진소견, 기침 있음 | 0 |
| 2 | 비정상 폐 청진소견, 수포음이 들림 | 0.6 |
| 3 | 폐부종의 청진소견, 저혈압 없음 | 5.2 |
| 4 | 폐부종의 청진소견, 저혈압 | 19.4 |
| 5 | 호흡 정지, 심장정지는 발생하지 않은 상태 | 44 |
| 6 | 심장정지 및 호흡 정지 | 93 |

간 동안 감전된다. 교류에 감전되면 반복적인 전류의 흐름으로 인하여 심장의 상대적 불응기에 강한 전기가 흐르게 될 가능성이 커진다. 따라서 교류 감전은 직류감전보다 R-on-T 현상으로 심실세동이 발생할 가능성이 크다.

감전으로 발생하는 심실세동은 고압보다는 저압의 전류에서 흔히 발생한다. 고압에 감전되면 심장으로의 강한 전류가 심장을 지속적으로 탈분극시키므로, 저압에 감전되었을 때보다 심실세동의 발생 가능성이 작다.

인체에서의 통과경로가 흉곽을 통과하면 심근이 손상될 가능성이 크다. 전기는 가장 짧은 경로를 통하여 흐르므로, 팔에서 다리 또는 한쪽 다리에서 반대쪽 다리로 흐르면 흉곽을 통과하지 않을 가능성이 크다. 그러나 한쪽 팔에서 반대쪽 팔로 흐를 때는 흉곽을 통과하게 되므로, 심근 손상이 발생할 가능성이 크고 사망률도 높다.

감전되면 심장정지와 호흡 정지가 모두 발생할 수 있다. 심장정지는 전류에 의한 심실세동 또는 무수축에 의하여 발생하며, 호흡 정지는 전기에 의한 호흡중추의 손상, 지속적인 호흡근 및 횡격막의 수축, 감전 후 발생하는 근육 마비로 인하여 발생한다.

### 1) 현장 응급치료 및 기본소생술

현장에서 환자를 구조할 때 가장 주의하여야 할 점은 전원이 완전히 차단되기 전에는 환자와 접촉해서는 안 된다는 것이다.

전원이 차단된 후에 환자의 호흡과 맥박을 확인하고 심장정지가 확인되면 기본소생술을 시작한다. 감전된 환자가 의식이 없으면 호흡 정지나 심장정지가 발생하였을 가능성이 크다. 심장정지가 발생한 환자에서는 기도를 유지하고 인공호흡과 가슴압박을 시작한다. 감전된 환자 중에는 감전으로 의식을 잃고 높은 곳에서 떨어지는 경우가 있으므로, 경추손상의 발생 여부를 확인한다.

### 2) 감전 손상의 응급치료

감전 시에는 심실세동, 무수축 등 다양한 부정맥이 발생할 수 있다. 심실세동이 발생하면 심실세동의 일반적인 치료 방법으로 제세동한다. 무수축이 발생하면 에피네프린을 투여한다. 감전된 환자 중에는 기도 내 연조직에 부종이 발생하여 기도가 폐쇄될 수 있다. 따라서 감전 환자에서는 가능한 조기에 기관내삽관하고, 기관내삽관이 불가능하면 기관절개술을 한다. 감전에 의한 광범위한 조직손상이 발생한 경우에는 체액 손실이 심하다. 광범위한 손상이 의심되는 경우에는 다량의 수액을 투여한다. 손상된 조직으로부터 유리되는 마이오글로빈(myoglobin)은 신장을 손상하므로 충분한 수액을 투여하여 신장혈류가 충분히 유지되도록 해야 한다. 마이오글로빈뇨(myoglobinuria)가 의심되면 1 L의 생리식염수에 50mEq의 중탄산나트륨을 섞어서 투여함으로써 소변을 알칼리화한다. 마이오글로빈뇨가 발생하면 소변량을 분당 1.0-1.5 mL 이상, 동맥혈 pH를 7.45 이상으로 유지해야 신부전을 방지할 수 있다. 소변량을 증가시키기 위하여 만니톨(mannitol)을 투여할 수 있다. 보통 25 g의 만니톨을 투여한 후 시간당 12.5g의 만니톨을 투여한다. 만니톨을 투여할 때에는 순환혈액량이 감소하지 않도록 충분한 수액을 투여한다. 감전 환자는 추락으로 다발성 손상을 입을 수 있으므로 환자의 전신을 자세히 진찰하여 손상 여부를 확인하여야 하며, 환자가 안정되면 경추와 흉곽 및 사지를 방사선 촬영한다. 감전으로 심근경색이 발생할 수 있으므로 12 유도 심전도를 반드시 확인한다. 감전 후에는 혈관내피세포에 광범위한 손상이 발생한다. 혈관 손상에 의한 동맥 연축, 혈전 형성으로 의하여 조직으로의 혈류가 차단되거나 허혈이 발생할 수 있다. 반복적으로 말초혈관의 순환상태와 맥박을 확인하여 허혈의 발생 여부를 감시한다(표 15-7).

## 4. 낙뢰에 의한 심장정지

낙뢰(lightning strike)는 음전기 상태인 구름에서 양전기 상태인 지면으로 전기에너지가 전달되는 현상이다. 낙뢰는 보통 10억-100억 볼트 정도의 전위차와 200A 정도의 전류량을 가지고 있다. 낙뢰에 의한 손상은 환자가 받은 낙뢰의 유형에 따라 다른 양상으로 나타난다.

낙뢰에 의한 직접 손상은 매우 치명적이지만 사람이 낙뢰에 직접 맞아 손상되는 경우

표 15-7. 감전으로 발생할 수 있는 손상의 유형과 응급치료

| 손상의 유형 | 진단 방법 및 응급치료 |
|---|---|
| 심장정지(심실세동, 무수축) | 심폐소생술, 제세동, 에피네프린, 아미오다론 또는 리도카인투여 |
| 연조직 부종에 의한 기도폐쇄 | 기관내삽관 또는 기관절개술 |
| 마이오글로빈뇨 | 중탄산나트륨 투여 (동맥혈 pH >7.45 유지)<br>만니톨 투여 |
| 추락에 의한 손상 | 경추 고정, 골절이 의심되는 부위의 방사선 촬영 |
| 심근 손상 | 심전도 기록, 심근표지자 측정 |
| 혈관 손상 | 모세혈관 재충만(refill) 시간 측정, 맥박 확인 |

(direct strike)는 매우 드물다. 대부분의 손상은 나무, 차, 또는 건물로의 낙뢰가 습기를 머금은 공기를 통하여 주변에 있는 사람에게 전달되어 발생하는 섬락(flashover) 현상에 의하여 발생한다. 이 경우에는 전기가 주로 사람의 피부를 통하여 전달되므로 주로 피부에 손상이 발생하며, 내부 장기는 손상이 없는 경우가 많다. 그 외에도 낙뢰가 지면으로 떨어지면서 지면과 접촉된 사람이 감전되는 경우(ground current), 낙뢰에 의한 전류가 통과하는 물체와 접촉되어 있던 사람이 감전되는 경우(contact), 낙뢰에 의하여 가열되었던 공기가 갑자기 냉각되면서 발생하는 충격파(shock wave)에 의하여 손상될 수가 있다.

### 1) 낙뢰에 의한 심장정지 및 호흡 정지

낙뢰에 의한 대부분의 손상은 섬락 현상으로 발생하므로, 낙뢰에 의한 사망률은 20-30% 정도이다.

낙뢰에 의한 사망원인은 무수축과 심실세동이다. 낙뢰는 강력한 직류이므로 낙뢰에 감전된 사람은 마치 제세동을 당한 것과 같은 효과로 인하여 일시적으로 무수축이 유발된다. 따라서 심장의 자율성이 정상인 환자는 다시 심장박동조율을 되찾을 수 있으므로 심장정지가 발생하지 않는다. 그러나 전류에 의하여 발생한 호흡근의 수축과 호흡중추의 일시적 손상으로 인하여 호흡 마비가 발생하면 저산소증에 의하여 이차적으로 심장정지가 발생한다.

### 2) 낙뢰 환자의 심폐소생술

낙뢰에 의하여 발생한 호흡 정지는 심장정지보다 오래가므로, 낙뢰 환자에서는 인공호흡이 즉시 시작되어야 한다. 즉 낙뢰에 의하여 발생한 무수축으로부터 자발순환이 회복된 후에도 호흡 정지상태가 계속되어 저산소증이 발생하고, 저산소증으로 인하여 이차적으로 심실세동이나 무수축이 발생한다. 낙뢰 환자에게 목격자가 즉시 인공호흡을 해준다면 이차적인 심장정지를 막을 수 있으므로, 인공호흡 자체가 환자를 소생시킬 수 있는 중요한 치료가 될 수 있다.

심실세동이 발생한 환자의 치료는 심실세동의 일반적인 치료와 같다.

### 3) 낙뢰 환자의 응급치료

낙뢰에 의한 감전이 섬락 현상에 의하여 발생한 경우에는 손상이 주로 피부에 발생하며 내부 장기의 손상이 적으므로, 낙뢰에 의한 심장정지 후 즉시 회복된 환자의 예후는 양호하다. 따라서 다수의 낙뢰 환자가 발생하였을 때 중증도 분류에 의한 치료 순서는 보통의 대량 환자 치료 순서와는 달리 심장정지의 발생 가능성이 큰 환자부터 치료한다.

낙뢰에 의한 직접 손상을 받으면 심혈관계, 말초 및 중추신경계의 손상이 발생할 가능성이 크다. 심근 손상, 저혈압, 빈맥 등 심혈관계 손상의 증거가 있으면 심전도, 심장표지자 검사 등을 통하여 심장 손상을 확인해야 하며, 신경학적 이상소견이 있으면 뇌출혈, 뇌부종 등의 발생 여부를 확인한다.

자발순환이 회복된 환자는 심전도와 혈역학적 감시를 시작한다. 동반된 손상 여부를 확인하기 위해 전신을 자세히 진찰하여야 하며, 경추, 흉부 및 사지를 방사선 촬영하고 12 유도 심전도를 기록한다.

낙뢰의 직접 손상을 받은 경우를 제외하면 내부 장기의 손상이 발생하는 경우는 드물어서 다량의 수액투여는 필요치 않다. 다량의 수액투여는 오히려 뇌부종을 유발하거나 뇌압을 올릴 수 있으므로 권장되지 않는다. 마이오글로빈뇨가 발생하는 예도 거의 없다.

## 5. 임신 중의 심장정지

임신부 심장정지는 산모와 태아를 동시에 고려해야 한다는 점 때문에 일반적인 심장정지와 다른 면이 있다. 임신부에서 심장정지가 발생하였을 때, 가장 중요한 것은 임신부를 소생시키는 것이다. 심장정지가 발생하였을 때, 태아를 분만해야 하는지를 결정하는 것은 산모와 태아 모두를 위하여 중요하다.

임신부 심장정지의 원인은 임신에 의한 원인과 임신과는 관계없는 원인으로 구분할 수 있다(표 15-8).

### 1) 임신부의 심폐소생술

임신부에게도 일반적인 심장정지 환자와 같은 방법의 심폐소생술을 한다. 즉 인공호흡, 가슴압박, 약물투여 등에 있어서 일반적인 심장정지의 치료와 같다. 다만, 임신 중에는

표 15-8. 임신부 심장정지의 원인

| 임신과 연관된 원인 | 폐색전, 출산과 연관된 출혈, 양수 색전증, 임신중독증<br>출산 중 사용되는 약물에 의한 부정맥, 울혈성 심근병증 |
|---|---|
| 임신과 무관한 원인 | 외상, 선천성 심장질환의 악화, 급성 심근경색 |

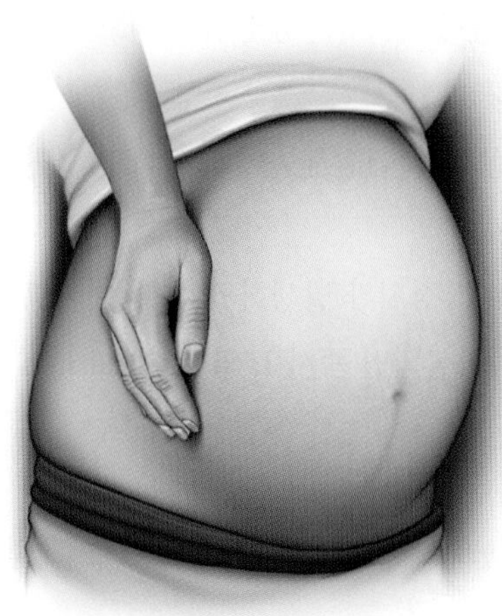
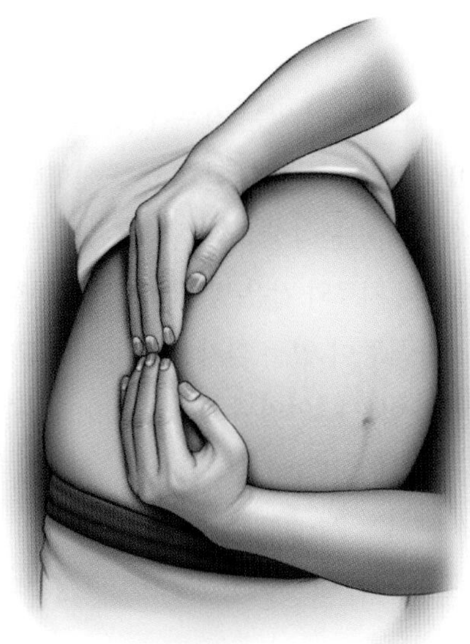

그림 15-4. 임신부 심폐소생술 중 자궁이동술기. 심폐소생술을 하지 않는 구조자는 한 손 또는 두 손으로 임산부의 배를 왼쪽으로 밀어준다.

위-식도 괄약근이 약해지므로 인공호흡 중에 위의 내용물이 역류할 가능성이 크다. 윤상연골 압박을 하면 위로부터의 역류를 줄일 수 있다. 그러나 최근 윤상연골 압박이 역류를 줄이는 데 효과적이지 않다고 알려져 역류가 발생할 가능성이 특별히 큰 경우를 제외하고는 모든 임신부의 심폐소생술에 윤상연골 압박을 하는 것은 권장되지 않는다. 임신 기간이 길수록 태아와 자궁에 의하여 횡격막이 상승하므로, 가슴압박의 위치는 흉골의 중앙을 선택한다.

임신 후 20주가 경과하면 태아에 의하여 하대정맥이 압박되므로 심장으로의 혈액 환류가 감소할 수 있다. 가슴압박 중에 환자의 우측 요부와 고관절 부에 베개를 밀어 넣거나 다른 구조자가 환자의 우측 대퇴부를 좌측으로 15-30도 정도 밀어줌으로써 태아에 의하여 하대정맥이 압박되지 않도록 해주어야 한다. 구조자가 환자의 좌측에서 환자의 자궁을 좌측으로 당겨줌으로써, 하대정맥의 압박을 경감시키는 방법인 자궁이동술기(lateral uterine displacement)를 한다(그림 15-4). 환자를 옆으로 눕힌 후, 환자의 등에 사각의 받침대나 의

표 15-9. 임신부의 심폐소생술에서 고려하여야 할 점

| |
|---|
| 1. 보조 구조자는 환자의 자궁을 좌측으로 당겨서 하대정맥의 압박을 최소화한다.<br>2. 하체를 측와위로 기울여 하대정맥이 압박되지 않도록 한다.<br>3. 기관내삽관 튜브는 통상보다 내경이 0.5-1.0 mm 정도 작은 기관 튜브를 선택한다.<br>4. 임신 20주 이상이면 응급분만을 고려한다. |

자를 대 줌으로써 가슴압박에 의하여 환자가 뒤로 밀려가는 것을 막아줄 수 있다. 임신부에서는 기관부종이 있는 경우가 있으므로, 기관내삽관을 할 때는 통상의 선택보다 내경이 0.5-1.0 mm 정도 작은 기관 튜브를 선택한다(표 15-9).

임신부의 전문심장소생술 과정은 다른 환자와 같으며, 심실세동이 발생하면 일반적인 심실세동의 치료와 같은 방법으로 제세동한다.

임신중독증이 있는 환자를 치료하는 과정에서 심장정지가 발생하였을 때는 마그네슘의 과량 투여가 원인일 수도 있다. 마그네슘 중독이 의심되면 즉시 1g의 칼슘(calcium gluconate)을 투여한다.

### 2) 심장정지가 발생한 임신부의 응급분만

임신부 심폐소생술에서 고려하여야 할 점은 모체의 심장정지가 태아의 사망을 초래한다는 것이다. 또한, 임신부가 소생되지 않으면, 태아의 생존을 기대할 수 없다는 점이다.

일반적으로 임신 20주 이전인 임신부에서 심장정지가 발생하면 태아가 분만되어도 생존 가능성이 없다. 따라서 임신 20주 이전의 임신부에서 심장정지가 발생하면 임신부만을 소생시키기 위하여 노력한다.

임신 20주가 지난 태아는 분만되면 생존할 수 있으므로, 임신 20주가 지난 임신부에서 심폐소생술을 할 때는 반드시 임신부와 함께 태아의 소생도 고려한다. 보통 심폐소생술이 시작되어 4분이 지날 때까지 자발순환이 회복되지 않으면, 응급제왕절개술을 시행하여 태아를 분만시키는 것이 권장된다. 그러나 심폐소생술을 하면서 4분이 지날 때까지 응급제왕절개술을 지연시키라는 의미는 아니다. 임신부에서 심장정지가 발생하면 즉시 제왕절개술 팀을 호출한다. 응급제왕절개술로서 태아를 분만시키면 태아를 소생시킬 수 있을 뿐 아니라, 태아에 의한 하대정맥의 압박을 해소해 임신부의 소생에 도움이 되기 때문에 심장정지가 확인되면 즉시 제왕절개술을 준비한다(표 15-10).

표 15-10. 심장정지가 발생한 임신부에서 응급 제왕절개술을 결정할 때 고려하여야 할 사항

1. 심장정지 발생 후 4분 이내에 심장 박동이 회복되지 않으면 즉시 응급 제왕절개술을 한다.
2. 태아가 분만 후 생존할 수 없더라도 응급 제왕절개술로 태아와 태반을 제거하면 산모를 생존시킬 수 있다는 점을 고려한다
3. 응급 제왕절개술을 할 수 있는 의사와 시설, 신생아를 관리할 수 있는 의사와 시설이 있어야 한다.
4. 심장정지의 원인이 즉시 교정 가능한 경우에는 응급 제왕절개술을 하지 않는다.

## 6. 외상에 의한 심장정지

외상에 의하여 심장정지가 발생한 환자의 치료는 외상 이외의 원인에 의하여 심장정지가 발생한 환자와 다르다. 외상성 심장정지 환자의 생존율은 매우 낮지만 생존한 환자의 신경학적 회복률은 비외상성 심장정지 환자보다 높다. 외상과 연관된 심장정지는 외상에 의한 조직의 직접 손상으로 심장정지가 유발된 경우, 외상에 이차적으로 합병되어 심장정지가 발생하는 경우, 심장정지에 의하여 이차적으로 외상이 초래된 경우로 나누어진다.

외상으로 조직이 직접 손상되어 심장정지가 발생하는 경우는 두뇌 또는 심장이 손상되었을 때 발생한다. 주요 장기의 직접 손상으로 심장정지가 발생한 환자에서는 생존을 기대하기 어렵다. 외상에 의하여 이차적으로 심장정지가 발생하는 경우는 심장눌림증, 긴장성 기흉, 대량 실혈 등이다. 심장정지에 의하여 이차적인 외상이 발생한 경우에는 일반적인 심장정지 환자의 치료와 같은 방법으로 치료하면서 심장정지를 초래한 치명적인 원인을 찾아 교정한다.

외상에 의한 심장정지 환자는 신속히 전문 치료가 시작되어야 생존을 기대할 수 있다. 현장에서의 치료는 경추 고정, 긴장성 기흉에 대한 흉관 삽관과 같이 환자의 생존에 명백히 도움이 되는 치료에 국한해야 한다. 외상환자에게는 수액투여가 필요하지만, 현장에서 정맥로를 확보하기 위하여 환자이송을 지연시켜서는 안 된다. 외상성 심장정지 환자에 대한 병원전 응급치료는 긴장성 기흉, 심장눌림증 등 교정 가능한 심장정지 원인을 치료하고 환자를 즉시 병원으로 이송하는 것이다.

### 1) 외상 심장정지 환자의 기본소생술

다발성 손상이 있거나 머리 또는 목에 손상이 있으면 반드시 경추손상을 의심해야 한다. 경추손상이 의심되는 경우에는 기도 유지 방법으로 턱 들어올리기 방법을 한다. 경추보호대로 환자의 경추를 보호한다. 인공호흡을 할 때, 흉곽이 충분히 부풀어 오르지 않거나 한쪽 흉곽만 부풀어 오르면 긴장성 기흉을 의심해야 한다. 출혈이 있는 부분은 압박하여 지혈한다. 맥박이 만져지지 않으면 가슴압박을 시작한다. 가슴압박과 인공호흡, 자동제세동기의 사용은 일반적인 기본소생술에서와 같다. 만약 긴장성 기흉, 심장눌림증이 있으면 흉관 삽관 또는 심장막 천자를 하여 심장정지의 원인을 제거한 후에 가슴압박을 한다.

## 2) 외상 심장정지 환자의 전문소생술

외상환자에서도 기관내삽관이 가장 확실한 기도 유지 방법이다. 그러나 기관내삽관이 필요하지 않은 환자에게 병원 전 단계에서 기관내삽관을 하기 위하여 이송을 지연시키는 것은 환자의 생존율을 감소시킨다. 호흡 장애, 기도 또는 흉곽의 손상, 중증의 의식장애가 있는 경우에는 즉각적인 기관내삽관이 필요하다(표 15-11). 외상 심장정지의 치료는 외상 전문소생술에 따라 시행한다.

기관내삽관이 필요한 경우에는 입-기관 삽관(orotracheal intubation)을 한다. 특히 안면 또는 상악골 손상이 있는 경우에는 코-기관 삽관(nasotracheal intubation)을 해서는 안 된다.

기관내삽관이 이루어지면 즉시 호흡음을 청진하거나 호기말 이산화탄소 측정으로 기관 튜브의 기관내삽관을 확인한다. 한쪽 폐의 호흡음이 들리지 않거나 인공호흡을 할 때 한쪽 폐가 부풀어 오르지 않으면 긴장성 기흉을 의심해야 한다. 가슴압박과 인공호흡을 동시에 하면 긴장성 기흉의 발생 가능성이 있으므로 유의한다. 흉곽을 관찰하여 개방성 상처가 있으면 즉시 막아준다.

출혈성 쇼크가 발생한 외상환자에서는 다량의 수액을 투여하여 혈압을 정상범위로 유지할 때 추가 출혈의 가능성이 크다. 따라서 환자를 이송하는 동안에는 요골동맥의 맥박이 만져질 정도의 혈압 또는 수축기 혈압을 80-90 mmHg 정도로 유지하는 손상 조절 치료(damage control resuscitation)를 한다. 그러나 뇌 손상으로 두개내압의 상승이 의심되는 경우에는 수축기 혈압을 정상으로 유지해야 한다.

응급 개흉술(resuscitative thoracotomy)은 흉부 둔상 또는 관통상에 의한 심장정지 환자에게 적용된다. 응급 개흉술이 시행되려면, 경험 있는 의사와 보조 의료 인력, 적절한 시설과 장비가 갖추어져 있어야 한다. 응급 개흉술이 가능한 의료기관에서는 병원전 단계에서 10분 이내의 심폐소생술을 받고 병원에 도착한 흉부 둔상 환자 또는 심폐소생술 시작으로부터 15분이 지나지 않은 흉부 관통상환자에게 응급 개흉술을 시행함으로써 생존율을 높일 수 있다.

표 15-11. 외상환자에서 즉각적인 기관내삽관이 필요한 경우

1. 무호흡 또는 호흡 정지
2. 산소 공급에도 불구하고 호흡부전이 계속되는 경우
3. 중증의 머리 손상(GCS 8점 미만)
4. 구토 반사의 소실 또는 의식장애로 인하여 기도를 보호할 수 없는 경우
5. 동요 가슴(flail chest), 폐 좌상, 흉곽의 관통손상 등의 중증 흉곽 손상이 있는 경우
6. 안면의 분쇄손상, 경부 손상으로 기도폐쇄의 가능성이 있는 손상이 있는 경우

## 7. 아나필락시스에 의한 심장정지

아나필락시스는 음식, 약물, 벌레 독 등 알레르기를 일으키는 물질에 대한 인체의 극심한 과민반응으로 피부 발진, 호흡부전, 쇼크, 또는 심장정지가 발생하는 현상이다. 아나필락시스는 알레르기를 일으키는 물질에 노출된 후 즉시 또는 수십 분 후에 발생한다. 알레르기 물질이 정맥 내로 투여된 경우에는 즉시 5분 이내에 발생하며, 벌레 독에 노출된 후에는 10-15분 이내, 음식물에 노출된 경우에는 30-35분 이내에 아나필락시스가 발생한다. 아나필락시스가 발생할 때는 피부 발진, 가려움증이 먼저 나타난 후 호흡곤란, 쇼크가 발생하지만, 다른 임상 증상 없이 호흡부전, 쇼크, 심장정지로 진행되는 경우가 많다.

아나필락시스 반응이 발생한 후 가장 중요한 응급치료는 알레르기를 유발한 원인을 제거하고 에피네프린을 투여하는 것이다. 에피네프린은 혈관 이완과 부종을 감소시키고, 기관지를 확장하며 히스타민 등 아나필락시스를 지속시키는 물질의 분비를 억제한다. 에피네프린을 투여할 때는 근육주사를 한다. 아나필락시스가 발생했을 때는 1:1000 용액의 에피네프린을 투여한다. 에피네프린을 투여한 후 5분이 지나도 아나필락시스 반응이 계속되면 반복 투여한다. 에피네프린의 근육주사 투여용량은 표 15-12와 같다. 에피네프린의 정맥투여는 과도한 교감신경 반응(고혈압, 부정맥, 심근허혈)을 초래할 수 있어서 경험 있는 의사만이 시도할 수 있다. 에피네프린을 투여한 후 아나필락시스 반응이 억제되면 항히스타민제, 부신피질호르몬제제를 투여한다.

아나필락시스 반응으로 심장정지가 발생하면 통상적인 전문심장소생술을 시작한다.

표 15-12. 아나필락시스 치료를 위한 에피네프린 용량

| 나이 | 투여량(1:1,000 용액 주사량) |
|---|---|
| 12세 이상 | 0.5 mg (0.5 mL) |
| 6세부터 12세 | 0.3 mg (0.3 mL) |
| 6세 미만 | 0.15 mg (0.15 mL) |

# 제 16 장

# 소생후 통합 치료

## 1. 심장정지 후 증후군

심장정지 치료를 위한 많은 연구와 노력에 힘입어 심폐소생술 후 자발순환이 회복되는 빈도는 향상되었다. 그러나 병원밖 심장정지 후 자발순환이 회복된 성인의 약 70%가 병원 내에서 사망하기 때문에 심장정지의 장기 생존율은 크게 개선되지 않고 있다. 심장정지로부터 자발순환이 회복되면 허혈로부터 조직이 재관류 되면서 독특한 병태생리학적 상태인 심장정지 후 증후군(소생후 증후군, post-cardiac arrest syndrome)이 발생한다. 심장정지 후 증후군은 전신성으로 발생하며, 허혈 및 재관류에 대한 조직의 내성 또는 감수성에 따라 손상 정도가 다르게 나타난다. 심장정지 후 증후군은 심장정지의 병원 내 사망의 중요한 원인이므로, 심장정지 후 증후군에 대한 치료가 얼마나 효율적으로 되는지가 심장정지의 생존에 영향을 준다.

심장정지 후 증후군에 관한 연구가 활발히 진행되고 있으나, 심장정지 후 증후군의 병태 생리 기전은 충분히 규명되지 않고 있다. 심장정지 후 증후군의 중증도는 심장정지 지속시간, 심장정지의 원인, 심장정지 전 환자의 상태에 따라 다르다. 심장정지 후 증후군은 임상적으로 뇌 손상(소생 후 뇌증, post-resuscitation encephalopathy), 심근 기능 부전(postresuscitation myocardial dysfunction), 전신성 허혈-재관류 반응(systemic ischemia-reperfusion response), 심장정지 원인질환에 의한 임상 양상(persistent precipitating pathology)으로 나타난다. 뇌 손상은 허혈-재관류로 인한 뇌혈관 자율성의 손상, 뇌부종, 허혈 손상 후 발생하는 뇌 변성에 기인하며, 의식장애, 발작, 인지 장애, 근간대경련, 운동 장애를 포함한 신경학적 손상으로 나타난다. 심근기능부전은 소생 후 24시간 이내에 발생하여

48-72시간 후에 회복되는 일과성 경향을 보인다. 심근기능부전은 기절 심근 현상(myocardial stunning)으로 발생하며, 전체 심근의 통괄 기능장애(global dysfunction), 국소 벽운동 장애의 형태로 나타나며, 스트레스 심근증의 양상을 보이는 예도 있다. 심근기능부전이 발생하면 심박출량의 감소로 이어져 혈역학적 문제가 초래될 수 있다. 전신성 허혈-재관류 반응은 전신 염증반응 증후군(systemic inflammatory response syndrome)의 형태로 발생하며 마치 패혈증과 같은 임상 양상을 보인다고 하여 패혈증 양 반응(sepsis like syndrome)이라고도 한다. 전신성 허혈-재관류 반응은 전신성으로 발생하며 혈관 조절 기능 손상, 혈액 응고 장애를 동반하는 파종 혈관내 응고(disseminated intravascular coagulation), 조직 내 산소 전달 장애, 감염 감수성 증가의 형태로 나타난다. 임상적으로는 저혈압, 고열, 다발성 장기 부전, 감염, 고혈당증이 발생한다. 심장정지 원인질환에 의한 임상 양상은 유발 질환에 따라 다르게 나타난다(표 16-1).

목표체온유지치료(targeted temperature management) 등 심장정지 후 증후군에 관한 치료방법이 개발되어 사용되고 있지만, 심장정지 후 증후군의 병리-생리학적 진행을 막을 수 있는 근본적인 방법은 아직 없다. 소생후 치료(심장정지 후 치료, post-cardiac arrest care)는 심장정지 후 증후군에 대한 치료를 포함하여 심장정지로부터 소생된 환자에 대한 포괄적 치료를 말한다. 심장정지 후 치료는 목표체온유지치료, 관상동맥중재술, 집중 치료, 재활치료 등 포괄적이고 다학제적 접근이 필요하다. 목표체온유지치료와 관상동맥중재술은 일부 의료기관에서만 시행할 수 있으므로, 지역사회에서는 심장정지 후 치료를 전문적으로 수행할 수 있는 병원을 지정하여 심장정지 후 소생된 환자를 전문적으로 치료하는 것이 효율적이다. 병원 내에서도 체계화된 심장정지 후 치료 프로토콜을 사용하여 치료해야 심장정지 환자의 생존율을 높일 수 있다.

표 16-1. 심장정지 후 증후군의 병태-생리와 임상 양상

| 심장정지 후 증후군 | 병태-생리 | 임상 양상 |
|---|---|---|
| 소생 후 뇌증 | 뇌혈관 자율성 손상, 뇌부종, 손상 후 뇌 변성 | 의식장애, 발작, 인지 장애, 근간대경련, 운동 장애 |
| 심근기능부전 | 기절 심근 현상<br>심근 괴사 | 통괄 기능장애, 국소 벽운동 장애, 스트레스 심근증 |
| 전신성 허혈-재관류 반응 | 혈관 조절 기능 손상, 파종 혈관내 응고, 조직 내 산소 전달 장애, 감염 감수성 증가 | 저혈압, 고열, 다발성 장기 부전, 감염, 고혈당증 |
| 심장정지 원인질환에 의한 임상 양상 | 심장질환, 호흡기질환 등 원인질환 | 원인질환에 의한 임상 양상 |

## 2. 심장정지 후 치료의 목표

심장정지로부터 심장 박동이 회복된 환자는 두 가지 임상 상태로 구분된다. 심장정지 발생으로부터 수분 이내에 회복된 환자는 자발순환이 회복되면서 즉시 의식을 회복할 수 있다. 심장정지로부터 의식을 완전히 회복하고 합병증이 없는 환자에서는 심장정지의 재발을 막고, 심장정지의 원인을 치료하는 것이 가장 중요한 치료이다.

심장정지 후 많은 시간이 지나간 후 심장 박동이 회복된 환자에서는 의식을 회복하지 못하는 등 심장정지로 인한 합병증(심장정지 후 증후군)이 발생한다. 심장정지로부터 소생된 후 가장 사망 빈도가 높은 시기는 자발순환 회복 후 첫 24시간 이내이다. 자발순환 회복 후 첫 24시간 이내 시행된 심장정지 후 치료의 적절성에 따라 환자의 생존 가능성이 영향을 받는다.

자발순환이 회복된 직후의 치료 목표는 1) 조직 관류를 유지하기 위한 심폐기능과 활력징후의 정상화, 2) 관상동맥중재술(coronary intervention) 등 심장정지의 원인 치료, 3) 목표체온유지치료를 포함한 소생후 뇌증에 대한 치료, 4) 다발성 장기부전에 대한 집중 치료를 포함한다.

## 3. 자발순환이 회복된 직후의 치료

자발순환이 회복되면 즉시 가슴압박을 중지한다. 호흡 보조 등 가슴압박 이외의 다른 치료는 계속한다. 자발순환 회복 직후에는 가장 먼저 환자의 의식 상태, 기도, 호흡 및 순환 상태를 평가한다. 의식은 뇌 기능 회복 여부를 확인하고 목표체온유지치료가 필요한지를 판단하기 위하여 일찍 확인한다. 의식 확인을 위하여 환자에게 질문하여 질문에 적절한 대답 또는 반응을 환자가 보이는지를 확인함으로써, 단순히 "의식이 있다"와 "의식이 없다"로 평가한다. 기관내삽관 위치와 폐 환기 상태가 적절한지를 확인하기 위해 흉곽의 움직임을 관찰하고, 호흡음을 청진한다. 산소가 투여되고 있는지를 확인하고 산소포화도를 측정하고, 동맥혈 가스검사로 산-염기 상태, 동맥혈 산소 및 이산화탄소 분압, 젖산염 농도를 확인한다. 심전도 감시를 계속하고 정맥로가 확보되지 않은 환자에서는 중심정맥로를 확보한다. 혈압, 맥박을 측정하고 순환상태를 평가한다. 출혈이나 저체액성 쇼크로 심장정지가 발생한 환자에서는 중심정맥로를 확보하여 혈액이나 수액을 투여한다. 저혈압이 계속되는 환자에게는 혈관수축제를 투여하여 혈압을 유지한다. 요관을 삽입하여 소변량을 측정하고, 위장관 튜브를 삽관한다. 흉부 방사선 촬영으로 기흉, 심장눌림증 등 심폐소생술

표 16-2. 심장 박동이 회복된 직후의 치료

| 환자평가 | 의식평가 | 의식 여부 확인 |
|---|---|---|
| | 기도 평가 | 기관내삽관 |
| | 호흡 확인 | 인공호흡 및 호흡음 청진 |
| | 순환상태 평가 | 맥박 및 혈압측정 |
| 부정맥의 감시 | | 심전도 감시 |
| 산소포화도의 확인 | | 동맥혈 가스검사 또는 맥박산소측정 |
| 환기 상태 평가 | | 동맥혈 가스검사 또는 호기말 이산화탄소 분압 측정 |
| 심장 기능, 급성 관상동맥증후군 확인 | | 12 유도 심전도, 심장표지자 검사, 심초음파 |
| 도관 삽관 | | 도뇨관 및 위장관 튜브삽입 |
| 심장정지의 원인 확인 | | 뇌 전산화단층촬영, 흉부전산화단층촬영, 관상동맥조영술 |
| 심폐소생술에 의한 합병증의 확인 | | 환자 진찰, 흉부 방사선 촬영, 심초음파 |

에 의한 합병증의 발생 여부를 확인하고, 합병증이 발생한 환자에서는 흉관 삽관이나 심장 막천자를 한다. 12 유도 심전도를 기록하고, 심장 표지자 검사를 확인한다. 심초음파로 심장 기능을 평가하고 심장의 구조적 이상 또는 심장정지의 심장성 원인이 있는지를 확인한다. 급성 관상동맥증후군이 진단되면 관상동맥중재술을 한다. 의식이 회복되지 않은 환자에게는 목표체온유지치료을 시작한다. 심장정지의 원인을 확인하고 심폐소생술의 합병증 진단을 위해 뇌, 흉부전산화단층촬영을 한다(표 16-2)(그림 16-1). 환자에 대한 평가와 치료가 시행된 후 환자가 안정되면 가능한 한 빨리 환자를 중환자실로 이송한다.

## 4. 급성 관상동맥증후군에 대한 관상동맥중재

급성 관상동맥증후군은 심장정지의 가장 흔한 원인이다. 급성 관상동맥증후군으로 심장정지가 발생한 후 자발순환이 회복된 환자 중에는 관상동맥 폐쇄 또는 협착으로 인하여 자발순환이 회복된 후에도 심근이 지속적인 허혈 상태에 놓여있는 경우가 많다. 심장정지로부터 자발순환이 회복된 후 심전도상 ST분절 상승이 관찰된 환자에게 관상동맥중재술을 한 경우에는 생존율의 향상이 뚜렷하다. 따라서 심전도상 ST분절 상승 또는 새롭게 발생한 좌각차단이 관찰되면 즉시 응급 관상동맥조영술을 하고 필요하면 관상동맥중재술을 한다. 심전도상 ST분절 상승이 없는 경우에는 응급 관상동맥조영술을 하더라도 입원 중에

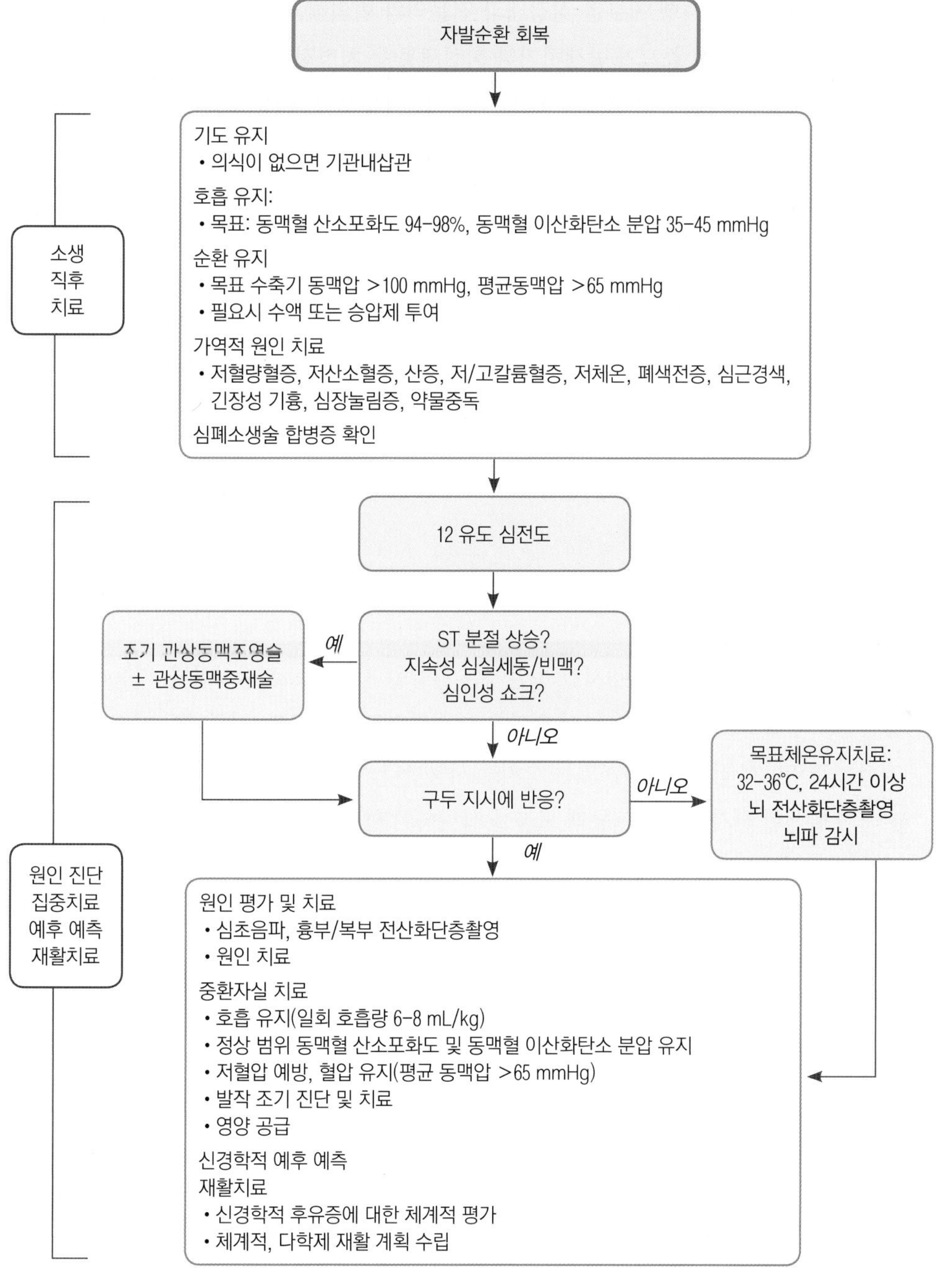


그림 16-1. 소생후 치료의 과정

관상동맥조영술을 하는 것에 비하여 생존율 차이가 없다. 따라서 심전도상 ST분절 상승이 없는 경우에는 응급 관상동맥조영술을 할 필요가 없으며, 입원 중에 관상동맥조영술을 하도록 권장한다. 따라서 심장정지로부터 소생된 환자에서는 즉시 12 유도 심전도를 기록한 후, 관상동맥조영술 시행 여부를 심장내과 전문의와 협의해야 한다. ST분절 상승이 관찰되지 않더라도 심장성 쇼크가 발생하거나 심실세동 등 치명적 부정맥이 재발할 때, 허혈성 흉통이 지속할 때는 중증의 관상동맥질환이 있을 가능성이 크므로, 응급 관상동맥조영술을 하도록 권장한다.

## 5. 중환자실 치료

자발순환 회복 직후의 응급치료가 끝나면 환자를 즉시 중환자실로 옮긴다. 심장정지를 치료하는 중환자실에는 환자의 호흡과 혈역학적 상태를 집중적으로 감시하고 치료하고 목표체온유지치료를 할 수 있는 장비와 인력이 갖춰져 있어야 한다.

### 1) 심전도 및 혈역학적 안정화

자발순환 회복 후 첫 24-48시간 동안에는 혈압을 지속적으로 감시한다. 가능하면 동맥삽관술(arterial cannulation)을 하여 혈압을 지속적으로 감시하고, 저혈압이 계속되는 환자에서는 혈역학적 감시를 할 수 있는 장치를 사용한다. 폐부종이 심하거나 급성호흡부전증후군이 발생한 환자에게는 폐동맥 도자를 삽입하여 혈역학적 감시를 한다. 자발순환 회복 직후에는 심폐소생술 중 투여된 에피네프린 등의 혈관수축제에 의하여 혈관이 수축하여 있다가 시간이 지남에 따라 혈관이 확장되어 저혈압이 발생하는 경우가 많다. 따라서 혈역학적 감시 결과에 따라 수액과 혈관수축제 투여의 필요성을 결정한다.

심장정지 및 심폐소생술 동안의 허혈-재관류 손상, 심실세동의 반복적인 제세동 등 심실기능부전(myocardial dysfunction)이 발생한다. 심장정지 후 심실기능부전 현상은 자발순환이 회복된 후부터 시작되어 48-72시간까지 지속할 수 있다. 심실기능부전은 심박출량을 감소시킴으로써 조직 관류에 영향을 줄 수 있다. 심장정지 후 발생하는 심실기능부전은 발생 후 시간이 경과하면 대부분 회복된다. 심장정지 후에는 혈중 심장 표지자가 증가할 수 있다. 심장 표지자가 증가한 경우에는 심근경색이 심장정지의 원인인지를 확인해야 한다. 심장정지로 인한 허혈로 심장 표지자가 증가할 수 있으므로, 심장정지 후 심장 표지자가 증가한 모든 환자에서 심근경색이 발생한 것은 아니다.

소생 직후 전신의 산소 요구량과 공급량의 균형을 회복하려면 혈역학적 안정화가 중요하다. 혈역학적 안정화는 전부하, 동맥혈 산소함유량, 후부하, 심근 수축력을 최적화시킴으로써 가능하다. 통상 패혈성 쇼크의 치료에서 사용되는 목표지향치료(goal-directed therapy)가 소생 직후의 혈역학적 안정화 방법으로써 사용될 수 있다. 목표지향치료는 중심정맥압(8-12 mmHg), 중심정맥혈 산소포화도(> 70%), 헤마토크릿(> 30%) 또는 혈색소(> 8g/dl), 동맥혈 젖산염 농도 (<2 mmol/L), 시간당 소변량(> 0.5 mL/kg), 산소전달지수(oxygen delivery index: > 600mL/min/m2)를 유지함으로써 성취될 수 있다.

혈압은 뇌 관류압을 결정하는 중요한 요소이기 때문에 적정 혈압을 유지해야 한다. 연구에 의하면 소생 후 5분 이내의 높은 혈압을 유지하는 것은 신경학적 회복과 관련이 없지만, 순환회복 후 첫 2시간 동안의 적정 평균 동맥압을 유지하는 것은 신경학적 회복과 연관이 있는 것으로 알려졌다. 소생후 치료 과정에서 평균 동맥압을 65-75 mmHg를 목표로 치료한 군과 80-100 mmHg를 목표로 치료한 군 사이에 신경학적 회복률의 차이는 없다고 알려졌다. 따라서 소생후 치료 과정에서 생존율을 높일 수 있는 혈압의 목표치에 대한 명확한 지침이 제시되기에는 연구의 근거가 낮은 상황이다. 혈압 목표는 각 환자의 혈역학적 상태를 고려하여 결정되어야 한다. 이에, 자발순환 회복이 된 후에는 저혈압(수축기 혈압<90 mmHg 또는 평균 동맥압<65 mmHg)을 신속히 교정해야 한다. 그리고, 심근경색, 심근기능부전 등이 없다면, 수축기 혈압을 100 mmHg 이상, 평균 동맥압을 65-100 mmHg로 유지할 것을 권장한다.

정상 혈압이 유지되지 않으면 혈관수축제를 투여한다. 통상 사용되는 혈관수축제(도파민, 노르에피네프린)를 투여하며, 특정한 혈관수축제가 심장정지 후 치료에 더 유리하다는 근거는 없다. 심근 수축력의 감소가 원인이면 심근 수축력을 향상시키는 약물을 투여한다. 일반적으로 심장정지 후 심근기능부전은 일시적 현상이며, 영구적인 심부전을 초래하는 경우는 드물다. 그러나 일시적인 심부전이 발생한 경우에는 도부타민을 투여한다. 요약하면, 저혈압이 발생한 환자에서는 혈압, 심박수, 심근 기능을 고려하여 약물을 선택하며, 관상동맥질환이 있는 환자에서는 약물의 투여로 인하여 심근허혈이 초래되지 않도록 유의한다. 수액투여와 혈관수축제 등의 약물 투여 후에도 적절한 혈압을 유지할 수 없는 경우에는 순환을 보조하는 기구를 사용한다. 대동맥 내 풍선 펌프 또는 체외 순환보조 장치를 사용하여 순환을 보조할 수 있다.

심장정지로부터 회복된 환자 중에는 저혈량 상태(hypovolemic state)인 경우가 있다. 이 경우에는 혈역학적 안정화를 위하여 전부하의 적절한 교정이 필요하다. 폐동맥 도자가 삽관되어 있지 않다면, 중심정맥압을 전부하의 간접지표로써 사용한다. 전부하를 교정할 때는 좌심실 부전의 발생 여부를 먼저 판단한다. 좌심실 부전이 없다면 중심정맥압을 8-12 mmHg로 유지하는 것이 권장된다.

심전도 감시로 심박수와 부정맥의 발생 여부를 관찰한다. 일반적으로 자발순환 회복 직후의 심박수가 빠른 환자(100회 이상)가 심박수가 느리거나 서맥성 부정맥이 동반된 환자보다 생존율이 높다. 혈역학적 변화를 초래하는 부정맥은 즉시 교정되어야 한다. 쇼크와 부정맥의 치료에 관한 내용은 제10장에 서술되어 있다.

### 2) 호흡 치료

자발순환 회복 직후에는 100% 산소를 공급하며 호흡기를 사용하여 인공호흡 한다. 산소투여 농도와 호흡 기능은 동맥혈 가스검사결과를 반영하여 조절한다. 심장정지 기간이 짧은 경우에는 자발순환 회복 후에 폐의 환기-관류장애로 인하여 저산소증이 발생하는 경우는 흔치 않다. 그러나 심장정지 기간이 길고 장시간 심폐소생술이 시행된 환자에서는 심각한 폐 환기-관류장애가 발생할 수 있다. 급성 폐 손상의 발생 여부는 흉부 방사선 촬영, $PaO_2/FiO_2$ ratio, 허파꽈리-동맥혈 산소 차이를 확인함으로써 직, 간접적으로 예측할 수 있다. 기계 호흡은 폐 손상을 최소화할 수 있도록 일 회 호흡량은 6-8 mL/kg, 흡기 정점지속압(inspiratory plateau pressure)은 30 cm $H_2O$ 이하가 유지되도록 조절한다. 정상 뇌에서는 동맥혈 이산화탄소 분압이 1 mmHg 감소할 때마다 뇌 혈류량이 2.5-4%씩 감소한다. 따라서 자발순환 회복 후 동맥혈 이산화탄소 분압이 감소하면 뇌 혈류량이 감소할 수 있다. 따라서 소생 후 동맥혈 이산화탄소 분압이 정상보다 낮아지지 않도록 주의해야 하며, 동맥혈 이산화탄소 분압을 35-45 mmHg 범위에서 유지한다(호기말 이산화탄소 분압을 감시하고 있는 경우에는 호기말 이산화탄소 분압을 30-40 mmHg로 유지한다.) 동맥혈 산소포화도가 100%로 유지될 경우 신경학적 결과에 나쁜 영향을 초래할 수 있다는 연구결과가 있으므로, 흡기 산소의 농도는 동맥혈 산소포화도를 94-98%로 유지할 수 있도록 조절한다.

고농도의 산소를 흡입시켜도 저산소증이 교정되지 않으면 호기말 양압 치료를 한다. 높은 압력으로 호기말 양압 치료를 하면 뇌압이 상승하고 심박출량이 감소할 수 있으므로, 가능한 5 cm $H_2O$ 이하의 호기말 양압을 사용한다.

심장정지로부터 소생된 환자는 심폐소생술 중 물리적으로 발생할 수 있는 폐 손상, 소생 후 재관류 때문에 발생하는 전신성 염증반응으로 특별한 이유 없이 폐부종이 발생하는 경우가 있다. 따라서 수액을 투여할 때는 폐부종의 발생 가능성을 고려하여 지나치게 많은 양의 수액이 투여되지 않도록 유의한다.

소생 후 즉시 의식을 회복한 일부 환자에서는 호흡이 회복되어 호흡기 치료가 필요치 않을 수도 있다. 그러나 심폐소생술 중 다발성 늑골골절이 발생한 환자에서는 동요 가슴(flail chest)이 발생할 수 있으므로, 호흡 상태를 확인한 후 필요한 경우에는 호흡기 치료를 한다.

심장정지로부터 회복된 후 48시간이 지나간 다음에도 호흡이 회복되지 않으면 예후가 매우 불량하다. 48시간 이후에도 호흡 기능이 회복되지 않는 환자는 심장정지로 인하여 중증의 뇌 손상을 받았을 가능성이 크다.

### 3) 산-염기 상태 및 전해질 이상의 교정

#### (1) 산증의 교정

심장정지로부터 회복된 직후에는 대사성 산증이 관찰된다. 혈중 이산화탄소 분압은 심폐소생술 동안 폐 환기량에 따라 변하므로 폐 환기량을 늘리면 쉽게 교정된다. 대사성 산증은 심장정지 동안 증가한 젖산염과 신장기능 장애에 의해 발생한다. 자발순환이 회복된 후 혈압이 정상으로 유지되고 조직의 관류장애가 없는 경우에는 젖산염이 대사되면서 대사성 산증이 자연히 교정된다. 그러나 자발순환이 회복된 후에도 쇼크가 계속되는 경우에는 대사성 산증이 진행될 수 있다. 호흡성 산증이 교정된 후에도 대사성 산증에 의하여 동맥혈 pH가 7.1 이하로 유지되면 중탄산나트륨을 투여하여 산증을 교정한다. 동맥혈 pH가 7.2 이상으로 유지되고 대사성 산증을 유발할만한 원인이 없으면, 교정이 필요하지 않다. 중탄산나트륨의 과량 투여는 알칼리혈증, 고나트륨혈증, 산소해리곡선의 좌 편향을 유발될 수 있다.

#### (2) 혈청 전해질농도의 변화

심장정지 후에는 증가한 혈중 카테콜아민의 영향으로 칼륨이 세포 내로 이동하여 저칼륨혈증과 저마그네슘혈증이 자주 발생한다. 전해질의 불균형은 심장정지 후 발생하는 심장 부정맥과 연관이 있는 것으로 알려져 있다. 심장정지로부터 자발순환이 회복된 환자에서는 반드시 혈중 전해질을 측정하여 전해질 이상을 교정해주어야 한다. 뇌부종을 방지하기 위하여 혈중 나트륨농도는 정상범위로 유지한다.

### 4) 체온조절과 목표체온유지치료

#### (1) 체온조절

체온이 1도 상승할 때마다 대사량은 8%가량 증가한다. 체온의 상승은 대사량을 증가시켜 뇌 손상을 가중하므로, 심장정지로부터 소생된 환자에서는 체온을 지속적으로 감시한다. 체온이 상승하는 경우에는 즉시 적극적으로 체온을 정상화해야 한다. 심장정지로부터 소생된 환자에서 저체온(33-35℃)이 있는 경우에는 적극적으로 체온을 정상화할 필요 없다.

### (2) 목표체온유지치료

#### ① 목표체온유지치료의 정의 및 목표체온

소생 후 뇌 손상을 막기 위하여 체온을 조절하면 신경학적 예후를 호전시키는 것으로 알려졌다. 심실세동에 의한 심장정지로부터 소생된 후 의식이 없는 환자에게 12-24시간 동안 32-34℃의 저체온을 유지한 경우에 신경학적 회복률과 생존율이 높아진다. 또한, 심장정지로부터 회복된 후 의식이 없는 환자에게 24시간 동안 36℃의 목표체온을 유지(목표체온유지치료, targeted temperature management)하고 발열을 예방하면 32-34℃의 저체온을 유지한 경우와 신경학적 회복률과 생존율이 동등한 것으로 보고되었다. 목표체온유지치료(targeted temperature management)는 심장정지 후 체온을 32-36℃ 사이의 특정 온도를 설정한 후 24시간 이상 유지하는 치료를 말한다. 목표체온의 선택은 환자의 임상 상태를 고려하여 선택한다. 혈역학적으로 불안정하거나 부정맥 발생 가능성이 큰 경우, 중증의 혈액 응고 장애가 발생한 경우, 감염 가능성이 매우 큰 경우에는 저체온보다는 36℃를 목표체온으로 선택하는 것이 권장된다.

소아에서는 심장정지로부터 소생된 후 72시간 동안 32-34℃로 체온을 유지한 환자군과 36-37.5℃로 체온을 유지한 환자군을 비교한 무작위 임상연구의 분석 결과, 두 군간 생존율과 신경학적 예후가 차이가 없는 것으로 나타났다. 따라서 심장정지로부터 소생된 소아에서는 소생후 72시간 동안 중심체온을 37.5℃ 이하로 유지하는 것을 권장한다.

#### ② 적응증

목표체온유지치료의 첫 방법은 충격필요리듬(심실세동)에 의한 심장정지로부터 소생된 환자에게 32-34℃의 저체온 치료를 하는 것으로부터 비롯되었다. 충격필요리듬(심실세동)에 의한 심장정지로부터 회복된 환자에서 32-34℃의 저체온 치료와 36℃의 목표체온유지치료를 비교한 연구에서 두 군 사이에 치료성적의 차이가 없다고 알려진 이후, 목표체온유지치료는 충격필요리듬(심실세동)에 의한 심장정지로부터 회복된 환자에게 강하게 권장된 바 있다. 최근 충격불필요리듬(무수축 또는 무맥성 전기활동)에 의한 심장정지로부터 소생된 환자에게 목표체온유지치료의 효과를 평가한 연구에서 목표체온유지치료가 치료성적을 호전하는 것으로 알려졌다. 따라서 심전도 소견과 관계없이 심장정지로부터 소생된 모든 환자에게 목표체온유지치료는 하도록 권장한다.

#### ③ 체온조절 시점 및 방법

체온조절을 시작하는 시점에 대해서는 논란이 있다. 체온조절을 병원 전 단계에서부터 시작한 경우와 병원에 도착한 이후에 시작한 경우 사이에 치료성적의 차이는 없는 것으로 알려졌다. 또한, 체온조절을 시작한 시점이 생존율에 미치는 영향에 대한 보고는 일관된 연구결과를 보여주지 않고 있다. 따라서 목표체온유지치료를 위한 체온조절은 심장정지로부터 회복된 후 병원 내에서 가능한 한 빨리 시작하도록 권장된다.

목표체온을 유지하는 방법에는 체온조절 담요 또는 장치를 사용하여 체표로부터 체온을 낮추는 방법(external cooling)과 혈관 내 도자, 순환보조 장치(체외막산소공급 장치 등)를 포함한 침습적 방법을 사용하는 방법(internal cooling)이 있다. 체온조절 방법에 따른 저체온 유도속도, 저체온 유지의 일관성에 다소 차이가 있지만, 체온조절 방법에 따른 치료결과의 차이는 없다. 체온을 신속히 낮추기 위해 낮은 온도의 생리식염수를 대량으로 투여하면 급성 폐부종의 위험이 증가하므로, 생리식염수 투여로 체온을 조절하는 것은 권장되지 않는다.

#### ④ 체온조절 과정과 유지 기간

목표체온유지치료를 위해 목표체온을 36°C 이하로 선택한 경우, 체온조절과정은 저체온을 유도하는 유도기(induction phase), 32-34°C의 체온을 유지하는 유지기(maintenance phase), 정상 체온으로 회복하는 재가온기(rewarming phase)로 구분할 수 있다. 유도기에는 가능한 한 신속히 체온을 목표체온까지 낮추는 것이 필요하며, 통상 목표체온까지 도달하

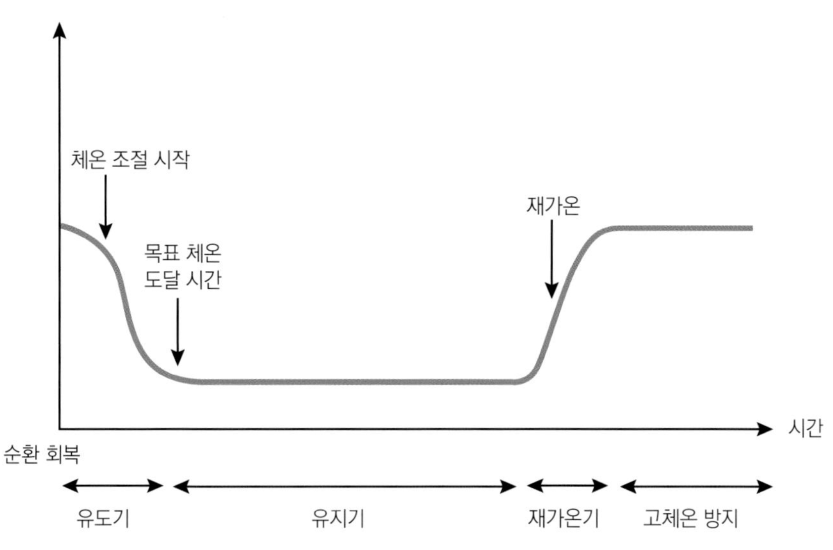


그림 16-2. 목표체온유지치료를 위한 체온조절 과정. 체온조절과정은 저체온을 유도하는 유도기(induction phase), 32-34°C의 체온을 유지하는 유지기(maintenance phase), 정상 체온으로 회복하는 재가온기(rewarming phase)로 구분한다.

는 데 3-4시간이 소요된다. 유지기의 기간에 대해서는 다소 논란이 있다. 유지기를 24, 48, 72시간으로 하여 치료성적을 비교한 연구에서는 일관된 결과가 보고되지 않았다. 따라서 유지기는 여러 대규모 연구에서 적용하였던 것처럼 저체온 유도 시점으로부터 24시간 동안 유지하도록 권장된다. 재가온기에는 체온을 점차 높여가게 되는 데, 높이는 속도에 관한 명백한 지침은 없다. 다만, 체온을 빠른 속도로 높일 때 발생할 수 있는 문제(저혈압 등)를 줄이기 위해 시간 당 0.25-0.5℃의 속도로 체온을 높이도록 한다. 보통 32-34℃의 체온을 정상 체온까지 재가온 하는 데 8-12시간이 소요된다. 목표체온 도달 후에도 혼수상태인 환자는 자발순환회복으로부터 72시간이 지날 때까지 정상 체온을 유지한다(그림 16-2).

#### ⑤ 체온 측정

목표체온유지 치료 중에는 중심체온을 측정해야 한다. 폐동맥 도자를 통한 체온 측정이 가장 정확하지만, 침습적 방법이므로 사용에 제한이 있다. 식도 체온은 측정이 어렵지 않고 중심체온을 잘 반영한다. 직장 또는 방광 체온은 중심체온을 반영하지만, 배설량에 따른 체온 변화가 심하므로 권장되지 않는다. 고막 온도는 지속해서 측정하기가 어렵고 부정확한 경향이 있다.

#### ⑥ 목표체온유지치료 중 주의사항

목표체온유지치료를 위해 저체온을 유도하고 유지하는 과정에서 서맥을 포함한 부정맥이 발생할 수 있다. 또한, 체온이 변동하는 과정에서 저혈압이나 오한 발생할 수 있다. 오한이 발생하면 신경 근육 차단제를 사용한다. 저체온이 유지되는 동안에는 혈액 응고 장애, 심근 손상이 발생하거나 저칼륨혈증이 발생할 수 있으므로, 혈액응고검사, 전해질검사, 심장 표지자 검사를 한다.

### 5) 영양 및 혈당 조절

심폐소생술 중이나 소생 직후에 포도당을 투여하면 뇌 손상이 악화하므로, 심장정지 후 첫 2일간은 포도당이 포함되지 않은 수액만을 투여한다. 목표체온유지치료를 하는 환자에게는 저체온 기간이 끝날 때까지 수액투여를 한다. 의식이 있는 환자는 3일째부터 음식을 먹도록 하고, 의식이 없는 환자에게는 위장관 튜브를 통하여 액성 음식을 투여한다.

의식이 없는 환자에서는 저혈당의 징후를 확인하기 어렵다. 저혈당이 발생하면 추가적인 뇌 손상 가능성이 크므로, 혈당을 반복적으로 검사하고 저혈당을 교정한다. 특히 목표체온유지치료를 하는 동안에는 혈당 변화가 심하므로, 혈당 검사를 자주 한다. 소생 후 혈당이 높게 유지되면 생존율과 신경학적 예후에 나쁜 영향을 준다는 보고가 있지만, 적절한 혈당 수준에 대한 분명한 기준은 제시되지 않고 있다. 정상범위 혈당(72-108 mg/dl)을 목표로 치료한 환자와 경도의 고혈당(90-144 mg/dl)을 목표로 치료한 환자를 비교한 연구에서 정상범위 혈당을 목표로 치료한 환자의 신경학적 예후가 좋았지만, 사망률의 차이는 없었다. 또한, 정상범위 혈당을 유지한 군에서 저혈당의 발생률이 높았다. 따라서 소생후 치료 과정에서는 혈당을 144-180 mg/dl로 유지하도록 권장한다. 혈당이 180 mg/dl 이상 증가하는 경우에는 인슐린을 투여하여 조절한다.

### 6) 발작의 조절

심장정지 후 소생된 환자의 5-20%에서 발작이 발생한다. 특히 소아에서는 발작의 발생률이 거의 50%에 달한다. 발작은 이차성 뇌 손상을 유발하여 신경학적 회복에 나쁜 영향을 준다. 발작이 발생하면 즉시 항경련제(diazepam, phenytoin, valproic acid, propofol, phenobarbital)를 투여한다. 발작의 발생을 진단하기 위하여 자발순환이 회복된 후에는 뇌파를 감시하거나 뇌파검사를 수시로 하는 것이 권장된다. 소생후에는 신경근 차단제를 사용하는 빈도가 높고 비발작성 경련이 발생하는 경우가 많으므로, 발작이 의심되면 즉시 뇌파를 기록해 보거나 뇌파 감시를 한다. 발작을 예방하기 위하여 항경련제를 투여하는 것은 권장되지 않는다.

### 7) 감염 예방

심장정지로부터 소생된 환자는 면역력이 감소한 상태에서 집중 감시와 치료를 침습적 시술, 체온조절, 기계 호흡을 받는 과정에서 폐렴 등에 대한 감염 가능성이 크다. 감염 방지를 위해 예방적 항생제를 사용하면 흡인성 폐렴의 가능성이 작아진다고 알려졌다. 그러나 예방적 항생제의 사용이 소생후 환자의 전반적 감염 가능성을 줄이고 예후를 향상한다는 증거는 아직 없다. 따라서 소생후 환자에게 관례로 예방적 목적의 항생제를 사용하는 것은 권장되지 않는다.

## 6. 소생 후 뇌병증과 뇌 소생술

### 1) 소생 후 뇌병증

#### (1) 소생 후 뇌병증의 정의

심장정지 후에는 심장정지 및 심폐소생술 기간 중의 허혈과 재관류에 의한 손상으로 여러 가지 뇌 손상의 증후가 발생하는데 이를 소생 후 뇌병증(post-resuscitation encephalopathy)이라 한다. 심장정지로부터 회복된 환자에서는 정도의 차이는 있지만 대부분 소생 후 뇌증이 발생한다.

#### (2) 소생 후 뇌병증의 발생원인

##### ① 심장정지 및 심폐소생술 중의 뇌 손상

심폐소생술 중에는 뇌 혈류가 정상의 20% 정도 유지된다. 혈류량이 매우 적은 상태에서는 뇌혈관의 수축, 적혈구의 변형능력 감소, 혈소판 응집, 모세혈관 주위조직의 부종, 세포 내 칼슘의 증가로 인하여 뇌 조직 내 전체적으로 관류장애가 발생하며 부분적으로는 전혀 관류가 되지 않는 부위도 있다. 따라서 심폐소생술 후 자발순환이 회복되더라도 심장정지가 지속한 동안에는 허혈에 의한 뇌 손상이 계속된다.

##### ② 재관류에 의한 손상

자발순환이 회복되더라도 뇌 손상이 계속된다. 재관류 동안에는 허혈 동안 증가한 세포 내 칼슘에 의하여 세포 내의 포스폴리파아제(phospholipase) A2, 크산틴산화효소(xanthine oxidase)가 활성화되어 유리기(free radical)가 형성된다. 이때 형성된 유리기가 세포막을 과산화(peroxidation)시킴으로써 세포막이 손상됨으로써 자발순환이 회복된 후에도 뇌 손상이 진행한다.

##### ③ 심장 박동 회복 직후의 뇌 혈류

심장 박동이 회복된 직후 약 30분 동안에는 뇌 혈류량이 심장정지 전의 뇌 혈류량보다 50% 정도 증가하는 과혈류(hyperemia) 상태가 발생한다. 뇌 혈류가 증가하면 뇌 일부에는 지나치게 많은 혈액이 관류 되므로, 부분적으로 뇌압이 상승하여 뇌부종이 발생할 수 있다. 일부 환자에서는 심장 박동 회복 후에도 뇌 혈류가 증가하지 않거나 정상보다 감소하여 뇌 손상이 가중되는 수도 있다.

정상인의 뇌 관류압은 뇌혈관의 자율성에 의해 혈압과 관계없이 일정하게 조절된다. 그러나 심장정지로부터 소생된 환자에서는 뇌혈관의 자율성이 유지되지 않음으로써, 뇌 손상에 취약하다. 자발순환이 회복된 후 상태에서는 혈압의 변화가 뇌 관류압에 직접적인 영향을 준다. 따라서 소생 직후에 저혈압이 발생하면 뇌 관류압이 감소하여 심각한 뇌 손상이 발생한다.

#### ④ 뇌 산소 요구량

심장정지로부터 자발순환이 회복되면 뇌 조직의 산소 요구량은 점차 증가한다. 반면, 뇌 혈류는 초기에만 증가하였다가 점차 정상으로 회복되므로, 시간이 지남에 따라 뇌 산소 요구량에 부합하는 뇌 혈류가 유지되지 않아 뇌 허혈이 다시 발생할 수 있다. 뇌 산소 요구량과 공급량의 차이는 자발순환이 회복된 첫 24시간에 가장 크게 발생한다. 따라서 자발순환 회복 후 첫 24시간 동안 뇌로의 혈류 및 산소 공급을 유지하고 뇌의 산소 요구량을 감소시키는 치료가 뇌 소생에 도움이 된다.

## 2) 심장정지에서 뇌 손상에 영향을 주는 요소

심장정지 후 발생하는 뇌 손상에 영향을 주는 요소는 순환정지 시간, 심폐소생 후의 뇌 이외 장기의 기능, 소생 후 뇌증의 중증도와 치료의 적절성 여부이다.

### (1) 순환정지시간

순환정지시간은 무혈류 시간(no-flow period)과 저혈류 시간(low-flow period)으로 구성된다. 무관류시간인 심장정지 시간은 심장정지가 발생한 후부터 심폐소생술이 시작될 때까지의 시간이다. 이 시간 동안에는 뇌로의 혈류가 전혀 없으므로 뇌 손상이 매우 빠른 속도로 진행된다. 저혈류 시간은 심폐소생술이 시작된 후부터 자발순환이 회복될 때까지의 시간이다. 이 시간 동안에는 매우 적은 양의 혈류(정상의 20% 내외)가 뇌를 관류하므로 뇌 손상이 계속된다.

심장정지 시간은 뇌 손상의 정도를 결정하는 가장 중요한 요소이다. 심장정지 시간이 6분 이상 지난 환자에서는 심폐소생술 시간이 연장되면 신경학적 예후가 불량하다. 반면 심장정지 시간이 6분 이내인 환자에서는 심폐소생술 시간이 길더라도 신경학적 예후가 양호할 가능성이 크다. 예를 들면 심장정지 시간이 6분 이내인 환자와 심장정지 시간이 6분 이상인 환자에서 심폐소생술 시간이 각각 20분씩 소요되었다면, 심장정지 시간이 6분 이내인 환자가 정상적인 뇌 기능을 회복할 가능성은 30-40%지만, 심장정지 시간이 6분 이상인 환자는 정상적인 뇌 기능을 회복할 가능성이 5% 미만이다.

#### (2) 뇌 이외 장기의 기능

심폐소생술 후 자발순환이 회복된 환자는 두 부류로 나눌 수 있다. 순환정지시간이 매우 짧았던 환자는 자발순환이 회복되는 즉시 의식 및 호흡을 회복하며 합병증이 없는 경우가 많고, 순환정지시간이 긴 환자는 자발순환 회복 후에도 의식이 없거나 한 가지 이상의 합병증을 동반하는 경우가 많다.

심장정지 후에는 지속적인 저혈압 또는 고혈압, 심부전, 호흡부전에 의한 저산소혈증, 고이산화탄소혈증, 고체온증, 신부전, 혈액 응고 이상 등이 발생할 수 있다. 합병증이 발생하면 뇌 관류압이 저하되거나 허혈이 발생하여, 뇌가 이차적인 손상을 받을 수 있으므로 뇌 이외 장기의 기능은 뇌 소생과 중요한 연관이 있다.

#### (3) 소생 후 뇌병증의 중증도와 치료의 적절성 여부

소생 후 뇌병증은 주로 순환정지 기간의 영향을 받는다. 그러나 기왕의 질환, 나이 등의 요소에 의하여 순환정지 기간이 같더라도 소생 후 뇌병증의 중증도는 달라질 수 있다. 또한, 자발순환 회복 후에 소생 후 뇌병증에 대한 치료가 적절하지 못하면 뇌 소생을 기대하기 어렵다.

### 3) 소생 후 뇌병증의 치료(뇌 소생술)

뇌 소생(cerebral resuscitation)을 위한 치료는 자발순환 회복 후 다른 장기의 기능을 정상으로 유지하여 뇌 손상의 진행을 막는 방법과 뇌에 직접 작용하여 뇌 손상을 방지하는 약제를 사용하는 방법이 있다.

#### (1) 소생후 뇌병증에 대한 일반적인 치료

소생 후 뇌병증으로 인한 뇌 손상을 줄이려면 혈역학적 안정화를 통한 관류압의 유지, 저산소혈증의 예방, 적절한 호흡관리, 저체온 요법을 포함한 체온조절, 혈당 조절, 경련 발작의 예방 및 치료를 한다(표 16-3).

적절한 뇌 관류압을 유지하는 것은 소생 후 치료 중 가장 중요하다. 정상 상태의 뇌는 자율적으로 혈류가 조절되므로 수축기 혈압이 변화하여도 혈류량의 변화가 매우 적다. 그러나 심장정지 후에는 자율성이 파괴되므로, 뇌 관류압은 혈압의 직접적인 영향을 받게 된다. 소생 후 뇌 혈류량의 감소는 부가적인 뇌 손상의 원인이 될 수 있다. 소생 후에는 평균

표 16-3. 뇌 손상을 줄이기 위한 치료

| 1. 평균 동맥압> 65 mmHg로 유지한다.<br>2. 동맥혈 이산화탄소 분압을 35-45 mmHg로 유지한다.<br>3. 동맥혈 산소포화도를 94-98%로 유지한다.<br>4. 동맥혈 pH를 7.3-7.5로 유지한다.<br>5. 혈당을 144-180 mg/dl로 유지한다.<br>6. 24시간 동안 목표체온유지치료(32-36°C)를 한다.<br>7. 발작이 발생하면 항경련제를 투여한다.<br>8. 신경안정제, 근육이완제의 투여를 최소화한다.<br>9. 고열이 발생하면 즉시 해열제를 투여한다. |
|---|

동맥압을 65-100 mmHg로 유지한다. 평균 동맥압이 65 mmHg 이하, 수축기 혈압이 100 mmHg 이하면 즉시 교정해야 한다. 혈압이 낮은 환자에서는 수액을 투여하거나 혈관수축제를 투여하여 혈압을 안정화한다.

소생 후에는 상대적 부신 기능부전이 발생할 수 있다. 최근 심폐소생술 중 부신피질호르몬을 투여하면 생존율을 높일 수 있다는 보고가 있다. 특히 자발순환이 회복된 환자에서 쇼크가 발생한 경우에는 부신피질호르몬을 투여하면 생존율이 높아진다. 모든 심장정지 환자에게 부신피질호르몬을 투여하는 것은 권장되지 않으나, 부신 기능부전이 있는 환자에게는 부신피질호르몬을 투여하여 혈역학적 안정성을 유지할 수 있다. 동맥혈 산소포화도는 94-98%를 유지한다. 소생 후 환자에서는 정상범위의 이산화탄소 분압(35-45 mmHg)을 유지하는 것이 권장된다. 가능한 한 신속히 32-36°C의 목표체온을 정하여 목표체온유지치료를 시작한다. 체온이 상승하면 뇌 대사량이 증가하여 뇌의 산소 요구량이 증가한다. 소생 후 고열이 발생한 환자에서는 적극적으로 체온을 정상화한다. 혈당은 144-180 mg/dl로 조절하며, 저혈당은 즉시 교정한다. 모르핀 또는 다이아제팜(diazepam) 등의 신경안정제와 근이완제를 투여함으로써 외부자극에 대한 반응을 방지하여 뇌의 산소 요구량을 줄일 수 있다. 발작이 발생하였을 때는 즉시 벤조다이아제핀(benzodiazepines), 페니토인(phenytoin), 바비투르산염(barbiturates), 프로포폴(propofol) 등의 항경련 작용이 있는 약제를 투여한다.

### (2) 뇌 손상에 대한 특이 치료

심장정지 후 소생된 환자에게 필요한 일반적인 치료 이외에도 손상된 뇌에 대한 특수한 치료방법이 연구되고 있으나 임상적으로 뇌 손상을 회복시키는 방법은 아직 없다. 뇌 손상의 치료에는 다음과 같은 치료방법이 시도되었다.

① 바르비투르산염

바르비투르산염을 투여하면 뇌의 대사량을 줄여주므로 뇌의 산소 요구량을 줄일 수 있다. 1980년대 말 유럽에서 심장정지 후 소생된 환자에게 티오펜탈(thiopental)을 투여하여 환자에게 혼수를 유발하는 방법이 집중적으로 연구되었다. 그러나 티오펜탈 대량 투여방법은 심장정지 후 소생된 환자의 뇌 소생에 도움이 되지 않는 것으로 판명되어 현재에는 사용되지 않는다.

② 칼슘 통로 차단제

칼슘 통로 차단제는 세포 내 칼슘의 증가를 막아줌으로써 칼슘에 의한 여러 가지 세포 손상을 방지할 수 있다는 점에 착안하여 뇌 손상 치료제로서 시도되었다. 동물실험에서는 심장정지 발생 이전이나 심장정지 초기에 칼슘 통로 차단제를 투여하면 소생 후 뇌 기능 회복에 도움이 되는 것으로 보고되었다. 그러나 사람에서는 칼슘 통로 차단제를 심장정지 전에 미리 투여할 수 없고, 칼슘길항제가 심장 기능에 영향을 주어 순환회복률이 낮아질 수 있다. 또한, 임상연구에서 심장정지 환자에게 칼슘 통로 차단제 투여를 시도한 결과, 칼슘 통로 차단제는 뇌 소생에 효과가 없는 것으로 판명되었다. 일부의 칼슘 통로 차단제(lidoflazine, nimodipine)는 심장에 대한 영향이 거의 없어서 투여가 도움이 될 수 있다는 보고도 있다. 그러나 현재로서는 임상적으로 뇌 소생에 명백히 효과적인 칼슘 통로 차단제는 없다.

③ 유리기 식세포(free radical scavengers)

심장정지 환자에서 뇌 손상의 가장 중요한 원인은 유리기이다. 따라서 유리기를 세포에 해가 되지 않는 산소나 물로 바꾸어줄 수 있는 자연 식세포(natural scavenger)는 뇌 손상을 근본적으로 예방할 수 있는 치료이다. 따라서 과량으로 형성된 유리기를 대사할 수 있는 물질(superoxide dismutase, catalase, 비타민 E, 비타민 C, glutathione)에 대한 연구가 진행되고 있다.

④ 신경전달 물질

최근에는 허혈에 쉽게 손상되는 뇌 부위에 존재하는 흥분성 아미노산 신경전달체(excitatory amino acid neurotransmitter: glutamate, aspartate)의 수용체에 대한 길항제와 gamma-aminobutyric acid(GABA) 등이 뇌 손상을 방지할 수 있는 새로운 약물로서 연구되고 있다.

## 7. 신경학적 예후의 예측

심장정지로부터 회복된 환자의 신경학적 예후를 예측하기는 매우 어렵다. 심장정지 후 치료 과정에는 진정제, 항경련제, 근이완제 등 의식 상태의 평가에 영향을 줄 수 있는 약물이 투여되며, 목표체온유지치료가 시행되기 때문에 신경학적 예후를 평가하는 데 신중해야 한다. 소생후 예후를 예측하는 것은 소생 가능성이 없는 환자에 대한 불필요한 치료를 줄임으로써, 인간의 존엄성을 지키고 불필요한 의료 자원의 낭비를 막는 데 중요하다.

### 1) 신경학적 예후 판정 시점

소생후 치료 과정에서는 의식 상태에 영향을 줄 수 있는 여러 약물이 사용되므로 신경학적 예후의 판정은 순환회복으로부터 충분한 시간이 지나간 후에 판단하여야 한다. 통상 목표체온유지치료가 종료되고 체온이 정상화된 후 72시간 이후(자발순환이 회복된 후로부터 5일)에 신경학적 예후를 평가할 것을 권장한다.

### 2) 신경학적 예후 판정을 위한 검사

심장정지 후의 신경학적 예후를 판단할 때에는 한 가지의 특정 검사만으로 평가할 수는 없다. 따라서 신경학적 예후를 평가할 때에는 한 가지 검사의 결과만으로 판단하지 말고 여러 가지 검사(신경학적 진찰, 전기생리학 검사, 생물학적 표지자, 신경 영상검사)의 결과를 함께 활용하여 판단해야 한다.

#### (1) 신경학적 진찰

신경학적 진찰 중 동공반사(pupillary light reflex)와 각막반사(corneal reflex)가 예후를 예측하는 데 중요하다. 자발순환이 회복된 후 72시간 이후에 양측 동공반사가 없거나 양측 동공반사와 각막반사가 없는 경우에는 신경학적 예후가 불량하다. 최근 동공측정기(pupillometry)를 사용하여 정량적 동공측정(quantitative pupillometer)와 신경학적 동공반사 지수(neurological pupil index)를 측정하여 신경학적 예후 예측에 사용하는 방법이 적용되고 있다.

자발순환 회복 후 72시간 이내에 근간대경련(myoclonus)과 근간대경련 지속증(status myoclonus)이 관찰되는 경우에도 신경학적 예후가 불량하다.

### (2) 전기생리검사

전기생리 검사 중에는 체성감각유발전위검사(somatosensory evoked potential)과 뇌파가 사용된다. 자발순환 회복 후 24-72시간에 체성감각유발전위 검사에서 양측성 N20 요소의 소실이 관찰되는 경우에 예후가 불량하다.

뇌파검사에서는 배경 뇌파의 반응성(EEG background reactivity) 소실, 돌발-억제(burst-suppression) 현상, 뇌전증 지속상태(status epilepticus)가 관찰되면 예후가 불량할 가능성이 크다. 특히 심장정지 후 72시간 이후에 돌발-억제 현상이 관찰되면 신경학적 예후가 불량하다. 최근 진폭통합 뇌파 감시(continuous amplitude-integrated EEG) 장치가 사용되면서 중환자실에서도 지속적으로 뇌파를 감시할 수 있게 되었다. 진폭통합 뇌파 감시에서 돌발억제, 뇌전증 지속상태, 억제 비율(suppression ratio)을 확인함으로써 예후를 예측하는 데 도움을 받을 수 있다.

### (3) 생물학적 표지자

뇌척수액 내의 생물학적 표지자인 신경특이에놀라제(neuron specific enolase), S-100 단백질, 혈청 glial fibrillary acidic protein (GFAP), 혈청 타우(Tau) 단백질 또는 혈청 neurofilament protein (NFL)을 측정하여 예후를 예측하는데 활용할 수 있다. 여러 연구에서 생물학적 표지자의 증가가 나쁜 신경학적 예후와 관련이 있다고 보고했지만, 생물학적 표지자에 의한 예후 예측은 예측도가 높지 않다. 순환회복 후 24-72시간에 측정된 신경특이에놀라제의 상승은 다른 검사와 함께 적용하여 신경학적 예후를 예측하는 데 사용될 수 있다. 그러나 예후 예측을 위한 신경특이에놀라제의 임곗값은 각 의료기관에서의 경험에 의존해야 한다는 단점이 있다.

### (4) 뇌 영상검사

심장정지 후 발생한 뇌부종과 신경세포의 손상을 뇌 영상검사로 확인하면 신경학적 예후를 예측할 수 있다. 이를 위하여 순환회복 후 촬영한 뇌 전산화단층촬영과 뇌 자기공명영상 결과를 예후 예측에 활용할 수 있다. 자발순환 회복 후 24시간 이내에 촬영된 뇌전산화단층촬영에서 회백질/백질 밀도비가 낮거나, 자발순환 회복 후 2-7일에 촬영된 뇌 자기공명영상에서 광범위한 확산제한이 있는 경우에 예후가 불량하다(표 16-4).

## 3) 신경학적 예후 판단을 위한 다학제 접근

현재까지 신경학적 예후를 정확히 예측할 수 있는 검사 방법은 개발되지 않고 있다. 특

표 16-4. 자발순환 후 심장정지 환자의 신경학적 예후를 예측하기 위한 검사

| 검사 방법 | 나쁜 예후가 예측되는 검사 소견 |
|---|---|
| 신경학적 진찰 | 양측 동공반사 소실<br>양측 동공반사와 각막반사 소실 |
| 전기생리 검사 | 체성감각유발전위 검사상 양측 N20 소실<br>뇌파검사에서 배경 뇌파 반응성 소실, 돌발-억제 현상, 발작지속증 관찰 |
| 생물학적 표지자 검사 | 신경특이에놀라제, S-100 단백질의 혈액 내 농도 증가 |
| 뇌 영상검사 | 뇌 전산화단층촬영에서 낮은 회백질/백질 밀도비<br>뇌 자기공명영상에서 광범위한 확산제한 |

히 특정 검사 하나만으로 신경학적 예후를 예측하는 것은 판단에 큰 오류를 범할 수 있다. 소생후 혼수상태인 환자에 대한 신경학적 예후는 심장정지로부터 충분한 시간이 지난 후에 신경학적 진찰, 생체 표지자, 전기생리 검사, 영상검사로부터 얻어진 결과를 종합하여 다각적으로 판단하는 것이 권장된다(그림 16-3).

### 4) 신경학적 예후의 분류

심장정지로부터 소생된 환자는 다양한 신경학적 상태로 생존할 수 있다. 신경학적 후

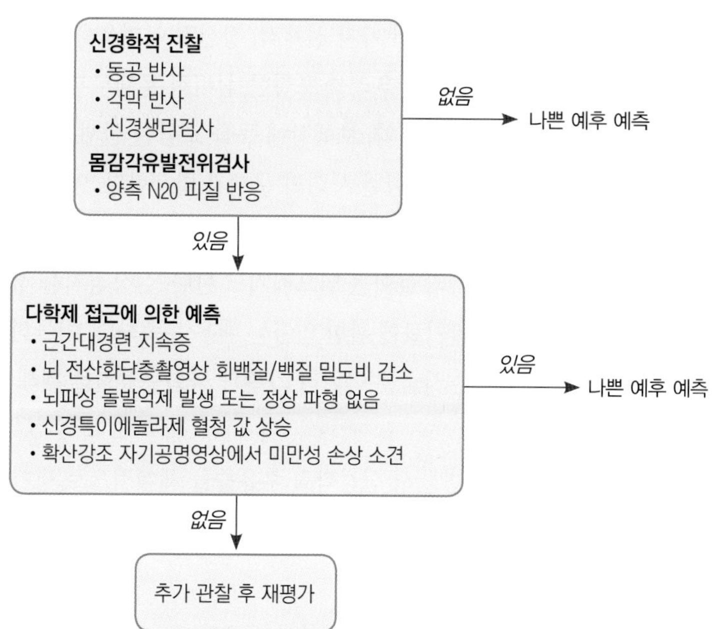


그림 16-3. 심장정지 후 다학제적 예후 예측 과정

표 16-5. 뇌 수행분류

| 분류 | 설명 |
| --- | --- |
| CPC 1. 정상 | 의식이 명료하고 정상생활이 가능<br>가벼운 신경학적 이상이 동반될 수 있으나 일상생활에는 지장이 없는 상태 |
| CPC 2. 경도 장애 | 의식이 있으며 독립적인 생활이 가능<br>편마비, 발작, 보행장애, 언어 장애, 기억 장애 등이 동반될 수 있음 |
| CPC 3. 중증도 장애 | 의식이 있으나 일부의 인지기능만이 가능하고 독립적인 생활이 불가능<br>중증의 마비, 기억 장애, 인지 장애 등 중증의 신경 후유증이 동반되어있음 |
| CPC 4. 식물상태 또는 혼수 | 의식과 인지기능이 없음 |
| CPC 5. 뇌사 | 뇌사 상태 |

유증의 정도와 환자가 일상생활로 회복할 수 있는지를 근거로 심장정지 후 소생된 환자의 장기 신경학적 예후를 분류한다. 가장 흔히 사용되는 분류는 뇌 수행분류(cerebral performance category) 이다(표 16-5).

## 8. 심장정지 후 재활

심장정지로부터 소생된 환자의 약 80%가 1년 이상 생존한다. 갑자기 발생한 심장정지로 중환자 치료를 받고 생존한 환자는 여러 가지 신체적, 정신적 어려움을 경험하게 된다. 심장정지 환자에게는 재발에 대한 불안과 우려를 포함한 심리적 문제로부터 신경학적 후유증으로 인한 인지 장애, 피로감, 마비, 쇠약, 보행장애 등을 포함한 신체적 문제, 직장 생활로의 복귀, 가족과의 관계 회복 등을 포함한 사회적 문제가 발생한다. 이러한 문제와 더불어 뇌 손상의 후유증으로 발생하는 감정 변화 등 정서적 문제, 기억력, 집중력 등의 감소를 포함한 인지 장애가 주변 사람들과의 불화를 일으키기도 한다. 심장정지를 겪은 사람에게 발생하는 후유증과 이에 대한 재활치료에 관한 연구는 매우 부족하다. 이들의 사회복귀를 위한 재활치료는 심장정지를 겪은 사람뿐 아니라 가족과 사회구성원을 위해서도 꼭 필요하다.

심장정지 환자가 퇴원하기 전에 반드시 신경학적 후유증을 체계적으로 평가하여 적절한 재활치료 및 퇴원 후 계획을 수립하여 실행하는 것이 권장된다.

## 9. 심장정지의 재발 방지

자발순환이 회복되면 심장정지의 발생원인을 찾아야 한다. 특히, 저산소증, 저혈량 상태, 대사성 산증, 저칼륨/고칼륨혈증, 저체온/고체온, 긴장성 기흉, 심장눌림증, 폐색전, 급성 관상동맥증후군, 약물 중독 등 교정 가능한 심장정지의 원인을 즉시 교정한다. 임상 증상, 심전도, 심근표지자 검사, 심초음파 상 급성 관상동맥증후군이 의심되는 경우에는 신속히 심장내과와 협의하여 관상동맥조영술을 한다.

심초음파는 심장의 기질적 변화가 동반된 심장질환을 찾아내는 데 도움이 된다. 12 유도 심전도와 심초음파 상 정상소견인 환자에게는 운동부하검사나 동위원소로 심장을 촬영하여 허혈성 심장질환이 있는지를 알아낼 수 있다. 전해질 이상에 의하여 심장정지가 발생하였거나 QT 연장 증후군이 있는 환자는 전해질 검사와 12 유도 심전도로 찾아낼 수 있다. 또한, 허혈성 심장질환이 의심되면 관상동맥조영술을 시행하여 관상동맥질환의 유무와 중증도를 알 수 있다. 만성 허혈성 심장질환이 있는 환자나 기질적인 심장질환 없이 부정맥이 발생한 환자에서는 24시간 심전도 기록(ambulatory monitor recording)을 한다. 또한, 부정맥이 의심되는 심장정지 환자에서는 부정맥을 확인하고 적절한 치료약제를 선택하기 위하여 심장 전기생리검사가 필요하다(그림 16-4). 심장 전기생리검사에서 부정맥이

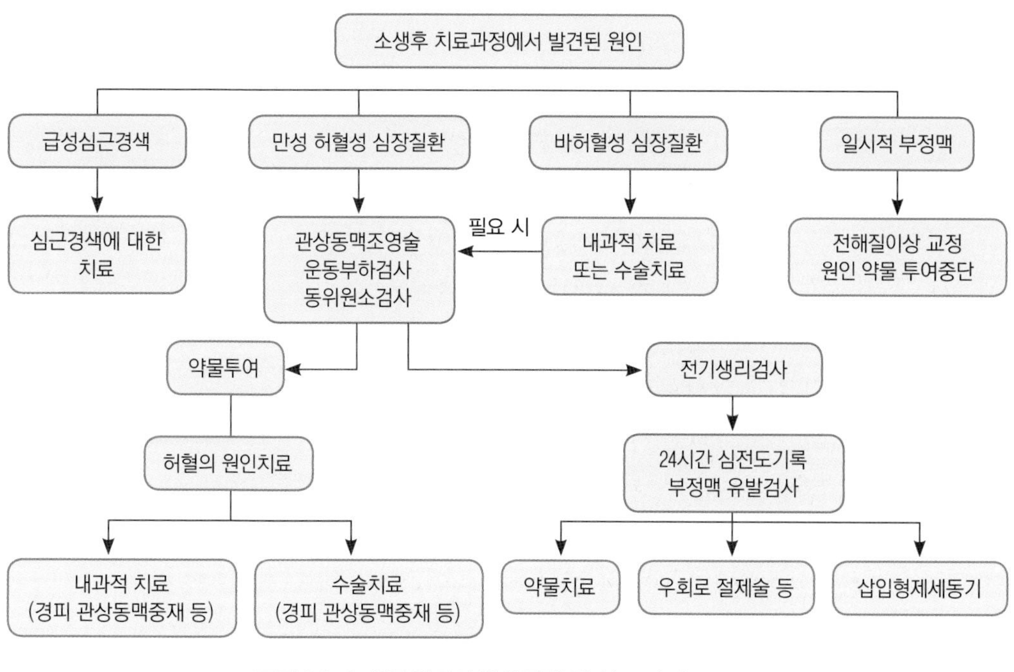


그림 16-4. 심장정지의 원인진단 및 치료 과정

유발되는 환자에서는 적절한 항부정맥제를 투여하거나 삽입형 제세동기를 삽입해 주어야 한다. 심실류(ventricular aneurysm)에 의하여 부정맥이 발생하는 환자는 수술로 심실류를 제거해주어야 한다.

## 10. 심장정지 치료 센터

심장정지를 치료하려면 24시간 집중치료시설, 관상동맥조영술, 목표체온유지치료가 가능한 인력과 시설이 필요하며, 소생후 신경학적 예후를 판단하기 위한 다양한 검사를 할 수 있어야 한다. 심장정지를 치료하기 위한 집중 치료, 관상동맥조영술, 목표체온유지치료를 할 수 있는 의료기관을 심장정지 치료 센터(cardiac arrest center)라고 한다. 병원밖 심장정지를 심장정지 치료 센터에서 치료하면 생존율이 향상하는 것으로 보고되었다. 일부 국가에서는 효율적인 심장정지 치료를 위하여 심장정지 치료 센터의 인력, 시설, 장비에 관한 기준을 세우고, 심장정지 치료 센터를 지정하여 운영하기 시작했다. 우리나라는 아직 심장정지 치료 센터에 대한 개념이 정립되어 있지 않다. 그럼에도 불구하고 24시간 중환자실, 관상동맥조영술, 목표체온유지치료가 가능한 심장정지 치료 센터 수준의 의료기관에서 병원밖 심장정지 환자가 치료받을 수 있도록 해야 한다.

제 **17** 장

# 응급치료가 필요한 부정맥

## 1. 개요

부정맥(cardiac arrhythmia)은 정상 동성 리듬 이외의 심장 전기활동으로 인하여 심박수 또는 규칙성에 변화가 발생하는 심장질환이다. 부정맥이 발생하면 순식간에 혈역학적 변화 또는 심장정지를 초래할 수 있으므로, 부정맥을 인지하여 치료하는 것은 전문심장소생술에서 중요한 부분이다.

심장정지를 치료하는 과정에서 심전도를 감시하는 것은 환자평가의 중요한 요소이다. 심장정지 치료 과정에서 호흡, 맥박을 확인한 후, 즉시 심전도 감시(monitoring)를 시작한다. 심전도 감시에서 충격필요리듬(심실세동 또는 무맥성 심실빈맥)이 발견되면 다른 모든 치료보다 먼저 제세동을 한다.

부정맥을 진단하려면 12 유도 심전도를 기록하여 판독한다. 응급상황에서는 12 유도 심전도를 확인할 수 없는 때도 있으므로, 응급의료종사자는 제한된 유도만으로도 심전도를 판독할 수 있어야 한다. 전문심장소생술 교육에는 심전도 감시와 판독이 반드시 포함되어야 하며, 응급의료

표 17-1. 전문심장소생술을 위하여 판독할 수 있어야 하는 부정맥

| 부정맥 |
|---|
| 동 빈맥, 동 서맥 |
| 기외수축 |
| 심실상 빈맥 |
| 　발작성 심실상 빈맥 |
| 　심방빈맥 |
| 　심방세동 |
| 　심방조동 |
| 　접합부 빈맥 |
| 　다발성 심방빈맥 |
| 심실빈맥 |
| 심실세동 |
| 무수축 |
| 방실차단 |
| 조기흥분증후군 |
| 무맥성 전기활동의 심전도 양상 |

종사자는 심전도 교육을 받고 판독할 수 있는 능력을 갖춰야 한다(표 17-1).

## 2. 심장의 전기생리와 부정맥

### 1) 심장의 전도계와 자율성

심장은 전류를 생성하여 심근세포로 전달하는 전도계(conduction system)와 전도계로부터의 전기신호에 반응하여 수축하는 심근세포로 구성된다.

전도계의 동방결절(sinoatrial node: SA node)에서 생성된 전기신호가 심방으로 전달되어 심방의 심근세포가 탈분극되면 심방이 수축한다. 심방에서의 전기신호는 방실결절(atrioventricular node: AV node)을 지나 히스다발(His bundle)을 거쳐 좌각(left bundle branch) 및 우각(rignt bundle branch)으로 전달된다. 좌각 및 우각의 전기신호는 푸르키네 섬유(Purkinje fiber)를 통하여 심실의 심근을 탈분극시킴으로써 심실의 수축이 발생한다.

전도계는 자율성을 가진 조직으로써 자율적으로 탈분극이 유발되어 전기신호를 생성한다. 전도계 중에서 자율성이 가장 발달한 조직은 동방결절이다. 동방결절에서는 자율적으로 분당 60-100회의 탈분극이 발생하여 심장 박동을 유지하고 있다. 방실결절, 히스다발 등도 자율성이 있으나 정상 동성 리듬 상태에서는 동방결절의 자율성에 의하여 억제된다. 그러나 동방결절의 자율성에 이상이 발생하여 심박수가 감소하는 경우에는 방실결절 또는 히스다발, 심실이 박동조율기(pacemaker)의 역할을 할 수도 있다. 보통 방실결절이 박동조율기의 기능을 하면 심박수가 분당 40-60회 정도로 유지되며, 히스다발 이하의 전도계에서 심박조율기의 기능이 유지될 때는 분당 40회 내외의 심박수를 유지할 수 있다.

### 2) 심근세포의 전기생리

#### (1) 세포막 전위

심근세포는 세포 내부와 세포 외부 사이에 칼륨, 나트륨 및 칼슘의 농도가 다르므로, 세포막을 사이에 두고 일정한 전압 차이가 유지되고 있다. 세포가 흥분하지 않은 상태에서의 전압 차이를 안정막 전위라 하며, 심근세포의 안정막 전위(resting membrane potential)는 –80--90mV이다.

자극에 반응하여 세포막이 활성화되어 흥분하는 현상을 탈분극(depolarization)이라 한다. 탈분극이 발생하면 세포막 전위는 +35mV 정도로 변한다. 탈분극으로 발생하는 세포막 전위를 활동전위(action potential)라고 한다. 탈분극에 의한 세포막의 활성화는 심근세포의 수축을 유발하거나, 다른 세포로 전기신호를 전달하게 된다.

### (2) 심근의 탈분극 과정

탈분극의 과정은 이온투과에 대한 세포막의 투과성이 변화하면서 시작된다. 즉 탈분극의 시작은 양이온을 가진 전해질이 세포 밖으로부터 세포 내로 유입되어 발생한다. 탈분극의 시작을 유발하는 전해질 통로에는 두 가지 형태가 있다. Slow channel은 주로 칼슘이 유입되는 통로이며 동방결절과 방실결절에서의 심장박동조율기 기능과 연관이 있다. Fast channel은 주로 나트륨이 유입되는 통로로서 심장박동조율기 기능을 하지 않는 심근세포에서 전해질의 정상적인 통로이다. 심장박동조율기 역할을 하는 조직은 다른 조직에서의 전기신호 없이도 낮은 세포막 전위차에서 스스로 탈분극되는 특징을 가지며, 이러한 탈분극에는 세포막의 slow channel과 칼륨이온이 관계된다.

심근이 탈분극할 때 세포 내로 유입되는 최초의 양이온은 나트륨이다. 양이온을 가진 나트륨이 fast channel을 통하여 대량으로 유입되면, 세포의 내부는 전기적으로 음극 상태에서 양극 상태(+20mV)로 바뀌고, 세포의 외부는 양극 상태에서 음극 상태로 바뀌게 된다. 이처럼 세포 내부와 세포 외부의 전위가 역전되는 탈분극의 첫 과정을 phase 0라 한다. Phase 0은 나트륨 통로(channel)가 1ms의 짧은 시간 동안 개방된 후 다시 닫히는 동안 발생하므로 매우 짧다. 심방에서의 phase 0은 P파가 시작되는 시기이며, 심실에서의 phase 0은 QRS파가 시작되는 시기이다. 나트륨 통로가 닫히기 시작하면, 양이온의 유입이 줄어들어 세포의 내부는 더 양극화가 진행되지 않는다. Fast channel이 닫힌 후 slow channel이 열리면서, slow channel을 통하여 칼슘과 나트륨이 세포 내로 들어온다. Phase 0가 끝난 후 fast channel이 닫힘으로써 세포막의 재분극이 시작되는 시기를 phase 1이라 하며, slow channel이 열려 활동전위가 유지되는 시기를 phase 2라 한다. 심근세포에서 phase 2는 ST분절이 발생하는 시기이다. Phase 2가 끝나면 세포 내 칼륨이 세포 밖으로 나가면서 세포막은 급격히 재분극 되는데, 이 시기를 phase 3이라 하며, 심전도상 T 파가 발생하는 시기이다. Phase 3이 끝날 때는 세포막 전위가 –90mV 정도로서 세포막이 완전히 재분극 된다. 그러나 세포막 전위는 회복되었으나 세포 내에는 탈분극 중에 유입된 나트륨으로 인하여 안정 상태보다 세포 내 나트륨농도가 증가하여 있다. 또한, 재분극 중 유출된 칼륨으로 인하여 안정 상태보다 세포 내 칼륨농도가 감소하여 있다. Phase 3이 끝난 후에는 세포막에 있는 이온펌프(Na-K exchange pump)에 의하여 세포 내부와 외부의 이온 농도가 조절되는 시기가 있다. 이 시기를 phase 4라 한다(그림 17-1).

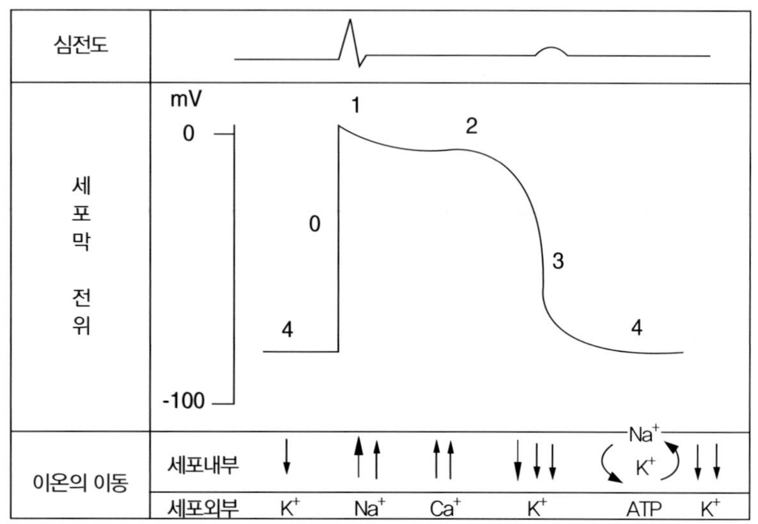


그림 17-1. 심근의 탈분극 과정

## 3) 부정맥의 발생기전과 부정맥의 분류

### (1) 부정맥의 발생기전

부정맥은 일부 심장 세포의 자율성이 비정상적으로 증가하는 경우, 발생한 전기신호의 전부 또는 일부에서 전도 장애가 발생하는 경우, 재분극 후 비정상적인 탈분극이 발생할 때 유발된다.

#### ① 자율성 변화에 의한 부정맥

심장조직의 자율성은 동방결절, 방실결절, 히스다발, 푸르키네 섬유의 순서로 발달하여 있다. 정상적으로는 동방결절의 자율성에 의하여 심장박동이 유지되므로 다른 조직에 의하여 심장박동이 유지되는 경우는 없다. 그러나 다른 조직의 자율성이 비정상적으로 항진되면 동방결절의 자율성보다도 빠른 전기신호를 형성하여 심장박동을 지배하는 경우가 발생할 수 있다. 이러한 이유로 발생한 부정맥을 자율성 변화에 의한 부정맥(enhanced automaticity)이라고 한다. 예를 들어 심실의 자율성이 항진되면 심실빈맥이 발생할 수 있고, 심방의 자율성이 항진되면 심방빈맥이 발생할 수 있다. 동방결절은 교감신경과 부교감신경의 영향 아래에 있으므로, 부교감신경의 흥분 정도에 따라 자율성이 항진되거나 저하되어 빈맥이나 서맥이 발생할 수도 있다.

② 전도 장애에 의한 부정맥

전도 장애(conduction disturbance)에 의한 부정맥은 주로 방실결절에서의 전도 장애로 발생한다. 즉 방실결절에 전도 장애가 발생하면 심방에서의 전기신호가 심실로 전달되는 것이 지연되거나 전달되지 않는다. 방실결절에서의 전도 장애가 발생하면, 심전도상 PR 간격이 연장되거나 P파의 수보다 QRS파의 수가 적어질 수 있다. 동방결절로부터의 전도 장애가 발생하는 때도 있다. 동방결절 전도 장애는 서맥 또는 무수축을 초래할 수 있다. 조기흥분증후군에서와 같이 심방에서의 전기신호가 방실결절 이외의 전도로를 따라 전달되면, 심실 일부가 미리 수축하며 심전도에서는 PR 간격의 단축이 관찰될 수 있다.

③ 회귀에 의한 부정맥

심장 내 전도가 균일하게 이루어지지 않아도 부정맥이 발생할 수 있다. 회귀(reentry)에 의한 부정맥은 심장 내 전기 전도가 균일하지 않을 때, 정상 또는 빠르게 전도된 부분의 전기신호가 전도가 느리거나 차단된 부위를 따라 회귀함으로써 부정맥이 발생한다. 회귀는 빈맥성 부정맥을 유발하는 중요한 기전이다. 심방세동, 심방조동, 발작성 심실상 빈맥, 조기흥분증후군에서의 빈맥, 심실빈맥, 심실세동은 회귀에 의한 부정맥이다.

④ 비정상적인 탈분극에 의한 부정맥

재분극 후 비정상적인 탈분극이 발생할 수 있다. 심근의 재분극이 완전히 끝난 후에 발생한 후분극(afterdepolarization)이 심근의 수축 역치(threshold)에 도달하면 다시 탈분극이 발생할 수 있다. 이러한 현상을 방아쇠 활동(triggered activity)이라고 한다. 방아쇠 활동은 재분극이 지연되는 경우, 즉 심전도상 QT 간격이 연장되어 있는 환자에서 잘 발생한다. 비정상적인 탈분극에 의한 부정맥의 전형적인 예는 비틀림 심실빈맥이다.

(2) 부정맥의 분류

부정맥이란 정상 동성 리듬 이외의 모든 리듬을 말하며, 심박수에 이상이 발생하거나 규칙성이 소실된 경우를 말한다. 부정맥은 크게 심박수에 따라 심박수가 100회 이상인 빈맥성 부정맥과 심박수가 60회 이하인 서맥성 부정맥으로 구분하며, 부정맥의 발생 부위에 따라 심실성 부정맥과 심실상 부정맥으로 구분한다.

## 3. 심전도와 부정맥의 판독

### 1) 정상 심전도 소견

심전도는 심장의 전기활동을 체표에서 기록한 것으로 부정맥을 진단하는 가장 유용한 방법이다. 정상 심전도 파는 심장 박동마다 P파, QRS파, T 파가 한 개씩 반복적으로 나타나는 형태이며, 분당 약 60-100회로 관찰된다. P파는 심방의 탈분극으로 발생하며, QRS 파는 심실의 탈분극으로 발생하고, T 파는 심실의 재분극에 의하여 발생하는 파형이다. T 파가 기록된 후 일부 유도에서 U 파가 발생할 수 있다. U 파는 푸르키네 섬유의 재분극에 의하여 발생하는 것으로 알려져 있으며, 저칼륨혈증이나 심근의 허혈이 발생하면 뚜렷해진다. P파의 시작에서부터 QRS파의 시작까지를 PR 간격이라 하며, 정상 PR 간격은 0.12-0.20초이다. PR 간격의 연장은 심방에서 심실로의 전도 장애, 즉 방실결절의 전도 장애가 있음을 나타낸다. PR 간격의 단축은 심방과 심실 사이에 방실결절 이외의 전도로가 있음을 시사한다. QRS파의 간격은 정상에서 0.12초 이내이며, 심실 내 전도 장애가 있으면 QRS파 간격이 연장된다.

### 2) 부정맥 판독방법

부정맥을 진단하는데 가장 중요한 요소는 QRS파의 수와 유무, P파의 수와 유무, P파와 QRS파와의 관계, PR 간격이다(표 17-2).

QRS파는 심근의 전기활동을 나타내므로 QRS파가 있다는 것은 심실의 수축이 있다는 것을 시사한다. 명확히 구분되는 QRS파가 없으면 효과적인 심실수축이 없다는 것을 시사한다. QRS파의 간격이 연장되어 있으면 심실의 전도 장애가 있거나 심실에서 발생한 부정맥이라는 것을 알 수 있다.

P파는 동방결절의 기능과 심방의 수축을 반영하므로 P파가 없으면 정상 동성 리듬이 아니거나 동방결절로부터의 전도에 장애가 있다는 것을 알 수 있다. P파의 모양이 다르면 동방결절 이외 조직의 자율성이 항진되어 심장박동조율기 역할을 한다고 추정할 수 있다. PR 간격의 변화는 방실결절의 전도 이상이나 방실결절 이외의 전도로가 심실과 심방 사이에 존재함을 시사한다. 따라서 부정맥을 판독하려면 먼저 명백히 구분되는 QRS파가 있는지를 확인하고, 다음으로 P파가 있는지를 확인한다. P파가 관찰되면 PR 간격을 확인한 후, P파와 QRS파 사이의 상관관계를 확인한다.

부정맥을 판독하는 방법에는 두 가지가 있다. 한 가지는 부정맥의 모든 파형을 숙지하

표 17-2. 심전도의 소견과 부정맥의 판독

| 심전도 소견 | | 부정맥 |
|---|---|---|
| QRS파 | 관찰되지 않거나 형태가 매우 불규칙한 경우 | 무수축<br>심실세동<br>비틀림 심실빈맥 |
| | QRS파의 확장 | 심실빈맥<br>심실 고유율동<br>심실기외수축<br>역행성 전도에 의한 빈맥 (조기흥분증후군) |
| | 정상 | 심실상 부정맥 |
| P파 | 관찰되지 않는 경우 | 심방세동<br>무수축 |
| | 모양이 변하는 경우 | 다소성 심방빈맥 |
| | 수가 증가하는 경우 | 동빈맥<br>심방조동<br>비발작성 심방빈맥 |
| P파와 QRS파와의 관계 | PR 간격의 연장 | 1도 방실차단 |
| | PR 간격의 변화 | 2도 방실차단<br>3도 방실차단 |

여 심전도 감시에 나타나는 파형으로 부정맥을 판독하는 방법이다. 이 방법은 부정맥의 심전도에 대한 풍부한 경험과 지식이 있는 경우에 가능하다. 다른 방법은 심전도 감시에 나타나는 심전도의 요소를 하나씩 평가하여 체계적으로 부정맥을 분석하는 방법으로써, 부정맥의 심전도에 익숙하지 않은 의료인에게 권장되는 방법이다.

## 4. 심전도 감시

### 1) 심전도 감시 장치

심전도 감시 장치(ECG monitoring system)는 심전도를 관찰할 수 있는 화면과 심전도를 인쇄하여 기록할 수 있는 인쇄 장치로 구성된다. 심전도의 인쇄는 관찰자가 수동으로 인쇄 장치를 조작하여 작동할 수도 있으나, 대개는 미리 설정된 심박수의 범위를 벗어나면 자동으로 작동된다. 대부분의 심전도 감시 장치는 QRS파를 인지하여 심박수를 숫자로 화면에 표시해주며, 심박수의 증가나 감소를 감시할 수 있도록 경보장치가 있다.

### 2) 전극의 위치

심전도를 감시하려면 환자의 몸에 전극을 붙이고 전극과 심전도 감시 장치를 연결하는 연결선을 전극에 연결한다. 응급상황에서는 전극을 우측 빗장뼈 부위, 좌측 빗장뼈 부위 및 좌측 흉근 하부에 붙인다(그림 17-2). 이와 같은 전극의 위치만으로도 심전도 유도 I, II, III을 모두 감시할 수가 있다. 때로는 P파를 잘 관찰하기 위하여 좌측 어깨와 제4 늑간의 우측 흉골 가장자리에 전극을 붙이는 MCL1 유도가 이용되기도 한다. 단, 심첨부와 우측 빗장뼈 하부는 제세동 전극을 부착하여야 하므로, 심전도 감시를 위한 전극은 붙이지 않는 것이 좋다. 심전도 감시 장치의 전극에는 색으로 전극이 표시되어 있거나, 각각에 LA(left

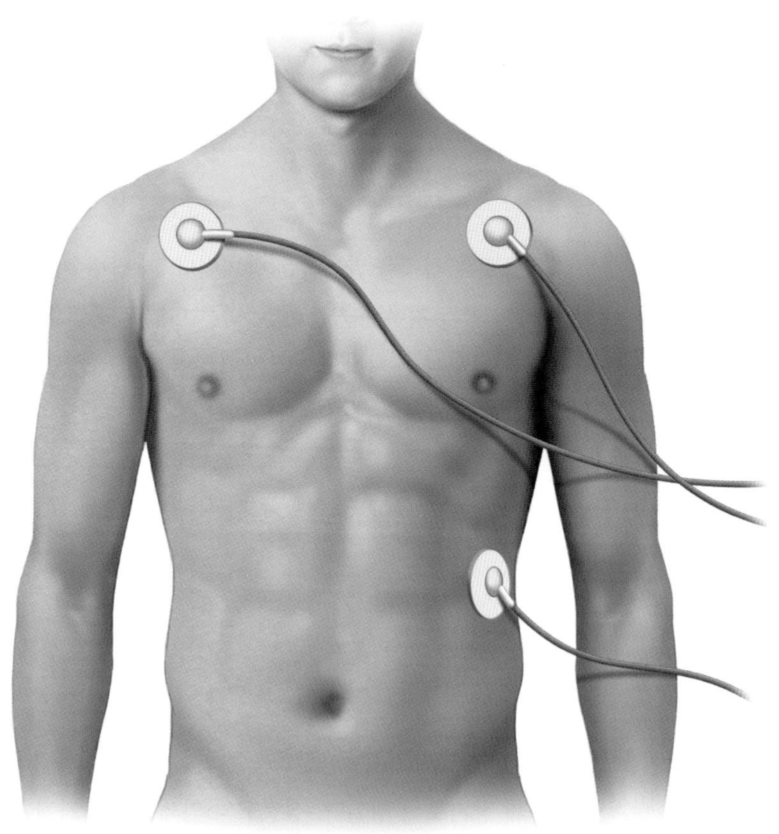

그림 17-2. 심전도 감시를 위한 전극의 위치. 우측 빗장뼈 부위, 좌측 빗장뼈 부위 및 좌측 흉근 하부에 전극을 붙인다.

arm: 좌측 팔), RA(right arm: 우측 팔), LL(left leg: 좌측 다리) 등으로 표기가 되어있어 쉽게 정확한 전극을 찾을 수 있다.

심폐소생술 중에는 제세동기(defibrillator)의 제세동 전극("quick paddle")을 사용하면 심전도 전극을 붙이는 시간을 절약할 수 있을 뿐 아니라 심실세동이 관찰될 때 즉시 제세동을 할 수 있다. 최근에는 체표에 부착하는 전극 패드로 심전도 감시뿐 아니라 제세동 및 인공박동조율이 가능한 장비들이 사용되고 있다.

### 3) 심전도 감시 중 고려사항

#### (1) P파의 관찰

P파를 확인하는 것은 부정맥을 판독하는데 매우 중요하다. 따라서 심전도를 감시할 때에는 P파가 가장 잘 관찰되는 유도를 선택한다. P가 가장 잘 관찰되는 유도는 보통 II 유도이다. P파가 잘 관찰되지 않을 때는 MCL1가 유용하다.

#### (2) QRS파의 크기

QRS파의 크기를 적절히 조절하여 감시화면에 정확한 심박수가 표시되도록 한다. QRS파의 크기가 너무 작으면 심전도 감시 장치가 QRS파를 감지하지 못하여 심박수가 실제보다 적게 표시될 수 있다. QRS파의 크기를 지나치게 크게 하면 T 파의 크기가 함께 커져서 심전도 감시 장치가 QRS파뿐 아니라 T 파도 감지하므로 심박수가 실제보다 많이 표시될 수 있다. 또한, QRS파보다 T 파가 크게 관찰되는 유도로 감시하면, 감시 장치가 T 파를 감지하여 T 파의 수가 심박수로 표시되는 때도 있다.

#### (3) 제세동

제세동을 위하여 심첨부와 우측 빗장뼈 하부에는 전극을 부착하지 않는다. 제세동이 필요한 응급상황에서 제세동 전극이 위치하여야 할 곳에 심전도 감시 전극이 부착되어 있으면 제세동까지의 시간이 지연될 수 있으므로, 제세동 전극이 위치할 곳에는 심전도 감시 전극을 붙이지 않는다.

### 4) 심전도 감시 장치의 심전도를 판독할 때 주의하여야 할 사항

심전도 감시로는 부정맥만을 판독한다. ST분절의 상승이나 하강 등의 소견은 심전도 감시로는 판독할 수 없다. 심전도 감시 장치에서는 심전도의 진폭을 임의로 조절할 수 있으므로, 심전도 감시상 관찰되는 ST분절의 변화는 실제와는 다르다.

간섭이나 전극의 단락에 의하여 발생하는 심전도 파형을 부정맥으로 오인해서는 안 된다. 전극이 환자에게서 떨어지면 무수축으로 관찰될 수 있고, 교류 방해에 의한 간섭 파형은 심실세동과 유사한 심전도 파형을 발생시킬 수 있다. 따라서 심전도의 이상이 발견되면 먼저 환자의 상태를 평가하여 심전도의 이상소견과 합당한 진찰 소견이 발생하는지를 판단한 후 환자를 치료한다. 예를 들면 심전도 감시상으로는 심실세동으로 보이는 파형이 관찰되지만, 환자가 의식이 있다면, 제세동을 먼저 시도하려 하지 말고 의식 확인, 목동맥 맥박 확인을 통하여 환자를 평가한 후 제세동 여부를 판단해야 한다.

## 5. 주요 부정맥

### 1) 정상적인 QRS파가 관찰되지 않는 심전도

#### (1) 무수축

무수축(asystole)은 심실의 전기활동이 전혀 없는 상태이다. 즉 심실의 탈분극이 없으므로 심근 수축이 없고, 심전도에 아무런 전기활동이 관찰되지 않는다. 완전 방실차단이 발생한 환자에서 심실수축이 없으면 QRS파는 관찰되지 않지만, P파는 관찰될 수 있다. 심장정지 환자에서는 처음부터 심장정지의 심전도 소견이 무수축인 경우도 있으나, 대개는 심실세동이 지속하다가 시간이 경과하면 무수축으로 바뀌게 된다. 미세한 심실 세동파가 유도에 따라 무수축으로 관찰될 수도 있다. 따라서 심전도상 무수축이 관찰되면 최소한 2개 이상의 유도로서 무수축을 확인한다.

**〈무수축의 심전도 소견〉**

무수축의 심전도 소견은 전기활동이 전혀 없는 평평한 선 모양으로 기록된다(그림 17-3).

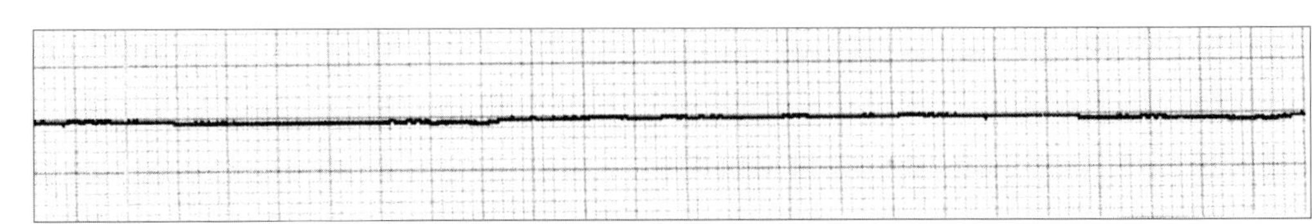

그림 17-3. 무수축의 심전도 소견. 무수축의 심전도 소견은 전기활동이 전혀 없는 평평한 선 모양으로 관찰된다

## (2) 심실세동

심실세동(ventricular fibrillation: VF)은 심장정지 환자에서 관찰되는 부정맥이다. 심장정지 환자에서 심실세동이 관찰되면 즉시 제세동해야 하므로, 응급의료인은 심전도 감시만으로도 심실세동을 빨리 인지할 수 있어야 한다.

심장 박출은 심근의 일치된 탈분극과 재분극에 의하여 심근이 동시에 수축함으로써 발생한다. 심실세동이 발생하면 각각의 심근이 탈분극과 재분극을 반복하여 심근의 일치된 수축이 없으므로 심장 박출이 없다. 심실세동이 발생하면 심장 박출 없이 심근의 수축-이완이 계속된다. 심실세동이 계속되면 심근의 산소소모량은 많지만, 관상동맥으로의 관류는 유지되지 않으므로, 심근은 급속히 허혈 상태에 빠지게 된다.

심실세동은 드물게 정상 동성 리듬 상태에서 발생할 수도 있으나, 대개는 심실빈맥이 지속하다가 심실세동으로 전환되거나, 심실 조기수축으로 유발된다.

심실세동의 발생 초기에는 세동파의 진폭이 크지만, 시간이 흐를수록 진폭이 작아지고, 결국은 무수축 상태에 이르게 된다. 세동파의 크기에 따라 진폭이 0.1 mV 이상인 경우(coarse VF)와 진폭이 0.1 mV 이하인 경우(fine VF)로 구분하기도 한다. 심실세동의 진폭이 작아질수록, 파형의 중앙빈도(median frequency)가 낮아질수록 제세동에 반응하지 않는다.

### 〈심실세동의 심전도 소견〉

정상적인 QRS파가 관찰되지 않으며, 기저선이 매우 빠른 속도로 진동하는 것처럼 보인다(그림 17-4). QRS파와 ST분절 및 T 파의 구분이 없이 불규칙한 파형으로서 관찰되며 각 파형의 모양도 서로 다르다.

## (3) 심실빈맥

심실빈맥(ventricular tachycardia)은 심실에서 발생한 수축이 분당 100회 이상의 속도로 3개 이상 지속되는 현상을 말한다. 심실빈맥이 발생하면 심실에서 발생한 전기활동으로 심장수축이 계속되므로, 정상적인 QRS파는 관찰되지 않고 QRS파의 간격이 연장된 비정상적인 모양의 QRS파가 반복적으로 관찰된다. 심실빈맥의 리듬은 비교적 규칙적이다.

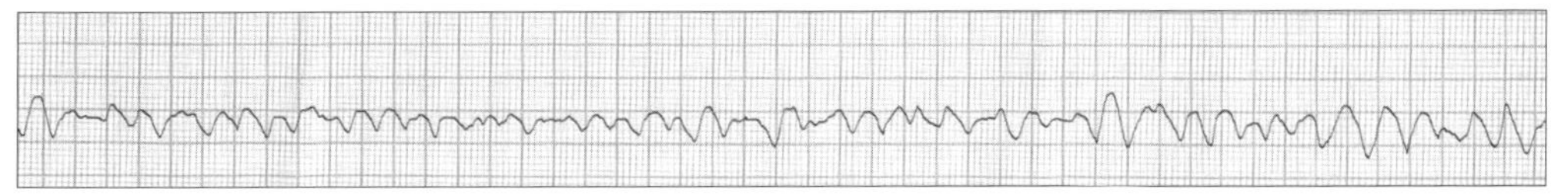

그림 17-4. 심실세동의 심전도 소견. 정상적인 QRS파가 관찰되지 않으며, 기저선이 매우 빠른 속도로 진동하는 것처럼 보인다.

심실빈맥이 발생하더라도 동방결절의 기능은 정상으로 유지되어있다. 동방결절에서 발생한 전기활동이 심방을 통하여 전달되더라도 심실이 불응기에 빠져 있으므로, 심방의 전기활동이 심실로 전달되지는 않는다. 심실빈맥에서는 심방-심실 해리(atrioventricular dissociation)가 발생하므로 때로는 P파가 관찰될 수 있다. 또한, 동방결절에서의 정상적인 전기활동이 심실로 전달되어 융합 박동(fusion beat)이나 포획 박동(capture beat)이 관찰될 수도 있다. 심실에서의 전기활동이 방실결절을 따라 심방으로 전달되어 역행성 P파가 관찰되기도 한다.

심실빈맥이 발생하면 대부분 환자에서는 혈역학적 변화가 초래되어 쇼크의 증상, 어지럼, 의식 소실 등이 발생하는 경우가 많지만, 심실빈맥의 속도가 빠르지 않으면 흉부 불편감, 두근거림 등의 가벼운 증상만 나타나는 때도 있다. 중증의 임상 증상을 유발하는 심실빈맥은 심실세동으로 전환될 가능성이 크므로 즉시 치료되어야 한다.

**〈심실빈맥의 분류〉**

심실빈맥은 오래갈수록 임상 증상을 유발할 가능성이 크다. 임상적으로는 심실빈맥이 30초 이상 지속되는 경우를 지속성(sustained) 심실빈맥이라 하며, 30초 이내에 끝나는 경우를 비지속성(non-sustained) 심실빈맥이라 한다.

심실빈맥은 QRS파의 모양에 따라 단형(monomorphic) 심실빈맥과 다형(polymorphic) 심실빈맥으로 나눌 수 있다. 단형 심실빈맥은 모든 QRS파의 모양이 같지만, 다형 심실빈맥은 QRS파의 모양이 변화한다. 다형 심실빈맥의 전형적인 형태가 비틀림 심실빈맥(torsades de pointes)이다. 비틀림 심실빈맥은 QRS파의 모양이 지속적으로 바뀌는 형태의 심실빈맥으로서, 심전도상 QRS파의 축이 계속 바뀌므로 마치 나선형으로 꼬이는 것처럼 나타난다. 비틀림 심실빈맥은 프로케이나마이드, quinidine, dysopyramide와 같은 class Ia 항부정맥 약물, 항우울제, 항히스타민제, 항진균제를 투여 중인 환자나 선천적 원인, 저마그네슘혈증, 저칼륨혈증, 심한 서맥 등에 의하여 QT 간격이 연장된 환자에서 잘 발생한다.

**〈심전도 소견〉**

단형 심실빈맥에서는 QRS파의 간격이 0.12초 이상 연장된 비정상적인 QRS파가 규칙적으로 발생한다(그림 17-5). QRS파의 속도는 분당 100-220회 정도이다. ST분절과 T 파는 변형되어 비정상적인 형태로 나타난다. 심실빈맥의 속도가 느린 경우에는 P파가 관찰될 수도 있다. 융합 박동이나 포획 박동이 관찰될 수도 있다.

다형 심실빈맥에서는 QRS파의 모양이 지속적으로 바뀐다. QRS파의 진폭과 축이 변화하면 나선형으로 관찰된다(그림 17-6).

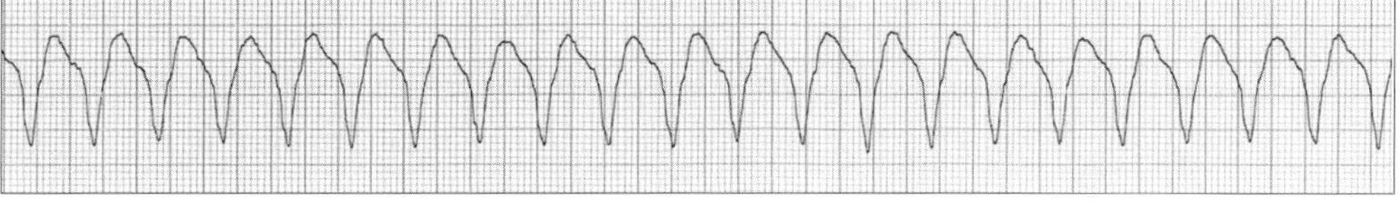

그림 17-5. 심실빈맥의 심전도 소견. QRS파의 간격이 0.12초 이상 연장된 비정상적인 QRS파가 규칙적으로 관찰된다

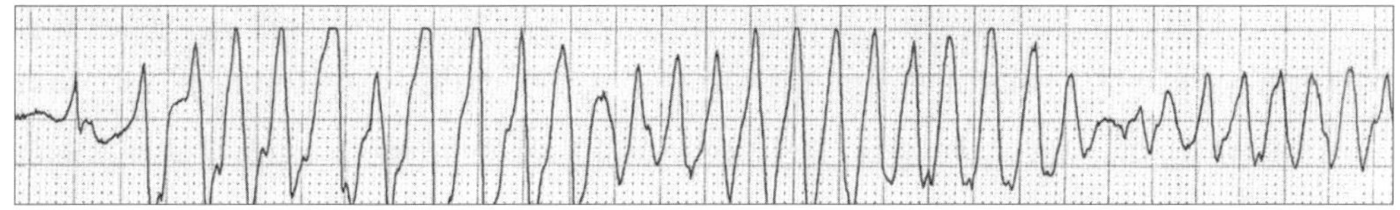

그림 17-6. 비틀림 심실빈맥의 심전도. QRS파의 진폭과 축이 변화하면 나선형으로 관찰된다.

### 〈심실빈맥과 심실상 빈맥의 감별〉

심실상 빈맥이 발생한 환자 중에는 QRS파가 연장되어 있을 수가 있다. 즉, 좌각차단 또는 우각차단이 있는 환자, 조기흥분증후군 환자에서 역행성 전도에 의한 심실상 빈맥이 발생한 경우, 심실상 빈맥과 함께 변형전도가 동반된 경우에는 심전도상 QRS파가 연장되어 있다. 심실빈맥과 심실상 빈맥의 치료는 서로 다르므로, QRS파가 연장된 심실상 빈맥은 심실빈맥과 감별되어야 한다.

QRS파가 연장된 심실상 빈맥과 심실빈맥의 감별은 쉽지 않으나 몇 가지의 감별점이

표 17-3. QRS파가 연장된 심실상 빈맥과 심실빈맥의 감별점

| 감별점 | | 심실빈맥 | 심실상 빈맥 |
|---|---|---|---|
| 심전도 소견 | 방실 해리 | 있다 | 없다 |
| | 융합 박동 | 있다 | 없다 |
| | 포획 박동 | 있다 | 없다 |
| | Superior axis deviation | 흔히 발생한다 | 드물다 |
| | Precordial concordance | 흔히 발생한다 | 드물다 |
| | QRS파의 폭 | >140ms | <140ms |
| | QRS 형태 | 비전형적 좌각차단 또는 우각차단 형태 | 전형적 우각차단 형태 |
| 임상 소견 | 목정맥 a 파 | 불규칙하다 | 일정하다 |
| | 제1 심음 | 불규칙하다 | 일정하다 |
| | 미주신경 수기 | 반응 없다 | 느려지거나 빈맥이 없어진다 |

있다(표 17-3). 감별점 중 가장 중요한 것은 P파와 QRS파와의 관계이다. 심실빈맥은 심방과 심실의 수축이 해리되어 있으므로 P파가 QRS파와 무관하게 관찰된다. 반면 심실상 빈맥에서는 심방과 심실의 수축이 해리되어 있지 않으므로 P파의 발생은 QRS파와 연관되어 있다. 또한, 심실빈맥에서는 동방결절에서의 전기활동이 심실로 전달되어 발생하는 융합 박동이나 포획 박동을 관찰할 수 있다. 그러나 심실상 빈맥에서는 QRS파의 모양이 항상 일정하다.

임상적으로 환자의 상태가 위험하지 않으면 12 유도 심전도를 기록한 후, 여러 가지 감별점으로 심실상 빈맥과 심실빈맥을 구분할 수 있다. 진찰 소견도 심실빈맥과 심실상 빈맥을 구분하는 데 도움이 된다. 목정맥을 관찰하면 심실빈맥에서는 심방-심실 해리로 목정맥 팽대의 정도가 심장수축에 따라 차이가 있고 때로는 소위 cannon a 파가 관찰되지만, 심실상 빈맥에서는 목정맥의 팽대 정도가 일정하다. 또한, 심실빈맥에서는 제1 심음의 크기가 계속 변하지만, 심실상 빈맥에서는 제1 심음의 크기가 일정하다.

심실상 빈맥과 심실빈맥이 감별되지 않는 환자에서는 심실상 빈맥이 완전히 증명되기 전까지는 심실빈맥에 따른 치료를 한다. 따라서 환자가 혈역학적으로 안정된 상태라면 아미오다론 또는 프로카이나마이드가 우선 투여되어야 한다. 특히 이러한 환자에서 초기 치료약제로서 베라파밀을 투여하면 심실세동을 유발할 수 있으므로 절대로 투여하여서는 안 된다. 만약 환자가 혈역학적으로 불안정해지면 즉시 전기 심장율동전환을 시도한다.

## 2) 정상적인 QRS파 사이에 비정상적인 QRS파가 관찰되는 경우

일부 환자에서는 정상 QRS파 사이에 비정상적인 QRS파가 관찰될 수가 있다. 이러한 경우는 기외수축(ectopic beat)이나 변형전도 때문에 발생한다.

### (1) 심실 조기수축

정상적인 QRS파와 함께 비정상적인 QRS파가 관찰되는 가장 흔한 원인은 심실 조기수축(premature ventricular complex : PVC)이다. 심실 조기수축은 동성 리듬에 의하여 심실이 수축하기 전에 비정상적인 전기활동이 발생하여 심실이 미리 수축하는 현상이다. 심실 조기수축은 심실의 어느 부분에서도 발생할 수 있다. 심실에서 발생한 전기활동은 심장의 전도계를 통하지 않고 심근을 따라 전달되므로 전도가 지연된다. 따라서 심전도에는 QRS파의 간격이 0.12초 이상 연장된 비정상적인 모양으로 관찰된다. 또한, 비정상적인 재분극 과정으로 인하여 ST분절과 T 파가 QRS파와 반대 방향을 향하게 된다(그림 17-7).

심실 조기수축이 한 장소에서만 발생하면 심실 조기수축과 정상 QRS파와의 간격은 항

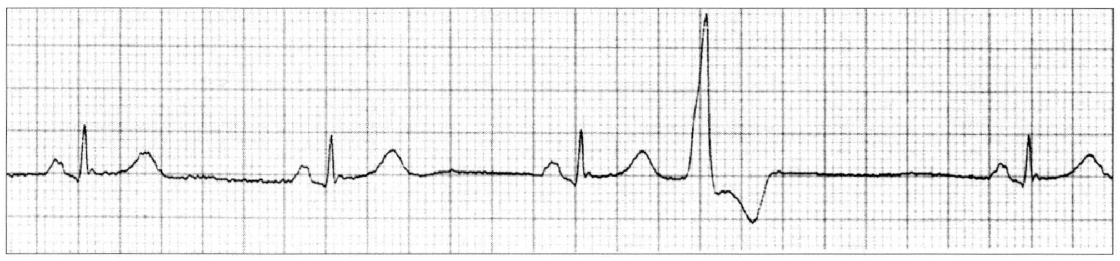

그림 17-7. 심실 조기수축의 심전도 소견. QRS파의 간격이 0.12초 이상 연장된 비정상적인 모양으로 관찰된다.

상 일정하다. 심실 조기수축의 모양과 정상 QRS파와의 간격이 계속 변하면 여러 장소에서 심실 조기수축이 발생하는 것으로 추정할 수 있다.

심실 조기수축이 정상 동성 리듬에 의한 QRS파와 동시에 발생하면, 심실 조기수축의 역행성 전도가 동방결절을 탈분극시킬 수 없으므로, 동방결절에서의 전기활동에 영향을 주지 않는다. 그러나 동방결절의 불응기가 끝난 후에 심실 조기수축이 발생하면, 심실 조기수축의 역행성 전도로 동방결절이 다시 탈분극된 후 불응기에 빠지게 되므로 동방결절의 전기활동은 정상보다 조기에 시작된다.

심실 조기수축은 그 자체로는 심각한 임상 증상을 유발하지는 않으나, 심실빈맥이나 심실세동 등의 생명을 위협하는 부정맥을 유발할 수 있다. 심실 조기수축 자체에 의한 임상 증상은 심실 조기수축의 발생빈도와 관계가 있다.

**〈심실 조기수축의 분류〉**

심실 조기수축의 모양이 항상 일정한 경우를 단소성(monofocal) 심실 조기수축이라 하며, 다양한 형태의 심실 조기수축이 관찰되는 경우를 다소성(multifocal) 심실 조기수축이라 한다(그림 17-8). 심실 조기수축이 연속적으로 발생할 수도 있다. 3개 이상의 연속적인 심실 조기수축을 심실빈맥이라 한다.

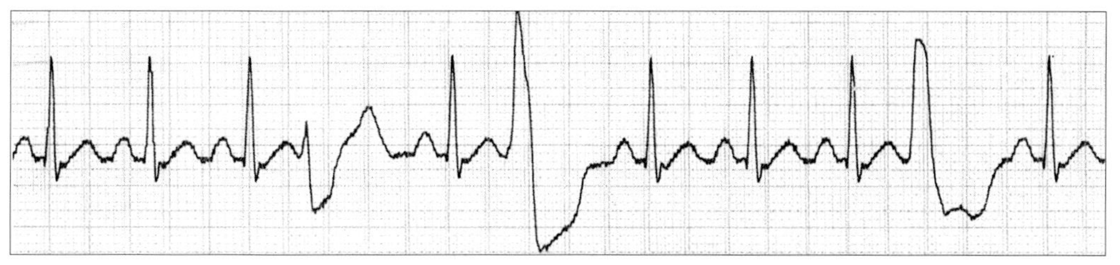

그림 17-8. 다소성 심실 조기수축. 다양한 형태의 심실 조기수축이 관찰된다.

정상 동성 리듬과 심실 조기수축이 각각 1회씩 반복되는 경우를 심실 이단맥(ventricular bigeminy)이라 한다(그림 17-9). 2회의 정상 동성 리듬 후 심실 조기수축이 발생하는 경우를 심실 삼단맥(ventricular trigeminy)이라 하며, 3회의 정상 동성 리듬 후 심실 조기수축이 발생하는 경우를 심실 사단맥(ventricular quadrigeminy)이라 한다(그림 17-10). 심실 조기수축이 심실의 재분극 기간인 T 파에 발생하면 심실세동이 유발될 수 있으며, 이러한 경우를 R-on-T 현상이라 한다(그림 17-11).

〈심전도 소견〉

심실 조기수축의 심전도 소견은 정상적인 QRS파 사이에 QRS파가 0.14초 이상 연장된 비정상적인 모양을 가진 QRS파로 관찰된다. 정상 동성 리듬에 의하여 예측되는 QRS파 간격보다 일찍 발생한다. ST분절과 T 파는 QRS파와 반대 방향으로 관찰된다. 심실 조기수축 후에는 보상 기간이 동반될 수 있다.

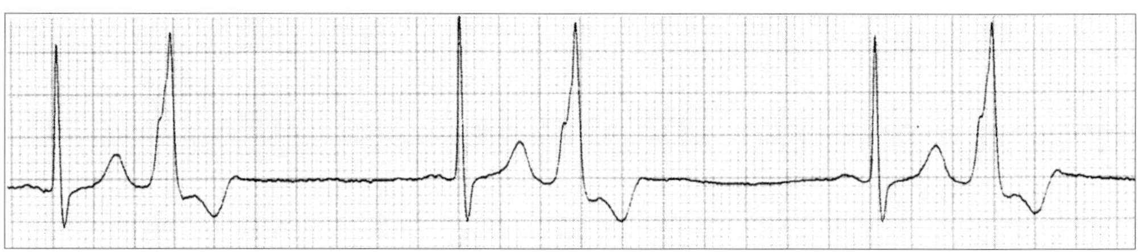

그림 17-9. 심실 이단맥(ventricular bigeminy). 정상 동성 리듬과 심실 조기수축이 각각 1회씩 반복적으로 관찰된다.

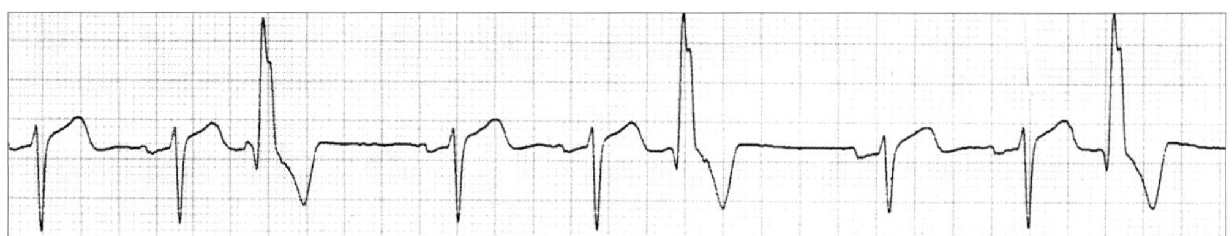

그림 17-10. 심실 삼단맥(ventricular trigeminy). 2회의 정상 동성 리듬 후 심실 조기수축이 관찰된다.

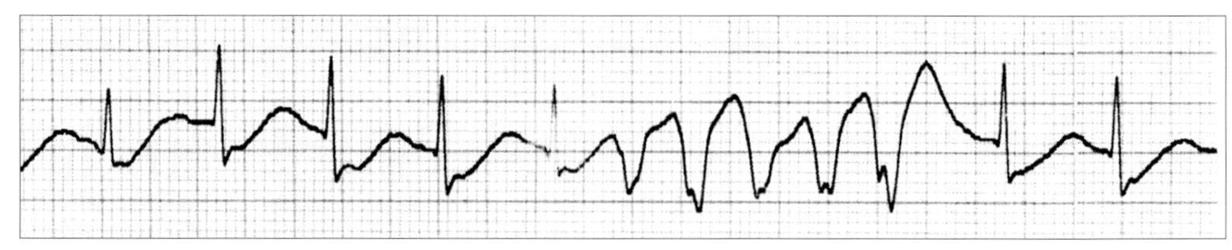

그림 17-11. R-on-T 현상. 심실 조기수축이 T 파의 출현 시기에 발생하였다.

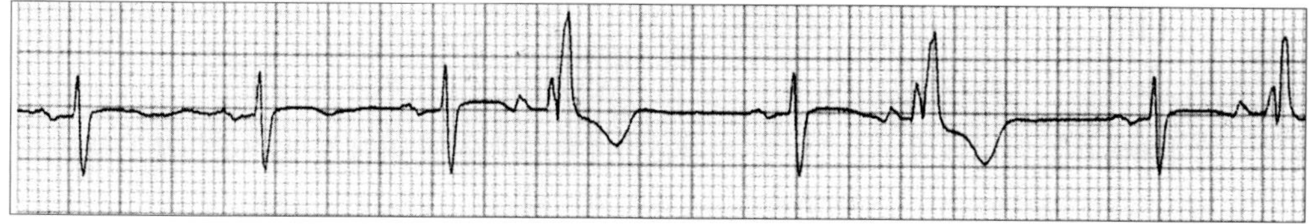

그림 17-12. 변형전도의 심전도 소견. QRS파의 모양은 주로 우각차단의 형태이며, 보상 기간이 없다.

### (2) 변형전도(aberration)

전기활동주기(cycle length)가 갑자기 짧아지면 심실 내 일부 조직이 전기적으로 완전히 회복되지 않아 일시적으로 전도 장애가 발생할 수 있다. 이처럼 심실 내의 일시적인 전도 장애로 인하여 심전도상 비정상적인 QRS파가 관찰되는 현상을 변형전도라 한다. 변형전도는 심실 내 일부 전도로의 불응기가 변화하거나, 심실 상부에서 발생하는 조기수축 또는 심박수의 증가 때문에 발생할 수 있다.

변형전도는 심실 조기수축과 혼동될 수 있으므로 감별할 수 있어야 한다. 변형전도는 심실 조기수축과는 달리 전기활동이 정상적인 전도로를 통하여 시작된다. 따라서 변형전도에서는 QRS파의 시작 부분이 정상적인 QRS파와 같고, QRS파의 후반부만이 전도 장애로 인하여 변한다. 또한, 좌각보다는 우각이 전기전달속도가 느리므로, 변형전도의 80-85%는 우각차단의 심전도 파형으로 발생한다(그림 17-12). 심실 조기수축 후에는 보상휴지 기간(compensatory pause)이 따르지만, 변형전도가 발생한 후에는 보상휴지 기간이 없다.

## 3) QRS파가 관찰되면서 맥박이 만져지지 않는 경우: 무맥성 전기활동

심전도상 QRS파가 관찰되지만, 맥박이 만져지지 않는 경우를 무맥성 전기활동(pulseless electrical activity)이라고 한다. 무맥성 전기활동은 특정 심전도 파형을 지칭하는 용어가 아니라, 심장의 전기활동과 합당한 심박출량이 없는 임상적 상태를 지칭하는 용어이다. 따라서 무맥성 전기활동의 심전도는 가속 심실 고유리듬(accelerated idioventricular rhythm), 가성 전기-기계해리(pseudo electromechanical dissociation), 심실 이탈 리듬, 서맥-무수축 리듬(brady-asystolic rhythm), 제세동 후 심실 고유리듬 등의 여러 가지 부정맥뿐 아니라 정상 동성 리듬으로서 관찰될 수도 있다.

QRS파가 관찰되지 않는 심실세동, 무맥성 심실빈맥, 무수축의 심전도가 관찰될 때에는 무맥성 전기활동이라 하지 않는다.

### 4) P파가 관찰되지 않거나 비정상적인 P파가 관찰되는 경우

QRS파를 확인한 후에는 P파를 관찰한다. P파를 관찰할 때에는 먼저 P파의 유무를 확인하고, P파의 형태가 정상인지를 확인한다.

#### (1) 심방세동

심방세동(atrial fibrillation)은 심방 내에 수많은 회귀로가 발생하거나, 심방 내 여러 부위의 자율성이 비정상적으로 항진되어 발생한다. 심방세동이 발생하면 심방에서의 수많은 전기활동으로 심방이 탈분극과 재분극을 반복한다. 따라서 정상적인 P파는 관찰되지 않고, 심방의 전기활동이 기저선의 떨림(undulation)으로 관찰된다. 심방세동이 발생하면 세동파가 방실결절을 따라 무작위로 전도되므로 QRS파의 간격은 불규칙해진다. 그러나 방실결절로 전도된 전기활동은 심실의 정상적인 전도로를 통하여 전달되므로 QRS파는 정상 파형으로 관찰된다.

심방세동은 승모판 질환 등 심방의 크기가 증가하는 심장질환이나, 고혈압, 저산소증, 심장내막염, 갑상샘항진증에 의하여 유발된다. 심방세동이 발생하면 심방이 수축하지 않으므로, 심박출량이 20% 정도 감소한다. 심방세동에 의하여 발생하는 임상 증상은 주로 심실의 박동수에 의하여 좌우된다. 즉 심실의 박동이 매우 빠르면 저혈압, 두근거림 등의 임상 증상이 발생하여 치료가 필요하게 된다.

심방세동의 치료는 심실박동수가 느려지도록 디지탈리스, 베타 교감신경 차단제, 베라파밀 또는 딜티아젬 등 방실결절에서의 전도를 지연시키는 약물을 투여하는 것이다. 약물에 반응하지 않거나 쇼크의 임상 증상이 발생하면 전기 심장율동전환을 시도한다. 심방세동 환자에서 전기 심장율동전환을 시도할 때는 심방 내에 형성되어 있던 혈전이 전신으로 색전 될 수 있다. 따라서 응급상황이 아니면 전기 심장율동전환을 시도하기 전에 항응고제를 투여한다.

〈심방세동의 심전도〉

P파가 관찰되지 않고 기저선의 떨림이 관찰되며, 정상 모양의 QRS파가 불규칙한 간격으로 관찰된다(그림 17-13). 심방세동이 있는 상태에서 완전 방실차단이 있으면 심전도상 일정한 간격의 QRS파가 관찰될 수 있다. QRS파의 모양은 보통 정상이지만, 변형전도가 발생한 경우에는 비정상적인 파형으로 관찰될 수도 있다.

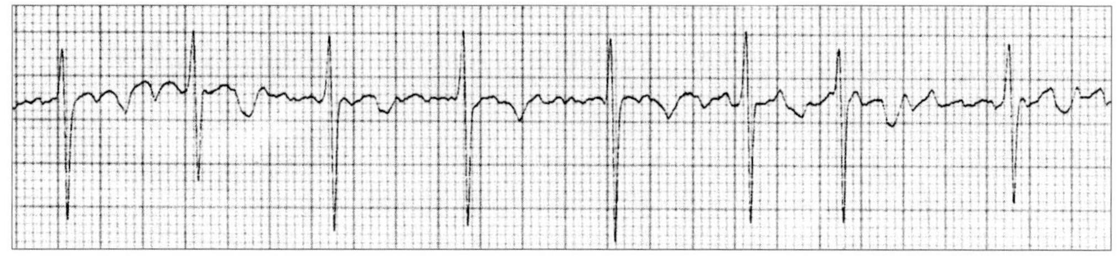

그림 17-13. 심방세동의 심전도. P파가 관찰되지 않고 기저선의 떨림이 관찰되며, 정상 모양의 QRS 파가 불규칙한 간격으로 관찰된다.

### (2) 심방조동

심방조동(atrial flutter)은 심방 내에서 발생한 다수의 회귀로에 의하여 다수의 P파가 발생하는 현상이다. 심방조동에서 P파의 속도는 분당 220-350회 정도이다. 방실결절의 불응기 때문에 심방조동의 P파가 모두 심실로 전도될 수 없으므로, 조동파의 일부만이 심실로 전도되어 QRS파는 P파의 수보다 적어진다.

일반적으로 심방조동에서는 P파와 QRS파의 비율이 2:1 또는 4:1이며, 각각 2:1 방실전도 및 4:1 방실전도라고 부른다. 예를 들면 P파의 수가 분당 300회이면서 2:1의 비율로 심실로 전도되면 QRS파의 수는 분당 150회가 되며, 4:1의 비율로 전도되면 75회가 된다. 때로는 P파와 QRS파의 비율이 3:1 또는 3:2등으로 관찰될 수도 있다. 완전 방실차단이 동반되어 있으면 P파와는 관계없이 일정한 간격의 QRS파가 발생할 수도 있다.

심방조동은 승모판 질환, 관상동맥질환, 폐심장증, 삼첨판 질환 등의 심장질환이 있는 경우에 주로 발생하며, 심장 또는 폐 질환이 없는 경우에는 잘 발생하지 않는다.

심방조동의 치료는 심방세동에서의 치료와 같이 심실박동수에 따라 결정된다. 심실박동수가 150회 이상이면서 저혈압, 쇼크, 협심증, 또는 폐부종이 발생하면 즉시 전기 심장율동전환을 시도한다. 중증의 임상 증상이 없으면 주로 심실박동수를 감소시키는 약물을 투여한다. 주로 사용되는 약물은 디지탈리스, 베라파밀 또는 딜티아젬 등의 칼슘 통로 차단제, 베타 교감신경 차단제이다.

#### 〈심방조동과 동 빈맥의 감별〉

심방조동에서 방실전도의 비가 2:1이면 동 빈맥과 감별하기 어렵다. 이러한 경우에 동 빈맥과 심방조동을 감별하기 위하여 방실결절의 불응기를 증가시키는 조작이나 약물을 투여해 볼 수 있다. 방실결절의 불응기를 증가시키는 방법에는 발살바 수기(Valsalva maneuver), 목동맥굴 마사지(carotid sinus massage) 등의 미주신경흥분 수기를 하는 방법이 있고, 베타 교감신경 차단제 또는 칼슘 통로 차단제를 투여하는 방법이 있다. 방실결절의 불응기를 증가시키는 조작을 하거나 약물을 투여하면, 심방조동에서는 배수의 비율로 심실박동수가 감소하지만, 동 빈맥에서는 서서히 심실박동수가 감소하므로 감별할 수 있다.

〈심전도 소견〉

심방조동에 의하여 발생하는 P파는 분당 220-350개 정도가 관찰되며, 심전도에서 마치 톱니 모양으로 보인다(그림 17-14). 심방조동 파형은 주로 II, III, aVF 유도에서 잘 관찰된다.

QRS파는 P파와 배수 관계로 관찰되며, 주로 2:1 또는 4:1의 비율로 관찰된다. QRS파의 모양은 변형전도가 동반되지 않으면 정상이다.

### (3) 다소성 심방빈맥

폐 질환이 있는 환자 중에서 여러 가지 모양의 P파가 100회 이상의 속도로 발생하는 경우가 있다. 다소성 심방빈맥(multifocal atrial tachycardia)은 심방 내 여러 곳에 비정상적으로 자율성이 증가한 부위가 존재하여 각각 심장조율을 시작하는 현상이다. 다소성 심방빈맥이 혈역학적 변화를 초래하는 경우는 많지 않으나, 두근거림 등의 임상 증상을 동반할 수 있다. 다소성 심방빈맥이 지속되면 심방조동이나 심방세동으로 진행되는 경우가 많다.

〈심전도 소견〉

다양한 모양(한 개의 유도에서 3개 이상의 서로 다른 모양)의 P파가 불규칙하게 관찰되며, QRS파는 정상 파형으로 관찰된다(그림 17-15).

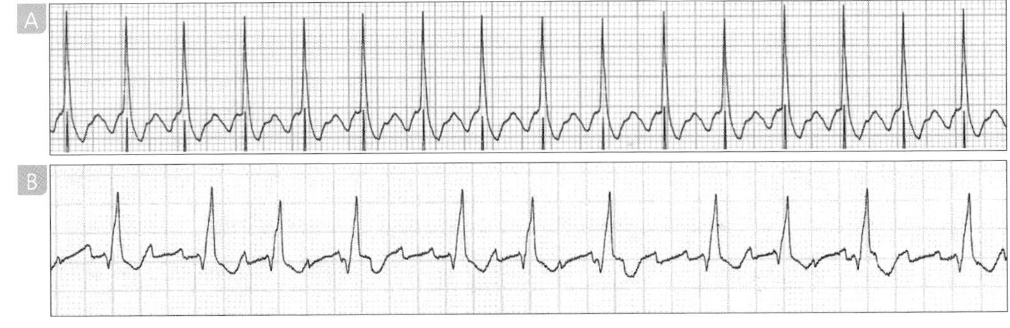


그림 17-14. 심방조동의 심전도 소견

**A.** 톱니 모양의 P파가 관찰되며 P파와 QRS파의 비율은 2:1이다. QRS파의 모양은 정상이다.

**B.** P파와 QRS파의 비율이 불규칙하게 변하는 때도 있다.

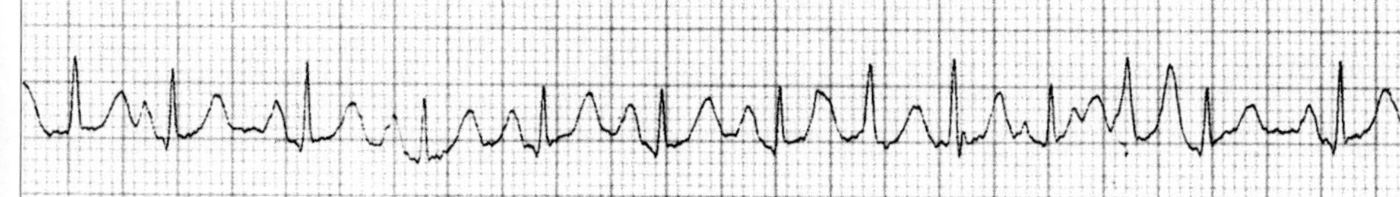

그림 17-15. 다소성 심방빈맥의 심전도 소견. P파의 모양이 각각 다르며, P-P 간격도 차이가 있다. QRS파의 모양은 정상이다.

## 5) 방실차단

심전도 감시상 P파가 관찰되면 P파와 QRS파의 관계를 확인한다. P파와 QRS파와의 관계를 확인하려면, PR 간격을 측정하여 PR 간격이 일정한지를 살펴보아야 한다. 또한, PR 간격이 변화하면, PR 간격의 변화에 일정한 규칙이 있는지를 찾아보아야 한다.

심방의 전기활동을 심실로 전달하는 방실결절에서 전도 장애가 발생하면, PR 간격이 연장(0.20초 이상)된다. 방실결절의 전도 장애에 의하여 발생하는 부정맥을 방실차단(atrioventricular block : AV block)이라 한다. 방실차단이 가벼운 경우에는 단순히 PR 간격만 연장되지만, 방실차단이 진행되면 심실로의 전도가 완전히 차단될 수도 있다.

방실차단은 원인에 따라 일시적인 현상으로 발생할 수도 있고 영구적으로 발생할 수도 있다. 전기 전도로의 섬유화 또는 석회화, 심근경색에 의한 방실결절의 손상은 영구적인 방실차단을 유발한다. 방실결절의 일시적인 허혈이 발생한 경우, 방실결절의 불응기를 증가시키는 약물(디지탈리스, 베타 교감신경 차단제 등)이 투여된 경우에는 일시적으로 방실차단이 발생할 수 있다.

방실차단은 중증도에 따라 세 가지로 구분할 수 있다(표 17-4). 1도 방실차단(first degree AV block)은 방실차단의 정도가 가벼운 경우로서, 심방에서부터의 전기전도속도만 느려지고 심실로의 전도가 차단되는 경우는 없다. 2도 방실차단(second degree AV block)은 심

표 17-4. 방실차단의 분류와 심전도 소견

| 방실차단 구분 | | 심전도 소견 | | | |
|---|---|---|---|---|---|
| | | P-P 간격 | PR 간격 | P파와 QRS파의 수 | QRS파 |
| 1도 방실차단 | | 일정 | > 0.20 sec | 같다 | 정상 |
| 2도 방실차단 | I형 | 일정 | 점차 연장된다 | QRS파=P파 - 1 | 정상 |
| | II형 | 일정 | 정상 또는 연장 | QRS파 < P파 | 정상 또는 연장 |
| 3도 방실차단 | | 일정 | 불규칙 | QRS파 < P파 | 정상 또는 연장 |

방으로부터의 전기 전도가 느려지는 것뿐 아니라, 심실로의 전도가 일부 차단되는 경우이다. 따라서 P파의 수보다 QRS파의 수가 적어지게 된다. 3도 방실차단(third degree AV block)은 심방에서의 전기 전도가 방실결절에서 완전히 차단되어 심실로 전혀 전달되지 않는 상태로서, 완전 방실차단(complete AV block)이라고도 한다. 3도 방실차단이 있는 경우에는 방실결절 하부의 전도로나 심실이 심장박동조율기 역할을 하지 않으면 무수축이 발생할 수 있다.

방실차단은 방실결절 자체의 전도 장애에 의해 발생하는 경우가 많지만, 방실결절 하부 전도로의 전도 장애로 발생할 수도 있다.

### (1) 1도 방실차단

1도 방실차단은 심방에서의 전도가 방실결절에서 지연되어 PR 간격이 0.20초 이상 연장된 상태를 말한다. 1도 방실차단에서는 심방과 심실 사이의 전도가 완전히 차단되는 경우는 없다. 따라서 심전도상 PR 간격이 일정하게 연장되지만, P파와 QRS파의 수가 같다 (그림 17-16). QRS파의 모양은 심실 내 전도 장애가 없는 한 정상이다. 1도 방실차단은 임상 증상을 유발하지 않으며, 치료할 필요 없다.

### (2) 2도 방실 차단

2도 방실차단은 1도 방실차단보다 진행된 상태이다. 2도 방실차단이 발생하면 방실결절에서의 전도가 지연될 뿐 아니라 때로는 심실로의 전도가 완전히 차단된다. 따라서 2도 방실차단이 있으면, 심전도상 PR 간격이 연장되고 PR 간격이 각각의 심장 박동마다 변화될 수 있다. 심실로의 전도가 일부 차단되므로 P파보다 QRS파의 수가 적어진다. 2도 방실차단은 차단의 정도에 따라 I형과 II형으로 구분한다.

#### ① 2도 I형 방실차단

2도 I형 방실차단(type I second degree AV block: Wenckebach 또는 Mobitz I)은 부교감

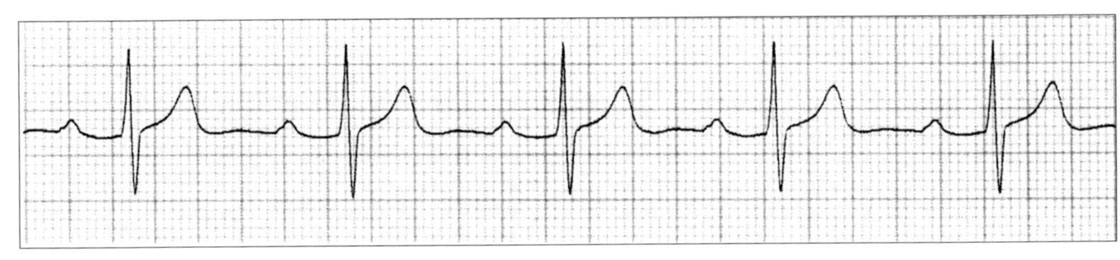

그림 17-16. 1도 방실차단. PR 간격이 0.20초 이상으로 연장되어 있다.

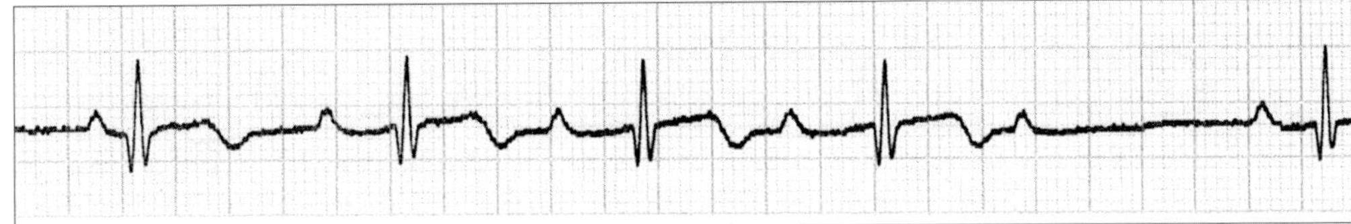

그림 17-17. 2도 I형 방실차단. P파와 P파 사이의 간격은 일정하며, PR 간격이 점차 연장되다가 심실로의 전도가 차단된다.

신경작용을 항진시키는 약물, 하벽 심근경색에 의한 방실결절의 허혈 또는 Bezold-Jarish 반사 때문에 발생한다. 2도 I형 방실차단은 대부분 일시적이므로 회복되는 경우가 많다.

2도 I형 방실차단에서는 방실결절의 전도속도가 감소하여 있으므로, PR 간격이 점차 길어지다가 결국 심실로의 전달이 차단된다(그림 17-17). 심실로의 전달이 차단된 후에는 다시 점진적으로 PR 간격이 연장되는 현상이 반복하여 나타난다. 따라서 QRS파의 수는 P파의 수보다 항상 한 개가 적다. 예를 들면 PR 간격이 길어지다가 4번째 P파가 심실로 전달되지 않으면 "4:3전도"라고 표현하며, P파는 4개가 관찰되고 QRS파는 3개만이 관찰된다. 따라서 전체적인 심전도 모양은 3개의 QRS파가 모여 있는 여러 개의 QRS 군(집단 박동: grouped beats)으로 관찰된다. 동방결절은 정상이므로 P파의 발생은 정상적이다. 따라서 P파와 P파 간의 간격은 일정하며, QRS파 간의 간격은 점차 짧아지다가 완전히 차단된 부분에서는 QRS파가 소실되므로 간격이 길어진다.

### ② 2도 II형 방실차단

2도 II형 방실차단(type II second degree AV block, Mobitz II)은 I형과 비교하면 발생률은 낮지만 심각한 임상적 문제를 일으키는 경우가 많다. 2도 I형 방실차단이 주로 방실결절의 기능장애로 발생하는 데 반하여, 2도 II형 방실차단은 주로 방실결절의 하부구조인 히스다발이나 다발 갈래(bundle branch)의 손상으로 발생한다. 2도 II형 방실차단은 3도 방실차단으로 진행하는 경우가 많아 예후가 불량하다.

2도 II형 방실차단은 PR 간격의 연장 없이 발생하며, 주로 좌각 또는 우각의 완전한 손상이 있으면서 손상이 없는 전도로가 차단되어 발생한다. 따라서 2도 II형 방실차단 시에는 QRS파가 연장되어 있거나 좌각차단 또는 우각차단의 형태를 보이는 경우가 많다(그림 17-18). 또한, P파의 전도가 연속적으로 차단될 수도 있으므로 일시적인 무수축을 초래할 수도 있다. 종종 2:1등의 일정한 비율로 전달이 차단되면 마치 동 서맥과 유사한 심전도 양상을 보이므로 혼동하지 않아야 한다.

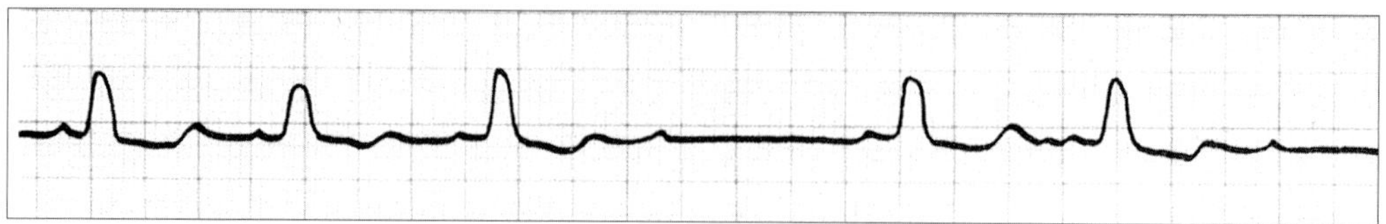

그림 17-18. 2도 II형 방실차단. PR 간격의 연장 없이 갑자기 P파의 전도가 차단되며, QRS파의 간격이 연장되어 있다.

### (3) 3도 방실차단

3도 방실차단(third-degree AV block)은 심방과 심실 사이의 전도가 완전히 차단된 상태이다. 3도 방실차단은 방실결절, 히스다발, 각의 어느 부위에서도 발생할 수 있다. 차단된 곳에 따라 예후가 다르며, 차단된 부위 이하에서 심장박동조율기 기능이 없으면 무수축이 발생한다.

방실결절 부위에서 차단되면 방실결절의 직 하부에서 심장박동조율기 기능을 하므로, 분당 40-60회 정도의 안정된 심박수를 유지할 수 있다. 또한, 좌각과 우각이 갈라지기 이전에서 심장박동조율이 시작되면 거의 정상 모양의 QRS파가 관찰된다(그림 17-19). 방실결절 부위에서 발생하는 3도 방실차단은 주로 하벽 심근경색에 합병되어 발생하거나 디지탈리스 또는 베타 교감신경 차단제 등의 약물 중독에 의하여 발생한다. 히스다발의 상부에서 3도 방실차단이 발생한 환자에서는 차단된 부위의 하부에서 안정된 심장박동조율기 기

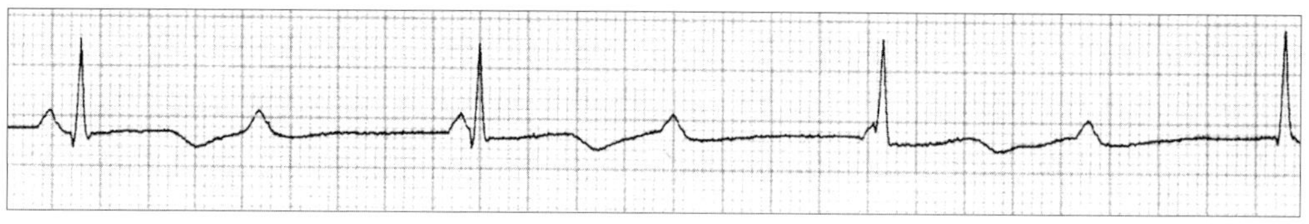

그림 17-19. 방실결절 부위에서 발생한 3도 방실차단. P파와 P파의 간격은 일정하며, PR 간격은 불규칙하다. 방실결절 부위에서 심장조율 기능을 하므로 QRS파는 정상 모양이다.

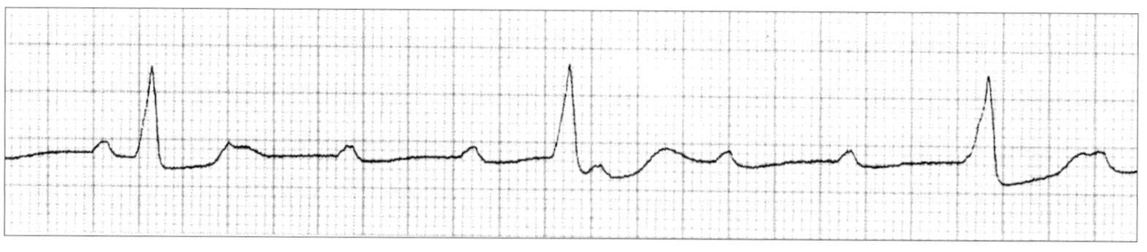

그림 17-20. 심실 부위에서 발생한 3도 방실차단. P파와 QRS파 사이에 아무런 연관이 없으며, QRS파는 심실로부터 발생하므로 발생속도가 느리고 연장되어 있다.

능이 유지되면 비교적 예후가 좋다.

3도 방실차단의 부위가 방실결절의 하부에 있으면 주로 양측 다발 갈래(bundle branch)에서의 전도 차단이 원인이 된다. 이러한 경우는 방실결절 하부의 광범위한 손상으로 방실차단이 발생하며, 주로 광범위한 전벽 심근경색에 합병되는 경우가 많다. 따라서 방실결절 하부의 차단에 의한 3도 방실차단에서는 차단된 부위의 원위부인 심실이 심동박동조율 기능을 하므로, 분당 40회 이하의 넓은 QRS파가 관찰된다(그림 17-20). 심실의 심장박동조율 기능은 매우 불안정하므로 무수축이 발생할 가능성이 크다. 따라서 방실결절 하부에서 발생한 3도 방실차단은 예후가 매우 불량하며, 신속히 심장박동조율을 시행해야 한다.

### 6) 동방결절 이외 조직의 자율성 증가에 의한 부정맥

심장의 정상 동성 리듬은 동방결절에 의하여 시작된 전기활동이 심방, 방실결절을 거쳐 심실로 정상적으로 전달될 때 유지된다. 그러나 동방결절 이외의 심장조직도 자율성이 있으므로 특수한 상황에서는 심장박동조율 기능을 시작할 수 있다. 특히 동방결절의 기능에 장애가 발생하면, 동방결절 다음으로 자율성이 발달하여 있는 방실결절이 심장박동조율기 역할을 하며, 방실결절에서도 심장박동조율이 시작되지 않으면 심실이 심장박동조율기 역할을 할 수도 있다. 동방결절의 기능이 정상으로 유지되고 있는 상태에서도 방실결절 또는 심실의 자율성이 비정상적으로 항진되어 동방결절 이외 조직에서의 전기활동으로 심장박동조율이 유지될 수도 있다.

#### (1) 방실경계 이탈율동

정상에서는 동방결절에서의 전기활동이 더 자주 발생하므로 방실결절은 동방결절의 전기활동을 전도하는 역할만을 한다. 그러나 방실결절이 동방결절에 의한 전기활동으로 흥분되지 않으면 방실결절 자체가 자율성을 발휘하게 된다. 일반적으로 동방결절에서의 전도가 1.0-1.5초 이상 중단되면, 방실결절의 자율성에 의하여 심장박동조율이 시작된다. 이러한 현상에 의하여 발생한 전기활동을 방실경계 이탈수축(junctional escape complex)이라 한다(그림 17-21). 방실경계 이탈수축은 심실의 정상 전도로를 통하여 전달되므로 정상적인 QRS파의 모양을 하게 된다. 방실경계 이탈수축이 반복적으로 지속되면서 심장박동조율이 유지되는 경우를 방실경계 이탈율동(junctional escape rhythm)이라 한다(그림 17-22).

방실결절의 전기활동으로 심장박동조율 기능이 유지되면 심박수는 분당 40-60회 정도로 유지된다. 방실결절에서 발생한 전기활동은 심실뿐만 아니라 심방으로도 전달될 수 있

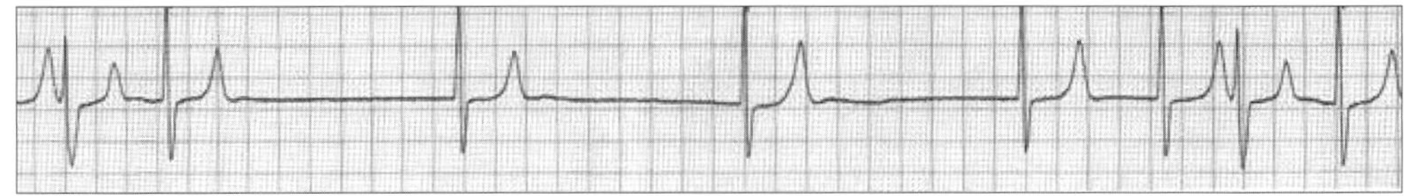

그림 17-21. 방실경계 이탈수축. 방실경계 이탈수축은 심실의 정상 전도로를 통하여 전달되므로 정상적인 QRS 파형으로 관찰된다

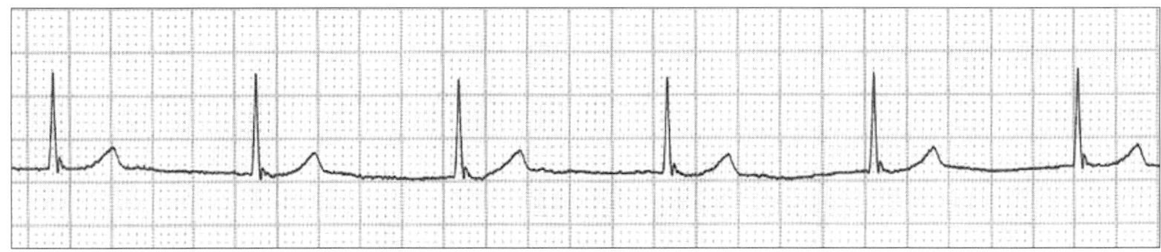

그림 17-22. 방실경계 이탈율동. 방실경계 이탈수축이 반복적으로 관찰된다.

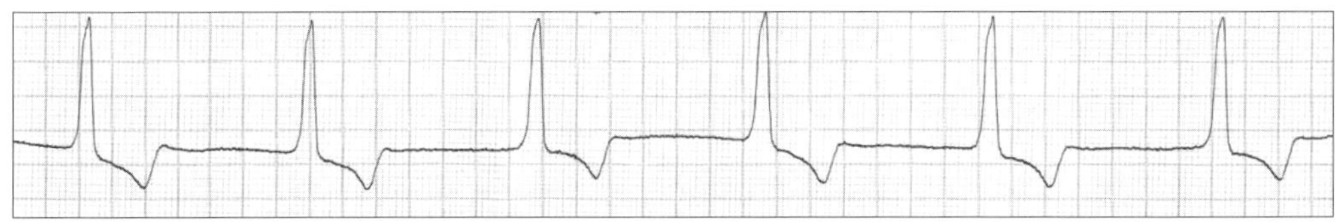

그림 17-23. 심실 이탈율동. 심실에서 발생한 전기활동으로 심장박동이 유지되고 있다.

으므로, 전기활동의 발생 위치에 따라 QRS파의 앞 또는 뒤에서 P파가 관찰될 수도 있다.

### (2) 심실 이탈율동

심실은 동방결절이나 방실결절보다 자율성이 낮은 조직이지만 분당 40회 이하의 심장박동을 유지할 수 있는 자율성이 있다. 따라서 동방결절과 방실결절에서의 전기활동이 없으면 심실에서 전기활동을 시작할 수 있다. 이러한 상황에서 심실에 의하여 발생한 전기활동을 심실 이탈수축(ventricular escape complex)이라 하며, 심실의 전기활동으로 심장박동조율 기능이 유지되는 경우를 심실 이탈율동(ventricular escape rhythm)이라 한다(그림 17-23).

## 7) 정상 QRS파가 관찰되면서 심장박동속도의 변화가 있는 경우

정상인에서 심박수는 분당 60-100회이다. 심박수가 분당 100회 이상 증가하는 경우를 빈맥이라 하면, 분당 60회 이하로 감소하는 경우를 서맥이라 한다. 동방결절과 심방에서

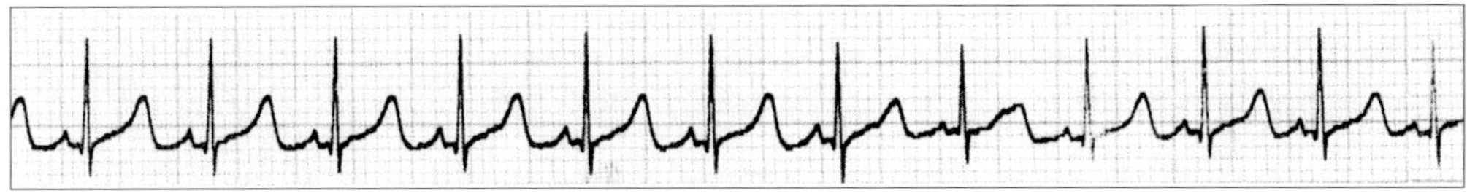

그림 17-24. 동 빈맥. 정상 동성 리듬의 심박수가 분당 100회 이상으로 관찰된다.

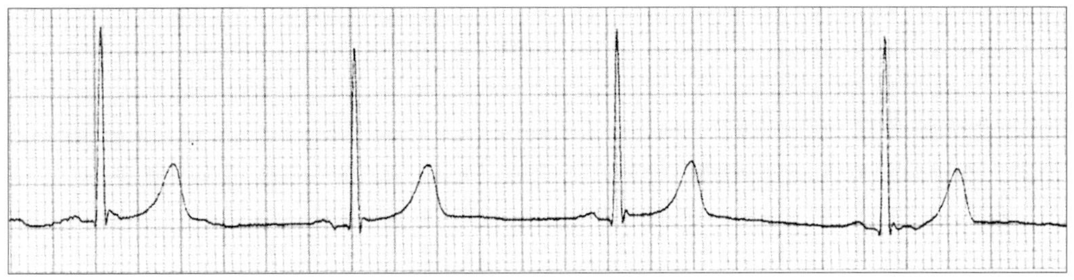

그림 17-25. 동 서맥. 정상 동성 리듬의 심박수가 분당 60회 이하로 관찰된다.

발생하는 부정맥은 정상적으로 방실결절을 통하여 전달되므로 P파와 함께 정상 QRS파가 관찰되면서 단지 심박수의 변화만을 초래한다.

### (1) 동 빈맥

동빈맥(sinus tachycardia)은 동방결절에서의 전기활동이 증가하여 발생한다. 동 빈맥은 동방결절의 병변에 의하여 발생하는 경우는 매우 적고, 주로 저산소증, 고열, 운동, 불안감 등 심박출량의 증가가 필요한 상황에 발생한다. 따라서 동 빈맥이 발생하였을 때는 동 빈맥을 유발한 원인을 교정하여야 하며, 심박수를 감소시키기 위한 약물을 투여해서는 안 된다. 동 빈맥의 심전도 소견은 정상 동성 리듬의 심박수가 분당 100회 이상 계속되는 양상으로 관찰된다(그림 17-24).

### (2) 동 서맥

동 서맥(sinus bradycardia)은 동방결절에서의 전기활동이 감소하여 심박수가 분당 60회 이하로 감소한 상태이다(그림 17-25). 동 서맥은 부교감신경작용이 항진되거나 디지탈리스, 베타 교감신경 차단제, 칼슘 통로 차단제를 투여한 경우에 발생한다. 동 서맥은 운동선수와 같이 육체적인 운동을 많이 한 사람에게서 관찰되기도 한다.

동 서맥은 특별한 임상 증상이 없으면 치료가 필요 없으나, 임상 증상을 일으키면 서맥성 부정맥의 치료에 따른 치료를 한다.

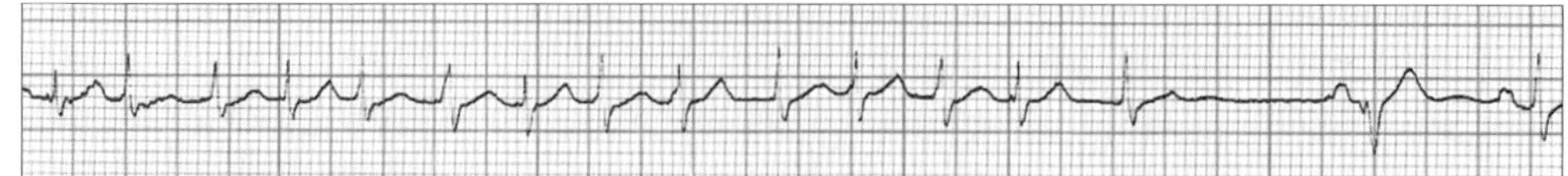

가. 심실상 빈맥의 종료: 베라파밀투여 후 발작성 심실상 빈맥이 정상 동조율로 전환되었다.

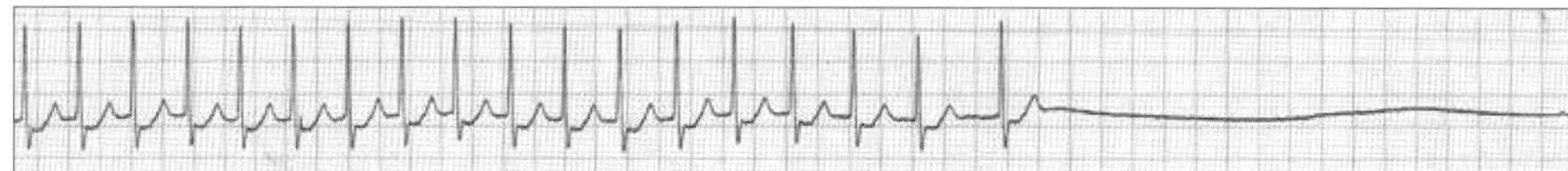

나. 심실상 빈맥의 종료와 아데노신에 의한 무수축 발생: 아데노신 투여 후에 심실상 빈맥이 종료되면서 일시적으로 무수축이 발생하였다.

그림 17-26. 발작성 심실상 빈맥의 종료.

### (3) 심실상 빈맥

심실상 빈맥(supraventricular tachycardia)은 심실 상부, 즉 심방과 방실결절에서 발생하는 빈맥을 모두 지칭하는 말이다. 따라서 심실상 빈맥에는 발작성 심실상 빈맥(paroxysmal supraventricular tachycardia: PSVT), 비발작성 심방 빈맥(nonparoxysmal atrial tachycardia), 다소성 심방 빈맥(multifocal atrial tachycardia), 접합부 빈맥(junctional tachycardia), 심방조동, 심방세동이 포함된다. 다발성 심방빈맥, 심방조동, 심방세동은 "P파가 관찰되지 않거나 비정상적인 P파가 관찰되는 경우"에서 서술하였다.

#### ① 발작성 심실상 빈맥

발작성 심실상 빈맥은 갑작스러운 빈맥의 시작과 종료를 특징으로 하는 빈맥성 부정맥이다(그림 17-26).

발작성 심실상 빈맥이 발생하는 기전은 회귀이다. 발작성 심실상 빈맥의 회귀로는 두 가지로 나눌 수 있다. 방실결절 내에 회귀로가 있는 경우(AV nodal reentry)에는 방실결절 내에 전도속도와 불응기가 서로 다른 두개의 전도로 사이에서 회귀가 발생한다. 심실과 심방을 연결하는 비정상적인 전도로가 있는 경우(extra AV nodal bypass tract 또는 concealed bypass tract)에는 비정상적인 전도로와 방실결절 사이에서 회귀가 발생한다.

발작성 심실상 빈맥이 발생하면 P파는 QRS파의 앞 또는 뒤에서 관찰될 수 있으나, QRS파와 겹쳐서 관찰되지 않을 수도 있다. QRS파의 모양은 각 차단(bundle branch block)이나 변형전도가 없으면 정상이다. 각 차단이 있거나 변형전도가 발생하였거나 조기흥분증후군이 있는 환자에서 역행성으로 회귀가 발생하면 QRS파가 연장되므로 심실 빈맥과의 감별이 요구된다.

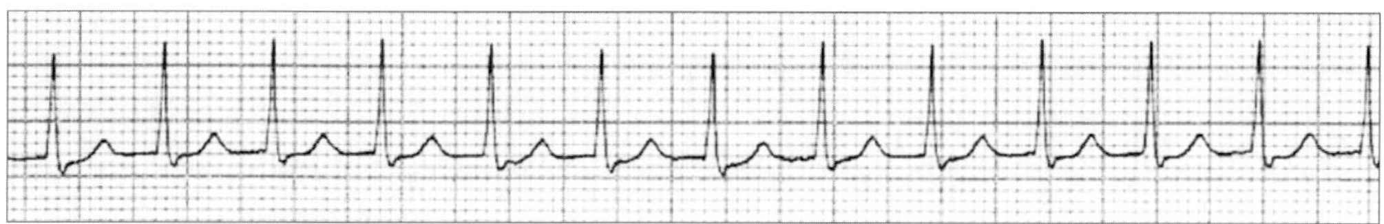

그림 17-27. 발작성 심실상 빈맥의 심전도 소견. 정상 모양의 QRS파가 관찰되며, QRS파의 수는 분당 150-250회 정도이다. P파는 QRS파의 앞 또는 뒤에서 관찰될 수 있으며, P파가 관찰되지 않는 경우도 많다.

발작성 심실상 빈맥은 수초에서부터 수 시간 이상 지속할 수 있으며, 수시로 재발한다. 발작성 심실상 빈맥에 의하여 환자가 쇼크에 빠지거나 즉각적으로 심장정지가 발생하는 경우는 매우 드물다. 그러나 고령의 환자나 대동맥판 협착 등의 심장병이 있는 환자, 심근경색 등의 허혈성 심장질환이 있는 환자, 좌심실 부전이 심한 환자에서는 발작성 심실상 빈맥에 의하여 폐부종이나 쇼크가 발생할 수 있으므로 즉시 치료해주어야 한다.

발작성 심실상 빈맥의 치료는 환자가 혈역학적으로 안정된 상태이면 미주신경흥분 수기(발살바 수기, 목동맥 굴 마사지)나 약물(아데노신, 베라파밀, 베타 교감신경 차단제) 등을 투여하여 치료한다. 혈역학적으로 불안정한 발작성 심실상 빈맥은 즉시 전기 심장율동전환을 시도한다. 발작성 심실상 빈맥이 의심되지만, QRS파가 연장되어 있어 심실빈맥과 감별되지 않으면 심실빈맥의 치료에 따른다.

〈심전도 소견〉

정상 모양의 QRS파가 관찰되며, QRS파의 수는 분당 150-250회 정도이다. P파는 QRS파의 앞 또는 뒤에서 관찰될 수 있으며, 관찰되지 않는 경우도 많다(그림 17-27).

### ② 비발작성 심방빈맥

비발작성 심방빈맥은 심방조직의 자율성이 비정상적으로 증가하여 동방결절의 전기활동보다 더 빠른 전기활동이 심방에서 생성되어 발생한다.

비발작성 심방빈맥의 가장 많은 원인은 디지탈리스 중독이다. 디지탈리스는 심근의 자율성을 항진시키며, 방실결절에서의 전도속도를 지연시킨다. 디지탈리스 중독에 의하여 비발작성 심방빈맥이 발생한 경우에는 방실결절에서 전도가 차단될 수 있다. 따라서 디지탈리스 중독에 의하여 비발작성 심방빈맥이 발생한 경우에는 방실차단이 동반되어 P파 일부가 차단되므로, P파와 QRS파가 일정 비율을 유지하게 된다.

디지탈리스 중독 이외의 원인에 의한 비발작성 심방빈맥에서는 방실차단이 발생하지 않으므로 P파와 QRS파의 비율이 1:1을 유지한다. 약물에 의한 방실차단이 없더라도 심방

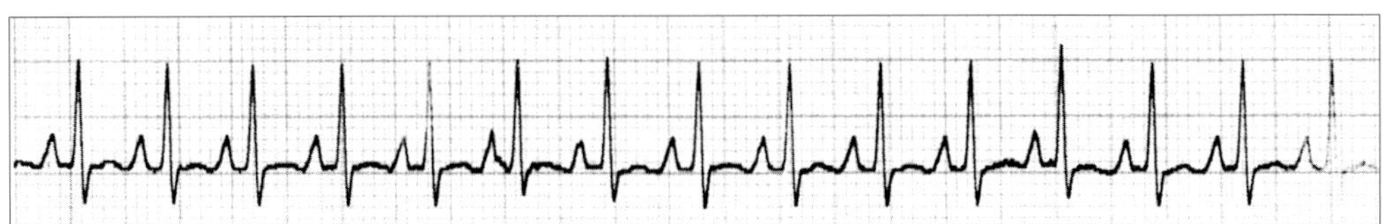

그림 17-28. 비발작성 심방빈맥의 심전도 소견. P파의 속도는 분당 140-220회 정도이다. P-P 간격은 일정하며, 방실차단이 없으면 QRS파의 간격은 일정하다.

빈맥의 박동수가 200회 이상이면 방실결절의 불응기로 인하여 방실차단이 발생하여 2:1 방실차단 또는 불규칙한 방실차단이 발생할 수도 있다.

**〈 심전도 소견〉**

P파의 모양은 정상 동성 리듬에 의한 P파와 감별하기 어렵다. P파의 속도는 분당 140-220회 정도이다. P-P 간격은 일정하며, QRS파의 간격은 방실차단이 없으면 일정하다(그림 17-28). 방실차단이 없으면 P파와 QRS파의 수는 같다. QRS파의 모양은 정상이다.

### 8) 조기흥분증후군과 연관된 부정맥

심전도상 조기흥분(pre-excitation)이라는 용어는 심방과 심실을 연결하는 비정상적인 전도로에 의하여 심실 일부가 정상 전도로에 의한 심실의 흥분보다 빨리 흥분되는 현상을 말한다. 조기흥분증후군(pre-excitation syndrome)은 조기흥분이 있는 환자에서 빈맥성 부정맥이 동반된 경우를 말한다. 조기흥분증후군을 유발할 수 있는 비정상적인 전도로는 여러 가지가 있지만, 켄트 다발(Kent bundles)이라 불리는 전도로가 가장 흔하다. 켄트 다발 전도로가 있어서 발생하는 조기흥분증후군을 WPW (Wolff-Parkinsom-White) 증후군이라 한다.

조기흥분증후군이 있으면 비정상적인 전도로에 의한 심실의 조기흥분을 심전도에서 관찰할 수 있다. 즉 PR 간격은 120msec보다 짧아진다. QRS파는 120msec보다 연장되며, QRS파의 시작 부분이 서서히 올라가는 모양(델타파, delta wave)으로 관찰된다. 또한, ST 분절과 T 파의 변화가 동반될 수 있다(그림 17-29).

조기흥분증후군에서 발생하는 부정맥은 심방세동, 심방조동 등의 심실상 빈맥, 비정상적인 전도로를 통한 회귀 빈맥, 비정상적인 전도로와는 무관한 회귀 빈맥, 심실빈맥이다.

조기흥분증후군의 궁극적인 치료는 비정상적인 전도로를 절제하는 것이다. 그러나 응급상황에서는 발생한 빈맥에 따라 적절한 약물을 투여하거나 전기 심장율동전환을 시도한다.

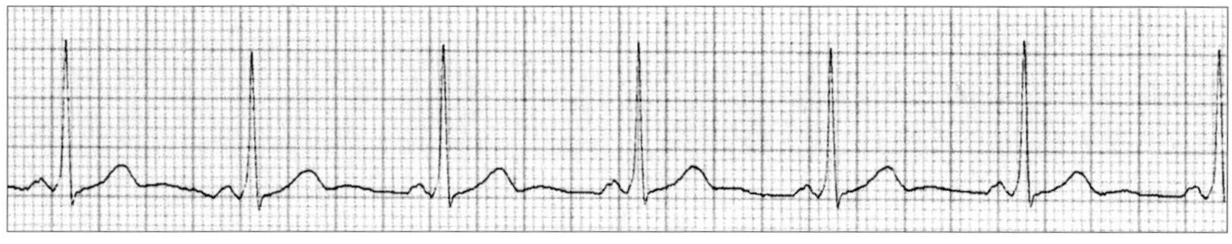

그림 17-29. WPW 증후군 환자에서 정상 동성 리듬 동안의 심전도 소견. PR 간격이 짧고, 델타파를 관찰할 수 있다. QRS파는 델타파의 발생으로 정상보다 연장되어 있다.

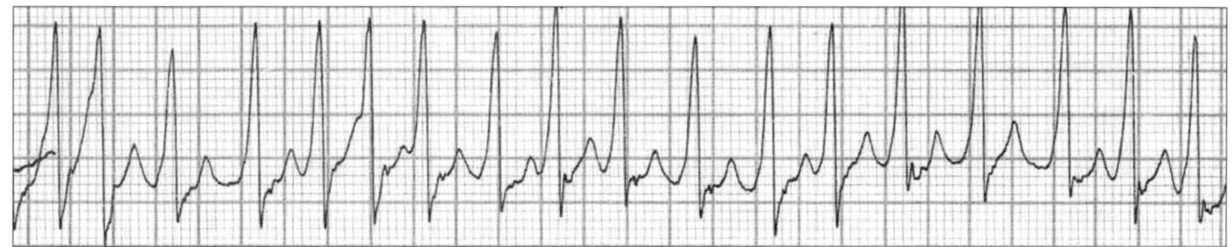

그림 17-30. WPW 증후군 환자에서 심방세동의 발생. 심박수가 매우 빠르며, QRS파는 확장되어 있다. QRS파는 불규칙하게 발생하며, 주기마다 모양이 다른 QRS파가 관찰된다. QRS파의 축은 켄트 다발이 위치하는 방향에 따라 달라진다.

### ① 심실상 빈맥

켄트 다발은 방실결절과는 달리 불응기가 매우 짧으므로, 조기흥분증후군 환자에서 심실상 빈맥이 발생하면 심실박동수가 심방박동수에 비례하여 증가한다. 따라서 심방세동이나 심방조동이 발생하면 심실박동수가 지나치게 빨라져 심박출량을 급격히 감소시키고 때로는 심실세동으로 진행할 수 있다. 심방세동이나 심방조동이 발생하면, 심방에서의 전기신호가 주로 켄트 다발을 통하여 전달되므로 심전도상 특이한 소견을 관찰할 수 있다(그림 17-30). 즉 QSR 파가 확장되며, QRS파의 모양은 주기에 따라 변한다. QRS파의 축은 켄트 다발에 의한 전도의 방향에 따라 바뀌게 된다.

조기흥분증후군 환자에서 심실상 빈맥이 발생하였을 때 혈역학적 변화(쇼크, 저혈압, 호흡곤란, 흉통)가 동반되어 있으면 즉시 전기 심장율동전환을 시도한다. 혈역학적으로 안정된 환자에서는 프로케이나마이드 계열의 항부정맥제를 투여한다. 방실결절의 불응기를 증가시키는 약물(베라파밀, 프로프라놀롤, 아데노신, 디지탈리스)을 투여하는 것은 금기이다.

### ② 회귀 빈맥

조기흥분증후군 환자에서는 방실결절과 비정상적인 전도로 사이에 회귀가 발생하여 빈맥이 초래될 수 있다. 회귀는 방실결절을 따라 심방에서 심실로 전달되는 정방향(ortho-

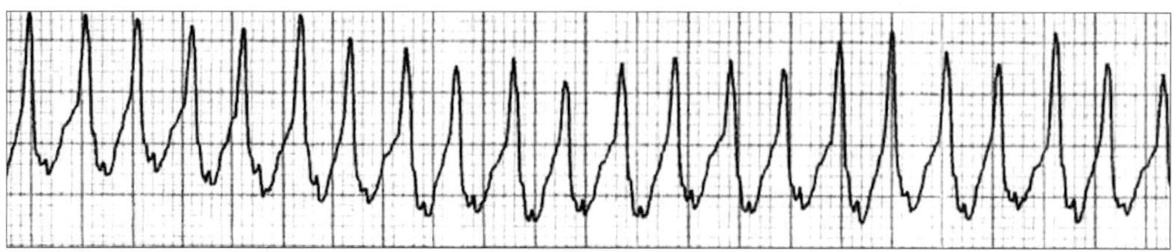

그림 17-31. WPW 증후군 환자에서 발생한 회귀 빈맥의 심전도 소견. 역행성 회귀가 발생한 경우로서 심방-켄트 다발-심실-방실결절의 순서로 전도된다. QRS파가 확장되어 있으며, QRS파의 축은 켄트 다발의 위치에 따라 결정된다.

dromic pathway)과 방실결절을 거슬러 심실에서 심방으로 전달되는 역방향(antidromic pathway)으로 발생할 수 있다. 방실결절을 따라 내려오는 방향으로 발생하는 빈맥은 일반적인 발작성 심실상 빈맥의 심전도 소견과 같다. 방실결절을 거슬러 올라가는 방향으로 발생할 때는 심방-심실-방실결절의 순서로 전도되므로 QRS파가 확장되어 있다(그림 17-31).

조기흥분증후군 환자에서 역행성 방향의 회귀 빈맥이 발생하였을 때는 심실빈맥과 감별한다. 혈역학적 변화(쇼크, 저혈압, 호흡곤란, 흉통)가 동반되어 있으면 즉시 전기 심장율동전환을 시도한다. 혈역학적으로 안정된 환자에서는 프로케이나마이드 계열의 항부정맥제를 투여한다. 방실결절의 불응기를 증가시키는 약물(베라파밀, 프로프라놀롤, 아데노신, 디지탈리스)을 투여하는 것은 금기이다.

# 제 18 장

# 응급 심장박동조율

## 1. 개요

심장박동조율술(artificial cardiac pacemaker therapy)은 임상 증상을 유발하는 서맥성 부정맥의 치료 방법이다. 심장박동조율술은 일시적인 서맥을 치료하기 위한 일시(temporary) 심장박동조율술과 비가역적으로 발생한 서맥을 치료하기 위한 영구(permanent) 심장박동조율술로 구분할 수 있다.

경피 심장박동조율(transcutaneous cardiac pacing: TCP)이 도입되기 이전까지 심장박동조율은 주로 정맥을 통하여 심박조율 도자를 우심실에 삽입한 후, 심장에 전기 자극을 전달하는 경정맥 심장박동조율(transvenous cardiac pacing)이 응급 심장박동조율술로서 사용되었다. 따라서 과거에는 응급 심장박동조율술은 경정맥 심장박동조율에 대한 충분한 경험과 기술을 가진 의사만이 시도할 수 있는 치료방법이었다. 그러나 1980년대 이후부터는 정맥을 천자 할 필요 없이 피부에 부착하는 전극을 통하여 외부로부터 직접 심장에 전기 자극을 전달할 수 있는 경피 심장박동조율술이 개발되어 간단한 교육만 받으면 누구든지 쉽게 심장박동조율을 할 수 있게 되었다. 최근에는 제세동기에 경피 심장박동조율기가 내장된 장치가 사용되고 있으며, 제세동 전극을 심장박동조율 전극으로 함께 사용할 수 있다.

서맥성 부정맥이 발생하면 의식 소실, 심부전, 쇼크가 발생할 수 있다. 이러한 응급상황이 즉시 교정되지 않으면 심각한 혈역학적 변화가 초래되고 결국 심장정지가 발생할 수 있다. 혈역학적 변화가 초래된 서맥성 부정맥이 발생하면 즉시 심장박동조율이 시작되어야 환자의 생명을 구할 수 있다. 따라서 전문심장소생술 교육을 받은 응급의료인은 경피 심장박동조율술을 할 수 있어야 한다. 또한, 구급차의 제세동기는 가능한 경피 심장박동조율장치가 내장된 제세동기로 준비되어 있어야 한다.

경피 심장박동조율술은 응급상황에서만 사용되는 일시적 방법이다. 현장이나 이송 중 경피 심장박동조율이 시작된 환자가 응급센터에 도착하면 가능한 한 빨리 안정된 방법인 경정맥 심장박동조율(transvenous pacing)로 전환해주어야 한다. 응급센터에는 경정맥 심장박동조율을 할 수 있는 시설과 인력이 준비되어 있어야 한다. 이 장에서는 응급상황에서 사용되는 일시 심장박동조율술에 대하여 서술하였다.

## 2. 심장박동조율의 원리

심장박동조율기는 기계로 생성한 전기 자극을 심장과 접촉하고 있는 전극 도자(elelctrode catheter)를 통하여 심장으로 전달함으로써 심장 박동을 유발하는 장치이다.

심근세포의 탈분극을 유발하기 위한 전위차는 정상 심장에서 30-50mV인데 반하여 심장박동조율에는 약 100-1000mV 정도가 요구된다. 탈분극을 위한 전류는 영구 심장박동조율 중에는 1.0mA 내외로 유지되지만, 응급 심장박동조율 중에는 5.0mA 정도로 시행한다. 탈분극의 역치(threshold)는 전극 도자의 내부저항, 도자와 심근 사이의 접촉상태, 심근세포의 상태에 따라 변화한다. 따라서 전극 도자의 위치, 전기 자극의 시간(pulse duration), 전극의 극성(polarity), 전극의 표면적 및 구성성분, 심근의 산-염기 상태, 심근 내 허혈 또는 저산소증, 전해질 이상, 심근의 전기 생리적 상태에 영향을 주는 약제에 의하여 탈분극의 역치가 달라질 수 있다.

경정맥 심장박동조율에서는 심장박동조율기로부터의 전기 자극이 정맥을 통하여 우심방 또는 우심실에 삽입된 도자를 따라 심장에 전달된다. 심장 수술 중에는 심장표면에 직접 도자를 부착하여 심장박동조율을 할 수도 있다. 경피 심장박동조율에서는 표면적이 넓은 전극을 피부에 부착하여 전기 자극을 전달한다. 경정맥 심장박동조율을 할 때는 0.1-20mA의 전류를 약 2msec 동안 심장에 전달하지만, 경피 심장박동조율을 할 때는 50-200mA의 전류를 20-40msec 동안 전달하게 된다.

심전도를 기록하면 심장박동조율기로부터의 전기 자극이 심장에 전달되어 심근에 활동전위가 발생하는지를 확인할 수 있다. 즉 심장박동조율기로부터 정상적으로 전기 자극이 발생하면 심전도 상 독특한 모양의 파형(pacing spike)이 관찰되며, 심근의 탈분극은 심장박동조율기에 의한 파형에 이어서 심근의 활동전위(capture beat)가 관찰됨으로써 심장박동조율이 성공적으로 시행됐는지를 확인할 수 있다(그림 18-1).

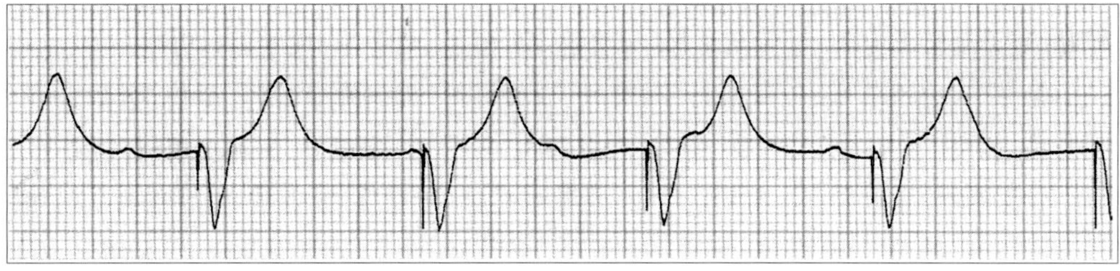

그림 18-1. 심장박동조율기에 의한 심전도 소견. 심장박동조율기에 의한 전기신호에 이어 심장의 포획 박동이 관찰된다.

## 3. 응급 심장박동조율술의 적응

응급 심장박동조율술이 가장 흔히 사용되는 경우는 서맥성 부정맥의 치료이다. 과거에는 경정맥 심장박동조율이 응급 심장박동조율의 유일한 방법이었으므로, 서맥성 부정맥을 치료할 때 응급 심장박동조율보다는 약물치료가 우선되었다. 경피 심장박동조율이 도입된 이후에는 응급 심장박동조율술이 약물치료와 더불어 사용된다. 따라서 임상 증상이 발생한 서맥성 부정맥 환자를 치료할 때 약물의 효과를 기다리기 위하여 경피 심장박동조율을 늦게 시작해서는 안 된다.

심실상 빈맥과 심실빈맥이 약물치료에 반응하지 않으면 응급 심장박동조율을 시도할 수 있다. 심장박동조율기로 빈맥의 심박수보다 빠른 속도로 심장박동조율을 시도하면 빈맥을 종료시킬 수 있다. 그러나 약물에 반응하지 않는 빈맥성 부정맥이 있는 환자에게는 심장박동조율보다는 전기 심장율동전환을 시도해야 한다. 급성 심근경색 환자에서 심각한 서맥성 부정맥으로 진행될 수 있는 전도 장애가 관찰될 수가 있다. 이러한 전도 장애가 관찰되는 심근경색환자에게는 예방적 목적으로 심장박동조율을 시행한다(표 18-1).

### 1) 서맥성 부정맥

응급 심장박동조율은 서맥성 부정맥으로 혈역학적 변화가 초래된 환자에게 시행한다. 즉 저혈압(수축기 혈압 < 80 mmHg), 의식장애, 심근허혈의 증상(흉통), 폐부종 등의 증상이 발생한 서맥 환자에게는 즉시 아트로핀을 투여하고, 응급 심장박동조율을 준비한다. 심장박동조율을 즉시 시작할 수 없을 때는 아트로핀, 도파민 또는 에피네프린을 투여하여 심박수를 증가시킬 수 있다. 이러한 약물은 심근의 허혈을 초래할 수 있으므로 주의하여 투여한다.

표 18-1. 응급 심장박동조율술의 적응증

| 질환 | 적응증 | |
|---|---|---|
| 서맥성 부정맥 | 혈역학적으로 불안정한 상태 | 수축기 혈압 <80 mmHg<br>의식장애<br>흉통<br>폐부종의 임상 증상 |
| | 이탈 율동 | 심실박동수 <40회/분 |
| 빈맥성 부정맥 | 약물 또는 전기 심장율동전환에 반응하지 않는 경우 | 회귀에 의한 심실상 빈맥<br>심실빈맥 |
| | 서맥 또는 QT 간격 연장 | 비틀림 심실빈맥 |
| 급성 심근경색 | 혈역학적으로 불안정한 상태 | 서맥(심실박동수 < 50회/분)과 더불어 저혈압이 발생한 경우<br>저혈압과 발생한 서맥<br>심부전의 임상 증상이 있는 환자에서 서맥이 발생한 경우 |
| | 예방적 목적 | 급성 전벽 심근경색 환자에서 고도(II도 이상)의 방실차단이 발생한 경우<br>좌각차단이 발생하거나, 좌전각차단이나 좌후각차단과 함께 우각차단이 발생한 경우<br>좌각차단 또는 우각차단과 더불어 1도 방실차단이 있는 경우<br>우각차단과 좌각차단이 번갈아 나타나는 경우 |

급성 하벽 심근경색, 고칼륨혈증, 약물중독(디지탈리스, 베타 교감신경 차단제, 칼슘 통로 차단제)과 같이 일시적 원인에 의하여 서맥이 발생한 환자에게는 일시 응급 심장박동조율만이 필요하다. 그러나 비가역적 원인에 의한 완전 방실차단이나, 동방결절 기능장애에 의한 서맥 환자에서는 영구 심장박동조율기를 삽입하기에 앞서 일시 응급 심장박동조율이 시행된다.

무수축 환자에서 심장박동조율을 하는 것에 대해서는 논란이 있다. 즉 심장정지가 발생한 후 상당한 시간이 지났으면 이미 심근의 전기적 기능이 없는 상태이므로 외부의 전기자극에 심근이 반응하지 않는다. 서맥에 이어 무수축이 발생한 환자는 심장박동조율이 적응되지만, 병원 전 심장정지 환자가 응급센터에 내원할 때까지 무수축 상태라면 심장박동조율을 시도하는 것은 권장되지 않는다.

## 2) 빈맥성 부정맥

심장박동조율은 빈맥성 부정맥의 치료에도 이용될 수 있다. 약제에 반응하지 않는 심실상 또는 심실성 빈맥(심방조동, 발작성 심실상 빈맥, 심실빈맥, 비틀림 심실빈맥)이 발생하였을 때, 부정맥에 의한 심박수보다 빠른 속도로 심장박동조율을 하면 부정맥이 억제될 수 있다. 특히 서맥에 의하여 부정맥이 발생하는 비틀림 심실빈맥에서는 심장박동조율로 심박수를 증가시키면 부정맥이 억제된다. 그러나 빈맥성 부정맥의 치료는 환자가 혈역학적으로 안정되어 있으면 항부정맥 약제를 투여하여야 하며, 혈역학적으로 불안정하면 제세동기를 사용하여 전기 심장율동전환을 시도하는 것이 심장박동조율 보다 우선된다.

### 3) 급성 심근경색에서 일시 심장박동조율의 적용

급성 심근경색 환자의 사망은 주로 심근경색의 범위에 따라 결정되며, 병발하는 전도 장애와 직접적인 연관은 없다. 즉 전도 장애가 발생한 급성 심근경색 환자에게 일시 심장박동조율을 시도해도 생존율을 높일 수는 없다. 따라서 전도 장애가 발생한 모든 심근경색 환자에게 예방목적으로 심장박동조율을 시도하는 것에 대하여 논란이 있다.

일부 급성 심근경색 환자에서는 방실차단에 의한 심장정지의 가능성이 크므로 반드시 예방적 목적의 심장박동조율을 한다. 즉 고도의 방실차단(2도 또는 3도 방실차단)과 함께 심실박동수가 분당 40회 이하이거나 저혈압, 심부전의 증상이 있는 경우에는 반드시 응급 심장박동조율을 한다. 또한, 급성 전벽 심근경색환자에서 고도의 방실차단이 발생하거나, 좌전각차단이나 좌후각차단이 있는 상태에서 우각차단이 발생하였을 경우, 좌각차단과 더불어 1도 방실차단이 있는 경우, 우각차단과 좌각차단이 번갈아 나타날 때는 갑자기 고도의 방실차단이 발생할 수 있으므로 예방적 목적의 일시적 심장박동조율술을 한다.

예방적 목적으로 심장박동조율을 할 때는 경정맥 심장박동조율이나 경피 심장박동조율을 한다. 예방적 목적으로 심장박동조율술을 할 때는 미리 심장박동조율을 시도하여 심장박동조율의 역치를 측정하여야 하며, 반드시 수요형 상태(demand mode)를 유지하여 심장박동조율기가 불필요하게 작동되어 부정맥이 유발되지 않도록 한다.

중증도의 저체온 상태인 환자에서는 서맥이 발생한다. 저체온증에 의한 서맥은 생리적인 현상이므로 즉각적인 치료가 필요치 않다. 또한, 저체온 환자에서는 심장에 대한 사소한 자극으로도 심실세동이 유발될 수 있으므로, 심장박동조율을 시도하는 중에 심실세동이 유발될 수 있다.

서맥에 의한 심장정지 직후가 아니라면 무수축 환자에서 심장박동조율을 하는 것은 권장되지 않는다. 이러한 환자에서 심장박동조율로 심장 박동이 일시적으로 유지되더라도 생존 가능성은 거의 없다.

## 4. 응급 심장박동조율 방법

### 1) 전흉부 가격에 의한 심장박동조율

약 30 cm 위에서 주먹으로 흉벽을 치면 약 4-5J의 에너지가 발생한다. 전흉부 가격에 의한 심장박동조율(fist pacing)은 흉벽에 기계적인 힘을 가하여 심근의 탈분극을 유발하는 방법으로써, 심장박동조율에 대한 아무런 대책도 없는 상황에서 서맥이 발생한 경우에 일시적으로 시도해 볼 수 있다. 그러나 전흉부 가격에 대한 심장의 반응은 매우 예측 불가능하므로, 여러 차례의 전흉부 가격에도 반응이 없는 경우에는 더 시도하지 않는다.

### 2) 경흉 심장박동조율

경흉 심장박동조율(transthoracic pacing)은 좌측 흉골 가장자리 또는 검상돌기 하부에서 직접 심장을 천자 하여 심장 내에 전극 도자를 삽입하는 방법이다. 경피 심장박동조율술이 도입되기 이전에 사용되던 방법으로서, 경정맥 심장박동조율을 할 수 없는 심장정지 환자에서 시도되었다. 전극 도자를 삽입하는 과정에 심장눌림증, 기흉, 간 손상 등의 합병증을 유발하는 경우가 많아 일상적인 응급 심장박동조율에는 사용되지 않는 방법이다.

### 3) 경정맥 심장박동조율

일시적 심장박동조율 방법 중 가장 안정된 심장박동조율을 제공하는 방법으로써, 정맥을 통하여 전극을 우심방 또는 우심실에 삽입하는 방법이다. 전극 도자는 주로 방사선 투시기(fluoroscopy) 하에서 삽입하지만, 방사선 투시기가 없어도 삽입할 수 있다.

전극 도자는 주로 양극성(bipolar) 도자를 사용한다. 응급센터 내에 방사선 투시기가 없는 경우에는 혈류를 따라 삽입할 수 있도록 고안된 도자(semi-rigid catheter 또는 balloon-tipped catheter)를 사용한다(그림 18-2).

#### (1) 전극 도자 삽입을 위한 정맥로의 선택

응급 경정맥 심장박동조율에 주로 이용되는 정맥로는 위팔의 표재정맥, 속목정맥, 빗장밑정맥, 대퇴정맥이다. 위팔의 표재정맥으로 전극 도자를 삽입할 때에는 직접 천자나 정맥 절개를 한 후 전극 도자를 삽입한다. 그러나 응급상황에서는 팔뚝정맥(전박정맥)을 천자하기가 어렵고, 환자가 팔을 움직이면 전극 도자의 위치가 바뀔 수 있으므로 불안정하다.

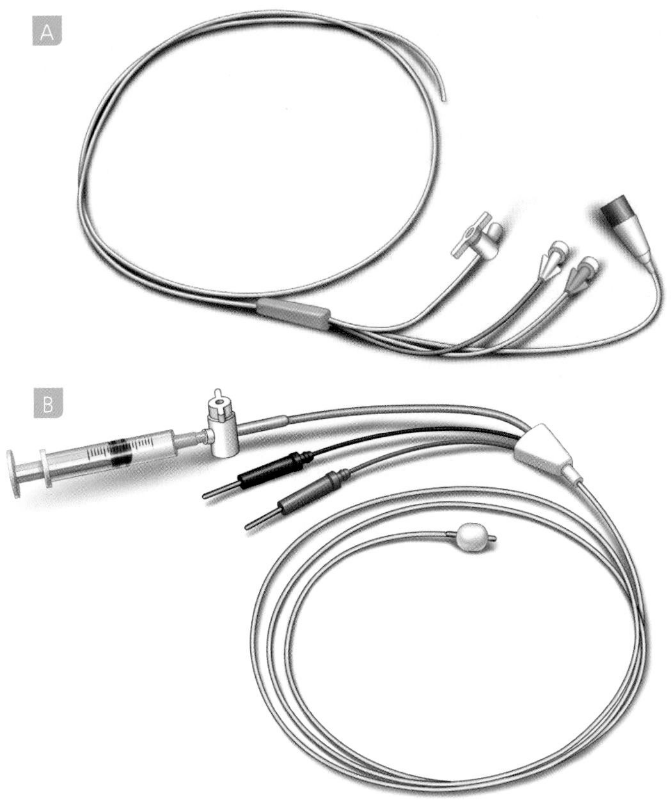


그림 18-2. 경정맥 심장박동조율에 사용되는 전극 도자. **A.** 일반적으로 사용되는 양극성 도자, **B.** 풍선이 달린 전극 도자

방사선 투시기로 관찰하면서 전극 도자를 삽입할 때는 대퇴정맥이 가장 선호된다. 그러나 방사선 투시기가 없는 상황에서는 대퇴정맥을 통하여 전극 도자를 우심실 내에 삽입하기 어렵다. 또한, 서맥성 부정맥 환자의 대부분이 고령자이므로, 정맥이 협착되어 있거나 굴곡이 심하면 삽입에 실패하는 예도 있다.

속목정맥과 빗장밑정맥은 천자가 쉽고 우심실로의 접근이 쉬워 응급상황에서 도자를 삽입하기에 적당하다. 특히 순환혈류량이 적은 상태에서는 우측 속목정맥이 도자 삽입의 가장 유용한 접근로로 권장된다.

### (2) 전극 도자 삽입 방법

#### ① 방사선 투시기로 관찰하면서 삽입하는 방법

방사선 투시기 하에서는 도자가 우심실 또는 우심방으로 진입되는 것을 확인할 수 있

표 18-2. 경정맥 심장박동조율술에서 심장박동조율기를 조절하는 방법

1. 적절한 심장박동조율 횟수를 선택한 후에 심장박동조율기의 출력(output)을 최소로 한 상태로 심장박동조율기를 켠다.
2. 출력을 서서히 증가시키면서 포획 박동이 나타나는지를 확인한다.
3. 2 mA 이하의 출력에서 심장박동조율이 가능하면 전극 도자의 위치가 적절하다고 판단할 수 있다. 만약 0.5 mA 이하에서도 심장박동조율이 유지되면 전극 도자의 끝이 심근으로 들어가 있을 가능성이 있으므로 심실 천공을 방지하기 위하여 전극 도자를 약간 빼주어야 한다.
4. 심장박동조율이 가능한 최소출력보다 약 1.0mA 정도 높은 에너지로서 심장박동조율을 유지한다.
5. 환자의 임상 상태를 관찰하면서 심장박동조율 횟수를 적절히 조절한다.
6. 흉부 방사선 촬영으로 도자의 위치와 합병증 발생 여부를 확인한다.

다. 전극 도자의 끝을 심실첨부에 삽입한 후 심장박동조율기를 연결하여 심장박동조율을 시도하면서, 심장박동조율기를 조정하여 안정적인 심장박동조율을 유지한다(표 18-2).

#### ② 방사선 투시기 없이 삽입하는 방법

방사선 투시기가 없는 상태에서는 전극 도자가 우심실로 진입되는지를 확인하기가 쉽지 않다. 우심실로의 진입과 심장내막과의 접촉을 확인하기 위하여 가장 많이 사용되고 있는 방법은 전극 도자에 심전도의 전흉부 유도를 연결하는 방법이다. 즉 전극 도자에 전흉부 유도를 연결한 후 심전도를 관찰하면서 도자를 삽입하면, 도자의 끝이 우심방, 삼첨판을 통과하여 우심실로 들어갈 때 각각 P파의 역전, P파의 반전 및 QRS파의 변화가 심전도에서 관찰되므로 우심실로의 진입을 확인할 수 있으며, 도자가 심장내막과 접촉되면 심전도상 ST분절의 상승을 관찰할 수 있으므로 알 수 있다.

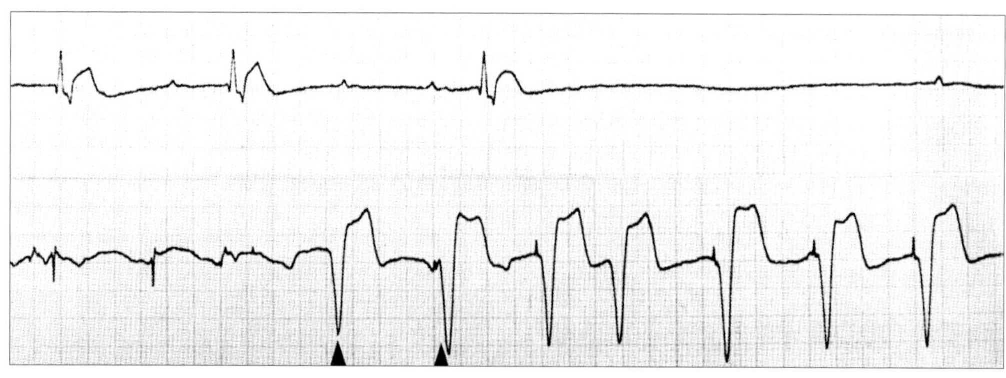

그림 18-3. 방사선 투시기 없이 전극 도자를 삽입하는 방법. 도자에 직접 심장박동조율기를 연결하여 심장박동조율기를 켠 상태로 삽입하는 과정에서 심실과 전극 도자가 접촉되어 심실 조기수축(첫 번째 화살표)이 관찰되며 그 후 심장박동조율에 의한 포획 파형(두 번째 화살표)이 관찰된다.

응급상황에서는 도자에 직접 심장박동조율기를 연결하여 심장박동조율기를 켠 상태로 삽입하여, ST분절의 상승, 심실 조기수축 또는 포획 박동의 출현을 관찰함으로써 도자와 심장내막과의 접촉을 확인하는 방법도 있다(그림 18-3). 이때 무수축 상태의 환자에서는 심장박동조율기를 비동기 모드(asynchronous mode)로 유지하고, 심장박동이 있는 환자에서는 수요형 모드(demand mode)로 삽입하여 부정맥의 발생을 예방한다.

#### (3) 합병증

경정맥 심장박동조율술 중에는 도자의 삽입과정 또는 삽입 후에 우심실 천공, 감염, 출혈, 심실 또는 심방부정맥, 전극 도자의 꼬임 등이 발생할 수 있다. 도자 위치의 변화, 심근의 대사 상태변화, 제세동 등으로 자극 역치가 변하면 갑자기 심장박동조율이 유지되지 않을 수도 있다. 그 외 심장박동조율기 자체의 고장에 의하여 부정맥이 발생하거나 심장박동조율이 유지되지 않는 때도 있다.

### 4) 경피 심장박동조율

경피 심장박동조율술은 1950년대 초에 최초로 시작되었으나 당시에는 적절한 전극이 개발되지 않아 환자에게 심한 통증을 유발하였으므로, 1960년대 이후에는 거의 사용되지 않았다. 1980년대 들어서면서 피부에 부착하는 패드형 전극이 개량되어 응급 심장박동조율에 널리 사용되기 시작하였다.

경피 심장박동조율술은 피부에 부착하는 커다란 패드형 전극을 통하여 심장에 전기자극을 가함으로써 심근의 탈분극을 유도하는 방법이다. 경피 심장박동조율술은 경정맥 심장박동조율과는 달리 특별한 술기를 요구하지 않으면서도 높은 심장박동조율 성공률(90% 이상)을 유지할 수 있다. 또한, 경피 심장박동조율은 가벼운 흉통을 제외하고는 거의 합병증을 유발하지 않으므로, 응급심장박동조율이 필요한 환자에게 가장 먼저 시도되고 있는 심장박동조율 방법이다.

응급상황이 아니라도 경정맥 심장박동조율을 할 수 없는 경우에는 경피 심장박동조율술을 한다. 예를 들면 급성 심근경색 환자에서 혈전용해제를 사용한 경우, 혈전성 정맥염이 있는 경우, 우심실 천공이나 심실중격결손이 있는 경우에는 경정맥 심장박동조율술을 할 수 없으므로 경피 심장박동조율술이 사용된다.

#### (1) 경피 심장박동조율기와 전극형 패드

경피 심장박동조율기는 대부분 제세동기에 내장되어 있으므로, 제세동기에 경피 심장박동조율을 위한 조절장치가 부착되어 있다. 대부분의 경피 심장박동조율기는 수요형 기능(demand mode)과 비수요형 기능(nondemand mode)이 모두 가능하다. 경피 심장박동조율기로 조절할 수 있는 심장박동조율 횟수는 분당 30-180회이며, 심장박동조율을 위한 최대 출력은 200mA이다. 보통 50-100mA의 출력으로 심장박동조율을 유지한다.

경피 심장박동조율에 사용되는 패드는 지름이 약 8 cm 정도인 피부 부착형 전극이다. 패드는 접착 면이 피부에 부착되어 전류를 전달하게 되어있고, 주변은 피부에 붙일 수 있도록 접착제가 발라져 있다. 현재 사용되고 있는 패드는 한 종류의 전극으로 심장박동조율과 제세동이 모두 가능하다.

### (2) 경피 심장박동조율 방법

#### ① 전극의 부착

경피 심장박동조율을 할 때는 심장박동조율의 역치를 최소화하기 위하여 전극을 적절한 위치에 부착하는 것이 가장 중요하다. 경피 심장박동조율을 할 때의 전극 패드의 위치

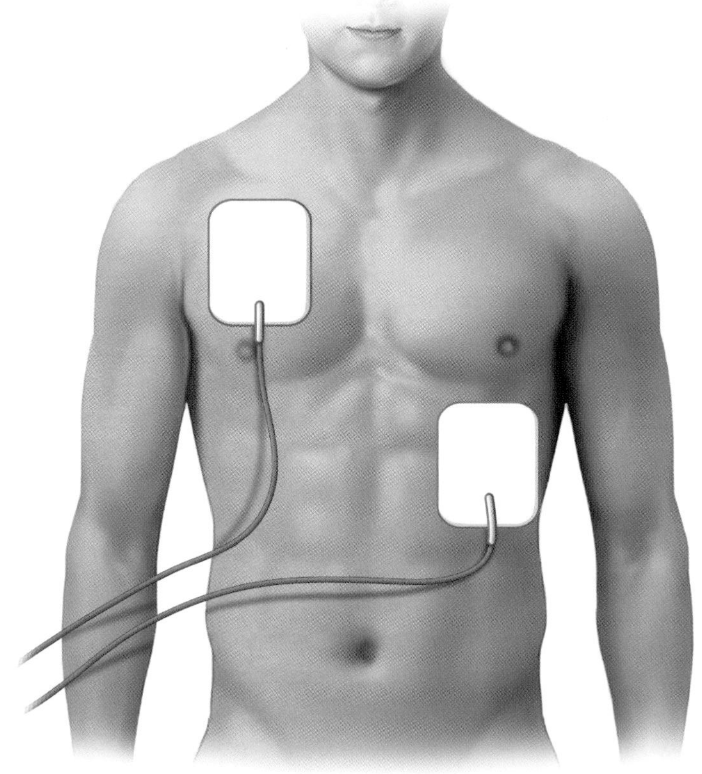

그림 18-4. 경피 심장박동조율을 위한 패드의 위치. 우측 빗장뼈 중간의 바로 아래 흉벽과 심첨부의 흉벽에 전극을 붙인다.

는 제세동하기 위한 전극의 위치와 같다. 일반적으로 우측 빗장뼈 중간의 바로 아래 흉벽과 심첨부의 흉벽에 전극을 부착한다(그림 18-4). 경피 심장박동조율술 실패의 가장 흔한 원인은 패드를 잘못 부착하는 것이다.

패드를 붙일 때는 접착 면을 넓히기 위하여 완전히 피부에 밀착시켜야 한다. 피부에 모발이 많으면 모발을 제거한다. 패드를 부착한 후에는 연결케이블로 심장박동조율기와 연결한다.

#### ② 심장박동조율의 시작

패드를 심장박동조율기와 연결한 후, 경피 심장박동조율기의 심장박동조율 횟수를 80회로 조절한 후 심장박동조율기를 켠다.

심장정지 환자에서 심장박동조율을 할 때는 먼저 최대의 출력으로 시작하여 심장박동조율이 유지되면 서서히 출력을 줄여가면서 역치를 측정한다. 심장정지 상태가 아닌 환자에서는 통증을 줄이기 위하여 최소출력에서부터 서서히 전류를 증가시키면서 포획 파형(capture beat)이 발생하는지를 관찰하여 역치를 측정한다. 역치가 결정되면 역치보다 10% 정도 높은 출력으로 심장박동조율을 유지한다.

#### ③ 경피 심장박동조율에 의한 심전도 소견

경피 심장박동조율 중에는 강한 전류에 의하여 심장박동조율이 유지되므로, 일반 심전도 감시 장치에는 진폭이 매우 큰 파형으로 나타나 심전도를 정확히 관찰할 수 없다. 경피 심장박동조율기의 심전도 감시 장치에는 심장박동조율기에 의하여 발생하는 파형을 걸러주는 장치(filter)가 내장되어 있다. 경피 심장박동조율에 의한 파형은 진폭이 큰 파형의 뒤로 서서히 소멸하는 듯한 파형(slurred afterpotential)이 발생하므로, 포획(capture)되지 않더라도 마치 포획 파형이 발생한 것처럼 혼동할 수 있다. 포획 파형이 발생하면 심장박동조율기에 의한 파형 뒤로 QRS파가 관찰되고 이어서 ST분절과 T 파가 관찰된다(그림 18-5). 따라서 경피

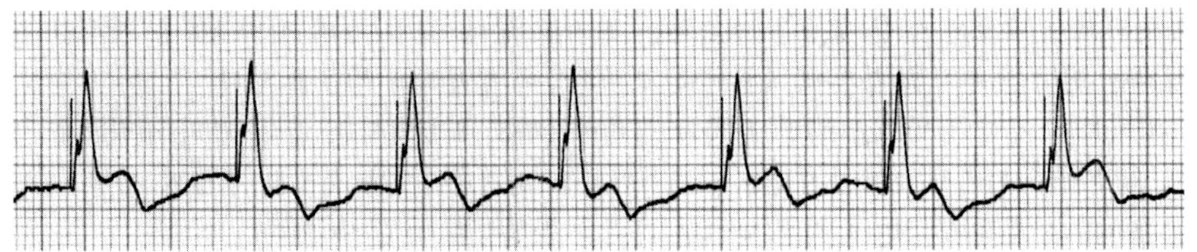

그림 18-5. 경피 심장박동조율 중 관찰되는 심전도 소견. 심장박동조율기에 의한 파형 뒤로 QRS파, ST분절, T 파의 발생을 확인한다.

심장박동조율이 적절히 작동되고 있는지를 확인할 때에는 반드시 QRS파, ST분절, T 파의 발생 여부를 확인한다. 또한, 목동맥을 만져보거나 혈압 또는 동맥혈 산소포화도 측정을 통하여 심장박동조율로 환자가 혈역학적으로 호전되고 있는지를 확인한다. 경피 심장박동조율 중에는 근육수축이 동반될 수 있으므로, 근육수축에 의한 움직임을 맥박과 혼동할 수 있다. 경피 심장박동조율 중에 맥박을 확인할 때에는 대퇴동맥보다는 목동맥에서 맥박을 확인한다.

### (3) 경피 심장박동조율술 중 접하게 되는 문제

#### ① 처음부터 심장박동조율이 안 되는 경우

경피 심장박동조율 실패의 중요한 원인은 패드의 위치가 적절치 않거나 환자의 흉곽에 이상이 있는 경우이다. 심장박동조율기의 출력을 최대로 하여도 심장박동조율이 유지되지 않으면 패드의 위치를 확인하고 위치를 옮겨준다. 폐기종 환자나 심막 삼출이 있는 환자, 최근에 개심 수술을 받은 환자에서는 심장박동조율의 역치가 높으므로 더 많은 전류가 필요하다.

#### ② 경피 심장박동조율 중 환자가 의식을 회복하는 경우

경피 심장박동조율은 근육수축에 의한 통증을 유발한다. 의식이 없는 상태에서 경피 심장박동조율이 시작된 환자가 의식을 회복하면서 통증을 호소할 수 있으므로 경정맥 심장박동조율로 전환할 때까지 적절한 진정제를 투여한다.

#### ③ 경정맥 심장박동조율로의 전환

경피 심장박동조율술은 시간이 지날수록 심장박동조율 성공률이 감소한다. 또한, 환자에게 통증을 유발하므로 심장박동조율을 계속하여야 하는 환자는 가능한 한 빨리 경정맥 심장박동조율술로 전환해준다.

#### ④ 경피 심장박동조율술의 합병증

경피 심장박동조율 중 가장 위험한 상황은 포획 실패(capture failure)가 발생한 사실을 감지하지 못하는 것이다. 심장박동조율기의 파형만으로도 심전도 감시 장치의 심장박동조율 횟수 표시장치에는 심장박동조율 횟수가 적절한 것으로 잘못 표시될 수 있으므로 포획 실패가 발생하여도 경보장치가 작동하지 않을 수 있다. 따라서 경피 심장박동조율 중에는 심전도 감시와 더불어 환자의 임상 상태를 계속 확인한다.

심장박동조율 때문에 심실세동 등의 부정맥이 유발될 수 있다. 따라서 심장정지 상태가 아닌 환자에서는 반드시 수요형 상태를 유지하고 예민도(sensitivity)를 적절히 조절해주어야 한다.

경피 심장박동조율 중인 환자는 패드 부착 부위에 통증을 느낄 수 있다. 통증은 비교적 대수롭지 않지만 때로는 심한 통증을 호소하는 환자도 있다. 또한, 경피 심장박동조율을 장시간 하면 패드 부착 부위에 화상이나 조직 손상이 발생하는 예도 있다.

구조자가 경피 심장박동조율 중인 환자와 접촉하더라도 위험하지 않다. 경피 심장박동조율 중인 패드 위에서 심폐소생술을 시행하더라도 구조자에게는 특별한 손상이 없다. 다만 패드의 전도 면에 직접 닿으면 가벼운 작열감을 느낄 수 있다.

### 5) 경식도 심장박동조율술

식도를 통하여 전극 도자를 삽입하면 비침습적인 방법으로 심방을 심장박동조율 할 수 있다. 경식도 심장박동조율(transesophageal pacing)을 할 때는 경정맥 심장박동조율과 유사한 전극 도자를 사용하지만, 심장박동조율 성공률을 높이기 위하여 도자의 끝부분을 변형하여 사용한다.

경식도 심장박동조율술은 주로 심실상 부정맥을 치료하기 위하여 시도된다. 경식도 심장박동조율술의 성공률은 80-100%로 보고되고 있으나 임상사용에 대한 보고는 그리 많지 않다.

# 제 19 장

# 혈역학적 감시

## 1. 개요

출혈 또는 심한 탈수에 의한 쇼크에서는 병력조사나 진찰만으로도 순환 혈장량 부족이 쇼크의 원인이라는 것을 쉽게 알 수 있다. 그러나 대부분 쇼크를 유발한 원인을 명확히 알 수 없거나, 여러 가지 혈역학적 요소가 동시에 변화하여 쇼크가 발생한다. 쇼크 상태가 지속되면 각 조직의 기능장애가 수반되어 쇼크의 원인 규명과 치료가 어려워진다. 따라서 쇼크는 순환상태에 영향을 주는 요소를 측정한 후, 혈역학적 상태에 적합한 치료를 해야 한다.

심장 기능에 장애가 발생한 환자에서는 혈장량 또는 혈관 저항이 조금 변해도 심각한 혈역학적 변화가 초래될 수 있다. 따라서 심장 기능의 장애가 있는 환자에서는 적절한 순환상태를 유지하기 위하여 심장 기능과 더불어 혈역학적 상태에 영향을 줄 수 있는 요소를 자세히 감시해야 한다.

혈역학적 감시(hemodynamic monitoring)는 순환장애의 원인을 찾아 치료하기 위하여, 순환상태에 영향을 주는 혈역학적 요소를 침습적 또는 비침습적 방법으로 감시하는 것이다. 순환장애의 원인인 혈역학적 요소가 파악되면, 순환상태에 따라 분류하여 치료할 수 있다. 혈역학적 상태를 파악하려면 동맥압, 중심정맥압(central venous pressure) 또는 우심방압(right atrial pressure), 폐동맥압(pulmonary arterial pressure), 폐모세혈관 쐐기압(pulmonary capillary wedge pressure), 심박출량(cardiac output)를 포함한 혈역학적 요소를 측정해야 한다. 이전에는 혈역학적 요소를 측정하려면 동맥삽관술(arterial cannulation)과 중심정맥 삽관 또는 폐동맥 도자술(pulmonary artery catheterization) 등 침습적 방법이 사용되었다. 최근에는 폐동맥 도자를 삽관하지 않고 동맥 삽관술로 측정한 동맥 파형과 동맥압을 분석하여 산출한 일 회 심박출량과 심박수로 심박출량, 혈관 저항을 제공해 주는 장치가 사용되고 있다. 비침습적인 혈역학적 감시 방법에는 혈압을 지속적으로 측정할 수 있는 비침습적 혈압측정장치, 바이오 임피던스 측정기, 산소포화도 측정기, 초음파가 사용된다.

## 2. 순환상태에 영향을 주는 요소

순환기능이 유지되고 있다는 것은 혈압이 정상으로 유지되고 조직으로의 관류압이 정상으로 유지되고 있는 상태를 말한다. 혈압이 정상으로 유지되려면 심장의 기능, 혈관의 긴장도, 혈액량이 정상 상태로 유지되어야 한다.

순환기능을 유지하는데 중요한 혈역학적 요소는 전부하(preload), 심근 수축력(contractility), 후부하(afterload) 및 심박수이다. 각각의 혈역학적 요소는 심박출량에 직접 영향을 주며, 순환상태가 변화되면 이러한 요소들이 변하여 혈역학적 변화를 보상하게 된다.

### 1) 전부하

전부하는 심장의 이완기 말(end-diastole)에 심실에 들어있는 혈액량을 말한다. 전부하는 심근의 긴장도를 결정하는 요소이므로 심박출량에 직접 영향을 준다. 심실 이완기 혈액량을 직접 측정할 수 없으므로, 말기 이완기압(end diastolic pressure)을 전부하로 활용한다. 전부하는 체내의 총 혈액량, 정맥의 긴장도 및 심근의 탄력성에 의하여 결정된다.

출혈, 탈수 등으로 총 혈액량이 감소하거나 정맥 긴장도가 감소하면, 정맥에서 심장으로 들어오는 혈액량이 줄어들어 전부하가 감소한다. 우심실 경색 등 우심실 심박출량이 감소하는 때도 좌심실의 전부하가 감소할 수 있다. 전부하가 감소하면 심박수를 증가시켜 심박출량을 보상하지만, 심박수가 증가해도 심박출량을 유지할 수 없으면 쇼크가 발생한다.

전부하는 심실의 수축력에도 영향을 준다. 전부하가 증가하면 심근 긴장도가 증가하므로 수축력이 강해지고, 전부하가 감소하면 심근 긴장도의 감소로 수축력이 감소한다. 좌심실의 말기 이완기압을 직접 측정하기 어려우므로, 임상적으로는 폐모세혈관 쐐기압을 측정하여 전부하의 지표로 이용한다.

## 2) 심근 수축력

심근의 수축력은 카테콜아민의 혈중농도와 교감신경 및 부교감신경작용으로 조절된다. 심근 수축력이 정상인 환자에서는 심근 수축력을 추가로 증가시켜도 심박출량은 많이 증가하지 않는다. 심근 수축력이 정상인 환자에서는 전부하 감소가 심박출량을 감소시키는 중요한 요소이다.

환자를 치료하는 중에 심근의 수축력을 측정하기는 어렵다. 전부하와 후부하가 일정한 상태에서 심박출량을 측정하거나, 심초음파로 심실 박출률을 측정하는 것이 심근 수축력을 평가하는 데 도움이 될 수 있다.

## 3) 후부하

후부하는 혈류에 대한 혈관의 저항이다. 후부하는 주로 혈관의 긴장도에 의해 결정된다. 대동맥협착, 비대심근병증 등 심장질환이 있는 경우에는 예외적으로 심장 내에서 후부하가 증가하는 예도 있다.

혈압은 심박출량에 대한 혈관의 저항으로 생성된다. 혈압은 말초혈관 저항(peripheral vascular resistance)과 심박출량에 따라 결정된다. 즉 말초혈관 저항이나 심박출량이 증가하면 혈압이 상승하고, 말초혈관 저항이나 심박출량이 감소하면 혈압도 하강한다. 말초혈관 저항과 심박출량은 반비례 관계에 있다. 즉, 말초혈관 저항이 증가하면 심박출량이 감소한다.

말초혈관 저항에 영향을 주는 요소에는 혈관의 길이, 혈관의 내경(internal diameter) 및 혈액의 점도가 있다. 이 중에서 혈관 내경은 말초혈관 저항을 짧은 시간 내에 변화시키는 가장 중요한 요소이다. 혈관 내경을 변화시키는 인자에는 다양한 체내 기전이 있지만, 교감신경계가 가장 중요한 역할을 한다.

혈압을 일정하게 유지하기 위해 체내에는 다양한 혈압유지 기전이 존재한다. 예를 들면, 목동맥과 대동맥궁에 있는 압력 수용체(baroreceptor)는 혈압의 변화를 대뇌로 전달하여 혈압을 정상으로 유지한다. 즉, 혈압이 감소하면 교감신경을 흥분시켜 심박수 및 심근 수축력을 증가시키고, 말초혈관을 수축시켜 혈압을 올린다. 쇼크나 저혈압이 발생한 환자에서는 이러한 혈압유지 기전이 파괴되어 있거나 혈압유지 기전이 작동하더라도 혈압이 유지되지 않을 정도의 변화가 발생하여 있다. 따라서 쇼크나 저혈압이 지속되는 환자를 치료할 때는 혈압유지에 관계되는 요소를 종합적으로 파악해야 환자의 혈역학적 상태를 알 수 있다.

### 4) 혈역학적 감시로 알 수 있는 혈역학적 지수

침습적 혈역학적 감시를 하면 폐동맥 도자와 동맥 삽관술로 측정할 수 있는 압력(중심정맥압, 우심방압, 폐동맥압, 폐모세혈관 쐐기압, 동맥압) 이외에도 다양한 혈역학적 지수를 산출할 수 있다.

심박출량과 동맥압, 우심방압, 폐동맥압, 폐모세혈관 쐐기압을 이용하면 말초혈관 저항, 폐혈관 저항, 좌심실 및 우심실 박출 작업량 계수(stroke work index)를 산출할 수 있다. 동맥혈과 폐 동맥혈의 산소함유량을 측정하면 산소소모량과 동맥-정맥 산소함유량 차이를 알 수 있다(표 19-1).

## 3. 동맥 삽관술

동맥 삽관술(arterial cannulation)은 동맥에 도자를 삽관하는 시술로써 침습적 혈역학적 감시의 가장 기본 술기이다. 동맥압을 측정하기 위해 커프를 사용한 비침습적 혈압측정 방

표 19-1. 혈역학적 지수의 정상값

| 혈역학적 지수 | 정상값 |
|---|---|
| 수축기 혈압 | 100-140 mmHg |
| 이완기 혈압 | 60-90 mmHg |
| 평균 동맥압 | 70-105 mmHg |
| 심박수 | 60-100/분 |
| 중심정맥압 | 4-12 cm H2O |
| 우심실압(수축기/이완기) | 15-30/0-8 mmHg |
| 폐동맥압(수축기/이완기/평균) | 15-30/3-12/9-16 mmHg |
| 폐모세혈관쐐기압 | 1-10 mmHg |
| 심장박출 계수 | 2.6-4.2L/min/m2 |
| 말초혈관저항 | 700-1600 dynes-sec-cm-5 |
| 폐혈관저항 | 20-130 dynes-sec-cm-5 |
| 좌심실 박출 작업량 계수 | 30-110 g.m/m2 |
| 우심실 박출 작업량 계수 | 6-9 g.m/m2 |
| 산소 소비 계수 | 110-150 mL/min/m2 |
| 동정맥 산소량 차이 | 30-50 mL/L |

법을 주로 사용하지만, 동맥 삽관을 통한 혈압측정이 비침습적 방법보다 더 정확하므로 면밀한 혈압감시를 하려면 동맥 삽관술을 한다. 또한, 중환자 치료 중에는 동맥혈 가스분석검사를 포함한 여러 가지 검사를 위한 채혈을 해야 하므로, 동맥 삽관을 하면 반복적인 혈액채취를 하는 데 효율적이다. 그뿐만 아니라 동맥 파형을 분석하면 심박출량을 산출할 수 있으므로, 동맥 삽관술은 여러모로 혈역학적 감시가 필요한 환자에게 유용하게 적용된다.

### 1) 동맥 삽관술의 적응증

동맥 삽관술의 가장 중요한 목적은 혈압을 지속적으로 정확히 감시하는 것이다. 동맥 삽관술 이외에 혈압을 측정하는 방법에는 비침습적 방법으로써, 일반 혈압계, 도플러 초음파, automatic oscillometry를 사용하는 방법이 있다. 비침습적 방법은 정상범위의 혈압을 측정할 때에는 문제가 없으나, 말초혈관 저항이 증가한 환자에서는 실제 동맥압보다 낮게 측정되는 경향이 있다.

말초혈관 저항이 높아지면 동맥의 중심부(대동맥)와 말초동맥 사이에 혈압 차가 발생한다. 말초혈관 저항이 높은 환자(혈관수축제가 투여되고 있는 환자 등)에서 혈압을 정확히 측정하려면 동맥 내에 카테터를 삽관하여 혈압을 직접 측정한다. 일반적으로 동맥 내 카테터로 측정한 혈압이 커프로 측정한 혈압보다 약간 높다. 동맥을 반복적으로 천자 할 필요가 있는 환자에서는 동맥 내 카테터를 삽입하여 혈액을 채취하면 동맥의 손상을 줄일 수 있다. 동맥 천자를 하면 환자가 긴장하여 안정 상태의 혈액을 채취할 수 없으므로, 안정 상태에서의 동맥혈을 채취하기 위하여 동맥 삽관술을 하는 때도 있다(표 19-2).

### 2) 동맥 삽관술에 이용되는 동맥

동맥 삽관술에 흔히 이용되는 동맥은 노동맥(radial artery), 발등동맥(dorsalis pedis artery), 대퇴동맥, 위팔동맥(brachial artery), 겨드랑동맥(axillary artery)이다. 이 중에서 중심동맥(대동맥) 혈압을 비교적 정확히 반영할 수 있는 곳은 대퇴동맥과 겨드랑동맥이다. 겨

표 19-2. 동맥 삽관술의 적응증

| |
|---|
| 1. 혈압을 계속 측정해야 할 경우<br>2. 혈압상승제 또는 혈관확장제를 투여하는 경우<br>3. 반복적으로 동맥 천자를 해야 하는 경우<br>4. 안정 상태에서 동맥혈을 채취해야 하는 경우 |

드랑동맥은 대퇴동맥보다 측부 순환이 많아 안전하지만, 천자 후 카테터를 관리하기가 어려우므로 잘 이용되지 않는다. 위팔동맥은 천자 후 동맥 연축이 자주 발생하여 말단부의 허혈을 초래하는 경우가 많아 잘 이용되지 않는다.

동맥 삽관술에 가장 흔히 이용되는 동맥은 측부 순환이 풍부한 노동맥과 발등동맥이다. 따라서 동맥 천자나 일반적인 혈압감시를 위하여 동맥 삽관술을 할 때는 가능한 합병증의 발생이 적은 노동맥이나 발등동맥을 이용하는 것이 좋고, 중심 동맥의 혈압을 감시할 때에는 대퇴동맥을 삽관하는 것이 좋다.

### 3) 동맥 삽관술로 혈압을 측정하는 방법

동맥 삽관술로 혈압을 측정하려면 카테터(19-20G teflon catheter-over-needle device), 연결 튜브(noncompliant tubing), 세 방향 스톱콕(3 way stopcock), 지속 관류 장치(continuous low-flow flushing system), 압력변환기(pressure transducer), 압력감시장치(pressure monitor)가 필요하다.

동맥 천자 후 동맥 속에 카테터가 삽관되면, 카테터와 압력변환기를 연결 튜브와 세 방향 스톱콕으로 연결한다. 압력변환기는 압력감시장치와 연결하여 동맥압을 관찰하고 기록할 수 있도록 한다. 동맥 내 카테터와 연결 튜브 속에 혈전이 발생하는 것을 예방하기 위하여, 헤파린이 들어있는 지속 관류 장치로 연결 튜브를 관류시켜야 한다.

동맥 내 도자로 혈압을 측정할 때 정확도를 높이고 합병증을 줄이기 위하여 주의를 기울여야 한다(표 19-3). 연결 튜브와 세 방향 스톱콕 내에 공기가 들어가지 않도록 확인하고, 각 연결 부분이 제대로 연결되었는지 확인한다. 동맥 내 카테터와 압력변환기를 연결하는 연결 튜브는 비탄성 튜브(noncompliant tubing)를 사용하고 너무 긴 것을 사용하지 않아야 한다. 압력변환기의 위치가 영점(zero line)과 일치하고 있는지 확인한다. 압력변환기가 영점 상태에 정확히 조정(영점조정: calibration)되었는지 확인하고 수 시간마다 재조정한다. 주기적으로 천자 부위와 말단부위를 확인하여 혈종이나 허혈 또는 조직의 괴사가 발생하

표 19-3. 동맥 삽관술로 혈압을 감시할 때 확인하여야 할 사항

| |
|---|
| 1. 영점조정 |
| 2. 연결 튜브와 세 방향 스톱콕, 압력변환기의 연결 부분 |
| 3. 연결 튜브 내 공기 여부 |
| 4. 연결 튜브 및 도자 내 혈액 또는 혈전 여부 |
| 5. 천자 부위의 혈종 발생 여부 |
| 6. 천자 부위 말단부의 순환상태 |

지 않는지 확인한다.

### 4) 동맥 카테터 삽관 방법

#### (1) 노동맥 삽관법

노동맥은 위팔동맥의 분지로서 자동맥(ulnar artery)과 함께 손으로의 혈액이 관류하는 동맥이다. 노동맥의 혈류가 차단되더라도 자동맥이 충분한 측부 순환을 제공할 수 있으므로, 노동맥은 동맥 천자와 동맥 삽관술에 가장 흔히 이용된다. 그러나 정상인의 약 10% 정도에서는 자동맥의 측부 순환이 없거나 충분하지 않다. 이러한 환자에서 노동맥이 손상되면 허혈에 의한 심각한 손상이 발생할 수 있다. 따라서 노동맥을 천자 하거나 삽관할 때, 반드시 자동맥의 측부 순환이 충분한지를 확인한다.

**① 측부 순환의 확인과 앨런 검사**(modified Allen test)

자동맥의 측부 순환이 충분한지를 확인하는 방법에는 앨런 검사, 도플러 초음파, 혈량계(plethysmography)를 사용하는 방법이 있다. 이 중에서 앨런 검사가 임상적으로 가장 흔히 이용된다(그림 19-1).

앨런 검사에서 자동맥과 노동맥 부위를 일정 시간 동시에 압박한 다음, 한쪽의 압박을 제거한 후 혈액순환 상태를 확인하는 방법이다. 한쪽의 압박을 제거한 후 6초 이내에 손바닥의 색깔이 붉게 변하면, 측부 순환이 정상이라고 판단할 수 있다(표 19-4). 따라서 손바닥의 순환이 회복되는데 7초 이상이 소요되는 경우에는 노동맥을 천자 하지 말아야 한다.

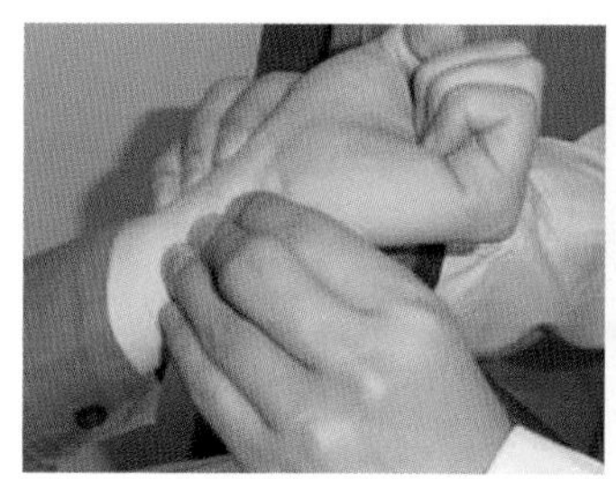

가. 주먹을 쥐도록 한 후,
노동맥과 자동맥을 압박한다

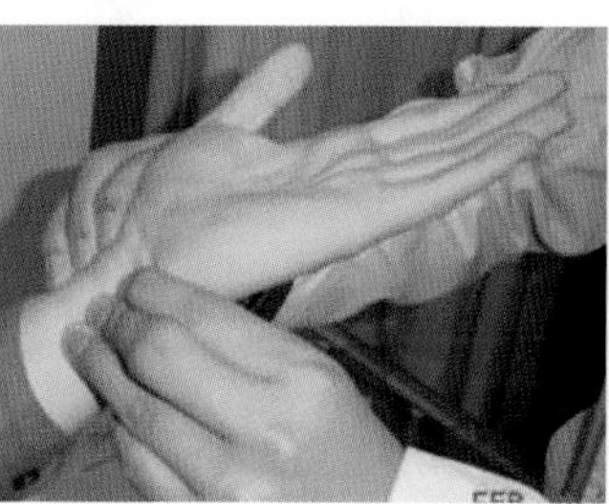

나. 동맥을 압박한 상태에서
주먹을 펴도록 한다

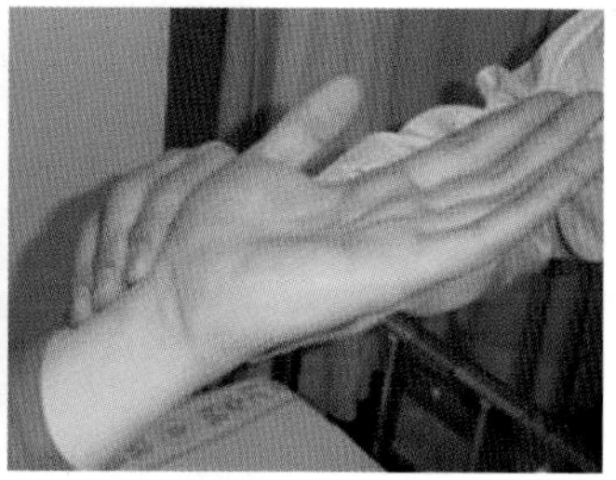

다. 자동맥의 압박을 풀어준 후
손바닥의 색깔을 관찰한다.

그림 19-1. 앨런 검사. 자동맥 또는 노동맥 부위의 압박을 제거한 후 6초 이내에 손바닥의 색깔이 붉게 변하면, 측부 순환이 정상이라고 판단한다.

표 19-4. 앨런 검사 방법

| |
|---|
| 1. 노동맥의 맥박을 확인한다.<br>2. 환자의 손을 심장 위치보다 높게 든 후, 주먹을 쥐었다 폈다를 반복한 다음 주먹을 꽉 쥐도록 한다.<br>3. 손가락으로 노동맥과 자동맥이 지나가는 부위를 압박한다.<br>4. 환자의 손을 아래로 내린 후 자동맥 부위의 압박을 풀어주면서 손바닥의 색깔을 관찰한다.<br>5. 노동맥을 확인하기 위하여 1, 2, 3의 과정을 한 번 더 반복한 후, 노동맥 부위의 압박을 풀어주면서 손바닥의 색깔을 관찰한다. |

### ② 노동맥 삽관 방법

노동맥 천자는 손목관절의 요골 뼈끝으로부터 약 1.5-3 cm 정도 근위부에 있는 노동맥을 천자 하는 방법이다. 먼저 앨런 검사로 측부 순환을 확인한 후, 환자의 손목을 신전시켜 천자 부위를 노출한 상태로 고정한다. 천자 부위를 소독한 후 1% 리도카인으로 부분 마취한다. 손가락으로 노동맥의 맥박을 확인하면서 주사바늘을 30도 정도의 각도로 유지한 상태에서 노동맥을 천자 한다(그림 19-2). 노동맥이 천자 되어 주사바늘의 뒤쪽으로 혈액이 관찰되면, 속심(stylet)이 움직이지 않도록 잡고 카테터를 동맥으로 밀어 넣는다. 카테터가 아무 저항 없이 동맥 내로 들어가면 속심을 제거한 후 튜브를 연결한다. 카테터를 고정한 후 후굴 상태로 고정되어 있던 환자의 손목을 중립상태로 고정한다.

### ③ 합병증

노동맥 삽관술이 시행된 환자의 약 20%에서 일시적인 동맥폐쇄가 발생하는 것으로 알

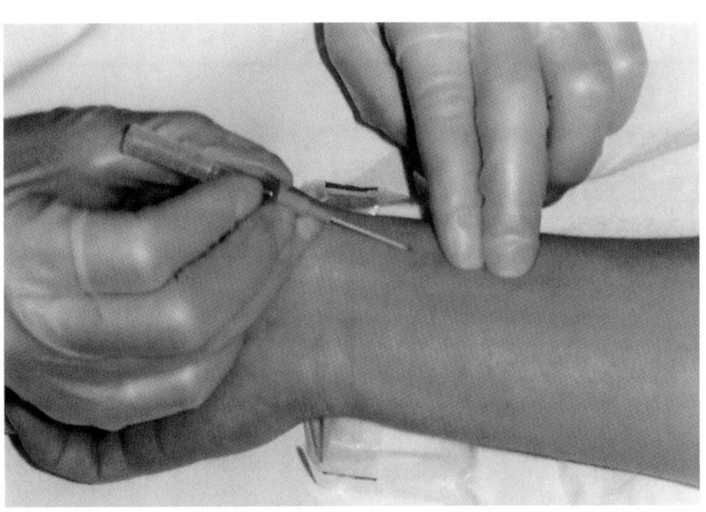

그림 19-2. 노동맥을 삽관하는 모습. 손목관절의 요골 뼈끝으로부터 약 1.5-3 cm 정도 근위부에 있는 노동맥을 확인한 후, 주사바늘을 30° 정도의 각도로 유지한 상태로 천자 한다.

려졌으나 영구적인 폐쇄가 발생하는 경우는 1% 이내이다. 혈전이 형성되면 혈전이 전색되어 손가락으로의 혈류가 감소 또는 차단되거나, 카테터가 폐쇄되어 혈압측정이 불가능해질 수 있다. 따라서 노동맥이 삽관된 환자에서는 주기적으로 손가락의 혈액순환을 확인한다. 혈전 때문에 손가락의 괴사가 실제로 발생하는 경우는 1% 이하이다.

삽관된 카테터를 지나치게 강한 압력으로 관류시키면, 공기 또는 혈전이 중심 동맥으로 전색될 수 있다. 연결 튜브와 카테터는 2 mL 정도의 생리식염수로 서서히 관류시켜야 한다.

카테터가 삽관된 동안에는 삽관 부위에 괴사가 발생하거나 혈종이 형성될 수 있으므로 주의하여 관찰한다. 특히 삽관 부위는 카테터를 고정하기 위하여 덮여있으므로 괴사나 혈종이 발생하더라도 늦게 발견될 수 있다. 가능하면 삽관 부위를 관찰할 수 있도록 카테터를 고정하는 것이 좋다.

### (2) 발등동맥 삽관술

#### ① 삽관 방법

발등동맥(dorsalis pedis artery)은 앞정강동맥(anterior tibial artery)이 족부로 나오면서 피하에 위치하여 형성된다. 족부는 앞전강동맥과 외바닥동맥(lateral plantar artery)으로부터 형성된 뒤정강동맥에 의하여 순환되며, 발등에서 동맥 궁을 이루어 측부 순환이 이루어진다. 발등동맥을 삽관하기 전에는 반드시 족부의 측부 순환을 확인한다. 측부 순환을 확인하는 방법은 앨런 검사 방법과 유사하다(표 19-5).

발등동맥은 발등에서 엄지발가락 신전인대(extensor hallucis longus tendon)의 바로 외측으로 평행하게 지나가므로 쉽게 만져진다. 먼저 측부 순환상태를 확인하고 천자 부위를 소독한 후 1% 리도카인으로 천자 부위를 부분 마취한다. 손가락으로 발등동맥의 맥박을 확인하면서 주사바늘을 30도 정도의 각도로 유지한 상태로 천자 한다. 그 외의 방법은 노동맥을 삽관할 때와 같다.

표 19-5. 발등동맥의 측부 순환을 확인하는 방법

| |
|---|
| 1. 발등동맥의 맥박을 확인한다.<br>2. 발등동맥을 손가락으로 압박하여 폐쇄한 후, 엄지발가락의 발톱을 수초 간 누른다.<br>3. 발등동맥을 누른 상태에서 엄지발가락에 가하였던 압박을 제거하고 색깔의 변화를 관찰한다.<br>4. 발톱의 색깔이 즉시 회복되면 측부 순환이 정상이라고 판단한다. |

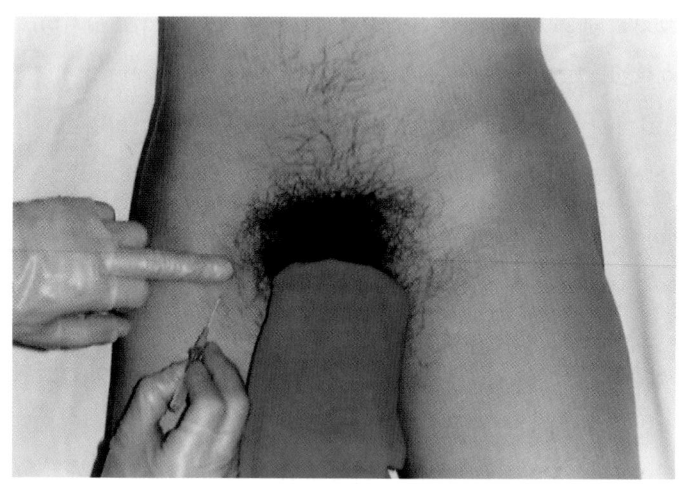

그림 19-3. 대퇴동맥을 삽관하는 모습. 대퇴동맥의 주행 방향을 한쪽 손가락으로 확인하고, 주사바늘을 45º정도의 각도로 유지한 상태로 천자 한다.

② 합병증

노동맥 삽관 시와 마찬가지로 혈전, 색전, 천자 부위의 혈종 또는 피부 괴사가 발생할 수 있다.

### (3) 대퇴동맥 삽관술

① 삽관 방법

대퇴동맥은 바깥엉덩동맥(external iliac artery)이 대퇴부로 나오면서 형성되며 서혜 인대를 지나 대퇴부의 내측으로 내려간다. 대퇴동맥은 서혜 인대의 가운데로 내려가므로 대퇴 삼각부에서 쉽게 만져진다. 대퇴동맥의 내측으로는 대퇴정맥이 지나가며, 외측으로는 대퇴신경이 지나간다.

대퇴동맥을 천자 하기 전에 반드시 반대쪽 대퇴동맥의 맥박을 확인하여 맥박의 크기가 같은지 확인한다. 또한, 환자에게 장시간 걷고 난 후 다리에 통증이 있는지를 문진한다.

대퇴동맥에 짧은 카테터를 삽입하면 쉽게 빠져버리므로, 보통 긴 카테터를 삽입한다. 따라서 대퇴동맥을 천자 할 때에는 가능한 셀딩거법을 사용하는 것이 좋다.

대퇴동맥 천자 부위는 대퇴동맥이 서혜 인대를 지나 대퇴부로 나온 후 2 cm 정도 주행한 부위이다. 대퇴동맥의 맥박을 확인하고 서혜부를 면도한 후, 천자 부위를 소독 및 마취한다. 대퇴동맥의 주행 방향을 한쪽 손가락으로 확인하고, 주사바늘을 45도 정도의 각도로 유지하면서 동맥을 천자 한다(그림 19-3) 셀딩거법을 사용할 때에는 동맥이 천자 되어 혈액이 분출되는 것을 확인한 후 유도 철사를 밀어 넣는다. 유도 철사를 밀어 넣을 때 저항이 있으면 무리하게 밀어 넣지 말고, 계속 저항이 있으면 유도 철사를 제거하고 주사바늘이 동맥 내에 확실히 있는지 확인한다. 유도 철사가 삽입되면 주사바늘을 제거하고 카테터를 삽입한다. 카테터가 삽입되면 유도 철사를 제거하고 카테터를 튜브와 연결한 후 고정한다.

셀딩거법을 사용하지 않을 때는 다른 동맥을 삽관할 때와 같은 방법으로 삽관한다.

**② 합병증**

대퇴동맥 천자 시 가장 유의하여야 할 점은 동맥을 반복적으로 천자 하거나 정맥을 천자 하면 혈종이 발생할 수 있다는 것이다. 대퇴동맥이 천자 된 후에 유도 철사나 카테터가 삽입되지 않으면 주사바늘을 완전히 제거하고 천자 부위를 5분 이상 압박하여 완전히 지혈되도록 한다. 또한, 주사바늘이 피하에 있는 상태에서 주사바늘의 방향을 이리저리 돌려가며 천자 하지 말아야 한다. 대퇴정맥이 천자 된 경우에도 일시적으로 압박을 가해주어야 혈종의 발생을 방지할 수 있다.

다른 부위의 동맥을 삽관 할 때와 마찬가지로 혈전, 색전, 감염 등이 생길 수 있다. 때로는 대퇴동맥과 대퇴정맥 사이에 동-정맥루가 형성되는 예도 있다.

### 5) 동맥 삽관을 이용한 혈역학적 감시

최근에는 동맥 파형 분석 방법으로 심박출량을 알 수 있는 혈역학적 감시 장치가 사용되고 있다. 동맥압 파형 분석 알고리듬을 사용하는 장치는 동맥 삽관 또는 손가락 혈압측정장치로 측정된 동맥 파형과 맥박수를 활용하여 심박출량을 산출해준다. 이 장치를 사용하면, 동맥 삽관 또는 중심정맥 삽관과 동맥 삽관을 함께 하여 중심정맥압, 동맥압, 동맥 파형 분석을 통해 산출한 혈역학적 지수(심박수, 일 회 심박출량, 심박출량, 말초혈관 저항, 폐동맥 저항, 심박출량 변동지수 등)를 계속 감시할 수 있다. 또한, 중심정맥 산소포화도 측정 도자를 사용하면 중심정맥 산소포화도를 계속 측정할 수 있고, 동맥혈 산소포화도를 함께 측정하여 여러 가지 체내 산소 소모 관련 지수(조직 산소 공급량, 조직 산소소모량)를 알 수 있다.

## 4. 동맥 천자

동맥 천자는 동맥혈 가스검사에 필요한 동맥혈을 채취하는 데 필요하다. 동맥 천자에 주로 이용되는 동맥은 노동맥, 위팔동맥, 대퇴동맥, 발등동맥이다. 이 중에서 노동맥이 동맥 천자에 가장 적합하다.

동맥 천자 방법은 다음과 같다. 동맥의 맥박을 확인한 후 맥박이 가장 잘 만져지는 부위를 소독하고 동맥 내 삽관 시와 같은 방법으로 동맥을 천자 한다. 주사바늘의 각도는 노동맥을 천자 할 때는 45-60도 정도로 유지하고, 대퇴동맥을 천자 할 때에는 90도 가까이 유지한다(그림 19-4). 주사바늘을 통하여 혈액이 역류하면 혈액이 혈압에 의하여 주사기로 들어오기까지 기다린다. 플라스틱주사기를 사용할 때에는 주사기의 피스톤을 약간 당겨주어야 한다. 혈액이 채취되면 주사바늘을 동맥으로부터 뽑아낸 후 5-10분간 천자 부위를 압박한다.

동맥을 천자 할 때는 헤파린이 들어있는 주사기를 사용해야 하며, 채취된 혈액은 천자 즉시 검사실로 보내야 한다. 동맥혈을 채취한 후 분석할 때까지 시간이 지연되면 산소압과 pH가 감소하고, 이산화탄소 분압이 증가할 수 있다.

동맥 천자 후에도 동맥 삽관술과 마찬가지로 출혈, 혈종, 색전, 감염 등이 생길 수 있다.

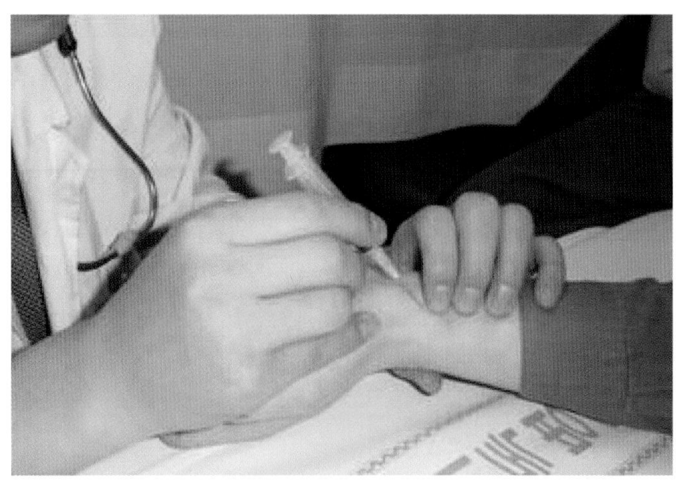

그림 19-4. 노동맥 천자술. 노동맥을 천자할 때에는 주사바늘의 각도를 45-60°정도로 유지한다.

## 5. 폐동맥 도자 삽관

폐동맥 도자(pulmonary artery catheter)는 혈역학적 감시에서 매우 중요한 역할을 한다. 폐동맥 도자를 삽입하면 우심방압, 우심실압, 폐동맥압 및 폐모세혈관 쐐기압을 측정할 수 있고, 폐동맥의 혈액(혼합 정맥혈: mixed venous blood)을 채취할 수 있다. 또한, 폐동맥 도자를 사용하여 심박출량을 측정하면 여러 가지 혈역학적 지수를 산출할 수 있다.

혈역학적 감시를 위하여 사용되는 폐동맥 도자는 도자 끝에 풍선이 달려있으므로, 방사선 투시기를 사용하지 않고 정맥으로부터 우심방, 우심실을 거쳐 폐동맥으로 삽관할 수 있다(그림 19-5). 따라서 폐동맥 도자는 압력 감시 장치만 있으면 환자를 방사선 투시기가 있는 장소로 옮기지 않고 쉽게 삽입할 수 있다.

### 1) 폐동맥 도자

폐동맥 도자는 기본적으로 3개의 관(lumen)과 1개의 철선으로 구성되어 있다(그림 19-6).

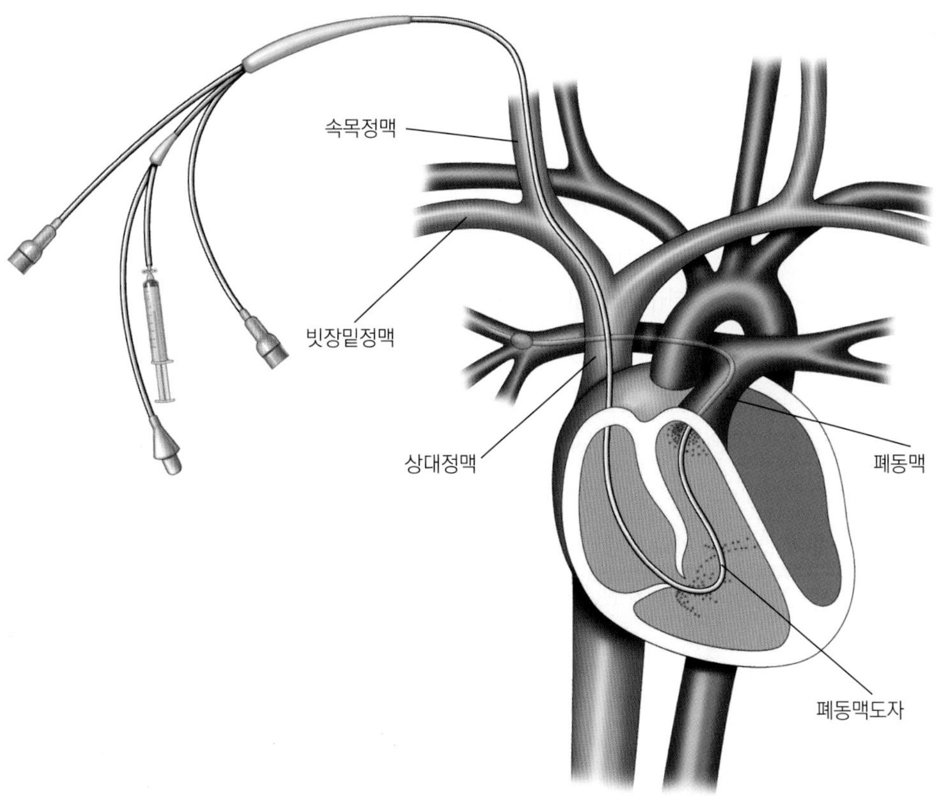


그림 19-5. 폐동맥 도자의 삽관. 폐동맥 도자는 정맥을 통하여 우심방, 우심실을 거쳐 폐동맥에 삽관한다.

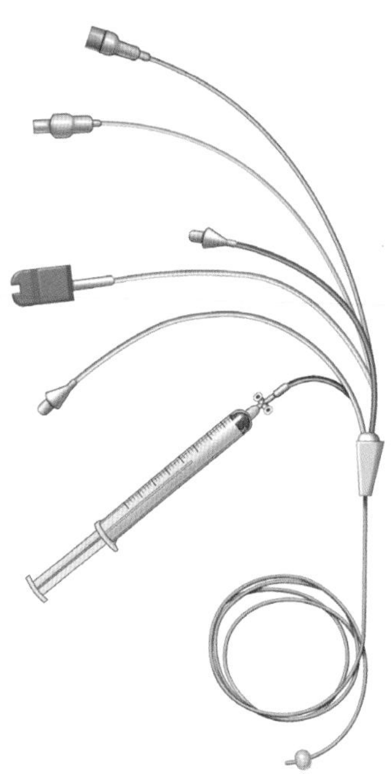

그림 19-6. 폐동맥 도자. 폐동맥 도자는 3개 이상의 관(lumen)과 1개의 철선으로 구성되어 있다. 원위부로 열리는 관(distal lumen)은 폐동맥압을 측정할 수 있으며, 풍선을 부풀려 폐동맥을 폐쇄하면 폐모세혈관쐐기압을 측정할 수 있다. 근위부로 열리는 관(proximal lumen)은 우심방압 또는 중심정맥압을 측정하게 되어있다.

원위부로 열리는 관(distal lumen)은 도자 끝에 붙어있는 풍선의 원위부로 열려 폐동맥압을 측정할 수 있으며, 풍선이 부풀려지면 폐모세혈관 쐐기압을 측정할 수 있도록 고안되어 있다. 근위부로 열리는 관(proximal lumen)은 도자의 끝으로부터 30 cm 떨어진 곳으로 열려있으므로, 우심방압 또는 중심정맥압을 측정하게 되어있다. 또한, 이 관을 통하여 생리식염수를 주사하여 심박출량을 측정할 수 있다. 또 다른 관은 도자 끝에 붙어 있는 풍선을 부풀리기 위한 것이다. 철선의 끝에는 온도를 감지할 수 있는 장치(thermistor)가 부착되어 있으므로, 폐동맥 온도를 계속 감시할 수 있고, 열 희석(thermodilution)방법을 사용하여 심박출량을 계산할 수 있다.

최근에는 3개의 관 이외에도 우심방 또는 우심실로 열리는 또 다른 관을 부착하여 수액이나 약물투여에 사용하도록 고안된 폐동맥 도자도 있으며, 우심실로 연결되는 관을 통하여 심장박동조율 도자를 삽입할 수 있도록 고안된 폐동맥 도자로 있다.

심박출량을 측정하는 비침습적 방법(impedance pletysmography 등), 동맥 파형 분석 혈역학적 감시장치, 중심정맥 산소포화도 측정기 등이 개발된 이후, 폐동맥 도자의 사용빈도가 감소하고 있다.

## 2) 폐동맥 도자 삽입의 적응증

최근에는 동맥 파형 분석을 활용한 혈역학적 감시 장치가 널리 보급되면서, 폐모세혈관 쐐기압을 반드시 측정해야 하는 상황(심장성 쇼크, 급성호흡부전증후군)을 제외하고는 응급상황에서 폐동맥 도자를 삽입하지 않는다. 다만, 다음의 경우에는 폐동맥 도자 삽관을 고려해 볼 수 있다. 심근경색, 심부전 등 좌심실 또는 우심실의 기능장애에 의하여 혈역학적 변화가 초래된 환자에서는 혈역학적 변화의 원인을 밝히기 위해 폐동맥 도자를 삽관한다. 폐부종의 원인이 심장성(cardiogenic)인지 비심장성(non-cardiogenic)인지 감별이 어려운 환자에서는 폐모세혈관쐐기압을 측정함으로써 쉽게 폐부종의 원인을 구분할 수 있다. 심근경색의 합병증으로 급성 승모판 폐쇄부전 또는 심실중격 천공이 발생한 환자에서는 우심방압의 파형을 관찰하고 우심실 혈액의 산소포화도를 측정하면 좌심실과 우심실 사이의 단락 여부 및 단락률(shunt fraction)을 알 수 있다. 그러나 심초음파를 사용하면 심근경색의 합병증을 비침습적으로 확인할 수 있으므로, 심근경색 합병증의 진단을 위해 폐동맥 도자를 삽입하지는 않는다. 심근 수축력 또는 말초혈관 저항에 영향을 주는 약물을 투여한 후 그 효과를 판단하여야 할 경우에도 혈역학적 감시를 위하여 폐동맥 도자를 삽입한다. 그러나 단순한 대량 출혈에 의한 쇼크 또는 일시적으로 저혈압이 발생한 환자 등에서는 폐동맥 도자를 삽입할 필요가 없다.

## 3) 폐동맥 도자 삽관법

### (1) 폐동맥 도자 삽관을 위한 준비

폐동맥 도자를 삽관할 때에는 삽관할 부위(속목정맥 또는 빗장밑정맥 부위)의 피부를 광범위하게 소독하고, 천자 부위가 감염되지 않도록 유의한다. 폐동맥 도자는 삽관 과정에 부정맥이 발생할 수 있으므로, 제세동기를 준비한다. 또한, 삽관 중 우각차단이 발생할 수 있으므로 좌각차단이 있는 환자에서 폐동맥 도자를 삽입하여야 할 때는 응급 인공심장박동조율을 준비하는 것이 안전하다.

심장 내 압력을 측정하여야 하므로 동맥 삽관술을 할 때와 같이 연결 튜브(noncompliant tubing), 세 방향 스톱콕(3 way stopcock), 지속 관류 시스템(continuous low-flow flushing system), 압력변환기, 압력감시장치가 필요하다. 심박출량을 계산하려면 폐동맥 도자에 있는 온도 측정관(thermistor)을 심박출량 계산기(cardiac output computer)에 연결한다.

## (2) 삽관 방법

### ① 삽관할 정맥의 선택

폐동맥 도자는 어떤 정맥으로도 삽관할 수 있으나 빗장밑정맥과 속목정맥이 가장 선호된다. 말초정맥을 통해 삽관할 수도 있으나 폐동맥 내에 폐동맥 도자를 적절히 위치시키기 어렵다. 대퇴정맥을 통하여 삽관하면 폐동맥으로의 진입이 어렵고, 감염의 가능성이 크다.

### ② 유도초를 통한 폐동맥 도자의 삽입

폐동맥 도자를 넣으려면 폐동맥 도자보다 내경이 1 Fr 정도 큰 유도초를 먼저 삽입한다. 유도초(sheath)를 통해 폐동맥 도자를 약 15 cm 정도 밀어 넣은 후, 공기주사기로 도자의 풍선을 부풀린다. 폐동맥 도자의 원위부로 열리는 관에 압력감시장치를 연결한 후, 압력 파형을 관찰하면서 폐동맥 도자를 서서히 밀어 넣는다.

### ③ 폐동맥 도자 삽입과정에서 관찰되는 압력 파형

대정맥에서 우심방으로 도자가 삽입된 후에도 압력 파형은 변하지 않으나, 대정맥에 폐동맥 도자가 위치하면 흉강 내 압력의 영향을 받으므로 호흡 주기 또는 기침에 따라 변화될 수 있다. 보통 속목정맥이나 빗장밑정맥을 통하여 폐동맥 도자를 삽입할 때, 폐동맥 도자의 끝이 우심방에 도달하려면 폐동맥 도자를 15-20 cm 정도 밀어 넣어야 한다.

우심방의 압력 파형은 대정맥에서의 압력 파형과 같다. 폐동맥 도자가 우심방에서 우심실로 들어가면 수축기에 급격한 압력 증가가 관찰되고 이완기에는 전형적인 역 루트(square root) 모양의 파형이 관찰된다. 가끔 우심실과 도자가 접촉되어 심실 조기수축이나 심실빈맥이 관찰될 수도 있다.

폐동맥 도자가 우심실에서 폐동맥으로 들어가면 수축기압력은 우심실압과 같으나 이완기압이 상승하여 전형적인 동맥압의 파형이 관찰된다. 폐동맥 도자를 조금 더 밀어 넣으면 폐동맥의 분지가 풍선에 의하여 폐쇄되면서 폐모세혈 관쐐기압의 파형이 관찰된다(그림 19-7). 폐모세혈관 쐐기압의 파형은 일반적인 정맥의 파형에서처럼 a 파와 v 파가 관찰된다. 폐모세혈관 쐐기압은 폐동맥 이완기압과 같거나 약간 낮다.

### ④ 폐동맥 도자의 위치

성인에서 빗장밑정맥이나 속목정맥으로 폐동맥 도자를 삽관했을 때, 천자 부위로부터 도자가 약 50 cm 정도 삽관되면 폐동맥 도자의 끝이 폐동맥에 위치하게 된다.

폐동맥 도자가 이상적인 위치에 있으면 풍선을 부풀렸을 때 폐모세혈관 쐐기압이 측정

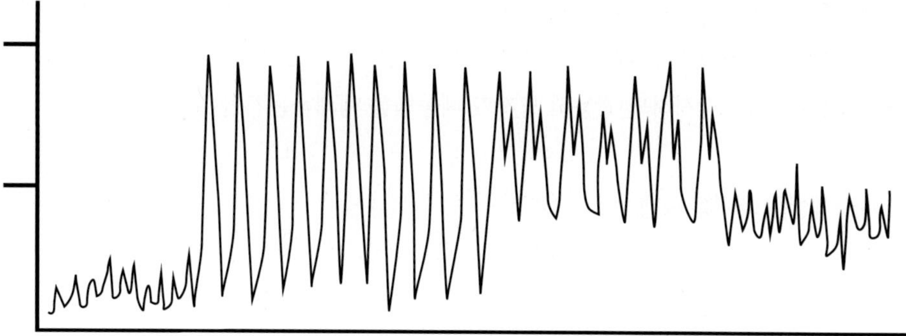

그림 19-7. 폐동맥 도자 삽관 과정에서 관찰되는 압력 파형. 폐동맥 도자가 우심방에서 우심실로 들어가면 수축기 시 급격한 압력 증가가 관찰된다. 폐동맥 도자가 우심실에서 폐동맥으로 들어가면 수축기압력은 우심실압과 같으나 이완기압이 상승하여 전형적인 동맥압의 파형이 관찰된다. 폐동맥의 분지가 풍선에 의하여 폐쇄되면 폐모세혈관쐐기압의 파형이 관찰된다.

되고, 풍선의 공기를 제거하면 폐동맥으로의 혈류가 정상적으로 유지된다. 폐모세혈관 쐐기압이 측정되면 풍선의 공기를 빼고 폐동맥압의 파형이 관찰되는지를 확인한다. 풍선의 공기를 제거한 후에도 폐모세혈관 쐐기압이 관찰되면 폐동맥 도자가 너무 깊이 삽관된 상태이므로 도자를 약간 빼준 후 위치를 재확인한다.

폐동맥 도자의 위치가 적절하면, 폐동맥 도자의 풍선을 부풀린 상태에서 채취한 혈액의 산소포화도는 동맥혈 산소압과 같거나 약간 높다.

### (3) 삽입 시 주의사항

폐동맥 도자를 삽입하는 과정에 우심실과 접촉하면 심실 조기수축이나 심실빈맥이 발생할 수 있다. 이러한 부정맥이 발생하였을 때는 폐동맥 도자를 약간 빼주어 우심실과의 접촉을 없애주면 부정맥이 금방 사라진다. 만약 부정맥이 계속되면 항부정맥제를 투여하거나 전기 심장율동전환을 한다. 삽입과정 중에 우각차단이 발생할 수도 있으므로 좌각차단이 있는 환자에서는 경정맥 심장박동조율 도자를 먼저 삽입하거나, 경피 심장박동조율기를 대기시켜야 한다.

폐동맥 도자를 삽입하는 과정 중에 도자가 하대정맥 또는 상대정맥 내에서 꼬이거나 우심방 또는 우심실 내에서 둥글게 감김으로써 폐동맥으로 진행되지 않는 경우가 있다. 이때는 도자를 계속 밀어 넣어도 압력 파형이 변하지 않거나 갑자기 압력 파형이 소실된다. 풍선의 공기를 제거하고 서서히 도자를 빼낸 후 정상적인 파형이 나타나면 다시 풍선에 공기를 넣고 재시도한다.

폐동맥 도자가 폐동맥 내에 적절히 위치하면 반드시 풍선의 공기를 제거한다. 지속적으로 풍선을 부풀려 놓으면 폐동맥으로의 혈류가 차단되어 폐경색이 발생할 수 있다. 폐동맥압을 지속적으로 감시하면 폐동맥 도자가 폐동맥을 폐쇄하는지를 알 수 있다.

### (4) 폐모세혈관 쐐기압 측정

#### ① 좌심실 이완기압과 폐모세혈관 쐐기압

심장질환이 없고 폐혈관 저항이 정상일 때, 중심정맥압이 좌심실 이완기압을 반영할 수 있다. 그러나 심실 기능의 장애, 심실 탄력성의 변화, 폐혈관 저항의 변화가 초래된 환자에서는 중심정맥압이 좌심실 이완기압을 반영할 수 없다. 따라서 좌심실 이완기압을 비교적 정확히 반영할 수 있는 폐모세혈관 쐐기압을 측정해야 한다. 승모판 질환, 폐정맥질환, 좌심실 탄력성의 변화가 있으면, 폐모세혈관 쐐기압이 좌심실 이완기압을 정확히 반영할 수는 없다.

#### ② 폐모세혈관 쐐기압 측정 방법

폐모세혈관 쐐기압을 측정할 때에는 폐동맥압이 정확히 측정되고 있는지를 확인한 후, 압력 파형을 관찰하면서 폐동맥 도자의 풍선에 서서히 공기를 주입한다. 공기가 풍선으로 주입되는 동안 압력 파형이 폐동맥압의 파형에서 폐모세혈관 쐐기압의 파형으로 바뀌면 풍선을 더 부풀리지 말고 폐모세혈관 쐐기압을 측정한다. 폐모세혈관 쐐기압은 흉강 내압의 영향을 받으므로 호흡에 따라 변한다. 따라서 폐모세혈관 쐐기압은 흉강 내압이 영점 상태가 되는 호기말에 측정한다.

호기말 양압 치료 중인 환자에서 폐모세혈관 쐐기압을 측정하기 위하여 호기말 양압 치료를 중단할 필요는 없다. 일반적으로 5 cm H2O 이하의 호기말 양압 치료를 할 때는 폐모세혈관 쐐기압에 영향이 없다. 5-25 cm H2O의 호기말 양압 치료 중에는 호기말 양압이 5 cm H2O 증가할 때마다 폐모세혈관 쐐기압이 1 mmHg씩 증가한다.

폐모세혈관 쐐기압은 폐동맥 이완기압과 같거나 1-2 mmHg 정도 낮다. 따라서 폐동맥 도자 풍선이 작동하지 않으면 폐동맥 이완기압으로 폐모세혈관 쐐기압을 예측할 수 있다.

### (5) 심박출량의 측정

폐동맥 도자에 의한 심박출량의 계산은 열 희석방법(thermodilution)으로 측정한다. 이 방법은 낮은 온도(4℃ 이하)의 주사액을 지표로 사용하는 방법이다. 즉 온도와 양을 알고 있는 주사액을 폐동맥 도자의 근위부 관을 통하여 빠른 속도로 주사하면, 원위부에 있는 온도감지기에서 혈액 온도를 측정하여 주사액 투여 전과 투여 후의 온도변화를 이용하여 심박출량을 계산한다. 이 방법은 다른 방법에 비하여 간편하고 정확한 심박출량 계산법이다. 최근에는 수동으로 주사액을 투여하지 않고 자동으로 지속적인 심박출량을 측정하는 폐동맥 도자가 주로 사용된다.

이 방법에 따라 계산된 심박출량은 좌심실의 심박출량이 아니라 우심실의 심박출량이다. 따라서 좌-우 단락이 있는 경우에는 좌심실과 우심실의 심박출량이 달라지므로 단락에 의한 심박출량의 차이를 교정해주어야 한다.

### (6) 폐 단락 계산

#### ① 폐 단락

우심실로부터 박출된 혈액은 폐를 거쳐 산소화된 후 좌심실로 들어온다. 우심실에서 폐로 들어간 혈액 대부분은 허파꽈리에서 산소화되지만, 일부의 혈액은 환기되지 않은 허파꽈리를 관류하거나 가스교환이 이루어지지 않아 산소화되지 않은 상태로 좌심실로 돌아오게 된다. 이와 같이 가스교환이 이루어지지 않는 혈액이 있으므로, 허파꽈리 내 산소함유량(alveolar oxygen content)과 동맥혈 산소함유량(arterial oxygen content) 사이에 차이가 발생한다. 우심실의 심박출량 중 가스교환 없이 좌심실로 돌아오는 혈액량의 분획을 폐 단락(intrapulmonary shunt: Qs/Qt)이라 한다. 정상에서도 우심실로부터 박출된 혈액 중 가스교환 없이 좌심실로 돌아오는 혈액은 심박출량의 약 5% 정도이다.

#### ② 폐 단락 계산

좌심실의 혈액은 허파꽈리에서 산소교환을 마친 혈액과 폐 단락을 지나온 혈액이 섞여 있다. 따라서 폐 환기가 정상적으로 이루어지고 있다면 좌심실 내(또는 동맥혈 내) 산소함유량은 폐 단락률에 따라 영향을 받게 된다. 단락된 폐를 통하여 좌심실로 들어온 혈액의 산소함유량은 혼합 정맥혈인 폐 동맥혈의 산소함유량과 같다. 따라서 폐 단락률을 계산하려면 반드시 폐 동맥혈을 채취해야 한다. 폐 단락률(%)은 동맥혈, 혼합 동맥혈, 폐 동맥혈, 폐 모세혈관 혈액의 산소농도를 사용하여 계산할 수 있다(표 19-6).

표 19-6. 폐 단락률 계산

$$Qs/Qt(\%)=(CcO_2-CaO_2)/(CcO_2-CvO_2) \times 100$$

* $CcO_2$: 폐 모세혈관혈 산소량(pulmonary capillary oxygen content)
$CaO_2$: 동맥혈 산소량(arterial oxygen content)
$CvO_2$: 혼합 정맥혈 산소량(mixed venous oxygen content)

### ③ 폐 단락의 임상 적용

임상적으로 원인과 관계없이 폐부종이 있는 환자에서는 폐 단락률이 증가하므로 폐 단락률을 측정하는 것이 치료에 도움이 된다. 특히 호기말 양압 치료를 할 때는 치료의 효과를 판단하고 적절한 호기말 양압을 정하기 위하여 폐 단락률을 측정한다.

흉부 손상에 의한 폐 좌상 환자에서는 손상 초기에 관찰되는 방사선 촬영의 음영보다 폐 좌상의 범위가 넓으므로, 폐 단락률을 측정하면 폐 손상의 범위를 조기에 알 수 있다.

### ④ 혼합 정맥혈의 채취

폐 단락률을 계산하기 위하여 혼합 정맥혈(폐 동맥혈)을 채취할 때에는 서서히 혈액을 채취하여 폐 모세혈관으로부터의 혈액이 섞이지 않도록 한다. 폐동맥에서 채취된 혈액의 산소함유량을 측정할 때에는 가능한 이산화탄소 분압을 함께 측정하여 폐 모세혈관 혈액이 섞였는지를 확인한다.

### (7) 폐동맥 도자에 의한 합병증

폐동맥 도자가 삽관된 동안 혈전이 발생할 수 있다. 때로는 혈전의 전색으로 폐색전이 발생하기도 한다. 폐동맥 도자의 풍선이나 도자 자체가 폐동맥의 분지를 폐쇄하여 폐경색이 발생할 수도 있다. 폐경색이 발생하면 폐출혈이 동반될 수도 있다.

폐동맥 도자에 의하여 삼첨판이나 폐동맥판이 손상될 수도 있다. 때로는 삽관 과정 중에 폐동맥 도자가 꼬여서 묶어지는 경우(knotting)가 발생할 수 있으며, 이때 무리하게 도자를 빼내려다가 심장 내 구조물을 손상할 수 있다.

도자를 삽입하는 중에는 심실 조기수축, 심실빈맥 등의 부정맥이 생길 수 있으며, 우각차단이 일시적으로 발생할 수도 있다.

도자 삽관 후 심내막염이나 패혈증 등의 감염이 생길 수도 있다. 폐동맥 도자 삽관을 위하여 정맥을 천자 하는 과정 중에 출혈, 동맥 천자, 감염 등이 생길 수 있다.

# 심장막 천자

## 1. 심장눌림증

### 1) 심장눌림증의 병태 생리

심장눌림증(cardiac tamponade)은 원인과 관계없이 심장막 내 압력(intrapericardial pressure)이 증가하여 심장이 압박됨으로써, 심장으로의 혈액 환류가 감소하여 심박출량의 감소를 초래하는 상태를 말한다.

심장막 내 압력이 증가하여 정맥혈 환류가 감소하면 체내에서는 보상 기전에 의하여 심박출량을 유지한다. 즉 심박출량을 유지하기 위하여 심박수가 증가하고, 혈압을 유지하기 위하여 말초혈관 저항이 증가한다. 신장으로의 혈류가 감소하면 신장에서는 전해질과 수분 배설을 줄인다. 그러나 이러한 보상 기전보다 심박출량의 감소가 현저하면 혈압이 하강하고 쇼크가 발생하며, 즉시 심장막의 액체가 제거되지 않으면 환자는 사망하게 된다.

심장막 내 압력은 심장막 내 액체의 축적속도와 심장막의 탄성(compliance)에 영향을 받는다. 외상, 대동맥 박리, 심근경색에 의한 심실파열과 같이 심장막 내 혈액이 급격히 축적되는 상태에서는 200 mL 이하의 적은 혈액으로도 심장막 내 압력이 급격히 상승하여 심장눌림증이 발생한다. 감염, 악성종양, 요독증, 약물 등에 의하여 심장막 내 액체가 서서히 축적될 때는 심장막이 점차 늘어나므로 상당히 많은 양의 액체가 축적되어야 심장눌림증이 발생한다.

출혈이나 탈수로 순환량이 감소한 상태에서는 심장막 내 압력이 약간만 증가해도 정맥혈 환류가 현저히 감소하여 쉽게 심장눌림증이 발생한다. 이때는 심장눌림증 환자에서 일반적으로 발생하는 경정맥 팽대 등이 관찰되지 않으므로 심장눌림증의 진단이 늦어질 수도 있다.

### 2) 심장눌림증의 진단

심장눌림증이 발생하면, 목정맥이 팽대되고 심음은 작고 불분명해지며 혈압이 하강한다. 또한, 수축기 혈압이 호기보다 흡기에 10 mmHg 이상 하강하는 모순맥박(기이맥, pulsus paradoxus)을 관찰할 수 있다. 모순맥박은 흡기 시 정맥혈 환류에 영향을 줄 수 있는 만성 위축성 심장막염, 제한심장근육병증, 만성 폐색성 폐질환, 중증의 폐색전에서도 관찰될 수 있다.

심장눌림증은 심초음파에 의하여 확진된다. 심초음파는 심장막 삼출의 존재, 우심방 및 우심실의 이완기 위축 여부, 호흡 주기에 따른 승모판 운동의 변화, 승모판 혈류의 도플러 관찰소견을 통하여 심장눌림증의 발생 여부를 쉽게 알 수 있는 유용한 방법이다(그림 20-1). 심초음파에서 이완기 말기의 우심방 허탈, 이완기 초기의 우심실 허탈, 흡기 시 승모판 도플러 초음파 속도의 감소(호기보다 30% 이상), 하대정맥의 팽대 및 흡기 시 허탈 정도의 감소(50% 이내)가 관찰될 때는 심장눌림증의 발생 가능성이 높다(표 20-1). 심초음파로 심장막 천자 부위를 결정한 후, 심초음파 도움으로 심장막 천자를 하면 비교적 안전하게 심장막 천자를 시행할 수 있다.

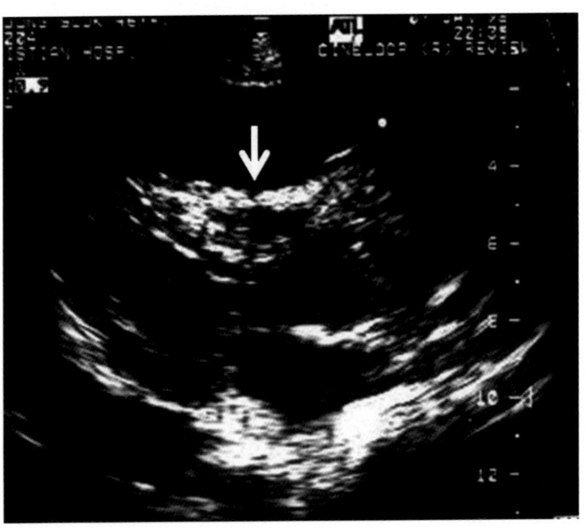

그림 20-1. 심장눌림증의 이면성 심초음파소견. 심장주위를 둘러싸고 있는 심장막 삼출이 관찰되며, 우심실 위축(화살표)이 관찰된다.

표 20-1. 심장눌림증의 심초음파소견

| 1. 흡기 때 심실중격의 급격한 좌측 편위<br>2. 우심실 및 우심방의 이완기 위축<br>4. 흡기 때 승모판 혈류의 감소<br>5. 하대정맥 팽대 및 흡기 시 위축 감소 |
|---|

## 2. 심장막 천자

### 1) 심장눌림증의 치료

심장눌림증의 유일한 치료는 심장막 천자(pericardiocentesis)로 심장막 삼출을 제거하는 것이다. 심장막 천자가 즉시 시행될 수 없는 상황에서는 다량의 수액을 투여하여 심장막 내압보다 정맥압을 상승시켜 정맥혈 환류를 증가시키는 것이 도움이 된다. 보통 10분 이내에 500 mL의 생리식염수를 투여한 후, 환자의 상태를 관찰하면서 시간당 100-500 mL의 생리식염수를 투여한다.

### 2) 심장막 천자

심장막 삼출을 제거하는 방법에는 심장막 천자와 심장막 절개(pericardiotomy)가 있다. 심장막 절개는 심장막 천자보다 비교적 안전하게 심장막 삼출을 제거할 수 있고, 심장막을 생체검사 하여 심장막 삼출의 원인을 규명하는 방법이지만, 응급상황에서는 빨리 심장막 삼출을 제거할 수 있는 심장막 천자를 한다.

심장눌림증에 직면해 있거나 심장눌림증 상태인 환자에게는 심장막 천자가 응급으로 시행되어야 할 경우가 많다. 심장막 삼출이 의심되는 경우에는 즉시 심초음파로 심장막 삼출을 확인하고 심초음파 관찰 하에서 심장막 천자를 한다. 심장막 천자를 할 때는 항상 심전도 감시장치, 제세동 장비, 심폐소생술에 필요한 약제를 준비하여 응급상황에 대비한다.

심장막 천자 위치는 피부와 심장막 사이의 폐나 늑막이 없는 부위로서 검상돌기 하부, 좌측 5번 늑간, 심첨부이다. 검상돌기 하부가 가장 흔히 이용되는 곳으로서 검상돌기 아래로 0.5 cm 정도 떨어진 부위의 약간 좌측(0.5 cm)에서 천자 한다. 좌측 5번 늑간 부위를 천자 할 때는 5번 늑간에서 좌측 흉골 가장자리의 바깥을 천자 하며, 심장의 앞쪽에 비교적 많은 양의 심장막 삼출이 있는 경우에 이용된다. 심첨부를 천자 하는 방법은 다량의 심장막 삼출이 있을 때 주로 사용되는 방법이다(그림 20-2).

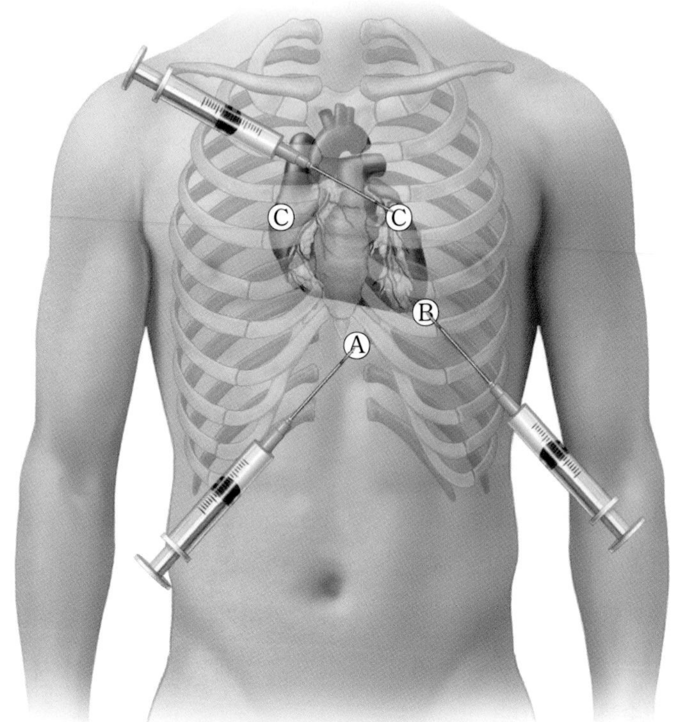


그림 20-2. 심장막 천자 위치. 심장막 천자는 검상돌기 하부(A), 심첨부(B), 복장뼈 가장자리(C)에서 할 수 있다.

심장막 천자 중 심전도상 변화가 관찰되거나 주사바늘에 움직이는 물체가 닿는 듯한 느낌이 들면, 즉시 주사바늘을 빼주어야 한다. 천자 후 혈액이 흡입되면 응고되는지를 확인하여 심장 내 혈액인지 출혈성 삼출액인지를 알아낼 수 있다. 삼출액을 모두 빼낸 후에는 환자의 혈압과 맥박을 다시 측정하여 환자가 혈역학적으로 회복되고 있는지를 확인하고, 흉부 방사선 촬영을 하여 합병증이 발생하였는지를 확인한다.

### (1) 맹목 심장막 천자

맹목(blind) 심장막 천자는 심초음파나 방사선 투시기가 없는 상태에서 시행되는 방법으로서, 심장막 천자에 익숙한 의사에 의하여 응급상황에서만 시행되어야 한다. 이 방법은 주사바늘에 심전도의 V 유도를 연결한 후 심전도 감시하에서 심장막을 천자 한다. 천자 중 주사바늘이 심방에 접촉하면 심전도상 PR 간격이 상승하며, 심실에 접촉하면 ST분절이 상승하므로, 심장과 주사바늘과의 접촉 여부를 알 수 있다. 심실 조기수축이나 심방 조기수축의 발생도 심장과 주사바늘과의 접촉을 시사한다. 심근경색으로 심근이 손상된 부위에는 주사바늘이 접촉되어도 심전도상 아무런 변화도 관찰되지 않을 수 있으므로 유의한

표 20-2. 맹목 심장막 천자 방법

1. 심전도 감시장치, 제세동기, 심폐소생술 준비상태를 확인한다.
2. 환자의 상체를 20-30° 정도 높인 상태로 눕힌다.
3. 천자 할 부위를 소독한다.
4. 천자 할 곳을 부분마취하고 피부를 0.5 cm 정도 절개한다.
5. 주사기가 달린 주사바늘을 심전도의 V 유도에 연결하고, 주사기로 주사바늘을 흡입하면서 천자 한다. 천자 중에는 계속 심전도를 관찰한다.
6. 검상돌기 하부를 천자 할 때는 주사바늘을 15° 정도 후방으로 향한 상태에서 환자의 좌측 어깨를 향하여 천자 한다. 좌측 5번 늑간을 천자 할 때에는 주사바늘을 수직으로 천자 한다.
7. 주사바늘이 심장막에 닿으면 약간 저항이 느껴지며, 심장막을 통과하면 저항이 사라지는 느낌을 받게 된다.
8. 심장막이 천자 되어 삼출액이 흡입되면 더 주사바늘을 움직이지 말고 삼출액을 빼낸다.
9. 셀딩거법을 이용할 때는 주사바늘 속으로 유도 철심을 넣고 주사바늘을 제거한 후, 천자 부위를 확장하여 카테터를 삽입한다.

다. ST분절이나 PR 간격의 변화 없이 삼출액이나 혈액이 주사바늘을 통하여 나오면 심장막이 천자 된 것을 알 수 있다(표 20-2).

### (2) 심초음파 도움 심장막 천자

심초음파 장비가 준비될 수 있으면, 심초음파로 심장막 삼출의 존재와 심장막 내에서의 분포를 관찰한 후 심장막 천자를 하는 것이 안전하다. 심초음파 도움(echo-guided) 심장막 천자는 심초음파로 천자 위치, 방향, 깊이 등을 미리 결정한 후, 천자 중에도 심초음파를 사용하여 천자 바늘을 관찰하면서 심장막 천자를 하는 방법이다(표 20-3). 심초음파 도움을 받으면 미리 심낭 삼출의 양, 위치, 분포를 확인할 수 있고, 심장막 천자를 위한 안전한 위치를 찾을 수 있다. 또한, 주사바늘로 천자 하는 동안 바늘 끝의 위치를 확인할 수 있으므로, 안전하게 천자할 수 있다. 심낭막 천자를 위한 안전한 위치는 천자 부위에서 심장막이

표 20-3. 심초음파 도움 심장막 천자 방법

1. 심초음파로 심낭 삼출의 양, 위치, 분포를 확인한 후, 심장막 천자 위치를 결정한다.
2. 심전도 감시장치, 제세동기, 소독된 심초음파 탐촉자 덮개, 심폐소생술 준비상태를 확인한다.
3. 환자의 상체를 20-30° 정도 높인 상태로 눕힌다.
4. 천자 할 부위를 소독한다.
5. 천자 할 곳을 부분마취하고 피부를 0.5 cm 정도 절개한다.
6. 심초음파 탐촉자와 주사바늘을 평행하게 위치한 후 초음파로 주사바늘의 위치를 확인하면서 천자를 시작한다. 천자 중에는 계속 심전도를 관찰한다.
7. 초음파상 주사바늘이 심장막을 통과하면 주사기를 흡입하여 심낭 삼출액이 배액되는 지를 확인한다.
8. 삼출액이 흡입되면 더 주사바늘을 움직이지 말고 주사바늘 속으로 유도 철심을 넣고 주사바늘을 제거한 후, 천자 부위를 확장하여 카테터를 삽입한다.
9. 삼출액을 제거한 후 심장초음파로 심장을 확인한다.

가까우면서 심장막과 심장 외벽까지의 거리가 먼 곳을 선정한다. 심장막 천자 중 심장을 천자 하지 않으려면, 심장막과 심장 외벽까지의 거리가 심장 이완기 때 1.0 cm 이상 유지되어야 한다. 심장초음파 도움 심장막 천자를 하면, 심장막 천자 시 발생할 수 있는 합병증을 최소화할 수 있다. 또한, 천자 중에도 계속 주사바늘과 카테터의 위치를 알 수 있고, 천자 후에도 합병증의 발생 여부와 심장막 삼출의 재발 및 발생속도를 알 수 있다.

### 3) 심장막 천자의 합병증

심장막 천자 중에는 심실세동을 포함한 부정맥이 발생할 수 있다. 심장막 천자 시 가장 우려되는 것은 심장이나 관상동맥을 파열시키는 것이다. 심장이나 관상동맥이 손상되면 출혈로 심장눌림증이 유발될 수 있다. 천자과정 중 기흉이나 혈흉이 발생할 수도 있다.

# 제 21 장

# 신속반응팀과 전문소생술팀

## 1. 신속반응팀

진료를 받기 위해 병원에 온 환자나 입원해 있는 환자는 심장정지의 발생 가능성이 있는 고위험군이다. 응급실, 중환자실 등 의료 인력이 집중된 장소가 아닌 병원 내 장소에서 예측되지 않은 심장정지가 발생하면 병원밖 심장정지와 유사한 상황이 발생한다. 특히 병원 규모가 클수록 병원 내 심장정지 발생에 대한 기본소생술, 제세동이 지연될 가능성이 있다. 외래, 병실, 검사실 등에서 예측되지 않은 심장정지가 발생하였을 때도 심폐소생술과 전문소생술을 신속히 제공할 수 있는 대응체계가 갖추어져 있어야 한다. 또한, 환자 상태가 급격히 악화하여 쇼크나 심장정지로 진행될 가능성이 있는 환자가 발견 또는 인지되었을 때 심장정지로의 진행을 예방하기 위한 일련의 조치가 이루어져야 한다. 심장정지를 포함한 중증 응급질환의 발생에 대응하여 신속히 반응할 수 있도록 병원 내에 신속반응팀(rapid response team: RRT, 또는 medical emergency team: MET)을 구성하여 운영하면 응급상황에 대한 즉각적인 대응과 신속한 치료를 환자에게 제공할 수 있다. 신속반응팀은 심장정지 등 응급질환의 발생 가능성이 있는 상황에 대한 연락을 받고 즉시 현장에 출동하여 응급치료를 포함한 제반 사항을 환자에게 제공하는 팀을 말한다. 종합병원에서는 신속반응팀을 구성하여 운영하여 심장정지 등 응급질환에 대한 신속한 대응이 가능하도록 준비해야 한다. 신속반응팀을 운영하면 병원의 중환자실 이외에서 발생하는 심장정지 발생을 50% 정도 줄일 수 있다고 보고되었다.

### 1) 신속반응팀의 역할

신속반응팀은 병원 내에서 응급상황이 발생하였을 때 신속히 출동하여 응급치료를 제공하고 응급치료를 위한 제반 사항을 처리한다. 이를 위하여 신속반응팀은 병원내 응급상황 시 출동 및 응급치료 제공, 응급상황 대응 결과에 대한 질 평가, 응급치료를 위한 행정 지원을 담당한다. 신속반응팀은 환자의 응급상황을 안정화하는 역할을 제공한 후에는 주치의에게 환자의 치료를 인계한다.

### 2) 신속반응팀의 구성

신속응급팀의 구성은 병원에서 주로 발생하는 응급상황에 맞게 구성하므로, 각 의료기관의 상황에 따라 달라질 수 있다. 통상 신속반응팀은 전문소생술 교육을 받은 의사, 간호사, 의료보조 인력으로 구성하며, 중환자실과 병실 운영 사무원을 포함하기도 한다.

### 3) 신속반응팀의 운영

신속반응팀이 구성된 후에는 응급상황을 신고하는 연락체계를 갖춘다. 각 의료기관에서는 신속반응팀을 호출해야 하는 응급상황에 대한 범주를 사전에 정하고, 응급상황을 신고하는 연락체계(전화번호, 병원 내 방송)를 정해 놓아야 한다. 신속반응팀 호출이 필요한 응급상황은 심장정지의 발생뿐 아니라 중증 응급질환 발생 가능성이 있는 증상 또는 징후로서 정한다(표 21-1).

### 4) 조기 경고점수의 활용

흉통 등 주요 응급 임상 증상, 의식 상태, 혈압, 호흡수, 심박수를 포함한 활력 징후, 동

표 21-1. 신속응급팀 호출 범주에 포함되는 사항

| |
|---|
| 심장정지의 발생 |
| 기도폐쇄 등 기도 장애 |
| 호흡 장애의 증상(빈호흡, 호흡부전, 저산소혈증) |
| 혈역학적 증상을 동반한 서맥 또는 빈맥, 수축기 혈압의 하강 |
| 의식장애, 발작 |
| 의료인(또는 목격자)이 신속반응팀 호출이 필요하다고 판단한 경우 |

표 21-2. 조기 경고점수의 산정

| 생리 지표 | 3점 | 2점 | 1점 | 0점 | 1점 | 2점 | 3점 |
|---|---|---|---|---|---|---|---|
| 분당 호흡수 | ≤8 | | 9-11 | 12-20 | | 21-24 | ≥25 |
| 산소포화도(%) | ≤91 | 92-93 | 94-95 | ≥96 | | | |
| 수축기 혈압 (mmHg) | ≤90 | 91-100 | 101-110 | 111-219 | | | ≥220 |
| 심박수(분당) | ≤40 | | 41-50 | 51-90 | 91-110 | 111-130 | ≥131 |
| 의식 수준 | | | | 명료 | | | 명료하지 않음 |
| 체온(℃) | ≤35.0 | | 35.1-36.0 | 36.1-38.0 | 38.1-39.0 | ≥39.1 | |

맥혈 가스분석결과를 포함한 주요 혈액검사소견, 심전도 소견 등을 바탕으로 신속반응팀을 호출하는 조기 경고점수(early warning score: EWS)를 활용하여 신속반응팀을 호출하는 방법을 사용하기도 한다. 조기 경고점수 산정방법의 대표적인 예는 영국 Royal College of Physicians에서 발표한 National Early Warning Score (NEWS) 2로서 조기 경고점수가 5점 이상이면 환자에게 중대 이상이 발생 가능성이 크며, 7점 이상이면 즉시 응급조치를 하도록 권장하고 있다(표 21-2). 조기 경고점수체계는 환자로부터 측정되는 생리학적 지표를 특정 프로그램이나 앱으로 만들어서 적용할 수도 있다. 조기 경고점수를 활용하여 병원 내 신속대응팀의 활성화 여부를 결정하기도 한다.

## 2. 전문소생술팀

전문소생술은 짧은 시간 내에 환자의 생명과 연관된 많은 시술과 판단을 요구한다. 전문소생술 교육을 받고 경험이 많은 의료인이라도 심장정지가 발생한 상황에서 단독으로 환자를 치료할 수 없다. 전문소생술이 필요한 환자의 발생을 예측할 수 없으므로, 언제든지 환자에게 효과적인 전문소생술을 제공할 수 있도록 준비되어 있어야 한다. 특히 전문소생술을 자주 하는 응급실, 중환자실, 병실에서는 전문소생술팀(advanced life support team: ALS team)을 구성하여 반복적으로 훈련함으로써, 심장정지 등 응급상황이 발생했을 때 체계적이고 효과적인 응급치료를 수행할 수 있어야 한다. 전문소생술팀 운영은 전문소생술 과정을 이수한 의료종사자가 심장정지를 치료하는 과정에서 각자 정해진 역할을 함으로써 효율적으로 전문소생술을 제공하는 유용한 접근방법이다.

### 1) 전문소생술팀의 구성

전문소생술 팀은 팀장(team leader)과 팀원(team member)으로 구성된다. 팀장과 팀원은 모두 전문소생술에 대한 교육을 이수해야 한다. 일반적으로 팀장은 심폐소생술과 전문소생술에 익숙한 의사가 맡는다. 팀장은 전문소생술팀을 지도하고, 환자를 평가한 후 환자에게 발생한 문제를 해결할 수 있어야 한다. 또한, 팀장은 각 팀원에게 임무를 부여하고, 각 요원이 각각의 임무를 잘 수행하고 있는지를 확인한다. 팀 요원은 의사, 간호사, 응급구조사로서 전문소생술을 이수한 사람으로 구성한다.

### 2) 전문소생술 팀장의 역할

팀장은 환자를 평가하여 팀원들이 환자의 상태에 적절한 전문소생술을 수행할 수 있도록 한다. 즉 환자에 대한 간략한 병력, 진찰 소견 및 심전도 소견을 통하여 환자를 평가한다. 환자에 대한 평가가 이루어지면 환자에게 적합한 치료 방침을 정하여 팀 요원에게 알린다. 팀장은 심폐소생술이 진행되는 동안에는 팀원이 시행하고 있는 술기(가슴압박, 제세동, 정맥로 확보 및 약물투여, 기관내삽관, 인공호흡)가 적절히 이루어지고 있는지 확인한다. 또한, 심폐소생술 중 발생하는 장비의 기능장애, 환자에게 새롭게 발생하는 임상적 문제 등을 적절히 해결할 수 있어야 한다. 팀장은 심폐소생술의 종료, 사망의 선언, 소생시도 금지(DNR, do-not-resuscitate) 여부 등을 판단한다(표 21-3).

### 3) 전문소생술 팀원의 역할

팀원은 팀장에 의하여 미리 부여받은 임무를 수행하게 된다. 팀원의 역할은 심폐소생

표 21-3. 전문소생술 팀장의 역할

| |
|---|
| 1. 환자평가 (병력채취, 진찰, 심장 리듬 판단) |
| 2. 치료방법 및 치료 우선순위의 결정 |
| 3. 팀원에 의한 전문소생술의 적절성 평가<br>(기도 유지, 가슴압박, 인공호흡, 정맥로 확보, 약물투여, 제세동) |
| 4. 심폐소생술 종료 또는 사망의 선언 |
| 5. 소생시도 금지(DNR, do-not-resuscitate) 여부의 판단 |
| 6. 전문소생술 중 발생하는 문제의 해결<br>(장비의 기능장애, 환자 상태의 변화, 임상검사결과의 판단) |
| 7. 환자 발생현장의 안전성 판단 |

표 21-4. 전문심장소생술 팀원의 역할

| 1. 주요 역할<br>1) 기도 유지 및 인공호흡<br>2) 가슴압박<br>3) 제세동<br>4) 정맥로 확보 및 약물투여<br>5) 심전도 감시 및 심전도 판독<br>6) 가슴압박 및 인공호흡의 적절성 확인 |
|---|
| 2. 부수적 역할<br>1) 장비 및 약물의 관리<br>2) 시술의 보조<br>3) 의무기록<br>4) 간단한 병력의 채취<br>5) 가족에게 환자 상태에 대한 간략한 설명 |

술과 직접 연관된 주요 역할과 심폐소생술과 직접 연관되어 있지 않은 부수적 역할로 구분된다(표 21-4).

### (1) 팀원의 주요 역할

전문소생술팀장은 팀원에게 기도확보 및 기관내삽관, 가슴압박, 심전도 감시 및 제세동, 정맥로 확보에 대한 임무를 각각 부여한다. 팀원의 주요 역할은 심폐소생술을 하는 것이다. 심장정지가 발생하면 먼저 기도를 확보하고 가슴압박을 시작한다.

팀장의 판단에 따라 환자에게 적용될 치료방법이 결정되면, 정해진 치료 순서에 따라 환자를 치료한다. 충격필요리듬(심실세동/심실빈맥)이 관찰되는 환자에서는 우선 제세동을 한다. 정맥로를 확보하고, 팀장의 지시에 따라 약물을 투여한다. 환자에게 심전도 전극을 부착한 후 심전도를 감시한다. 심전도 소견을 관찰하고, 가슴압박과 인공호흡이 적절히 시행되는지를 확인한다. 각각의 팀원은 다른 팀원의 임무에 방해가 되지 않으면, 치료 순서를 기다리지 말고 자신의 임무를 시작한다. 예를 들면 기도를 확보하기 위한 기관내삽관 중에도 정맥로를 확보할 수 있다.

### (2) 팀원의 부수적 역할

팀원은 일차적인 임무 이외에도 부수적인 역할을 담당한다. 팀원은 평소에 소생술에 사용하는 장비 및 약물을 확인하여 응급상황이 발생하였을 때 항상 사용할 수 있도록 준비해두어야 한다.

팀장 또는 다른 팀원이 환자에게 필요한 시술을 할 때 보조한다. 환자에게 시행된 심폐소생술에 관한 의무기록을 한다. 환자에 대한 부수적인 병력을 채취하여야 하며, 심폐소생술이 진행되는 동안에는 가족에게 심폐소생술의 진행 상황과 환자 상태에 대하여 간략히 설명한다. 임상적 판단이나 환자의 예후에 대한 주요 설명은 팀장이나 주치의가 담당하며, 팀원이 설명해서는 안 된다.

# 제 3 부

# 급성 관상동맥증후군과 뇌졸중의 응급치료

급성 관상동맥증후군과 뇌졸중은 병원밖 심장정지의 주요 원인일 뿐 아니라, 신속한 인지와 응급의료체계의 대응, 응급실에서의 치료가 예후에 큰 영향을 준다. 특히 이 두 질환은 재관류 요법의 시행 여부에 따라 생존율과 신경학적 후유증에 매우 큰 차이가 발생한다. 따라서 급성 관상동맥증후군과 뇌졸중은 임상 증상이 발생한 직후부터 효율적인 응급의료체계의 현장 치료와 재관류 요법이 가능한 병원으로의 신속한 이송이 필요하다. 응급실에서는 환자의 평가와 처치에 걸리는 시간을 최소화하여 빨리 재관류 요법을 시작할 수 있어야 한다. 또한, 신속한 재관류 요법 결정을 위하여 병원 전 단계에서부터 응급실 의사와 환자의 상태에 대한 정보를 교환하여 치료 지연이 발생하지 않도록 해야 한다. 최근 여러 국가에서 급성 관상동맥증후군과 뇌졸중의 신속한 치료를 위하여 두 질환의 치료를 위한 체계를 심장정지 치료 체계와 같이 운영하고 있다. 제3부에서는 급성 관상동맥증후군과 뇌졸중의 조기 발견과 신속한 재관류 요법을 위한 응급치료과정에 대해 서술했다.

# 제 22 장

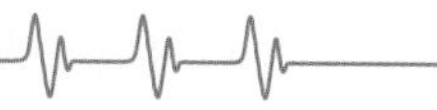

# 급성 관상동맥증후군 및 뇌졸중의 조기 발견

급성 관상동맥증후군(acute coronary syndrome)과 허혈성 뇌졸중(ischemic stroke)은 급사를 유발하거나 영구적인 기능장애를 가져오는 중요한 질환이다. 두 질환 모두가 동맥경화에 의한 혈관 협착으로 발생하며, 질환이 발생한 초기에 재관류 요법(reperfusion therapy)을 시행하면 사망률을 현저히 감소시킬 수 있다. 급성 관상동맥증후군으로 사망하는 환자의 반 이상이 병원에 도착하기 이전에 발생하는 심장정지로 사망한다. 급성 관상동맥증후군에 의한 심장정지는 대부분 증상 발생 후 4시간 이내에 발생한다. 따라서 급성 관상동맥증후군의 발생을 조기에 감지하여 현장 및 이송 중에 적절한 응급치료를 하면 많은 생명을 구할 수 있을 것이다.

응급의료인뿐 아니라 일반인에게도 급성 관상동맥증후군과 뇌졸중의 임상 양상을 교육하여 환자가 발생하였을 때 신속히 응급의료체계에 연락하도록 함으로써, 응급 심뇌혈관질환으로 인한 사망과 장애를 줄일 수 있다.

## 1. 급성 관상동맥증후군

급성 관상동맥증후군은 급성 흉통을 일으키는 관상동맥질환을 총칭하는 용어로써 임상적으로는 불안정형 협심증과 급성 심근경색의 형태로 나타난다. 흉통을 호소하며 응급실에 내원하는 환자의 과반수 정도가 급성 관상동맥증후군으로 진단된다. 급성 관상동맥증후군의 가장 흔한 원인은 동맥경화에 의한 관상동맥의 협착과 경화반의 파열로 인한 혈전 형성으로 관상동맥이 막히거나 좁아지는 것이다. 혈전용해제 또는 경피 관상동맥중재

(percutaneous coronary intervention: PCI)에 의한 재관류 요법의 발전으로 급성 관상동맥증후군 환자의 예후가 향상되었다.

일반적으로 관상동맥 중 일부 분지가 완전히 폐쇄되어 해당 부위 심근 전체에 허혈(transmural ischemia)이 발생하면, 허혈 심근과 관련 있는 심전도 유도(lead)에서 ST분절이 상승한다. 반면, 관상동맥의 심각한 협착으로 해당 부위 심근으로의 혈류가 감소하면, 심내막에 주로 허혈(subendocardial ischemia)이 발생하면서 심전도에서는 ST분절 하강이 관찰된다. 따라서 임상적으로는 심근의 허혈 상태를 확인할 수 없으므로, 급성 흉통으로 심근경색이 의심되는 환자에서 심전도를 기록하여 ST분절의 상승 여부로 심근 전체에 허혈이 발생했는지를 판단한다. 급성 흉통 환자에서 심전도상 ST분절 상승이 관찰되는 경우를 ST분절 상승 심근경색(ST segment elevation myocardial infarction: STEMI), ST분절 상승이 관찰되지 않는 경우를 ST분절 비상승 심근경색(non-ST segment elevation myocardial infarction: non-STEMI)라고 한다. 심전도상 ST분절 상승의 정의는 2개의 연관된 사지 유도에서 1 mm 이상의 ST분절 상승, 또는 2개의 연속 전흉부 유도에서 1 mm 이상의 ST분절 상승(단, V2-3 유도에서는 여자 1.5 mm, 40세 미만 남자 2.5 mm, 40세 이상 남자 2 mm 이상)이 관찰되는 경우이다. 심전도에서 새롭게 발생한 좌각차단, 후벽 심근경색의 소견이 있을 때도 재관류 요법의 적응이 된다.

심근경색환자 중 심전도에서 ST분절 상승이 관찰되는 경우(ST분절 상승 심근경색)에는 재관류 요법이 가장 중요한 치료이다. 재관류 요법은 혈관이 막힌 후 소위 황금시간(통상 임상 증상이 발생한 후부터 12시간) 이내에 시행되어야만 효과적이므로, 급성 관상동맥증후군을 조기에 진단하여 빨리 심근을 재관류시키기 위한 여러 가지 방법이 연구되고 있다.

급성 관상동맥증후군을 조기에 진단하고 치료하려면, 일반인, 일차반응자, 응급의료인이 중요한 역할을 하게 된다. 급성 관상동맥증후군이 의심되는 환자를 조기에 확인하여 응급치료하고 현장으로부터 병원으로 환자를 빨리 이송하는 것이 이환율과 사망률을 줄일 수 있기 때문이다.

### 1) 급성 관상동맥증후군의 임상 증상

급성 관상동맥증후군의 임상 증상 중 가장 전형적인 것은 흉통(chest pain)이다. 급성 관상동맥증후군에서의 흉통은 흉골 하부의 불편감 또는 통증으로 느껴진다. 환자 대부분은 가슴이 아프다, 뻐근하다, 조인다, 답답하다 등으로 표현하며, 왼팔, 목 또는 턱으로 전이통이 발생하는 예도 흔하다. 흉통과 더불어 호흡곤란, 두근거림, 발한, 오심, 구토 등이 동반되기도 한다. 협심증에 의한 흉통은 통상 15분 내외이며, 15분 이상 지속할 때는 급성 심근경색을 의심해야 한다. 급성 관상동맥증후군의 약 1/3에서는 임상 증상이 흉통 이외의 다른 증상으로 발현되기도 한다. 일부 환자에서는 상복부의 통증을 호소하거나, 오심 등의 소화기 증상으로 나타나기도 하며, 식은땀, 어지럼, 호흡곤란 등의 증상으로 나타나기도 한다. 특히 노인, 여성, 당뇨 환자에서는 전형적인 흉통 이외의 증상으로 발현되는 경우가 많으므로 주의한다.

### 2) 급성 관상동맥증후군 환자를 발견하였을 때의 행동 요령

흉통을 호소하는 급성 관상동맥증후군 환자를 발견하면 즉시 환자가 휴식을 취할 수 있도록 한다. 휴식을 취하고 있는 상태에서도 흉통이 지속하면 즉시 응급조치를 취한다. 환자를 앉거나 눕도록 하고 흉통이 5분 이상 지속하면 응급의료체계에 연락한다. 응급의료체계(119구급대)에 연락한 후에는 환자에게 돌아와 환자가 편안한 상태로 휴식을 가질 수 있도록 하고, 회복 자세를 취해준다. 환자가 의식이 없어지면 즉시 기본소생술을 시작한다(표 22-1). 환자나 구조자가 흉통이 발생했음에도 불구하고, '지금의 흉통이 급성 관상동맥증후군의 증상은 아니겠지'라고 생각하는 경우가 많다. 즉각적인 응급조치의 지연은 환자를 사망하게 할 수도 있다는 것을 반드시 기억해야 한다.

### 3) 응급의료체계에서의 급성 관상동맥증후군의 치료

급성 관상동맥증후군 환자의 치료에 있어서 응급의료체계의 역할은 급성 관상동맥증후군이 의심되는 환자를 신속히 확인하고 현장 및 이송 중에 응급치료를 제공함으로써, 급사를 예방하고 재관류 요법까지의 시간을 단축하여 급성 관상동맥증후군에 의한 사망을 줄이는 것이다.

현장 및 이송 중에는 산소, 나이트로글리세린(nitroglycerin), 아스피린(aspirin)을 투여할 수 있다. 약물투여가 허용된 경우 또는 의사의 지시가 있는 경우에는 응급구조사가 약

표 22-1. 흉통을 호소하는 환자의 응급조치

| |
|---|
| 1. 환자가 휴식을 취하도록 앉히거나 눕힌다.<br>2. 흉통이 5분 이상 지속하면 즉시 응급의료체계(119구급대)에 연락한다.<br>3. 환자의 의식이 명료하고 환자가 나이트로글리세린(혀 밑 투여용 또는 스프레이)을 가지고 있으면 복용하도록 한다.<br>4. 환자의 의식이 없어지면, 즉시 기본소생술을 시작한다. |

표 22-2. 급성 관상동맥증후군의 현장 및 이송 중 치료

| 1. 환자를 안정시킨다.<br>2. 자동 제세동기(또는 심전도 감시장치)로 심전도 감시를 시작한다.<br>3. 혈압을 측정한 후 수축기 혈압이 100 mmHg 이상이면 나이트로글리세린을 혀 밑에 투여한다.<br>4. 가능한 경우에는 12 유도 심전도를 기록하고 전송한다.<br>5. 이송될 병원에 환자의 상태 및 도착예정시간을 알린다. |
|---|

물을 투여한다(표 22-2).

환자에게 청색증이 있거나 호흡곤란이 있으면, 산소포화도를 측정하면서 산소를 투여하여 동맥혈 산소포화도가 90% 이상이 유지되도록 산소 투여량을 조절한다. 심부전 또는 저산소증이 동반되지 않은 급성 심근경색 환자에게 산소를 투여하는 것은 해가 될 수 있는 것으로 알려졌다. 따라서 모든 급성 관상동맥증후군 환자에게 산소를 투여하는 것은 권장되지 않는다.

나이트로글리세린은 혀 밑 또는 스프레이의 흡입 형태로 투여하는데, 쇼크의 임상증상이 없으며 혈압을 측정하여 수축기 혈압이 최소 90 mmHg 이상이고, 맥박수가 60-100회/분으로 유지되는 환자에게만 투여한다. 수축기 혈압이 90 mmHg (또는 평균 동맥압 65 mmHg) 미만이거나 평상시 혈압보다 수축기 혈압이 30 mmHg 이상 낮아진 환자에게는 나이트로글리세린을 절대로 투여해서는 안 된다. 특히 하벽 심근경색이 발생한 경우에는 나이트로글리세린 투여로 쇼크가 발생할 수도 있다. 나이트로글리세린을 투여한 후에도 흉통이 없어지지 않으면, 5분 간격으로 3회까지 반복 투여할 수 있다. 나이트로글리세린을 반복 투여할 때도 투여 직전에 혈압을 측정하여야 하며, 투여 후에도 혈압을 측정하고 환자를 자세히 관찰하여 저혈압이 발생하는지를 확인한다. 나이트로글리세린 투여 후 최초 측정 수축기 혈압보다 30 mmHg 이상 하강하는 경우에는 나이트로글리세린을 추가로 투여하지 않는다. 나이트로글리세린 투여 후에 저혈압이 발생하면, 즉시 환자를 눕히고 다리를 높여주어야 한다. 아스피린 등 약물투여가 허용되고 있는 응급의료체계에서는 응급구조사가 이 약물을 환자에게 투여하고 있으나, 우리나라에서는 아직 허용되고 있지 않다.

아스피린을 복용하고 있지 않은 환자에서 아스피린 알레르기가 없고, 최근 장 출혈의 병력이 없으면, 아스피린(162-325 mg)을 씹어 먹도록 한다.

심전도는 급성 관상동맥증후군의 치료방침을 결정하는 데 가장 중요하다. 현장 또는 구급차에서 병원 도착 전까지 환자의 12 유도 심전도 기록이 가능한 경우에는 심전도를 기록하여 환자를 이송할 병원으로 전송하고 응급실 도착예정시간을 알려줌으로써 병원에서 미리 준비할 수 있도록 한다. 병원 도착 전 12 유도 심전도를 병원으로 전송하는 데에는 불과 5분 이내의 추가 시간이 소요되지만, 심전도를 미리 전송하면 재관류까지의 소요시

간을 10-60분까지 단축할 수 있다고 알려졌다.

급성 관상동맥증후군 환자를 이송하는 응급의료종사자는 환자를 치료할 병원을 선택하는 과정에서 해당 병원이 재관류 요법이 가능한지를 확인해야 한다. 특히 심전도에서 ST분절 상승, 좌각차단, 후벽 심근경색의 소견이 관찰되는 경우에는 가능한 관상동맥중재술을 24시간 시행할 수 있는 병원으로 환자를 이송해야 한다. 관상동맥중재술이 가능한 병원까지 이송할 수 없는 경우에는 혈전용해제 치료가 가능한 병원으로 이송한다. 관상동맥중재술이 가능하지 않은 병원에서 ST분절 상승 심근경색 환자를 이송받았을 때는 환자를 관상동맥중재술이 가능한 병원으로 이송할 것인지를 판단해야 한다. 즉, 관상동맥중재술이 가능한 병원으로 이송했을 때 첫 의료 접촉(medical contact)으로부터 120분 이내에 재관류가 시행될 수 있다고 판단되면 환자를 즉시 이송한다. 만약 120분 이내에 재관류를 시행하는 것이 불가능하다고 판단되면 혈전용해제를 투여한 후 환자의 이송을 고려한다.

병원 전 단계에서 기록된 심전도를 응급의료종사자가 판독한 후 ST분절 상승 심근경색이 확인되면 이송 단계에서 혈전용해제를 투여할 수도 있다. 유럽에서는 환자의 이송시간이 지연될 것으로 예상하는 경우에 ST분절 급성 심근경색으로 확인되면 병원 도착 이전에 혈전용해치료의 금기 사항이 있는지를 미리 확인한 후 현장에서 혈전용해제를 투여하는 지역이 있다. 이 지역에서는 임상 증상 발생으로부터 30분-6시간 사이에 있는 급성 관상동맥증후군 환자에서 12 유도 심전도상 ST분절 급성 심근경색이 확인되고, 이송시간이 60분 이상이 소요될 것으로 예측되는 경우에는 현장 또는 이송 중에 혈전용해제를 투여하는 것을 권고하고 있다. 병원 전 단계에 혈전용해제를 투여하려면, 응급구조사에 대한 충분한 교육, 혈전용해제 투여에 필요한 내용에 대한 점검표, 12 유도 심전도 전송장치, 병원과의 교신 등 필요한 요소를 갖추어야 한다. 우리나라는 병원의 밀도가 높고 이송시간이 비교적 짧으며, 응급구조사의 혈전용해제 투여가 허용되지 않기 때문에 병원 전 단계에서 혈전용해제를 투여하는 것보다는 환자를 신속히 재관류 요법이 가능한 병원으로 이송하는 것이 권장된다.

## 2. 뇌졸중

뇌졸중은 뇌혈관의 파열로 발생한 출혈로 인하여 뇌 손상이 발생하는 출혈성 뇌졸중(hemorrhagic stroke)과 뇌로의 혈류가 차단되어 뇌 손상이 발생하는 허혈성 뇌졸중(뇌경색, ischemic stroke)으로 구분된다. 허혈성 뇌졸중 환자에게 혈전용해제를 투여함으로써 경색된 혈관을 재관류시키면 뇌졸중으로 인한 사망률을 낮출 수 있다. 재관류 요법에 의한 사망은 뇌경색의 임상 증상이 발생한 후 3시간 이내에 사용될 때 가장 효과적으로 줄일 수 있다. 뇌경색의 임상 증상이 발생한 이후 4.5시간 이내에 정맥으로 혈전용해제를 투여하거나, 중뇌동맥에 발생한 뇌경색에서 임상 증상 발생 후 3-6시간 이내에 경색이 발생한 동맥 내로 혈전용해제를 투여하더라도 뇌경색에 의한 사망을 줄일 수 있다. 최근 뇌졸중 임상 증상 발생으로부터 6-24시간 사이의 환자에게 혈관 내 중재술을 통한 혈전제거술을 하면 신경학적 예후를 호전시킬 수 있다고 알려졌다. 허혈성 뇌졸중 치료 과정에서 재관류 요법까지의 시간을 15분 단축할 때마다 병원에서의 생존퇴원율이 4% 정도 향상된다고 알려졌으므로, 뇌경색 환자를 신속히 재관류 요법이 가능한 의료기관으로 이송하는 것이 중요하다. 따라서 의료인을 포함한 국민에게 뇌졸중 환자의 치료에 있어서 시간의 중요성을 교육하여야 하며, 뇌졸중 환자를 치료하는 응급의료기관은 응급의학, 진단 영상, 신경과 의사의 유기적인 협조로 재관류 요법이 신속히 시작될 수 있도록 해야 한다.

### 1) 뇌졸중의 임상 증상

뇌졸중의 임상 증상은 가벼운 안면근육의 마비와 같이 가벼운 경우로부터 의식소실 또는 급사와 같이 중증의 경우에 이르기까지 다양하다. 뇌졸중의 주요 임상 증상은 의식의 변화, 한쪽의 마비 또는 감각 이상, 언어 장애, 현기증, 시야 장애 또는 시력 상실, 실신 등이다. 뇌졸중의 임상 증상은 발생하였다가 사라지는 일과성 허혈 발작(transient ischemic attack: TIA)으로 나타나는 경우도 많다. 일과성 허혈 발작은 뇌졸중의 임상 증상이 발생한 후 24시간 이내에 임상 증상이 없어지는 경우를 말한다. 보통 일과성 허혈 발작은 15분 이내에 임상 증상이 사라지며, 일과성 허혈 발작이 발생하였던 환자에서는 뇌경색이 발생할 가능성이 크다. 뇌졸중의 증상이 발생한 대부분 환자는 자신에게 뇌졸중이 생겼다는 사실을 인식하지 못하는 경우가 많다. 따라서 뇌졸중이 발생하더라도 환자가 병원으로 내원하기까지의 시간이 지연되어 재관류 요법을 할 수 있는 중요한 시간을 놓치는 경우가 많다. 뇌졸중의 임상 증상이 발생한 환자를 발견한 목격자는 빨리 뇌졸중 환자의 발생 사실을 응급의료체계에 알려주어야 한다.

### 2) 뇌졸중 환자의 응급치료 과정

뇌졸중 환자를 발견하면, 즉시 응급의료체계(119구급대)에 환자의 발생 사실을 알려야 한다. 뇌졸중 환자의 발생을 연락받은 구급상황요원은 환자가 이송될 병원에 미리 연락하여 병원의 뇌졸중 치료팀이 치료 준비를 할 수 있도록 한다. 이를 위하여 구급대에서는 해

표 22-3. 뇌졸중 환자의 응급치료 과정

| 1. 병원 전 단계(prehospital phase)<br>환자 발견(detection)<br>구급차 출동(dispatch)<br>환자이송(delivery)<br>2. 병원 내 단계(hospital phase)<br>접수 및 등록(door)<br>자료수집 및 진단(data)<br>치료 결정(decision)<br>혈전용해제 투여(drug)<br>뇌졸중 센터로의 입원(disposition to stroke unit) |
|---|

당 지역에서 뇌졸중 치료(혈전용해제 투여, 혈관 내 중재술)가 가능한 의료기관을 파악하고 있어야 한다. 뇌졸중의 치료 과정에서 응급의료체계의 역할은 뇌졸중 환자가 가능한 한 빨리 재관류 요법이 가능한 의료시설로 이송되도록 하는 것이다. 뇌졸중 환자의 임상 증상 발생으로부터 재관류 요법까지의 과정은 8단계의 시간 과정으로 구분할 수 있다(표 22-3).

병원 전 단계는 환자 발견(detection), 구급차 출동(dispatch), 환자 이송(delivery)의 세 단계로 나눌 수 있다. 환자 발견 단계는 환자의 임상 증상을 목격한 가족 등 일반인이 환자에게 뇌졸중이 생겼다는 사실을 인지하여 응급의료체계에 연락하는 단계이다. 구급차 출동 단계는 뇌졸중이 의심되는 환자가 신고 되었을 때, 응급의료체계에서는 우선으로 구급차를 현장에 출동시킴으로써 시간을 단축할 수 있다. 환자이송 단계는 구급차와 함께 출동한 응급구조사가 재관류 요법을 받을 수 있는 의료기관으로 뇌졸중 환자를 이송하는 단계이다. 이 단계에서 응급구조사는 환자가 이송될 의료기관에 뇌졸중 환자가 이송된다는 사실을 해당 의료기관의 응급실에 알려서 뇌졸중 팀이 대기하도록 하고 뇌졸중 치료에 필요한 준비가 미리 이루어지도록 해야 한다.

병원 내 단계는 접수 및 등록(door), 자료수집 및 진단(data), 치료 결정(decision), 혈전용해제 투여(drug), 뇌졸중 센터로의 입원(disposition to stroke unit)의 다섯 단계로 구분된다. 접수 및 등록 단계는 환자가 응급실에 도착하여 의료인을 만나기까지의 시간으로서, 뇌졸중 환자는 중증도 분류 단계에서 심근경색과 같은 우선순위로서 분류되어야 한다. 자료수집 단계는 의사가 환자를 진찰하고 뇌 전산화단층촬영(brain CT scan) 또는 뇌 자기공명 촬영(brain MRI)을 하여 뇌졸중을 진단하는 단계이다. 치료 결정 단계는 환자의 상태가 혈전용해제 투여에 적합한지를 결정하는 단계이다. 혈전용해제 투여 단계에서는 혈전용해제 투여가 결정된 환자에게 약물을 투여하는 단계이다. 병원 내 단계에서는 환자가 응급실 도착으로부터 첫 의사 대면까지 10분 이내, 뇌졸중 또는 신경과 의사와의 대면까지 15

분 이내, 뇌 전산화단층촬영 또는 자기공명 촬영까지 25분 이내, 뇌 영상검사의 판독까지 45분 이내에 완료되도록 함으로써, 응급실에 도착한 후 1시간 이내에 환자에게 혈전용해제가 투여될 수 있어야 한다. 응급실 치료가 종료되면 환자를 신속히 뇌졸중 센터로 이송하여 집중 치료를 한다.

### 3) 뇌졸중 스크리닝을 위한 병원 전 단계 검사

병원 전 단계에서 뇌졸중을 스크리닝할 때는 빠르고 쉽게 적용할 수 있는 간단한 검사 방법을 사용한다. 병원 전 단계에서 뇌졸중 스크리닝에 사용하는 검사 방법은 Cincinnati Prehospital Stroke Scale (CPSS), Face Arm Speech Time (FAST), Los Angeles Prehospital Stroke Scale (LAPSS), Recognition of Stroke in the Emergency Room (ROSIER), Melbourne Ambulance Stroke Scale (MASS), Ontario Prehospital Stroke Screening Tool (OPSST), Medic Prehospital Assessment for Code Stroke (MedPACS), PreHospital Ambulance Stroke Test (PreHAST)이 있다. 메타분석 연구에서 Cincinnati Prehospital Stroke Scale이 뇌졸중 진단의 감수성(sensitivity)이 가장 높다고 보고되었다.

의식이 있는 환자에서 뇌졸중의 발생을 알아낼 수 있는 검사로서는 Face Arm Speech Test (FAST), Cincinnati Prehospital Stroke Scale (CPSS), Los Angeles Prehospital Stroke Screen (LAPSS)이 가장 흔히 사용된다. FAST는 안면 마비(facial palsy), 사지 마비(arm weakness), 언어 장애(speech impairment)를 확인함으로써 뇌졸중의 발생을 검사하는 방법이다. Cincinnati Prehospital Stroke Scale은 혈전용해제 치료가 가능한 환자를 찾아내기 위하여 의사가 사용하는 Natonal Institutes of Health (NIH) stroke scale 중 3가지 요소를 단순화한 검사이다. Cincinnati Prehospital Stroke Scale은 FAST와 유사하게 안면 마비(facial droop), 사지 마비(arm drift) 및 언어 장애(abnormal speech)의 발생 여부로서 뇌졸중의 발생을 확인한다. 각 요소의 판정은 정상과 비정상으로 구분하며, 세 요소 중 한 가지라도 비정상이면 뇌졸중이 발생하였을 가능성의 예민도는 59%, 특이도는 89%인 것으로 알려져 있다.

Los Angeles Prehospital Stroke Screen은 급성 신경학적 임상 증상이 발생한 의식이 있는 환자에서 뇌졸중의 발생 여부를 알아보는 검사이다. Los Angeles Prehospital Stroke Screen은 6개의 확인 항목으로 구성되어 있다. Los Angeles Prehospital Stroke Screen의 조사 항목은 나이, 간질 또는 경련 발작의 병력, 임상 증상의 지속시간, 발병 전 환자의 상태, 혈당 이상, 진찰 소견으로 구성되어 있다. Los Angeles Prehospital Stroke Screen에서의 판정은 6개의 항목이 모두 'yes' 또는 'unknown'으로 확인되었을 때 97%의 환자에서 뇌졸중이 있는 것으로 확인되었다.

환자의 의식을 평가하기 위하여 Glasgow Coma Scale(GCS)을 적용하는 것이 도움이 된다. Glasgow Coma Scale은 음성 또는 통증에 대하여 눈의 반응(eye opening), 사지의 운동(best motor response), 음성 반응(best verbal response)을 평가하여 판단한다. Glasgow Coma Scale은 모두 15점으로서, 15점이면 정상, 13, 14점이면 경도의 신경학적 장애, 11-12점일 경우 중증도의 신경학적 장애, 11점 미만이면 심각한 신경학적 장애가 있는 것으로 판단한다.

각 신경학적 검사 방법의 자세한 내용은 제24장 뇌졸중에서 자세히 다루었다.

### 4) 뇌졸중이 의심되는 환자의 병원 전 응급치료

뇌졸중이 의심되는 환자에서 가장 중요한 것은 뇌졸중의 발생을 조기에 발견하여 재관류 치료가 가능한 응급의료기관으로 환자를 이송하는 것이다. 뇌졸중 환자에서는 의식장애로 인하여 기도가 폐쇄되거나 호흡 장애가 발생하는 경우가 많으므로, 초기응급치료에는 기도 유지와 산소투여, 인공호흡을 포함한 호흡 보조가 반드시 포함되어야 한다. 동맥혈 산소포화도를 94% 이상으로 유지하되, 저산소혈증이 없는 환자에게는 산소를 투여하지 않는다. 뇌졸중의 초기에는 심장 부정맥이 발생하는 경우가 있지만, 뇌졸중으로 인하여 심장정지가 발생하는 경우는 흔치 않다. 의식 소실의 원인으로서 저혈당을 배제하기 위하여 이송 중에 혈당 검사를 시행한다. 혈당 검사상 저혈당이 확인된 경우에는 의학적 지도를 받아 포도당을 투여한다(표 22-4).

표 22-4. 뇌졸중이 의심되는 환자의 병원 전 응급치료 원칙

| |
|---|
| 1. 초기 환자평가 및 응급치료: 기도 유지, 산소투여, 호흡 보조 |
| 2. 병원 전 신경학적 검사 방법으로 뇌졸중의 조기 확인 |
| 3. 혈전용해제 투여가 가능한 병원으로 신속한 이송 |
| 4. 병원 도착 전 환자의 상태 및 도착 예정시간 통보 |
| 5. 혈당 검사로 저혈당 여부 확인 |

# 제 23 장

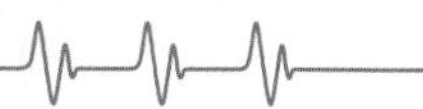

# 급성 심근경색(급성 관상동맥증후군)의 응급치료

## 1. 개요

### 1) 급성 관상동맥증후군의 정의 및 분류

급성 심근경색은 심근으로의 혈류가 차단되거나 감소하여 심근의 괴사가 발생하는 질환이다. 급성 심근경색은 급사를 유발하는 가장 중요한 질환으로서 조기 진단과 신속한 치료가 환자의 생존을 좌우한다.

급성 심근경색은 관상동맥의 동맥경화반이 파열되면서 관상동맥 혈류량의 급격한 감소로 발생한다. 불안정형 협심증의 병태-생리가 동맥경화반의 파열로 발생한다는 사실이 알려진 이후로, 불안정형 협심증과 급성 심근경색은 같은 질환의 범주에 속하는 것으로 인식되었다. 심근으로의 혈류가 급격히 차단되거나 감소하면서 발생하는 일련의 질환을 급성 관상동맥증후군(acute coronary syndrome)이라고 한다. 불안정형 협심증과 급성 심근경색이 응급 상황에서 가장 흔히 접하는 급성 관상동맥증후군의 임상 양상이다. 급성 관상동맥증후군은 종종 급성 심장사 형태로 나타나기도 한다.

급성 관상동맥증후군의 진단과 치료 과정에서 심전도와 심장 표지자(cardiac biomarker)는 가장 중요한 지표이다. 혈중 심근 표지자의 변화는 심근경색을 진단하는 데 필수 요소이다. 허혈로 심근 괴사가 발생하면서 심근의 세포 내 성분이 혈액으로 유출되면, 심장 표지자인 트로포닌(troponin), 심장형 크레아티닌키나제(creatinine kinase MB farction, CK-MB)의 혈액 농도가 증가한다. 심근 손상이 발생한 후 심장 표지자의 혈액 농도는 급격히 증가했다가 시간이 지남에 따라 서서히 감소한다. 따라서 심장 표지자의 증감(rise and fall)은 심근 손상의 증거이다. 심장 표지자는 심근경색 진단의 가장 중요한 요소이다. 즉, 심장 표지자 혈중농도의 증감이 있으면서 심근허혈의 임상 증상, 심전도 변화(Q 파, ST분절-T 파의 변화, 좌각 차단의 새로운 발생), 관상동맥조영술 또는 부검에 의한 관상동맥 내 혈전의 발견, 심근의 국소운동 이상이나 심근 손상의 영상의학적 증거 중 한 가지가 관찰되면 심근경색으로 진단할 수 있다. 심전도는 심근경색의 진단과 더불어 치료 방침을 결정하는 데 중요하다. 급성 관상동맥증후군에서는 다양한 심전도 소견이 관찰될 수 있지만, ST분절의 변화, Q 파의 발생, T 파의 변화로 요약될 수 있다. 특히 ST분절 변화는 심근경색 초기에 발생하며, ST분절의 상승 여부에 따라 치료 전략이 달라진다. 따라서 급성 심근경색은 ST분절 상승이 관찰되는 ST분절 상승 심근경색(ST segment elevation myocardial infarction, STEMI)과 ST분절 상승이 관찰되지 않는 ST분절 비상승 심근경색(non-ST segment elevation myocardial infarction, non-STEMI)으로 구분한다. ST분절 비상승 심근경색과 불안정형 협심증을 함께 ST분절 비상승 급성 관상동맥증후군(non-ST elevation ACS)으로 구분하기도 한다. ST 분절 상승 여부에 따라 심근경색을 분류하는 가장 큰 이유는 치료방법의 차이에 있다. ST 분절 상승 심근경색에서는 신속한 재관류 치료(reperfusion therapy)가 초기응급치료에서 가장 중요하다. 반면, ST 분절 비상승 심근경색에서는 특별한 경우를 제외하고는 응급치료로서 재관류 치료를 하지 않는다.

### 2) 급성 관상동맥증후군 응급치료의 목적

관상동맥이 폐쇄되고 30분이 경과하면 심근 괴사가 시작되고, 시간이 지남에 따라 괴사하는 심근의 양이 지수 학적으로 증가한다. 막힌 혈관을 개통하는 재관류 치료를 빨리하면 괴사하는 심근의 양을 줄여 심부전의 발생 가능성이 작아지고, 사망을 예방할 수 있다. 급성 심근경색이 발생한 후 4시간 이내에 심실세동이 가장 많이 발생한다. 급성 심근경색 직후에 발생한 심실세동으로부터 회복된 경우에는 심실세동의 발생 여부가 환자의 장기 생존에 영향을 미치지 않는 것으로 알려졌다. 급성 심근경색의 초기치료에서 가장 중요한 것은 폐쇄된 관상동맥을 신속히 재관류시키는 것과 심근경색에 의한 초기 합병증(심장 부정맥으로 인한 급사)을 예방하고, 심실세동이 발생하면 즉시 제세동하여 급사의 위험으로부터 환자를 지켜주는 것이다.

### 3) 급성 관상동맥증후군의 치료와 응급의료

급성 심근경색환자에서 관상동맥을 신속히 재관류시키고 심실세동에 의한 초기 사망률을 감소시키려면, 환자, 응급의료체계, 병원 간에 긴밀한 협조가 필요하다. 심근경색의 흉통이 시작된 후 환자가 병원에 내원을 결정할 때까지 보통 1.5-2시간이 소요된다. 즉 환자는 흉통이 심근경색의 발생을 시사하는 증상인지 잘 알 수 없는 경우가 많다. 따라서 환자는 흉통이 발생하면 망설이지 말고 응급의료체계에 연락하여 구조요청을 하여, 급성 관상동맥증후군에 대한 응급치료가 시작되도록 해야 한다. 관상동맥질환이 있는 사람에게 흉통이 생겨 나이트로글리세린을 혀 밑 투여한 후 5분이 지나도 흉통이 사라지지 않으면, 즉시 응급의료체계에 구조를 요청하도록 교육해야 한다. 응급의료종사자는 현장에서부터 환자에게 적절한 응급조치를 하면서 급성 심근경색을 진단할 수 있는 정보를 얻어야 하며, 심근경색이 진단되면 신속히 재관류 요법이 시작될 수 있도록 한다. 이 과정이 잘 이루어져야 심근경색 발생으로부터 재관류까지의 시간을 단축하여 급성 심근경색으로 인한 사망을 줄일 수 있다.

응급의료종사자는 급성관상동맥증후군 환자의 초기치료와 재관류 요법의 중요성에 관하여 잘 알고 있어야 한다. 즉 흉통을 호소하는 환자에게는 심전도 감시, 활력 증상 측정 등 기본적인 응급치료가 시작되어야 한다. 나이트로글리세린을 투여하여 흉통을 경감시

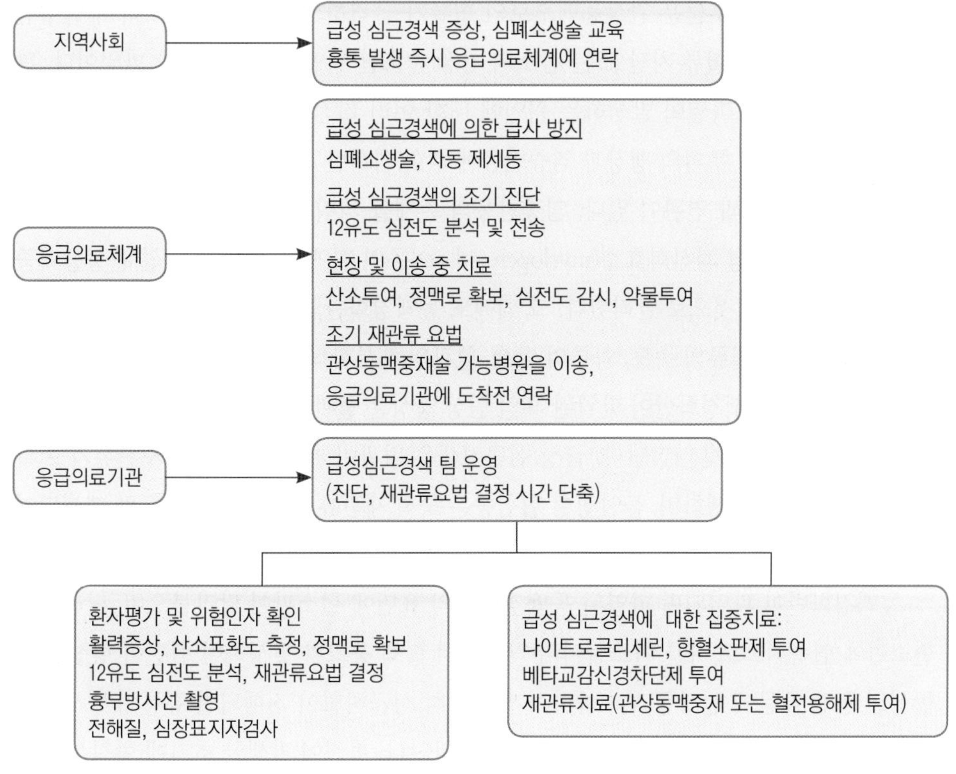


그림 23-1. 응급의료와 급성 심근경색의 치료 과정

키고, 흉통환자의 발생을 응급의료기관에 알리고 즉시 이송한다. 또한, 12 유도 심전도를 기록함으로써 조기에 심근경색을 진단하고, 재관류 요법의 적응이 되는지를 판단한다. 이송시간의 지연이 예측되는 경우에는 현장 또는 이송 중에 혈전용해제를 투여하여 심근경색으로부터 재관류까지의 시간을 최소화한다. 최근 현장에서 12 유도 심전도를 기록하여 응급의료기관으로 심전도를 전송하면 응급의료기관의 의사가 심전도를 판독한 후, 환자의 상태에 대하여 응급구조사와 직접 통화함으로써 현장에서 혈전용해제를 투여할 수 있도록 유도하는 체계를 유지하는 지역이 늘어나고 있다. 또한, 자동제세동기를 도입하여 환자 발생현장이나 이송 중에도 항상 심전도를 감시하고 심실세동이 발생하면 즉시 제세동할 수 있도록 준비한다. 응급의료기관에서는 급성 심근경색 환자를 치료하기 위한 팀을 구성하고 치료 방침을 정하여 적용함으로써 환자 내원으로부터 재관류까지의 시간을 최소화해야 한다(그림 23-1).

## 2. 급성 관상동맥증후군의 발생과정

급성 관상동맥증후군은 관상동맥으로의 혈류가 급격히 차단되거나 감소하여 발생한다. 관상동맥으로의 혈류 차단 또는 감소의 가장 중요한 원인은 동맥경화반 파열이다. 관상동맥 동맥경화반 파열이 발생하는 원인에 대한 여러 기전이 알려져 있으나, 지질 축적에 따른 동맥경화반 부피의 팽창과 염증반응에 의한 경화반 섬유 막(fibrous cap)의 약화가 동맥경화반의 파열과 연관이 있다. 염증반응의 존재를 의미하는 c-반응 단백질(c-reactive protein), 골수세포형 과산화효소(myeloperoxidase) 등의 혈액 내 농도가 급성 관상동맥증후군에서 증가하는 것으로 알려졌다. 그 외에도 동맥경화반의 파열에는 심장 박동에 의한 비틀림 스트레스, 혈류의 속도, 와류의 발생, 혈관의 해부학적 구조 등이 영향을 주는 것으로 알려져 있다. 동맥경화반이 파열된 후의 임상 양상은 혈관의 폐쇄 정도 및 폐쇄 후 지나간 시간에 따라 다르게 나타난다. 급성 심근경색은 혈관이 폐쇄된 후 즉시 재관류가 이루어지지 않았을 때 발생하며, 불안정형 협심증은 즉시 재관류 되거나 부분적으로 폐쇄되어 발생한다.

동맥경화반이 파열되면 파열된 동맥경화반의 표면에 혈소판이 달라붙으며, 달라붙은 혈소판에 연속적으로 다른 혈소판이 부착되면서 혈액 응고가 발생하여 혈전이 형성된다. 형성된 혈전 때문에 관상동맥이 좁아지거나 막혀 심근허혈이 진행되면 흉통이 발생함으로써, 임상적으로 급성 관상동맥증후군으로 나타난다. 혈전이 발생한 초기에 혈전은 섬유소(fibrin)보다는 주로 혈소판으로 구성되어 있으며, 혈전이 혈관을 폐쇄한 후 시간이 경과하면 점차 섬유소의 양이 증가하게 된다. 따라서 급성 관상동맥증후군의 발생 초기부터 아스피린, 클로피도그렐(clopidogrel), 프라수그렐(prasugrel), 티카그렐러(ticagrelor) 등 혈소판 응집을 억제하는 항혈소판 치료(antiplatelet therapy)를 시작해야 한다.

관상동맥이 완전히 폐쇄되어 시간이 경과하면 심근에 지속적인 허혈이 발생하여, 심근의 전 층으로 심근 괴사가 진행되는 심근경색이 발생한다. 폐쇄된 관상동맥을 다시 개통시켜 혈류가 유지되도록 하는 방법을 재관류 요법이라고 하며, 재관류 요법으로 혈전용해제(fibrinolytic agent 또는 thrombolytic agent)를 투여하거나 관상동맥중재술(percutaneous coronary intervention)을 한다. 관상동맥이 완전히 폐쇄되지 않은 상태에서 심근허혈만 발생할 때는 불안정형 협심증의 형태로 나타난다.

급성 관상동맥증후군은 관상동맥의 동맥경화반 파열에 의한 원인 이외에도, 관상동맥으로의 혈전 색전이나 관상동맥 연축(spasm)에 의해 유발될 수 있다. 장시간 동안의 쇼크나 저산소혈증에 의한 심근허혈로 심근경색이 발생할 수도 있다. 관상동맥이 혈전의 색전에 의하여 폐쇄된 경우에는 내인성 혈전 용해 작용으로 재관류 되는 경우가 많아 심근 전층에 걸친 경색이 발생하는 경우는 적다. 쇼크나 저산소혈증에 의한 심근경색은 관상동맥의 분포양상과는 관계없이 심근의 여러 부위에 경색이 발생할 수 있다.

## 3. 급성 관상동맥증후군의 심전도 분류 및 고위험군의 선별

### 1) 초기 심전도 소견에 의한 급성 관상동맥증후군의 분류

흉통을 호소하는 환자는 최초에 기록된 심전도 소견을 바탕으로 세 부류로 분류할 수

표 23-1. 급성 관상동맥증후군의 심전도 소견에 따른 분류

1. ST분절 상승 심근경색(ST-elevation myocardial infarction: STEMI)
   ① 2개의 연관된 사지 유도에서 1.0 mm (0.1mV) 이상의 ST분절 상승, 또는 2개의 연속 전흉부 유도에서 1.0 mm (0.1mV) 이상의 ST분절 상승; 단, 전흉부 유도 V2-3에서는 40세 이상의 남자는 2.0 mm (0.2mV) 이상, 40세 미만의 남자는 2.5 mm (0.25mV) 이상, 여자 1.5 mm (0.15mV) 이상)
   ② 좌각차단이 새로 발생한 경우
2. ST분절 비상승 급성 관상동맥증후군(non-ST elevation acute coronary syndrome)
   ① 0.5 mm (0.05mV) 이상의 ST분절 하강이 관찰되거나 T 파의 역동적 역전이 관찰되는 경우
   ② 일시적(20분 이내)으로 0.5 mm (0.05mV) 이상의 ST분절 상승이 발생한 경우
3. 정상 또는 비특이적 ST분절 또는 T 파의 변화(non-diagnostic ECG)
   ① 정상 심전도
   ② 0.5 mm (0.05mV) 미만의 ST분절 변화 또는 2.0 mm(0.2mV) 이하의 T 파 역전이 관찰되는 경우

있다(표 23-1). ST분절이 상승이 관찰되면 ST분절 상승 심근경색으로 분류하며, 재관류 요법이 시행되어야 한다. 전형적인 ST분절 상승이 관찰되지 않아도 ST분절 상승 급성 심근경색으로 분류하는 때가 있다. 심장 후벽(posterior wall)에 ST분절 상승 심근경색이 발생한 경우에는 V1-V4 전흉부 유도에서 ST분절 하강이 관찰되며, 이때는 ST분절 상승 심근경색으로 분류한다. 또한, 새롭게 발생한 좌각차단이 관찰되어도 ST분절 상승 심근경색으로 분류한다. 좌각차단이 있는 경우에는 새로운 ST 분절의 변화를 알아내기가 쉽지 않다. 좌각차단이 있는 환자에서는 QRS파의 주요 방향과 일치하는 ST분절의 상승 또는 하강이 있는 경우, 또는 QRS파의 주요 방향과 반대 방향으로 5 mm 이상의 ST분절 변화가 있는 경우에 ST 분절 상승 급성 심근경색을 의심해야 한다. 좌 주간지(left main coronary artery) 병변 또는 관상동맥 전체의 심한 병변이 있는 경우에는 aVR 및 V1 유도의 ST 분절 상승과 나머지 유도의 ST분절 하강이 발생하며, 이 경우에도 ST 분절 상승 심근경색으로 분류한다.

ST분절이 하강하여 있거나 T 파의 변화가 있는 경우는 불안정형 협심증 또는 ST분절 비상승 급성 심근경색이 발생한 경우로서, 집중적인 항허혈 약물치료(antiischemic medical therapy)를 한다. 흉통을 호소하는 환자 중에는 심전도가 정상이거나 분명한 허혈의 소견이 없는 예도 있다. 불안정형 협심증 환자의 20% 이상에서 최초 심전도가 정상이므로, 심전도가 정상이더라도 불안정형 협심증을 배제해서는 안 된다. 최초 심전도가 정상이더라도 급성 관상동맥증후군이 의심되는 경우에는 추적 심전도 검사를 한다.

## 2) 고위험군의 선별

흉통환자에서 관상동맥질환의 가능성 또는 관상동맥질환에 의한 사망 및 심근경색의 발생 가능성이 큰 고위험군(high risk group)을 조기에 선별하는 것은 환자의 치료에 매우 중요하다.

### (1) ST분절 상승 심근경색에서 고위험군의 분류

ST분절 상승 심근경색이 발생한 환자에서 위험요인을 판정하는 요소를 사용하여 점수화함으로써, 사망 가능성을 예측하는 방법이 있다. TIMI risk score는 나이, 질병력(당뇨병, 고혈압, 또는 협심증의 과거력), 수축기 혈압, 심박수, Killip class, 체중, 심전도 양상, 재관류까지의 소요시간을 점수화하여 30일 사망 가능성을 예측한다(표 23-2). 점수가 1점인 경우의 예측 사망률은 0.8%이지만, 점수가 높아질수록 사망 가능성이 급증하며 8점 이상인 경우의 예측 사망률은 35.9%에 달한다.

표 23-2. ST분절 상승 심근경색환자에서 TIMI score에 의한 위험도 평가

| 인자 | | | 점수 |
|---|---|---|---|
| 병력 | 나이 | <65세 | 0 |
| | | 65-74 | 2 |
| | | ≥75 | 3 |
| | 당뇨병 또는 고혈압 또는 협심증 | | 1 |
| 수축기 혈압 | <100 mmHg | | 3 |
| 심박수 | >100/분 | | 2 |
| Killip class | II-IV | | 2 |
| 체중 | <67 kg | | 1 |
| 심전도 | 전흉부 유도 ST분절 상승 또는 좌각차단 | | 1 |
| 치료까지 소요시간 | >4시간 | | 1 |

* TIMI: Thrombolysis in Myocardial Ischemia

### (2) 불안정형 협심증 또는 ST분절 비상승 심근경색에서 고위험군의 분류

불안정형 협심증 또는 ST분절 비상승 심근경색 환자에서 급사 또는 심근경색의 발생 가능성이 큰 환자를 찾아내는 것은 심근경색에 의한 사망률을 감소시키는 데에 중요하다. TIMI score는 불안정형 협심증 또는 ST분절 비상승 심근경색환자에서 흉통 발생으로부터 14일 이내의 심근경색 또는 급사의 발생 가능성을 예측하는 지수로 사용된다(표 23-3). 또한, 관상동맥질환에 의한 흉통이 의심되는 환자에서 흉통의 특징, 진찰 소견, 심전도, 심장 표지자의 상승 여부에 따라 급사 또는 급성 심근경색의 발생 가능성을 예측할 수 있다(표 23-4). 따라서 불안정형 협심증 또는 ST분절 비상승 심근경색환자에서 TIMI score가 높거

표 23-3. 불안정형 협심증 또는 ST분절 비상승 심근경색환자에서 TIMI score에 의한 위험도 평가

| 인자 | 점수 |
|---|---|
| 나이가 65세 이상인 경우 | 1 |
| 관상동맥질환의 위험인자(가족력, 고혈압, 고콜레스테롤혈증, 당뇨, 흡연)가 3개 이상인 경우 | 1 |
| 최근 7일간 아스피린을 복용한 경우 | 1 |
| 최근 24시간 이내에 2회 이상의 흉통이 발생한 경우 | 1 |
| 트로포닌 또는 CK-MB가 상승한 경우 | 1 |
| 0.5 mm 이상의 ST분절 하강 또는 상승(20분 이내) | 1 |
| 이전의 검사에서 50% 이상의 관상동맥 협착이 있었던 경우 | 1 |

* TIMI: Thrombolysis in Myocardial Ischemia
* 0-1점: 저위험군, 2-3점: 중간 위험군, 5점 이상: 고위험군

표 23-4. 관상동맥질환에 의한 흉통이 의심되는 환자에서 급사 또는 급성 심근경색 발생 가능성의 고위험 인자

1. 흉통의 특징
   - 흉통이 최근 48시간 동안 악화한 경우
   - 휴식을 취해도 경감되지 않는 지속적인(20분 이상) 흉통이 있는 경우
2. 진찰 소견
   - 폐부종이 동반된 경우
   - 승모판 역류에 의한 심 잡음이 발생하거나 커진 경우
   - 저혈압, 서맥, 또는 빈맥의 발생
   - 제3 심음 또는 수포음이 청진 되는 경우
   - 75세 이상인 경우
3. 심전도
   - 휴식 중 발생한 흉통과 함께 심전도상 0.5 mm 이상의 ST분절 하강이 관찰되는 경우
   - 각차단의 발생
   - 지속성 심실빈맥이 발생하는 경우
4. 심장 표지자
   - 트로포닌 또는 CK-MB의 상승

나 고위험인자가 있으면 조기에 관상동맥중재술을 하는 것이 권장된다.

## 4. 심근경색의 진단

전술한 바와 같이 심근경색은 심장 표지자의 증감이 있으면서 심근허혈의 임상 증상, 심전도 변화(병적 Q 파, ST분절-T 파의 변화, 또는 새로운 좌각차단의 발생), 관상동맥조영술 또는 부검에 의한 관상동맥 내 혈전의 발견, 심근의 국소운동 이상이나 심근 손상의 영상의학적 증거 중 한 가지가 관찰되면 진단할 수 있다. 그러나 응급상황에서 급성 심근경색 진단을 위한 모든 요소를 검사할 수는 없다. 따라서 임상적으로 응급실에서 급성 심근경색 진단에는 임상 증상(허혈성 흉통의 발생), 심전도, 심장 표지자, 심초음파 검사가 사용된다. 그 외 상황에 따라 동위원소를 사용한 영상진단, 관상동맥조영술 등을 추가 방법으로 진단에 사용될 수 있다. 응급센터에서 급성 심근경색을 진단하는 가장 이상적인 방법은 적절한 문진을 통한 병력채취와 정확한 심전도 판독, 신속한 심장 표지자 검사이다.

### 1) 급성 심근경색의 임상 증상

심근경색이 발생하면 대부분 환자는 흉통을 호소한다. 심근경색에 의한 흉통은 보통

“가슴이 쥐어짜듯 아프다, 누르는 것 같다, 조이는 것 같다, 답답하다” 등으로 표현된다. 흉통을 느끼는 부위는 주로 흉골 부위이며, 좌측 또는 양측 어깨나 팔, 목, 턱 등에 전이통을 호소하는 경우가 많다. 일부 환자에서는 소화불량의 증상으로 나타날 수 있으며, 단순히 호흡곤란만을 호소하는 예도 있다. 따라서 관상동맥질환의 위험인자가 있는 환자가 소화불량이나 호흡곤란을 호소하는 때도 심근경색을 의심한다. 노인환자에서는 흉통보다는 좌심실부전의 임상 증상으로서 호흡곤란, 식은땀, 오심, 구토 등을 호소하는 예도 있다. 흉통의 발생은 휴식 중이나 수면 중에 발생할 수 있고 가벼운 운동 중에 발생할 수도 있다. 흉통은 대개 20분 이상 지속하며, 심근경색이 진행되는 동안 계속된다. 당뇨병이 있는 경우 등 일부 환자에서는 예외적으로 전혀 흉통을 호소하지 않는 예도 있다.

## 2) 심근경색의 심전도 소견

심근경색이 발생한 환자에서 심근경색의 전형적 심전도 변화가 발생하는 경우는 전체 환자의 약 60%이다. 25%의 환자에서는 비전형적 심전도 변화가 발생하며, 10-15%의 환자에서는 심전도가 정상이다. 그러나 시간 간격을 두고 반복하여 심전도를 기록하면 심근경색환자 중 약 95%에서 심전도로 심근경색을 진단할 수 있다. 응급실에 도착한 흉통환자에서는 10분 이내에 심전도를 기록해야 한다. 첫 심전도에서 명백한 변화가 관찰되지 않더라도 15-30분 간격으로 심전도를 추적 기록해야 한다.

심근경색의 심전도 소견은 두 가지로 나눌 수 있다. 심근의 전 층에 걸쳐 심근경색(transmural myocardial infarction)이 발생한 경우에는 ST분절의 상승과 전형적인 T 파의 변화, 병적 Q 파가 관찰된다(그림 23-2). 이 경우를 ST분절 상승 급성 심근경색이라 한다. 최초에는 T 파의 역전이 발생하거나 진폭이 커지고, 경색 부위의 유도에서 ST분절이 상승

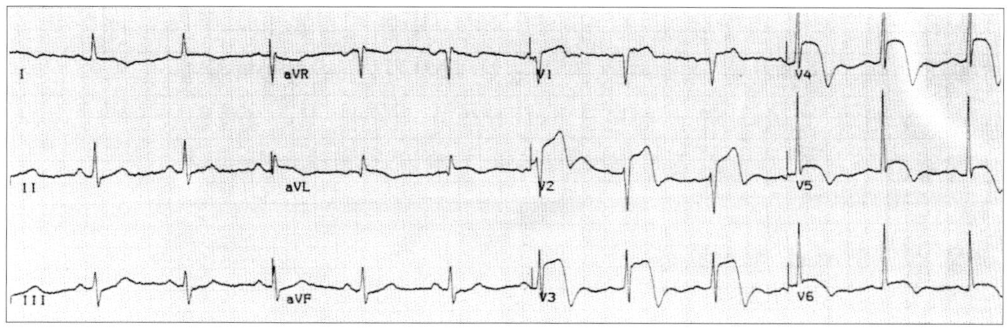


그림 23-2. 전벽에 발생한 ST분절 상승 급성 심근경색의 심전도 소견. 전흉부 유도에서 전형적인 T 파의 변화, ST분절의 상승, Q 파가 관찰된다.

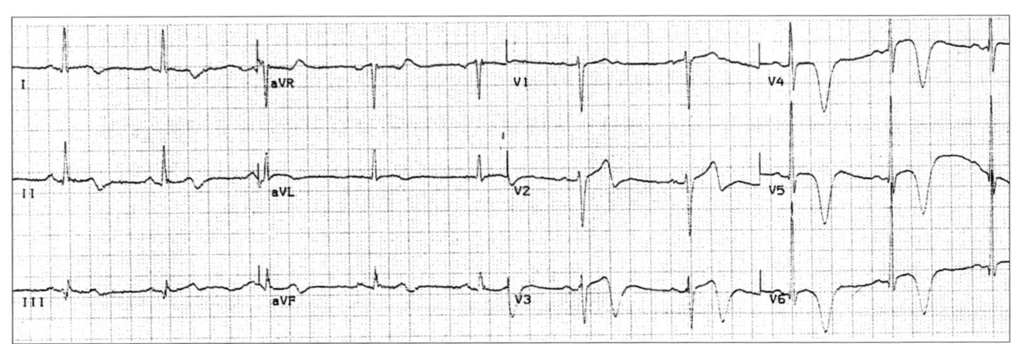


그림 23-3. ST분절 비상승 급성 심근경색의 심전도 소견. 전흉부 유도에서 T 파의 역전을 관찰할 수 있다.

하며, 경색 부위 반대쪽 유도에서는 ST분절이 하강한다. 시간이 경과하면서 QRS파의 진폭이 점차 감소하며, 손상이 발생한 부위의 유도에 Q 파가 발생한다. 심근경색이 발생한 후 시간 경과에 따른 전형적인 심전도 변화는 전체 심근경색환자의 약 60% 이내에서 발생한다. ST분절, T 파, QRS파의 변화 중 한 가지 또는 두 가지의 변화만 발생하는 예도 많다. 심근의 전 층에 걸쳐 심근경색이 발생한 경우와는 달리 심근 내막에만 심근경색(subendocardial infarction)이 발생할 수 있다. 이때는 경색 부위의 유도에 ST분절 상승이 관찰되지 않고 ST분절이 하강하거나 T 파가 역전되며 Q 파는 발생하지 않는다(그림 23-3). 이 경우를 ST분절 비상승 심근경색이라 한다.

우심실은 좌심실보다 질량이 작으므로 우심실 경색(right ventricular infarction)을 심전도로 진단하기 어려울 때가 있다. 우심실 경색이 발생하면 우측 전흉부 유도(V1, V3R-V6R)의 ST분절이 상승한다. 특히 ST분절이 V1 유도에서 V2 유도보다 더 상승하여 있으면 진단하기 쉽다. 그러나 좌심실 하벽 심근경색이 발생하면 V1 유도에서의 ST분절 상승이 상쇄되므로, 하벽 심근경색이 함께 발생한 환자에서는 우심실 경색을 진단하기 어렵다. 따라서 하벽 심근경색이 있는 환자에서는 V4R-V6R까지의 우측 전흉부 유도를 기록하여 판독한다.

심전도로 급성 심근경색을 진단하려면 반드시 시간 경과에 따라 반복하여 심전도를 추적한다. 예를 들면, 매우 작은 부위에 심근경색이 발생한 경우에는 심전도를 기록하여도 정상으로 나타날 수 있으나, 심근경색의 부위가 점차 확대되면 심전도에서 전형적인 이상 소견이 발생할 수 있다.

### 3) 심장표지자 검사

심근경색으로 심근세포가 손상되어 혈액으로 유출된 트로포닌(troponin)을 측정하는 것은 심근경색 진단을 위한 필수적인 과정이다. 트로포닌은 심근경색 발생으로부터 1-2시간 이내부터 혈액 내 농도가 상승하여 수일간 혈액에서 검출된다. 고감도 트로포닌(high-sensitivity troponin) 검사는 미량의 트로포닌까지 측정할 수 있어서 급성 심근경색의 조기 진단에 사용된다. 고감도 트로포닌은 환자가 내원한 즉시 측정한 첫 측정값과 첫 측정 후 1-3시간에 측정한 추적 측정값이 모두 중요하다. 첫 측정값이 해당 검사실 또는 검사 방법에서의 정상 참조값(normal reference value)보다 높거나 추적 측정값이 첫 측정값보다 상승하면 심근경색의 가능성이 크다. 따라서 흉통환자가 내원하면 즉시 트로포닌 검사를 하고 흉통 발생으로부터 1-3시간 이내에 다시 트로포닌 검사를 한다. 트로포닌 측정값이 높을수록 심근경색의 범위가 넓고 사망률이 높다. 트로포닌 검사가 가능하지 않은 병원에서는 CK-MB 검사를 한다.

### 4) 심초음파

심초음파(echocardiography)는 심장의 구조와 기능을 평가하는 데 매우 유용한 검사이다. 최근 응급센터에서 심초음파(ultrasonography)가 사용되면서, 흉통의 원인을 감별하는 수단으로써 심초음파가 사용된다. 심초음파는 이면성 심초음파와 도플러 기능으로 심근 수축과 더불어 혈류 및 혈역학적 측정이 가능하다. 또한, 심근경색과 더불어 대동맥박리, 폐색전증, 심낭 삼출 등 흉통을 유발하는 질환을 감별하는 데 사용될 수 있다. 급성 심근경색이 발생하면 심근의 국소 운동 장애(regional wall motion abnormality)를 포함한 심근 변화와 심근경색에 의한 합병증(판막 폐쇄 부전, 심장파열, 심실중격결손 등)을 진단할 수 있다. 심전도 변화로 예측되는 심근경색 부위의 국소 운동장애가 심초음파에서 관찰되면 쉽게 심근경색을 진단할 수 있다.

## 5. 급성 심근경색의 치료에서 응급의료의 역할

급성 심근경색 치료에서 응급의료의 역할은 현장 응급치료와 신속한 이송으로 심실세동에 의한 초기 사망을 줄이고 재관류 요법이 신속히 시작될 수 있도록 함으로써, 급성 심근경색에 의한 사망률과 이환율을 낮추는 데 있다. 따라서 응급의료체계는 급성 심근경색에 신속하고 효율적으로 대응할 수 있는 현장 및 이송 치료체계를 운영해야 하며, 응급센터에서는 재관류 요법을 포함한 급성 심근경색 치료가 지연되지 않도록 해야 한다.

## 1) 응급의료체계의 역할

급성 심근경색 환자의 초기 사망은 주로 급성 심근경색 발생 후 4시간 이내에 발생한다. 따라서 급성 심근경색이 발생한 직후부터 환자가 병원으로 이송될 때까지의 시간이 환자의 생존에 큰 영향을 미친다.

급성 심근경색 환자의 초기 사망률을 감소시키려면, 국민에게 흉통이 생겼을 때 즉시 응급의료체계에 연락하도록 교육해야 하며, 환자가 이송되는 동안에도 적절한 응급치료가 이루어져야 한다. 즉, 환자는 흉통이 발생하면 즉시 응급의료체계에 연락하여 환자 지연시간(patient delay time)을 줄여야 하며, 응급의료체계는 신속한 출동과 이송으로 응급의료체계 반응시간(emergency medical system response time)과 환자이송시간(transport time)을 최소화해야 한다. 응급의료체계는 심근경색환자를 치료할 수 있는 적절한 장비와 인력을 갖추어야 한다. 구급차는 무선 및 유선통신장치와 함께 심전도 감시장치, 제세동기, 산소투여 장비, 기관내삽관 기구 및 흡입장치, 심혈관계 약물을 갖추고 있어야 한다. 또한, 구급차에는 전문심장소생술을 시행할 수 있는 의료종사자가 탑승해야 한다.

병원 전 단계에서 급성 심근경색을 진단하여 혈전용해제를 사용하는 외국의 일부 응급의료체계에서는 흉통환자에 대한 양식(protocol)을 사용한다(표 23-5). 이 경우, 급성 심근경색이 의심되는 환자의 정보와 12 유도 심전도를 병원으로 전송한 후, 지도 의사의 판단에 따라 심근경색 진단과 혈전용해제 사용을 결정하고 있다. 우리나라에서는 병원 전 단계에서 의사가 아닌 의료종사자가 혈전용해제를 투여하는 것은 허용되지 않는다.

## 2) 병원 전 응급치료

### (1) 병원 도착 전 심전도

흉통을 호소하는 환자 치료 과정에서 응급의료인이 현장에서 가능한 한 빨리 심전도

표 23-5. 병원 전 흉통 양식에 기록해야 하는 내용

| |
|---|
| 1. 흉통의 특징, 발생시간 및 지속시간 |
| 2. 의식 상태 |
| 3. 환자의 나이 |
| 4. 혈압 |
| 5. 뇌졸중, 출혈, 수술, 간 또는 신장 질환에 관한 병력 |
| 6. 항응고제 복용 여부 |
| 7. 임신 여부 |
| 8. 심전도 기록 여부 |
| 9. 고위험 인자의 여부(빈맥, 저혈압, 폐부종, 쇼크의 증상) |

를 병원에 있는 의사에게 보내줄 수 있다면 치료를 조기에 시작할 수 있을 것이다. 현장에서 12 유도 심전도를 기록한 후 즉시 심전도를 병원으로 전송할 수 있는 장비들이 사용됨으로써, 병원 전 단계에서부터 환자의 심전도 소견을 알 수 있게 되었다. 병원 전 단계의 심전도를 확인할 수 있으면, 환자 도착 전에 치료 방침을 정하고 준비하여 재관류까지의 시간을 단축할 수 있다. 최근 개발된 심전도 전송장치를 사용하면, 12 유도 심전도를 전송하는데 소요되는 추가 시간이 5분 이내에 불과하다. 현장 또는 이송 중 심전도 기록과 전송에 걸리는 시간으로 생기는 치료 지연보다는 의료기관에서 재관류 시간을 단축하는 효과가 더 현저하다. 응급의료종사자(응급구조사, 응급간호사)에게 심전도 교육을 하면, 심전도에서 ST분절 변화를 확인하여 ST분절 상승 급성 심근경색의 발생을 조기에 알 수 있다. 따라서 응급의료종사자가 흉통환자의 12 유도 심전도를 기록하고 분석할 수 있도록 교육한다. 응급의료체계의 반응 속도가 느리거나 지역 여건으로 이송에 장시간 소요되는 농촌 또는 도시 주변 지역에서는 병원 전 12 유도 심전도 기록 및 전송 시스템을 갖추는 것이 권장된다.

### (2) 병원 전 혈전용해치료

재관류 요법은 심근경색이 발생한 후 가능한 한 빨리 시행되어야 충분한 치료 효과를 거둘 수 있다. 재관류 요법이 1시간 지연될 때마다 급성 심근경색환자의 사망 위험도가 20%씩 증가한다. 일반적으로 재관류 요법은 환자가 병원에 도착한 후 시작되기 때문에 환자 또는 응급의료체계가 소요한 시간만큼 재관류 요법 시작시각이 지연될 수밖에 없다. 병원 전 혈전용해치료(out-of-hospital fibrinolysis)는 환자가 병원에 도착하기 전에 응급의료인이 혈전용해제를 투여하는 치료방법이다. 병원 전 혈전용해치료는 이송 중에 혈전용해제를 투여하므로, 병원에서 혈전용해제를 투여할 때보다 흉통 발생으로부터 재관류 요법까지의 소요시간을 줄일 수 있다는 장점이 있다. 병원 전 혈전용해치료는 미국보다는 일부 유럽 지역에서 시도되고 있으며, 그동안 수행된 병원 전 혈전용해제 치료의 결과는 급성 심근경색환자의 사망률을 감소시킬 수 있는 것으로 알려졌다. 혈전용해제 사용 교육을

표 23-6. 병원 전 혈전용해치료를 위하여 갖추어야 할 사항

| |
|---|
| 흉통 환자 체크리스트 |
| 12 유도 심전도 기록, 분석 및 전송 시스템 |
| 의료기관과의 교신 시스템 |
| 전문소생술에 대한 충분한 경험 |
| 혈전용해치료에 대한 응급의료종사자 교육 |
| 급성 심근경색 치료의 전문 지식을 가진 지도 의사 |
| 병원 전 혈전용해치료에 대한 질 관리 프로그램 |

받은 응급의료인은 해당 응급의료체계에서 허용하는 범위에서 증상 발생으로부터 30분-6시간 이내인 환자에게 병원 도착 전에 혈전용해제를 투여할 수 있다. 병원 전 혈전용해제 투여가 결정되었을 때는 환자와의 접촉으로부터 30분 이내에 혈전용해제가 투여될 수 있어야 한다. 병원 전 혈전용해제 치료를 하려면 흉통환자에 대한 체크리스트, 심전도 기록, 의사와의 정보 교환 등을 포함하는 요소가 갖추어져야 한다(표 23-6). 우리나라에서는 응급구조사의 병원 전 혈전용해제 투여를 허용하지 않고 있다.

### (3) 응급실 이송과 병원 선택

급성 심근경색 환자의 치료 과정에서 신속한 진단과 이송이 중요하다. 이송시간이 30분 이상 지연된 경우보다 이송시간이 30분 이내였던 경우가 급성 심근경색 환자의 생존율이 높다고 보고되었다. ST분절 상승 심근경색의 재관류 요법으로 관상동맥중재술이 가장 효과적이다. 따라서 ST분절 상승 심근경색환자에게 재관류 요법을 하려면 관상동맥중재술이 가능한 병원으로 환자를 이송해야 한다. 관상동맥중재술이 가능한 병원에서는 첫 의료접촉(first medical contact)으로부터 관상동맥중재술까지의 시간이 60분 이내를 넘지 않도록 해야 한다. 환자가 관상동맥중재술이 가능하지 않은 병원으로 이송된 경우에는 혈전용해제를 투여할 것인지 또는 관상동맥중재술이 가능한 병원으로 이송할 것인지를 결정해야 한다. 첫 의료접촉으로부터 관상동맥중재술까지의 시간이 120분 이내가 소요될 것

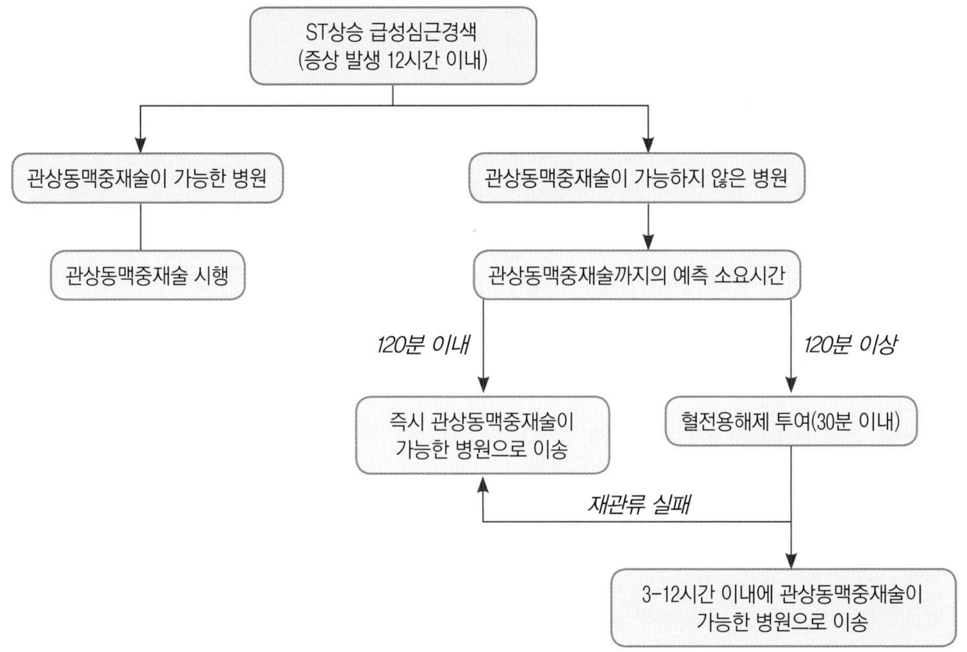


그림 23-4. ST분절 상승 급성 심근경색 환자의 이송

으로 예측된 경우에는 관상동맥중재술이 가능한 병원으로 환자를 이송한다. 관상동맥중재술까지의 시간이 120분 이상이 소요될 것으로 예측된 경우에는 혈전용해제를 10분 이내에 투여한다. 혈전용해제 치료를 한 후에는 환자를 관상동맥조영술이 가능한 병원으로 이송한다. 혈전용해제를 투여한 후 재관류가 되지 않은 경우(흉통이 계속되거나, ST분절 상승이 사라지지 않는 경우)에는 즉시 관상동맥중재술이 가능한 병원으로 환자를 이송한다(그림 23-4).

### (4) 병원밖 심장정지에 대한 응급치료

급성 심근경색은 병원밖 심장정지의 주요 원인이다. 급성 심근경색환자의 4-18%에서 초기 4시간 이내에 심실세동이 발생한다. 또한, 병원에 입원 중인 급성 심근경색 환자의 5%에서 심실세동이 발생하는 것으로 알려져 있다. 최근 응급의료체계의 발달과 적극적인 초기치료로 심근경색 발생 후 수 시간 이내의 심실세동 발생률은 줄어들고 있으나, 아직 많은 수의 급성 심근경색 환자가 발병 초기에 발생한 심실세동으로 사망한다. 심장정지가 발생하면 심폐소생술을 포함한 기본소생술과 전문소생술을 해야 한다. 급성 심근경색 환자에서는 심실세동에 의한 심장정지의 가능성이 크므로, 제세동 치료가 중요하다. 자동제세동기의 도입은 급성 심근경색에 의한 심실세동의 치료에 중요한 역할을 하고 있다. 모든 구급차에는 자동제세동기가 갖춰져 있어야 하며, 응급의료인뿐 아니라 일반인도 자동제세동기를 사용할 수 있어야 한다. 최근 일반인에 의한 제세동(public access defibrillation)을 보편화하려는 시도는 심실세동에 의한 사망률을 현저히 감소시키고 있다. 이상적으로는 일반인 자동제세동(public access defibrillation) 프로그램을 광범위하게 보급하거나 응급의료체계 반응시간을 단축하여 심장정지가 발생한 후 5분 이내에 제세동기가 현장에 도착할 수 있어야 한다.

## 6. 급성 관상동맥증후군의 병원 내 응급치료

### 1) 응급실에서의 시간 경과

응급실로 내원하였거나 이송된 급성 심근경색 환자가 재관류 요법을 받을 때까지는 몇 단계의 시간 경과를 겪게 된다. 환자가 응급실에 내원하면 의료인을 접하기 전에 환자등록과 중증도 분류과정을 거치는 시간(time at door)이 소요된다. 그 후 간호사 또는 의사를 만나 병력조사, 진찰, 심전도 기록 등으로 환자에 대한 자료를 수집하는 시간(time for data)이 필요하다. 환자에 대한 자료가 수집되어 급성 심근경색이 확인되면 재관류 요법의 적응이 되는지, 금기 사항은 없는지 등을 판단하게 되며, 재관류 요법의 적응이 되면 환자 또는 보호자에게 재관류 요법에 대한 승낙을 받기 위한 시간(time for decision)이 소요된다. 재관류 요법이 결정되어 혈전용해제를 준비하여 환자에게 실제로 투여될 때까지의 시간(time to drug) 또는 경피 관상동맥 중재가 시행될 때까지의 시간(time to balloon)이 소요된다(표 23-7).

응급실에서 빨리 혈전용해제를 투여하려면 환자를 선택하는 과정 및 혈전용해제 투여에 필요한 사항을 누구든지 알 수 있도록 만들어진 양식을 사용하는 것이 권장된다(표 23-8).

응급실에서 시간 지연은 재관류 요법의 또 다른 장애가 될 수 있다. 따라서 각 응급실은 적절한 흉통환자 분류지침을 사용해야 하며, 급성 심근경색으로 진단되면 재관류 요법을 즉시 할 수 있도록 준비하고 있어야 한다. 첫 의료접촉으로부터 ST분절 상승 급성 심근경색의 진단까지의 시간은 10분 이내가 되어야 한다. 또한, 시간 지연을 줄이기 위해 전형적인 급성 심근경색의 흉통과 심전도를 보이는 환자에서는 응급실에서 환자를 진료한 의사가 재관류 요법을 결정하고, 비전형적인 임상 양상을 보이는 급성 심근경색 환자는 즉시

표 23-7. 응급실에서 급성 심근경색 환자가 재관류 요법을 받을 때까지의 시간 경과

| 시간 경과 | 응급치료 내용 |
|---|---|
| 응급실 내원(time at door) | 접수 및 환자등록<br>중증도 분류 |
| 자료 수집과정(time for data) | 병력조사<br>진찰<br>심전도 기록 |
| 진단 및 결정(time for decision) | 심전도 판독<br>재관류 요법의 결정<br>재관류 요법에 대한 설명 및 승낙 과정 |
| 약물 투여(time to drug) 또는 경피 관상동맥 중재(time to balloon) | 혈전용해제 준비 및 투여 또는 경피 관상동맥중재 시술 |

표 23-8. 응급실에서 사용하는 급성 심근경색 환자 기록지에 포함되어야 할 내용

1. 응급실에 도착 또는 내원한 흉통환자의 중증도 분류과정
2. 급성 심근경색을 진단하기 위하여 조사하여야 할 병력
3. 심전도 소견
4. 급성 심근경색을 진단하기 위한 임상검사
5. 재관류 요법의 적응 여부
6. 관상동맥중재술 팀의 활성화 방법
7. 혈전용해제의 적응 및 금기
8. 혈전용해제의 투여방법

순환기 내과 전문의와 상의한다.

## 2) 급성 관상동맥증후군의 초기 평가 및 응급치료

급성 관상동맥증후군 환자에서 가장 먼저 검사할 수 있으면서 치료에 중요한 정보를 제공하는 것은 심전도이다. 급성 관상동맥증후군의 초기응급치료는 전술한 바와 같이 심전도 소견에 따라 치료한다(그림 23-5). ST분절 상승이 관찰되는 환자에서는 항허혈 약물

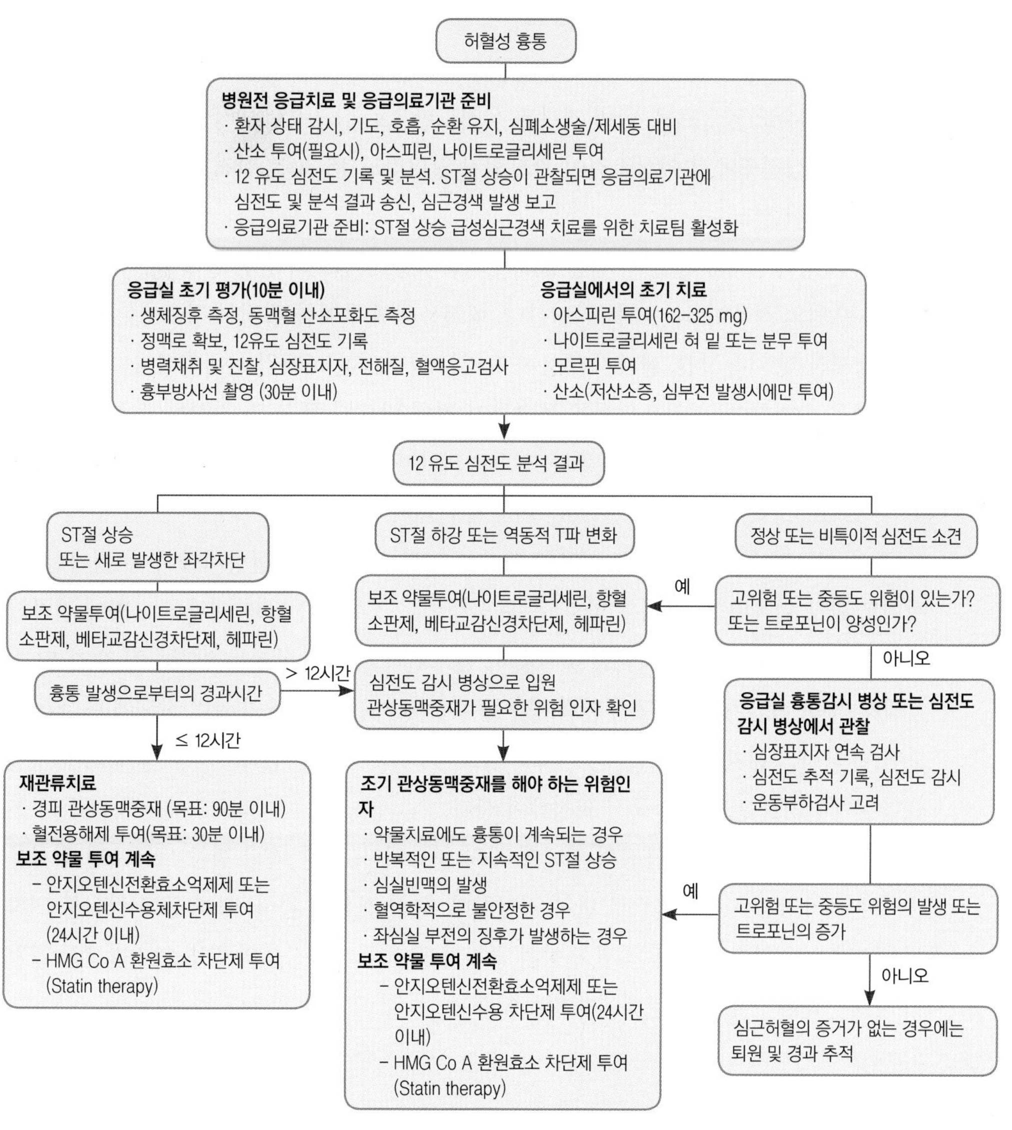


그림 23-5. 급성 관상동맥증후군의 응급치료 과정

치료(anti-ischemic drug therapy)와 더불어 재관류 요법이 우선된다. ST분절 하강이 관찰되는 환자에서는 항허혈 약물치료를 한다. 심전도가 정상이거나 비특이적 소견이 관찰되는 환자에서는 고위험 인자가 있는지를 판정한 후 항허혈 약물치료를 하거나 비허혈성 흉통을 유발하는 다른 질환을 찾아본다.

### (1) 병력조사, 진찰, 검사 및 심전도 기록

흉통으로 내원한 환자의 응급치료는 환자를 평가하는 것으로부터 시작된다. 먼저 환자의 임상 증상이 급성 심근경색에 부합되면, 급성 심근경색에 대한 응급치료를 시작한다. 그 후 활력 징후를 측정하고, 간단한 진찰을 한 후, 동맥혈 산소포화도를 확인하며, 12 유도 심전도를 기록한 후 의사가 즉시 판독한다. 첫 심전도에는 전형적인 심전도 변화가 관찰되지 않을 수도 있으므로, 한번 기록된 심전도만으로 심근경색 발생 여부를 판단해서는 안 된다. 첫 심전도에서 이상소견이 관찰되지 않더라도 15-30분 간격으로 추적 심전도를 기록하여 확인한다.

간단한 병력조사와 진찰 후 심근경색이 의심되면, 심전도와 흉통 발생시간을 고려하여 재관류 요법의 적응이 되는지를 판단한다. 혈전용해제 투여를 결정한 경우에는 반드시 흉통 발생시간 및 지속시간, 환자가 복용하고 있는 약제, 최근 6개월 이내의 수술, 외상, 출혈의 병력을 확인한다. 혈전용해제를 투여하기 전에 반드시 문진 및 진찰하여야 할 사항을 양식으로 만들어 사용하는 것이 좋다. 심근경색환자에서는 가능한 한 빨리 재관류 요법을 해야 하므로, 병력조사와 진찰은 10분 이내에 끝내야 한다.

급성 심근경색 환자를 처음 진료할 때에는 기도, 호흡 및 순환상태를 우선 평가한 후, 정맥로 확보 및 심전도 감시를 한다. 종종 급성 심근경색의 진단과 재관류 요법에 집착하여 환자에 대한 평가와 초기치료를 소홀히 함으로써 환자의 상태를 악화시킬 수가 있다. 따라서 맥박, 혈압, 호흡수 등의 활력 징후를 우선 평가한다. 환자의 활력 징후에 변화가 있으면, 순환량의 문제인지, 심근의 수축력 감소에 의한 것인지, 심박수의 이상에 의하여 발생한 문제인지를 판단하여 즉시 교정해야 한다.

심장표지자 검사는 심근경색 진단에 가장 중요하다. 내원 즉시 혈중 트로포닌 검사를 하여야 하며, 1-3시간 간격으로 반복 검사한다. 혈청 전해질 검사, 혈액 응고 검사를 위하여 혈액을 채취한다. 혈전용해제 투여의 금기가 있거나 심근경색의 합병증이 발생한 환자의 치료는 순환기 내과 전문의에게 자문한다.

### (2) 심전도 감시

급성 심근경색 발생 초기에는 심실세동 등 위험한 부정맥이 발생할 수 있으므로 반드시 심전도를 감시한다. 급성 심근경색의 발생 초기에는 가능한 제세동기 전극을 환자의 가슴에 미리 붙여 제세동이 항상 가능한 상태를 유지한다. 심전도 감시를 위한 전극은 제세동에 방해가 되지 않는 부위에 부착한다. 심전도 감시에서 관찰되는 심전도 소견은 오직 부정맥의 판단에만 이용한다. ST분절의 상승 또는 하강, T 파의 역전 등을 판단하려면 12유도 심전도를 기록해 본다.

### (3) 정맥로의 확보

급성 심근경색 환자에서는 가능한 위팔에 있는 말초 정맥에 정맥로를 유지한다. 중심정맥을 천자 하면 혈전용해제를 투여한 후에 대량 출혈이 발생할 수 있으므로, 혈역학적 감시나 대량 수액투여를 위하여 중심 정맥 천자가 필요한 경우를 제외하고는 말초 정맥로를 사용한다. 또한, 출혈 가능성이 있으므로 동맥 천자를 가능한 피하여야 하며, 동맥혈 산소포화도를 확인할 때에는 맥박산소측정기를 사용한다.

### (4) 산소투여

급성 심근경색 환자에서 좌심실부전으로 폐부종이 발생하면 폐의 환기-관류장애가 심화하여 심각한 저산소증이 발생할 수 있다. 따라서 호흡곤란, 심부전의 증상, 쇼크, 저산소증(동맥혈 산소포화도 $<$ 94%)이 있는 환자에게는 산소를 투여한다. 저산소증 또는 심부전 등의 합병증이 없는 모든 심근경색환자에게 산소를 투여하는 것은 금기이다.

산소를 투여할 때에는 비관이나 마스크를 통하여 분당 4-6L의 산소를 투여하여 혈중 산소포화도가 정상 범위(94% 이상)를 유지하도록 한다. 지나치게 고농도 산소를 투여하여 동맥혈 산소압이 정상 이상으로 상승하면, 말초혈관저항의 상승을 초래하여 조직으로의 산소 공급에 장애가 발생할 수 있다. 산소를 투여하여도 저산소증이 계속되는 환자에서는 기관내삽관 후 고농도의 산소로 기계 호흡을 한다.

### (5) 약물투여

#### ① 나이트로글리세린

급성 관상동맥증후군이 의심되는 환자에서 흉통을 경감시키기 위한 첫 번째 시도는 나이트로글리세린 혀 밑(sublingual) 또는 분무 투여이다. 나이트로글리세린은 심장의 전부하를 감소시켜 심근의 산소 요구량을 줄이고, 심근경색 부위로의 측부 순환량을 증가시키며, 관상동맥 연축을 방지한다. 나이트로글리세린 혀 밑 투여로 흉통이 즉시 없어지고 심전도 변화가 사라지면, 흉통의 원인이 급성 심근경색보다는 관상동맥 연축 또는 협심증일 가능성이 있다. 나이트로글리세린은 5분 간격으로 2-3회 반복 투여할 수 있다.

나이트로글리세린을 투여할 때에는 환자의 혈압을 미리 측정해야 한다. 환자의 혈압이 90 mmHg 이상이면 즉시 나이트로글리세린을 혀 밑 투여할 수 있고, 정맥로가 확보되면 정맥으로 투여할 수 있다. 나이트로글리세린을 정맥 투여할 때 수축기 혈압이 100 mmHg 이상으로 유지되고, 최초 혈압보다 25 mmHg 이상 감소하지 않으면 용량을 증가시킬 수 있다. 일반적으로 나이트로글리세린을 투여할 때에는 환자의 혈압이 최초보다 10% 정도 감소할 정도의 용량을 투여하는 것이 안전하다. 나이트로글리세린 투여 시 가장 주의하여야 할 점은 순환량이 부족하거나 이미 저혈압이 있는 경우에 심각한 저혈압을 유발하여 심근의 허혈을 악화시킬 수 있다는 것이다. 우심실 경색이 동반된 환자나 수축기 혈압이 90 mmHg 이하인 환자, 분당 50회 미만의 서맥 또는 분당 100회 이상의 빈맥이 있는 환자, 최근 24시간 이내에 발기부전 치료제를 복용한 환자에게는 나이트로글리세린을 투여하지 않아야 한다. 즉 나이트로글리세린은 심근의 허혈과 심부전이 있으며 수축기 혈압이 높은 환자에게 가장 유용하다.

나이트로글리세린의 투여가 심근경색환자의 사망률을 감소시킨다는 증거는 없다. 따라서 모든 심근경색환자에게 나이트로글리세린을 투여하는 것은 권장되지 않는다. 나이트로글리세린의 투여는 심부전이 발생한 경우, 고혈압이 있는 경우, 전벽 심근경색이 발생한 경우, 반복적으로 흉통이 발생할 때에 사용한다. 나이트로글리세린은 반응 급강 현상(tachyphylaxis)이 빨리 나타나는 약물이므로 24-48시간 이상 투여하는 것은 권장되지 않는다. 반응 급강 현상이 발생하면 최소 6시간 이상 약물을 중단하여야 약물투여 효과가 다시 나타난다.

**② 모르핀**

급성 심근경색에 의한 통증은 나이트로글리세린 투여에도 불구하고 지속할 수 있다. 나이트로글리세린 반복투여에도 흉통이 경감되지 않으면 모르핀을 투여할 수 있다. 모르핀은 진통작용으로 흉통을 경감시켜 환자를 안정시킴으로써, 체내에서의 카테콜아민 분비를 줄인다. 또한, 모르핀은 정맥을 확장해 심장으로의 혈액 환류를 줄이므로 심장의 전부하를 줄이고, 동맥을 확장해 말초혈관 저항을 감소시킴으로써 심근의 산소 요구량을 줄인다. 그러나 모르핀은 P2Y12 억제제의 항혈소판 효과를 감소시키며, 급성 관상동맥증후군 환자의 병원 내 사망률을 높이는 것으로 알려졌다. 따라서 모르핀을 사용할 때는 환자에게 발생할 이익과 해를 고려하여 사용하는 것이 권장된다.

모르핀은 환자가 흉통을 호소할 때마다 2-5 mg을 1-5분에 걸쳐 투여하며, 5-15분 간격으로 반복 투여할 수 있다.

모르핀은 미주신경 작용을 항진시키고 교감신경 작용을 차단한다. 따라서 모르핀투여 후 서맥을 동반한 저혈압이 발생할 수 있다. 모르핀투여 후 저혈압이 발생하면 다량의 수액을 투여하거나 아트로핀을 투여한다.

#### ③ 아스피린

아스피린은 혈소판의 cyclooxygenase를 억제하여 thromboxane A2의 생성을 차단함으로써 항응고작용을 한다. 급성 심근경색 환자에게 병원 전 단계에서 아스피린을 투여하면 환자의 생존율을 증가시킨다. 급성 관상동맥증후군이 의심되는 환자에게는 가능한 한 신속히 162-325 mg의 아스피린을 투여한다. 아스피린을 투여하기 전에는 반드시 아스피린 알레르기와 최근 장 출혈의 병력을 확인한다.

급성 관상동맥증후군 환자에게는 아스피린과 혈소판 수용체 억제제를 동시 투여하는 이중 항혈소판 치료(dual antiplatelet therapy)를 시작한다.

#### ④ 혈소판 수용체 억제제(P2Y12 receptor inhibitors: Thienopyridines)

Thienopyridines계의 약물은 혈소판의 P2Y12 수용체에 작용하여 혈소판 응집을 방해함으로써 항응고 효과를 나타내는 약물이다. 임상적으로 사용되는 혈소판 수용체 억제제에는 클로피도그렐(clopidogrel), 프라수그렐(prasugrel), 티카그렐로(ticagrelor)가 있다. 관상동맥중재술로 재관류 치료를 할 예정인 급성 심근경색 환자에게는 아스피린과 함께 프라수그렐 또는 티카그렐로를 투여한다.

**〈클로피도그렐〉**

클로피도그렐은 혈소판의 adenosine diphosphate (ADP) P2Y12 receptor를 비가역적으로 억제하여 혈소판의 응집을 방지하는 약물이다. 300 mg의 클로피도그렐이 ST분절 비상승 심근경색 또는 불안정형 협심증 환자에게 병원 도착 후 4시간 이내에 투여될 경우, 심근경색에 의한 사망을 줄이는 것으로 알려졌다. ST분절 상승 심근경색 환자에게서도 클로피도그렐이 환자의 내원 초기에 헤파린, 아스피린, 혈전용해제와 함께 투여되면 사망률이 감소한다. 따라서 ST분절 상승 급성 심근경색과 ST분절 비상승 급성 관상동맥증후군 환자에게는 300 또는 600 mg의 클로피도그렐을 투여한다. 알레르기, 소화기 질환으로 아스피린을 복용할 수 없는 급성 관상동맥증후군 환자, 아스피린, 헤파린, 혈전용해제를 투여받는 75세 이하의 ST분절 상승 심근경색환자에게도 클로피도그렐을 투여한다.

〈프라수그렐〉

프라수그렐은 혈소판의 ADP P2Y12 수용체에 결합함으로써 혈소판 응집을 방지하는 약물이다. 급성 심근경색 환자에게는 60 mg을 투여한 후 10 mg을 매일 투여한다. 프라수그렐은 클로피도그렐보다 출혈을 유발하는 경향이 다소 높다.

〈티카그렐로〉

티카그렐로는 혈소판의 ADP P2Y12 수용체에 결합함으로써 혈소판 응집을 방지하는 약물로써 클로피도그렐보다 신속하고 일정한 혈소판 응집 억제작용이 있다. 급성 심근경색 환자에게 티카그렐로를 사용할 때에는 180 mg을 투여한 후 90 mg을 매일 투여한다.

⑤ 베타 교감신경 차단제

베타 교감신경 차단제는 급성 심근경색 환자의 심박수를 줄이고, 심근 수축력을 감소시킴으로써 심근의 산소소모량을 줄인다. 베타 교감신경 차단제는 특히 고혈압이나 빈맥을 동반한 급성 심근경색 환자의 치료에 도움이 된다. 급성 관상동맥증후군에서 베타 교감신경 차단제 정맥 주사는 심근경색의 크기를 줄이고 부정맥의 발생을 감소시킨다. 반면 베타 교감신경 차단제를 투여받으면 심장성 쇼크의 발생 가능성이 커진다. 특히 70세 이상의 고령이면서, 분당 110회 이상의 심박수 및 수축기 혈압이 120 mmHg 미만인 환자에게 베타 교감신경 차단제를 투여할 경우 쇼크가 발생할 가능성이 크다. 베타 교감신경 차단제 투여는 심근경색환자의 장기 생존율을 높이는 것으로 알려졌다. 따라서 급성 관상동맥증후군 환자에게 베타 교감신경 차단제를 초기에 정맥 주사하는 것보다 내원 24시간 이내에 복용시키는 것이 권장된다.

베타 교감신경 차단제의 정맥 주사는 고혈압 또는 빈맥성 부정맥의 치료를 위한 경우에만 사용한다. 심부전, 서맥, 저혈압, 전도 장애, 기관지 천식이 있는 환자는 베타 교감신경 차단제 투여의 금기이다.

⑥ 항응고제

〈미분획 헤파린, unfractionated heparin〉

미분획 헤파린은 항트롬빈 III(antithrombin III)과 결합함으로써 항응고(anticoagulation) 작용을 하는 약제이다. 헤파린이 결합하면 항트롬빈 III의 입체 형태적(conformational) 변화가 발생하면서 항트롬빈 III가 트롬빈과 결합하는 능력이 항진된다. 따라서 헤파린을 투여하면 항트롬빈에 의하여 트롬빈이 억제됨으로써 항응고작용이 발생하는 것이다.

관상동맥중재술을 받는 모든 심근경색 환자에게 헤파린을 투여한다. 혈전용해제를 투여한 환자에서는 용해된 혈전이 관상동맥 내에서 다시 응고되는 것을 막기 위하여 헤파린을 투여한다. 특히 tissue plasminogen activator (tPA)를 투여한 환자에서는 헤파린을 투여하여 혈전이 재발하는 것을 방지한다. 그러나 섬유소 비 선택적(non-selective) 혈전용해제인 urokinase나 streptokinase를 사용한 경우에는 헤파린을 투여하지 않는다. 전벽 심근경색으로 심근이 광범위하게 손상된 경우, 심방세동이 발생한 경우, 심초음파 등으로 좌심실 내 혈전이 확인된 경우, 혈전 전색이 발생하였던 경우에는 헤파린을 투여하는 것이 권장된다.

헤파린의 투여용량은 처음 60 U/kg(최대 4000 U/kg)를 투여한 후, 시간당 12 U/kg(최대 1000 U/kg)를 투여한다. 헤파린을 투여할 때에는 activated partial thromboplastin time을 정상의 1.5-2.0배로 유지한다.

헤파린 투여의 부작용은 출혈, 혈소판 감소증이 있으며, 장기간 투여할 때는 골다공증, 피부 괴사, 탈모 등이 초래될 수 있다.

**〈저분자량 헤파린**, low-molecular-weight heparin〉

저분자량 헤파린은 미분획(unfractionated) 헤파린을 해중합(depolymerization)하여 생산한 항응고제이다. 저분자량 헤파린은 항트롬빈 III와 결합하는 기능적 구조만 있으므로, 헤파린의 작용을 가지고 있으나 구조상 차이로 인한 장점이 있다. 헤파린은 항 응고작용을 위하여 항트롬빈-헤파린-트롬빈의 삼중체가 형성되어야 하지만, 저분자량 헤파린은 항트롬빈-헤파린의 결합만으로 항응고작용을 유발할 수 있다. 따라서 미분획 헤파린과는 달리 저분자량 헤파린의 항응고 효과는 주로 항트롬빈에 의한 factor Xa 억제 효과에 의하여 나타난다. 또한, 항응고작용에 불필요한 구조가 제거됨으로써 혈관 벽 또는 혈청 단백과의 결합이 줄어 반감기가 길고 생체 내 이용률이 높다. 또한, 혈소판과 혈관 벽에 대한 작용이 적으므로 출혈의 가능성이 적다는 장점이 있다. 저분자량 헤파린은 투여에 의한 항응고 효과가 예측 가능하므로, partial thromboplastin time을 주기적으로 검사할 필요가 없다.

저분자량 헤파린은 급성 심근경색 또는 불안정형 협심증 환자를 대상으로 한 대규모 임상 시도에서 미분획 헤파린과 비교하면 흉통 재발, 급성 심근경색 또는 급사의 발병률을 낮추는 것으로 보고되었다. 저분자량 헤파린은 불안정형 협심증 및 ST분절 비상승 심근경색환자에서 아스피린 등의 항혈소판제제와 함께 사용한다. 저분자량 헤파린으로서 주로 enoxaparin가 사용되며, 75세 미만의 환자에게는 부하 용량으로 30 mg을 정맥 주사한 후 12시간 간격으로 1 mg/kg를 피하주사한다. 75세 이상의 환자에게는 부하 용량을 투여하지 않는다. 신장 기능장애가 있는 환자에게는 저분자량 헤파린의 용량을 줄여 투여한다. 미분획 헤파린을 투여하다가 저분자량 헤파린으로 교체하거나 그 반대로 교체하면 출혈의 가능성이 커진다.

〈기타 항응고제〉

급성 심근경색 환자의 치료에 사용되는 항응고제로서 bivalirudin과 fondaparinux가 있다. 이 약제들은 헤파린의 대체 약물로써 사용되며, 각각 정맥주사 또는 피하 주사로 투여한다.

⑦ 혈소판 당단백 IIb/IIIa 수용체 억제제

혈소판 당단백 IIb/IIIa 수용체 억제제(glycoprotein(GP) IIb/IIIa inhibitors)는 혈소판에 존재하는 혈소판 당단백 IIb/IIIa 수용체를 차단하는 약물이다. 당단백 IIb/IIIa 수용체는 여러 가지 자극으로 활성화된 혈소판에 섬유소가 결합하는 부위로서, 섬유소와 각각 다른 혈소판의 혈소판 당단백 IIb/IIIa 수용체가 결합함으로써 혈소판이 응집되어 혈전이 형성된다. 급성 관상동맥증후군이 발생하는 가장 중요한 원인은 관상동맥의 동맥경화반이 파열되어 응고작용이 시작되면 대량의 트롬빈이 형성되어 혈소판을 활성화하고 혈소판의 응집으로 인하여 혈전이 형성되어 관상동맥이 막히거나 좁아지는 것이다. 따라서 혈소판의 응집을 막아줄 수 있다면 급성 관상동맥증후군의 진행을 억제할 수 있다. 이러한 측면에서 혈소판 당단백 IIb/IIIa 수용체 억제제는 급성 관상동맥증후군을 치료에 사용되지만, 출혈의 가능성을 높이기 때문에 제한적으로 사용되고 있다.

혈소판 당단백 IIb/IIIa 수용체 억제제에는 혈소판 당단백 IIb/IIIa 수용체에 대한 단세포군(monoclonal) 항체 (abciximab), 섬유소가 혈소판 당단백 IIb/IIIa 수용체와 결합하는 과정에 경쟁적 길항작용을 하는 약물(eptifibatide), 혈소판 당단백 IIb/IIIa 수용체에서 섬유소가 혈소판 당단백 IIb/IIIa 수용체를 인식하는 부분에 대한 경쟁적 대항작용을 하는 약물(tirofiban)이 있다.

⑧ 안지오텐신 전환효소 억제제 및 안지오텐신 수용체 차단제

안지오텐신 전환효소 억제제(ACE inhibitor) 또는 안지오텐신 수용체 차단제(angiotensin receptor blocker)를 심근경색의 발생 초기에 투여하면 사망률이 감소한다. 안지오텐신 전환효소 억제제는 전벽 심근경색, 폐부종, 좌심실 부전(좌심실 박출률 40% 미만), 고혈압, 당뇨병이 있는 환자에게서 가장 효과적이다. 따라서 이러한 환자에게는 처음 24시간 이내에 안지오텐신 전환효소 억제제 또는 안지오텐신 수용체 차단제를 투여하는 것이 권장된다.

안지오텐신 전환효소 억제제는 저혈압을 초래하므로 수축기 혈압이 100 mmHg 미만

이거나 심근경색 후 원래의 혈압보다 수축기 혈압이 30 mmHg 이상 하강한 경우에는 투여하지 않는다. 정맥주사용 안지오텐신 전환효소 억제제는 저혈압 유발의 위험이 있으므로 심근경색 발생 후 첫 24시간 이내에는 사용하면 안 된다.

#### ⑨ 스타틴 제제

스타틴 제제(statins; HMG Coenzyme A Reductase Inhibitors)는 급성 관상동맥증후군 증상의 발생 초기에 투여되면 심근경색 또는 협심증의 재발, 부정맥의 발생빈도를 감소시키는 것으로 밝혀졌다. 따라서 허혈에 의한 흉통이 발생한 급성 관상동맥증후군 환자에게는 첫 24시간 이내에 스타틴 제제를 투여한다.

#### ⑩ 칼슘 통로 차단제

급성 심근경색 환자에서 심근경색 발생 초기에 칼슘 통로 차단제를 투여하는 것은 환자의 생존율에 영향을 주지 않거나 오히려 생존율을 감소시키는 것으로 보고되고 있으므로, 급성 심근경색 환자에게는 칼슘 통로 차단제를 투여하지 않는다. 칼슘 통로 차단제는 베타 교감신경 차단제를 투여하여야 하지만, 베타 교감신경 차단제의 금기증을 가지고 있는 환자에게만 사용될 수 있다.

## 7. ST분절 상승 심근경색의 치료

흉통 발생으로부터 12시간 이내인 환자에서 심전도에서 ST분절이 상승된 경우(후벽 심근경색 포함)에는 가능한 한 빨리 재관류 요법을 한다. 재관류 요법에는 혈전용해제를 투여하는 방법과 경피 관상동맥중재를 하는 방법이 있다. 흉통 발생으로부터 12시간이 지나간 환자에게는 재관류 요법을 하지 않는다. 다만, 흉통 발생으로부터 12시간이 지났더라도 고위험요인(약물치료에도 흉통이 지속되는 경우, 심전도에서 ST분절 변화가 반복적으로 발생하는 경우, 심실빈맥이 발생하는 경우, 혈역학적으로 불안정한 경우, 좌심실기능부전이 발생하는 경우)이 있는 경우에는 조기에 관상동맥조영술을 하여 필요한 경우 관상동맥중재를 한다.

### 1) 재관류 요법

심근경색의 범위는 급성 심근경색 환자의 합병증 발생률과 예후에 가장 큰 영향을 준다. 따라서 급성 심근경색 환자의 생존율을 증가시키기 위한 가장 적극적인 치료는 폐쇄된 관상동맥을 재개통시켜 경색된 심근을 재관류시키는 것이다.

관상동맥이 폐쇄된 후 6시간이 경과하면 대부분 심근이 괴사한다. 재관류 요법은 심근경색이 발생한 후부터 2시간 이내에 시행되는 것이 가장 효과적이며 12시간 이내에 시행하여야 생존율을 증가시킬 수 있다. 흉통 발생 후로부터 12시간 이내에 내원한 환자에서는 금기가 없는 한 반드시 재관류 요법이 시도되어야 하며, 12시간이 지난 환자에게서도 흉통과 함께 ST분절 상승이 지속되면 재관류 요법을 한다.

재관류 요법에 의하여 환자의 사망률을 낮추려면 흉통 발생으로부터 재관류까지의 시간이 짧아야 하며, 심근경색 관련 혈관(infarct-related artery)이 완전히 재개통되어야 하며, 미세 관류장애가 발생하지 않아야 한다. 재관류 요법에는 혈전용해제를 정맥 투여하는 방법과 관상동맥중재술을 하는 방법이 있으나, 가능한 관상동맥중재술을 시행하여야 한다. 관상동맥중재술에 의한 재관류가 혈전용해제에 의한 재관류에 비하여 심근경색 관련 혈관의 완전 재개통률이 높아서 재폐쇄 또는 재 허혈의 발생률을 낮춤으로써 생존율을 높일 수 있다. 그러나 관상동맥중재술은 숙련된 전문의사 및 의료 인력, 24시간 가동되는 심혈관조영실이 있어야 가능하므로 모든 병원에서 시행할 수 없다. 즉, 관상동맥중재술이 24시간 가능한 병원에서만 재관류 요법으로 관상동맥중재술을 채택할 수 있다. 재관류 요법을 결정할 때 흉통 발생으로부터의 경과 시간과 관상동맥중재술을 시행할 수 있을 때까지의 소요시간을 고려한다. 즉, 관상동맥중재술까지 예상 시간이 120분 이상이 소요될 것으로 예측될 때는 혈전용해제를 투여하고, 120분 이내로 예측되면 관상동맥중재술을 먼저 고려한다.

### (1) 혈전용해제 투여

#### ① 혈전용해치료의 적응

혈전용해제 투여의 치료 효과를 극대화하려면 혈전용해제 투여에 적합한 환자를 선택하여 가능한 한 빨리 혈전용해제를 투여한다. 응급실 내원 후부터 혈전용해제 투여까지의 시간을 10분 이내로 단축하도록 권장하고 있다.

혈전용해제 투여의 적응이 되는 환자는 흉통 발생으로부터 12시간 이내에 내원한 환자 중 심근경색의 전형적인 흉통이 20분 이상 지속하고, 심전도상 전형적인 ST분절 상승 급성 심근경색의 소견이 있거나 흉통과 함께 새롭게 발생한 좌각차단이 관찰되면서 혈전용해제 투여의 금기가 없는 경우가 해당한다. 심전도상 전형적인 급성 심근경색의 소견은 연관된 2개 이상의 유도에서 ST분절이 0.1mV 이상 상승하여 있는 경우이다(표 23-9). 흉

표 23-9. 혈전용해제 투여의 적응 조건

| 흉통 발생으로부터 경과된 시간 | 12시간 이내 |
| --- | --- |
| 흉통 지속시간 | 20분 이상 |
| 심전도 변화 | 연관된 2개 이상의 유도에서 0.1mV 이상의 ST분절 상승 또는 흉통과 함께 새롭게 나타난 좌각차단 |
| 혈전용해제 투여의 금기 | 없음 |

통 발생으로부터 12시간 이상이 지났더라도 지속적인 흉통이 있는 경우에는 흉통 발생으로부터 24시간 이내에 혈전용해제를 투여할 수 있다. 고령은 혈전용해제 투여의 금기증은 아니다. 75세 이상에서도 혈전용해제 투여는 ST분절 상승 심근경색으로부터의 사망률을 감소시키는 것으로 판명되었다. 그러나 65세 이상에서는 혈전용해제를 투여하였을 때 두개 내 출혈의 위험이 증가하며, 나이가 많을수록 출혈의 위험도는 높아지는 것으로 알려져 있다. 65세 미만인 환자에 비하여, 65-74세인 경우 두개 내 출혈의 위험도는 2.7배, 75세 이상에서는 4.34배 높다. 최근에는 75세 이상의 환자에게는 혈전용해제의 용량을 반으로 줄여서 투여하기도 한다. 일반적으로 혈전용해제를 투여한 환자의 0.9-1.0%에서 두 개 내 출혈이 발생한다.

응급실 내원 시 고혈압이 있는 환자는 혈전용해제 투여 후 두개 내 출혈의 발생 가능성이 크다. 수축기 혈압이 180 mmHg 이상이거나 이완기 혈압이 110 mmHg 이상이면 혈전용해제 투여의 상대적 금기 사항이다. 고혈압이 있는 환자에서는 혈압을 조절한 후 혈전용해제를 투여한다. 고혈압을 조절한 후 혈전용해제를 투여하더라도 두개 내 출혈의 발생 가능성은 감소하지 않는다.

### ② 혈전 용해제 투여의 금기

혈전용해제 투여의 금기는 주로 출혈 가능성과 연관되어 있다. 출혈의 가능성은 몇 가지 위험인자를 평가함으로써 예측할 수 있다. 혈전용해제 투여 후 출혈의 발생과 연관된 인자에는 나이, 체중, 혈압이 포함된다(표 23-10). 혈전용해제 투여의 절대 금기증인 환자에

표 23-10. 혈전용해제 투여 후 출혈의 발생과 연관된 고위험 인자

| 65세 이상의 고령<br>70 kg 미만의 체중<br>180/110 mmHg 이상의 고혈압<br>혈전용해제로서 tissue plasminogen activator (tPA)가 투여된 경우 |
| --- |

표 23-11. 혈전용해제 투여의 금기증

| 절대 금기증 | 상대적 금기증 |
|---|---|
| 1. 두개 내 출혈 또는 원인불명의 뇌졸중의 과거력이 있는 경우<br>2. 이전 6개월 이내에 허혈성 뇌졸중이 있었던 경우<br>3. 중추신경계 손상, 두개 내 종양, 동정맥기형이 있는 경우<br>4. 1개월 이내에 주요 외상, 수술, 두부 손상이 있었던 경우<br>5. 1개월 이내에 위장관 출혈이 있었던 경우<br>6. 출혈성 질환이 있는 경우<br>7. 대동맥 박리<br>8. 24시간 이내에 압박할 수 없는 신체 부위를 천자한 경우(예, 간 생검, 요추천자) | 1. 조절되지 않는 고혈압(수축기 180 mmHg 이상이거나 이완기 110 mmHg 이상)<br>2. 이전 6개월 이내에 일과성 허혈 발작이 있었던 경우<br>3. 항응고제를 복용하고 있는 환자(INR이 2.0 이상인 경우), 출혈성 경향이 있는 환자<br>4. 임신 또는 출산 후 1주일 이내인 경우<br>5. 진행(advanced) 간 질환<br>6. 10분 이상의 심폐소생술을 받았을 때 또는 심폐소생술로 손상이 발생한 경우<br>7. 감염성 심내막염<br>8. 활동성 소화성 궤양 |

게 혈전용해제를 투여하면 치명적인 출혈이 발생할 수 있으므로 절대로 투여해서는 안 된다. 상대적 금기증이 있는 환자에서는 혈전용해제를 투여할 때 발생할 수 있는 출혈 또는 합병증의 위험도와 혈전용해제 투여로 기대할 수 있는 이득을 냉철히 분석한 후 투여 여부를 결정한다(표 23-11). 상대적 금기증이 있는 환자에게 혈전용해제를 투여할 때는 환자 또는 보호자에게 출혈 가능성에 대하여 충분히 설명한 후 투여한다. 급성 심근경색으로 쇼크가 발생한 심장성 쇼크 환자에게는 혈전용해제 치료보다는 관상동맥중재술에 의한 재관류 요법이 효과적이다.

#### ③ 혈전용해제 종류

혈전용해제는 혈액과 혈전 표면에 있는 플라스미노겐(plasminogen)을 플라스민(plasmin)으로 활성화해 혈전을 형성하고 있는 섬유소(fibrin)를 분해함으로써 혈전을 용해한다. 임상적으로 사용되는 혈전용해제에는 혈액과 혈전 표면의 플라스미노겐을 모두 활성화하는 약제인 streptokinase, urokinase, anisoylated plasminogen streptokinase activator complex (APSAC)와 혈액의 플라스미노겐보다는 혈전 표면의 플라스미노겐을 주로 활성화하는 recombinant tissue plasminogen activator (alteplase: t-PA), recombinant single chain urokinase plasminogen activator, tenecteplase (TNK-tPA), reteplase (r-PA)가 있다. 혈전용해제 중 현재 임상에서 가장 활발히 사용되고 있는 약물은 tenecteplase, alteplase, reteplase이다. 우리나라에서는 주로 tenecteplase와 alteplase가 사용되고 있다.

혈전용해제에 따라 경색 혈관 개통률이 약간씩 다르지만, 아직 특정 약제가 환자의 사망률 감소에 더 유리하다는 증거는 없다. 혈전용해제 투여 후 90분의 경색 혈관 개통률은 t-PA가 84%, urokinase 62%, streptokinase 48%이며, 24시간 후 개통률은 세 약제 모두에서 85% 내외이다.

혈전용해제 투여 후 가장 중요한 합병증은 두개 내 출혈 또는 대량 출혈이다. 따라서 혈전용해제를 투여하기 전에는 반드시 병력을 확인하고 불필요한 혈관 천자를 줄임으로써 합병증의 가능성을 줄여야 한다. 또한, 투여 후에는 지속적으로 환자를 관찰하여 출혈의 증거를 조기에 찾아내야 한다.

#### ④ 혈전용해제 투여방법(표 23-12)

##### 가. Tenecteplase (TNK-tPA)

Tenecteplase는 유전자 재조합법으로 만들어진 선택적 플라스미노겐 활성화 물질로서 혈괴의 섬유소 성분에 있는 플라스미노겐에 선택적으로 결합하여 플라스미노겐을 플라스민으로 전환한다. Tenecteplase는 t-PA에서 3개 위치의 아미노산을 치환함으로써 t-PA보다 섬유소에 대한 선택성이 강화되고, 반감기가 연장되었다. 특히 tenecteplase는 10초 이내에 전량을 투여할 수 있으므로 투여하기가 쉬워 혈전용해제 중 가장 많이 사용된다.

통상 tenecteplase는 1 mL 당 1,000IU (5 mg)이 들어있고 체중 10 kg 당 약 1,000IU를 투여하기 때문에 체중에 따라 투여량을 결정하기가 쉽다. 체중 60 kg 미만인 환자에게는 6 mL (6,000IU 또는 30 mg), 체중 60-70 kg인 경우에는 7 mL (7,000IU 또는 35 mg), 체중 70-80 kg인 경우에는 8 mL (8,000IU 또는 40 mg), 체중 80-90 kg인 경우에는 9 mL (9,000IU 또는 45 mg), 체중 90 kg 이상인 경우에는 10 mL (10,000IU 또는 50 mg)를 투여한다.

표 23-12. 혈전용해제 투여량과 투여방법

| 혈전용해제 | 총투여량 | 투여방법 |
|---|---|---|
| Tenecteplase | 0.5 mg/kg<br>(1회 전량 투여) | 체중 60 kg 미만: 6 ml (6,000IU 또는 30 mg)<br>체중 60 kg 이상-70 kg 미만: 7 mL (7,000IU 또는 35 mg)<br>체중 70 kg 이상-80 kg 미만: 8 mL (8,000IU 또는 40 mg)<br>체중 80 kg 이상-90 kg 미만: 9 mL (9,000IU 또는 45 mg)<br>체중 90 kg 이상: 10 mL (10,000IU 또는 50 mg) |
| Alteplase (t-PA) | 100 mg | ① 15 mg bolus for 2 min.<br>② 0.75 mg/kg for 30 min.<br>(total dose < 50 mg)<br>③ 0.50 mg/kg for 60 min.<br>(total dose < 35 mg) |
| Reteplase (rPA) | 20 MU | 10 MU 씩 30분 간격으로 2회 bolus 투여 |

### 나. t-PA

분말 상태인 t-PA는 5% 포도당 용액 또는 생리식염수에 섞어서 투여한다. 다른 약제나 방부 용액이 포함된 용액과 함께 투여해서는 안 된다. 일단 용해된 t-PA는 8시간 이내에 사용되어야 정상적인 약물효과를 기대할 수 있다.

t-PA는 총 100 mg을 투여하며, 투여방법에는 두 가지가 있다. 일반적인 투여방법(standard regimen)은 총 3시간 동안 100 mg을 투여하는 방법으로서, 2분에 걸쳐 10 mg을 투여한 후 1시간에 걸쳐 50 mg을 투여하고, 그다음 1시간에 걸쳐 20 mg, 그다음 1시간 동안에 20 mg을 투여한다. 체중이 65 kg 이하인 환자에서는 체중 1 kg당 1.25 mg을 3시간에 걸쳐 투여한다. 또 다른 방법은 현재 가장 많이 사용되고 있는 방법으로서, 같은 용량(100 mg)을 90분 이내에 투여하는 방법(front-loading 또는 accelerated regimen)이다. 이 방법은 일반적인 투여방법보다 경색 동맥 개통률을 높일 수 있는 것으로 알려져 있다. 이 경우에는 15 mg을 2분에 걸쳐 투여한 후 30분에 걸쳐 0.75 mg/kg을 투여한다(총투여량이 50 mg을 넘지 않도록 한다). 그 후 60분에 걸쳐 0.50 mg/kg를 투여한다(총투여량이 35 mg을 넘지 않도록 한다).

### (2) 관상동맥중재술에 의한 재관류

관상동맥중재술(percutaneous coronary intervention: PCI)은 관상동맥을 완전히 재개통시킬 수 있는 가장 효과적인 방법이다. 1990년대 이후로 경피 경혈관 관상동맥혈관성형술(percutaneous transluminal coronary angioplasty: PTCA)을 위한 설비 및 기구가 개선되고 시술자의 숙련도가 높아졌다. 그 후, 경피 경혈관 관상동맥혈관성형술과 동시에 관상동맥 스텐트(stent)를 시술하는 방법이 사용되었고, 이 방법은 대규모 임상시험에서 재협착률, 재폐쇄율을 감소시키는 것으로 알려졌다. 현재는 관상동맥혈관성형술 후 스텐트를 시술하는 관상동맥중재술이 관상동맥치료의 중심에 자리했다. 급성 심근경색환자에서 관상동맥중재술은 혈전용해제 투여에 의한 재관류 요법보다 우수한 방법이다. 관상동맥중재술은 혈전용해제보다 사망률, 심근경색의 재발률, 뇌출혈의 발생률을 감소시키는 것으로 증명되었다.

환자가 흉통 발생으로부터 3시간 이내에 내원한 경우에는 혈전용해제와 관상동맥중재술 중 어떤 방법을 사용하더라도 유사한 생존율 제고 효과가 있다. 관상동맥중재술까지 경과된 시간이 1시간 이상 지연될 것으로 예측되면 혈전용해제 투여가 우선된다. 흉통 발생으로부터 3시간 이상이 경과된 경우에는 관상동맥중재술이 재관류 요법으로 우선 선택되어야 한다. 관상동맥중재술은 관상동맥 조영 시설과 숙련된 순환기 전문의가 24시간 상주하여야 가능하다. 현재의 지침에서는 24시간 운영되는 심혈관조영실이 있는 병원으로서 연간 200회 이상의 관상동맥중재술을 하고, 시술자가 연간 75회 이상의 관상동맥중재술을 시행하고 있는 병원에서만 관상동맥중재술을 ST분절 상승 급성 심근경색의 재관류 요법으로 사용하도록 권장하고 있다. 관상동맥중재술은 혈전용해제 여의 금기증이 있는 환자의 재관류 요법으로도 선택될 수 있다. 급성 심근경색과 함께 심장성 쇼크가 발생한 환자는 관상동맥중재술로 치료되어야 한다. 따라서 환자에게 심장성 쇼크가 발생한 것으로 의심되는 경우에는 환자를 반드시 관상동맥중재술이 가능한 병원으로 이송한다(표 23-13).

### (3) 약물치료

재관류 요법과 함께 급성 관상동맥증후군의 치료에 사용되는 약물을 투여한다. 헤파린은 관상동맥중재술을 받은 환자 또는 혈전 형성의 위험요소가 있는 환자, 섬유소 선택적 혈전용해제를 투여한 환자에게 투여한다(표 23-14). 비 선택적 혈전용해제를 투여한 환자에서 혈전 형성의 위험요소가 없는 경우에 혈전용해제 투여 후 6시간 이내에 헤파린을 투여하는 것은 금기이다.

베타 교감신경 차단제는 심근경색환자에서 심근경색의 크기를 줄이고, 부정맥의 발생률 및 재경색 발생률을 낮추는 것으로 알려져 있다. 그러나 심근경색이 발생한 초기에 베타 교감신경 차단제를 정맥 주사하는 경우에는 심부전의 발생률을 증가시킨다. 따라서 금기증이 없으면 베타 교감신경 차단제를 낮은 용량부터 경구로 투여한다(표 23-15).

나이트로글리세린을 모든 심근경색환자에게 투여하는 것에는 논란이 있다. 나이트로글리세린은 전벽 심근경색환자, 흉통이 지속되는 경우, 심부전이 발생한 경우, 고혈압이 동반된 환자에게 첫 24-48시간 동안 투여한다.

표 23-13. 급성 심근경색 환자에서 관상동맥중재술의 적응증

| |
|---|
| 1. 흉통 발생으로 12시간 이내에 내원한 ST분절 상승 급성 심근경색 |
| 2. 재관류 요법의 적응이 되지만 혈전용해제 투여의 금기인 경우 |
| 2. 급성 심근경색에 의한 심장성 쇼크(쇼크의 임상 증상, 분당 맥박수 > 100회 이상, 수축기 혈압 <100 mmHg, 폐울혈이 있는 경우)가 발생한 환자 |
| 3. Killip class III 또는 IV인 경우 |
| 4. Door-to-balloon time이 90분 이내로 유지되는 의료기관으로 내원한 재관류 요법 대상환자 |

표 23-14. ST분절 상승이 있는 심근경색환자에서 헤파린을 투여하는 경우

| |
|---|
| 1. 관상동맥중재술이 시행된 모든 환자 |
| 2. 선택적 혈전용해제(alteplase, reteplase, tenecteplase)를 투여한 환자 |
| 3. 비 선택적 혈전용해제(urokinase, streptokinase)를 투여한 환자에서 혈전 형성의 위험요소가 있는 경우 (전벽 심근경색, 심방세동, 좌심실 혈전이 관찰된 경우) |

표 23-15. 베타 교감신경 차단제 투여의 금기증

| |
|---|
| 1. 폐부종을 동반한 좌심실기능부전 |
| 2. 서맥(분당 맥박수 < 60회) |
| 3. 저혈압(수축기 혈압 < 100 mmHg) |
| 4. 이도 또는 삼도 방실 차단 |
| 5. 쇼크의 임상 증상이 있는 경우 |

안지오텐신 전환효소 차단제는 심근경색환자의 사망률을 감소시키는 것으로 알려졌다. 안지오텐신 전환효소 차단제 또는 앤지오텐신 수용체 차단제는 좌심실 박출률이 40% 미만이거나 심부전이 있는 급성 심근경색환자에게 내원 24시간 이내부터 투여한다. 저혈압(수축기 혈압 < 100 mmHg), 신부전, 양측 신동맥 협착, 안지오텐신 전환효소 차단제 또는 안지오텐신 수용체 차단제에 대한 알레르기가 있는 환자에게는 안지오텐신 전환효소 차단제 또는 안지오텐신 수용체 차단제를 투여해서는 안 된다.

마그네슘의 투여가 심실 부정맥의 발생률을 감소시킴으로써 급성 심근경색에 의한 급사를 줄인다고 보고되었으나, 사망률 감소에 대한 일관된 보고가 없다. 따라서 저마그네슘혈증이 있는 환자를 제외하고 급성 심근경색환자에게 마그네슘을 투여하는 것은 권장되지 않는다.

포도당과 인슐린 및 칼륨(glucose-insulin-potassium: GIK)을 정맥주사하면 급성 심근경색 환자의 사망률을 감소시킨다는 보고가 있다. GIK 용액은 1000 mL의 증류수에 300g의 포도당과 50 U의 인슐린, 80 mEq의 KCl을 넣은 용액을 말한다. GIK는 독성이 있는 혈중 유리지방산(free fatty acid)을 감소시키는 대사조절 작용을 함으로써 급성 심근경색의 치료에 도움이 될 것으로 추정되었다. 그러나 임상연구에서 GIK가 급성 심근경색의 생존율에 영향을 준다는 증거는 없으므로, 급성 심근경색 환자에게 GIK를 투여하는 것은 권장되지 않는다.

## 8. ST분절 비상승 급성 관상동맥증후군의 치료

ST분절 비상승 급성 관상동맥증후군 환자에서는 재관류 요법이 환자의 사망률을 감소시키지 못한다. ST분절 비상승 급성 관상동맥증후군 환자에게는 아스피린, 나이트로글리세린, 헤파린(또는 저분자량 헤파린), 베타 교감신경 차단제의 투여를 고려한다. 베타 교감신경 차단제의 금기증이 있는 환자에서는 칼슘 통로 차단제(calcium channel blocker)를 투

표 23-16. ST분절 비상승 급성 관상동맥증후군에서 조기에 관상동맥조영술(또는 관상동맥중재술)을 해야 하는 고위험군

| |
|---|
| 1. 약물치료에도 흉통이 지속하거나 반복하여 발생하는 경우 |
| 2. 심장 표지자(트로포닌)의 지속 상승 |
| 3. 새로운 ST분절 변화가 발생한 경우 |
| 4. 혈역학적으로 불안정하거나 심실빈맥이 발생하는 경우 |
| 5. 폐부종, 쇼크 또는 좌심실기능부전이 동반된 경우 |
| 6. 관상동맥질환의 위험인자가 2개 이상이면서 약물치료에도 흉통이 지속되는 경우 |
| 7. 6개월 이내에 관상동맥중재술 또는 관상동맥우회술을 한 경우 |

여한다. 각 약물의 투여에 관해서는 전술한 ST분절 상승 급성 심근경색의 약물투여 부분에 서술되어 있다. 약물치료에도 불구하고 흉통이 반복적으로 발생하는 고위험군 환자에서는 관상동맥조영술을 시행한 후 필요한 경우에 관상동맥중재술을 한다(표 23-16).

## 9. 심전도상 ST분절 변화가 없는 환자의 응급치료

심전도에서 ST분절의 전형적 허혈성 변화가 없는 경우나 흉통의 양상이 비전형적일 때는 환자에게 발생한 흉통이 급성 관상동맥증후군에 의한 것인지를 먼저 확인한다. 병원별로 이 부류의 환자에게 급성 관상동맥증후군 여부와 흉통의 다른 원인을 찾기 위한 검사 지침(accelerated diagnostic protocol)이 있어야 한다. 지침에는 급성 관상동맥증후군을 진단할 수 있는 심장 표지자 검사, 심초음파, 방사성 동위원소를 사용한 관상동맥 관류 검사, 운동부하검사, 관상동맥 단층촬영검사 중 해당 응급실에서 신속히 수행할 수 있는 검사를 포함하여 흉통환자의 감별진단 과정이 포함되어 있어야 한다. 응급실에 ST분절을 감시할 수 있는 심전도 감시 장치를 갖추고, 흉통환자를 관찰할 수 있는 흉통환자 관찰실(chest pain unit)을 운영하는 것이 권장된다. 통상 흉통환자 관찰실에서 6-8시간 동안 환자를 관찰하고 심전도와 혈중 심장 표지자를 검사하여, ST분절 변화 또는 흉통이 없고 심장 표지자가 상승하여 있지 않으면 운동부하검사를 시행할 수 있다. 모든 검사에서 음성이면 환자를 응급실에서 퇴원시킨 후 3일 이내에 외래 추적 관찰을 한다.

흉통이 발생하였던 환자에서는 심전도의 변화가 관찰되지 않았더라도 금기증이 없는 한 아스피린을 투여하고 외래 추적 관찰을 한다.

## 10. 급성 심근경색의 초기 합병증과 치료

급성 심근경색이 발생하면 심근이 전기적으로 불안정해지거나 교감신경 기능이 항진되어 빈맥성 부정맥이 발생할 수 있다. 동방결절, 방실결절 등 전기전도조직에 허혈이 발생하거나 미주신경 기능이 항진되면 서맥성 부정맥이 발생하는 때도 있다. 심근경색에 의한 심근 손상은 심근의 수축력을 저하해 심부전을 일으킨다. 급성 심근경색의 초기 합병증은 신속히 진단되어 치료되지 않으면 환자의 생명을 위협할 수 있는 상황으로 진행할 수 있다.

### 1) 급성 심근경색 초기의 부정맥

부정맥은 급성 심근경색의 가장 흔한 합병증이다. 부정맥은 급성 심근경색이 발생한 후 수 시간 이내에 가장 많이 발생하므로, 환자가 병원에 도착하기 전부터 부정맥이 발생할 수 있다.

급성 심근경색 환자에서 발생하는 부정맥은 단순한 기외수축에서부터 심실세동 등 생명을 위협하는 부정맥에 이르기까지 다양하다. 부정맥으로 발생하는 혈역학적 변화나 심근허혈의 악화는 생명을 위협하는 부정맥(심실빈맥, 심실세동)을 발생시킬 수 있으므로 신속한 조치가 필요하다.

#### ① 심실 조기수축(심실기외수축)

심실 조기수축은 급성 심근경색환자에서 심실세동이 발생하기 전에 관찰되는 소위 경고성 부정맥(warning arrhythmia)으로 알려져 왔다. 특히 R-on-T 현상이 있거나, 다형성 심실조기 수축 또는 연속적인 심실 조기수축이 관찰되는 경우에는 심실세동의 발생 가능성이 크다. 그러나 급성 심근경색 환자에게 심실세동을 예방할 목적으로 리도카인을 투여하는 것은 권장되지 않는다. 일부 환자에서는 심실상 빈맥성 부정맥이 발생하면서 심실세동이 유발되는 때도 있다. 이러한 환자에서는 교감신경 작용 항진이 심실세동의 원인으로 추측되므로, 베타 교감신경 차단제 투여가 심실세동의 발생을 예방할 수 있다.

저칼륨혈증 또는 저마그네슘혈증이 동반된 환자에서는 심실성 부정맥의 발생 가능성이 크다. 따라서 전해질 이상이 동반된 환자에서는 항부정맥제 투여와 함께 전해질 이상이 반드시 교정되어야 한다. 통상 급성 심근경색이 발생한 환자에서는 혈중 칼륨은 4 mEq/L 이상, 혈중 마그네슘은 2 mEq/L 이상으로 유지한다.

### ② 서맥

서맥은 하벽 또는 후벽 심근경색환자에서 부교감신경작용이 항진되어 발생하는 경우가 많다. 저혈압, 흉통 등 심각한 임상 증상을 초래하지 않는 서맥을 반드시 치료할 필요는 없다. 심각한 임상 증상이 발생하면 아트로핀을 투여하고, 서맥이 지속되면 심장박동조율을 한다. 서맥의 치료는 제10장의 '서맥의 치료'에서 다루었다

분당 60-125회의 방실결절 고유율동(junctional rhythm) 또는 가속 심실 고유율동(accelerated idioventricular rhythm: AIVR)이 발생하더라도, 혈역학적으로 안정적이면 특별한 치료가 필요 없다. 심실 고유율동은 재관류가 발생한 직후에 관찰되는 경우가 많다. 만약 심박수가 너무 느려서 심각한 임상 증상이 초래되면 아트로핀을 투여하고 제10장의 '서맥의 치료'에 따라 치료한다. 가속 심실 고유율동이 점차 빨라져서 임상 증상이 초래되면 심실빈맥에서와같이 치료한다.

### ③ 동빈맥

급성 심근경색 환자에서 동빈맥(sinus tachycardia)의 원인은 흉통과 심근 수축력 감소에 대한 반사작용으로서 발생한다. 그러나 흉통이 소실된 후에도 빈맥이 지속되면 심각한 심부전이나 순환혈액량의 부족을 의심해야 한다. 심부전이 없고 순환혈액량이 정상이라면 심근의 산소 요구량을 감소시키기 위하여 베타 교감신경 차단제를 투여할 수 있다.

### ④ 심실상 빈맥

심실상 빈맥(supraventricular tachyarrhythmia)이 혈역학적 변화를 초래하지 않는다면 치료할 필요는 없다. 그러나 심실상 빈맥이 저혈압, 흉통, 심부전을 초래하면 즉각 치료한다. 아데노신, 베라파밀, 딜티아젬을 투여하면 심실박동수를 조절하는 데 도움이 된다.

저혈압이나 심부전이 발생한 환자에서는 즉시 전기 심장율동전환을 시도한다. 심실상 빈맥이 반복적으로 재발하면 심실상 빈맥을 초래하는 혈역학적 변화가 있는지를 확인하고 교정한다. 심실상 빈맥의 치료는 제10장의 "빈맥의 치료"에서 다루었다.

### ⑤ 심실빈맥

심실빈맥(ventricular tachycardia)이 30초 이내로 지속되는 비지속성 심실빈맥이 관찰될 때는 특별한 치료 없이 환자의 상태와 심전도를 자세히 관찰한다. 심실빈맥이 30초 이상 지속되는 지속성 심실빈맥이 발생하면 즉시 치료를 시작해야 한다. 심실빈맥이 발생한 상태에서도 혈역학적으로 안정된 상태이면 아미오다론(또는 리도카인)을 먼저 투여할 수 있다. 혈역학적으로 불안정하거나 아미오다론(또는 리도카인)에 반응하지 않으면 즉각 전기

심장율동전환을 시도한다. 심실빈맥의 치료는 제10장의 "빈맥의 치료"에서 다루었다.

### ⑥ 방실 전도 차단

1도 방실차단 또는 2도 I형 방실차단이 발생한 경우에는 치료가 필요하지 않다. 만약 심박수가 느려져 혈역학적 변화를 초래하면 아트로핀을 투여한다. 2도 II형 방실차단이 발생한 경우에는 완전 방실차단으로 진행될 가능성이 매우 크다. 따라서 2도 II형 방실차단이 발생하면 예방목적으로 경정맥 인공심장박동조율을 한다. 완전 방실차단이 발생하면 인공심장박동조율을 시행한다. 일반적으로 하벽 또는 후벽 심근경색으로 발생한 완전 방실차단은 시간이 지나면서 대부분 회복되지만, 광범위한 전벽 심근경색으로 완전 방실차단이 발생한 경우에는 회복되지 않는다. 심근경색환자에서 완전 방실차단 또는 무수축으로 진행될 수 있는 심전도가 관찰되는 경우에는 예방적으로 심장박동조율을 한다(표 23-17).

### ⑦ 심실 내 전도 장애

심실 내 전도 장애(intraventricular conduction delay)는 심근이 광범위하게 손상되었을 때 발생한다. 따라서 심실 내 전도 장애는 전벽 심근경색환자에서 주로 발생하며 예후도 불량하다. 좌각차단이나 우각차단, 또는 두 군데 이상 전도 장애가 발생한 경우에는 완전 방실차단으로 진행될 수 있으므로 예방적 심장박동조율을 한다. 심실 내 전도 장애가 발생한 환자의 예후는 심근경색의 범위가 넓을수록 불량하다.

### ⑧ 심실세동

급성 심근경색 환자에서 발생하는 심실세동은 주로 심근경색 발생으로부터 1시간 이내에 가장 많이 발생하지만, 발생 위험은 심근경색 발생 후 48시간 정도까지 계속 높다. 심근경색 후 24시간 이내에 심실세동(일차성 심실세동)이 발생하더라도 제세동으로 치료되면 환자의 예후에 영향을 주지 않는다. 그러나 심근경색에 의한 심부전, 저혈압, 지속적인 허혈에 의하여 심실세동이 발생한 경우(이차성 심실세동)에는 생존 가능성이 25% 이내로

표 23-17. 급성 심근경색 환자에서 심장박동조율술을 시행하여야 하는 경우

| |
|---|
| 1. 혈역학적 변화를 초래하는 서맥(분당 맥박수 < 50) |
| 2. 저혈압을 초래하는 2도 I형 방실차단으로서 아트로핀투여에 반응하지 않는 경우 |
| 3. 2도 II형 방실차단 또는 완전 방실차단 |
| 4. 양측(bilateral) 각차단 (좌각차단과 우각차단이 번갈아 발생하는 경우) |
| 5. 좌 전각차단 |
| 6. 심근경색 후 새로 발생한 좌각차단 |
| 7. 1도 방실 차단과 좌각차단 또는 우각차단이 발생한 경우 |

불량하다.

## 2) 급성 심근경색에 의한 혈역학적 변화와 심부전의 치료

급성 심근경색이 발생한 심장은 손상된 심근만큼 수축력을 상실하게 된다. 심근 수축력의 감소는 심박출량의 감소를 초래하고, 심박출량이 감소하면 좌심실 이완기압의 상승으로 좌심실이 확장된다. 좌심실의 확장은 심근의 산소소모량을 증가시키며, 심박출량의 감소로 심근으로의 산소 공급이 줄어들면 심근의 허혈 상태가 가속된다. 이러한 악순환이 발생하면 심부전과 심근허혈이 점차 진행되면서 쇼크가 발생하여 사망에 이르게 된다. 따라서 급성 심근경색 환자에서 발생하는 혈역학적 변화를 적절히 감시하여 치료하는 것은 환자의 생존과 직결된다.

심근경색의 범위가 작으면, 혈역학적 변화를 초래하지 않으므로 심부전이 발생하지 않는다. 심근경색의 범위가 넓을수록 심부전의 발생 가능성이 커진다. 심부전이 심해지면 임상적으로는 폐부종이나 저혈압이 발생한다. 심근경색으로 좌심실의 40% 이상이 손상되면, 심각한 좌심실부전이 발생하며 심장성 쇼크에 빠질 수 있다.

### (1) 급성 심근경색에 의한 좌심실부전의 임상적 평가

응급실에서는 환자의 진찰 소견과 흉부 방사선 촬영소견만으로 좌심실부전의 정도를 분류하게 된다. 급성 심근경색에 의한 좌심실부전은 폐부종의 정도, 제3 심음 또는 저혈압의 발생 여부에 따라 분류된다. 임상적으로는 Killip 분류(Killip classification)가 사용된다 (표 23-18).

### (2) 급성 심근경색 환자의 혈역학적 감시

좌심실부전이 진행되거나 혈역학적 변화가 발생한 환자는 혈역학적 감시를 해야 한다. 급성 심근경색 환자는 심박출량과 폐 모세혈관 쐐기압에 따라 혈역학적으로 네 부류로 분

표 23-18. Killip 분류

| Killip 분류 | 임상 양상 | 폐부종 | 제3 심음 | 저혈압/쇼크 |
|---|---|---|---|---|
| Class I | 좌심실부전의 임상 소견 없음 | 없음 | 없음 | 없음 |
| Class II | 경증의 좌심실부전 및 폐부종 | 약간의 폐부종 | 있음 | 없음 |
| Class III | 중증의 좌심실부전 및 폐부종 | 중증도의 폐부종 | 있음 | 없음 |
| Class IV | 심장성 쇼크 | 심각한 폐부종 | 있음 | 있음 |

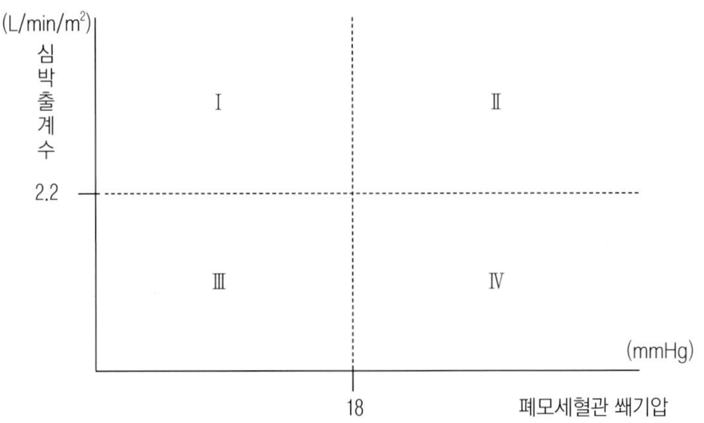


그림 23-6. 급성 심근경색 환자의 혈역학적 분류

류된다(그림 23-6). 첫 번째 부류(I)는 정상 심박출량과 정상 폐 모세혈관 쐐기압을 가진 환자로 폐부종이나 좌심실부전이 없는 환자이다. 두 번째 부류(II)는 폐 모세혈관 쐐기압은 상승하여 있으나 정상 심박출량을 유지하고 있는 환자로서 폐부종이 발생한 환자이다. 세 번째 부류(III)는 심박출량이 감소하여 있고 폐 모세혈관 쐐기압이 낮은 환자로서 순환혈액량이 부족한 환자이다. 네 번째 부류(IV)는 폐 모세혈관 쐐기압이 상승하여 있고 심박출량이 감소한 환자로서 심각한 좌심실부전과 폐부종이 발생한 환자이다.

환자의 혈역학적 상태가 파악되면 적절한 치료방침을 세울 수 있다. 즉, 첫 번째 부류는 특별한 치료가 필요치 않고, 두 번째 부류는 이뇨제투여나 혈관확장제를 투여하는 것이 도움이 된다. 세 번째 부류는 폐 모세혈관 쐐기압을 올려주어야 하므로 수액을 투여한다. 네 번째 부류는 심근 수축력을 향상시키는 도파민, 도부타민 등의 약물을 투여하여야 하며, 약물에 반응하지 않을 때는 대동맥 내 풍선 펌프 등 적극적인 치료를 시행한다.

### (3) 급성 심근경색에서 발생한 폐부종의 치료

급성 심근경색 때문에 좌심실 박출률이 40% 이하가 되면 폐부종이 발생할 수 있다. 따라서 급성 심근경색 환자에서 폐부종의 임상 증상이 관찰되면 심각한 좌심실부전이 발생한 것으로 판단한다.

폐부종의 치료는 산소를 투여하고 환자를 앉혀 놓은 자세를 취해주는 것으로부터 시작된다. 정맥로가 확보되지 않은 환자에서는 나이트로글리세린을 혀 밑으로 투여하고 정맥로가 확보되면 나이트로글리세린, 이뇨제를 정맥으로 투여한다. 이러한 치료에도 폐부종이 지속되면 도부타민을 투여한다. 폐부종이 지속되는 환자에서는 반드시 혈역학적 감시를 시행하여 혈역학적 분류에 따라 치료하는 것이 안전하다. 폐부종 치료에 관한 내용은 제10장의 '저혈압, 쇼크 및 급성 폐부종의 치료'를 참조한다.

### (4) 심장성 쇼크의 치료

심장성 쇼크는 임상적으로는 수축기 혈압이 80 mmHg 이하이면서 쇼크의 임상 증상(소변 감소증, 창백, 식은땀, 빈맥, 의식장애)과 폐부종이 30분 이상 지속되는 경우를 말한다. 혈역학적으로는 수축기 혈압이 80 mmHg 이하, 심박출 계수가 1.8 L/min/m2 이하, 폐모세혈관 쐐기압이 18 mmHg 이상인 상태가 30분 이상 지속되면 진단한다. 심장성 쇼크는 좌심실이 40% 이상 손상되었거나, 심실중격 천공, 승모판 유두근 파열 등 합병증이 동반된 환자에서 주로 발생한다.

심장성 쇼크는 사망률이 매우 높으므로 진단과 동시에 적극적인 치료가 시작되어야 한다. 심장성 쇼크의 치료 과정에서 가장 중요한 것은 빨리 환자의 혈역학적 상태와 원인을 파악하여 치료하는 것이다.

심장성 쇼크 환자에서는 심근의 손상 부위가 매우 광범위하므로 재관류 요법을 하는 것이 도움이 된다. 혈전용해제의 투여보다는 관상동맥조영술이 가능하면 즉시 관상동맥 중재술을 시행한다. 심실중격 천공이나 승모판 유두근 파열이 발견되면 즉시 도파민 또는 도부타민을 투여하고, 심도자검사 및 대동맥 내 풍선 펌프를 시도한다(제10장의 심근 수축력 감소에 의한 쇼크 참조).

### (5) 우심실 경색의 치료

우심실 경색은 급성 하벽 심근경색과 연관되어 발생하며, 급성 하벽 심근경색 환자의 약 30-50%에서 발생한다. 우심실 경색은 좌심실에 심근경색이 발생한 경우와 전혀 다른 임상 양상을 나타낸다. 우심실 경색이 발생하면 우심실의 수축기압이 떨어지고 이완기압이 올라가며 우심실의 심박출량이 급격히 감소한다. 좌심실의 이완기압은 상승하지 않으므로 폐부종이 발생하지 않는다. 우심실 이완기압의 상승으로 우심방압, 중심정맥압이 상승한다. 우심방압의 상승과 우심실 탄력성의 감소로 난원공 개존증(patent foramen ovale)이 있는 환자에서는 우심방으로부터 좌심방으로 단락이 발생하여 저산소증이 발생할 수도 있다. 임상적으로는 폐부종이 발생하지 않은 상태에서 저혈압, 목정맥 팽대, 정상 폐 청진음, Kussmaul's sign이 관찰되면 진단할 수 있다. 심전도에서는 우측 전흉부 유도(V3R-V6R 유도)에서 1 mm 이상의 ST분절 상승을 관찰할 수 있다.

우심실 경색에 의한 저혈압의 치료는 순환혈액량을 증가시키는 것이다. 우심실 경색이 진단되면 0.5-1.0L의 수액을 빠른 속도로 투여하면서 혈압의 반응을 관찰한다. 지나치게 많은 양의 수액을 투여하면 우심실 용적과 압력 증가로 인하여 심실중격이 좌심실 방향으로 밀려 좌심실 충만을 방해함으로써 오히려 심박출량이 감소하고 우심실 허혈을 악화시킬 수 있다. 1L의 수액을 투여한 후에도 반응이 없으면 즉시 혈역학적 감시를 시작하여 폐 모세혈관 쐐기압을 측정하고, 폐 모세혈관 쐐기압에 따라 수액투여를 결정한다. 혈역학적 감시 없이 수액을 계속 투여하면 폐부종을 유발할 수 있다. 수액투여와 함께 도부타민, 밀리논을 투여하면 우심실 박출률을 높일 수 있다. 저혈압이 발생하면 노르에피네프린을 투여하며 바소프레신을 사용할 수도 있다. 저혈압이 있는 환자에게 산화질소(nitric oxide)를 흡입시키면 체혈관 저항 감소 없이 폐혈관 저항을 감소시킴으로써, 좌심실 충만을 원활히 하여 심박출량을 증가시킬 수 있다.

# 제 24 장

# 뇌졸중의 응급치료

뇌졸중은 뇌출혈 또는 뇌로의 혈액공급 장애로 인하여 신경학적 장애가 발생하는 질환이다. 뇌졸중은 뇌혈관의 파열로 발생한 출혈로 인하여 뇌 손상이 발생하는 출혈성 뇌졸중(hemorrhagic stroke)과 뇌로의 혈류가 차단되어 뇌 손상이 발생하는 허혈성 뇌졸중(뇌경색, ischemic stroke)으로 구분된다. 허혈성 뇌졸중 환자에게 혈전용해제를 투여함으로써 경색된 혈관을 재관류시키면 뇌졸중으로 인한 사망을 줄일 수 있다. 재관류 요법에 의한 생존율 제고 효과는 뇌경색의 임상 증상이 발생한 후 가능한 한 빨리 막힌 뇌혈관을 개통함으로써 성취될 수 있다. 이러한 시간적 제한 때문에 병원 전 응급의료체계의 역할은 뇌경색의 치료에 중요한 역할을 하게 되었다. 즉 응급의료체계는 뇌경색의 임상 증상이 발생한 환자를 신속히 재관류 요법이 가능한 병원으로 이송할 수 있어야 한다. 이를 위하여 모든 국민에게 뇌졸중 치료에 있어서 시간의 중요성을 교육하여야 하며, 응급의료종사자와 관련 분야 의사(응급의학, 영상의학, 신경과, 신경외과)들의 유기적인 협조로 재관류 요법이 신속히 시작될 수 있도록 각 응급의료기관이 준비되어 있어야 한다.

환자가 응급실에 도착한 후에는 신경학적 검사, 뇌 전산화단층촬영을 시행하여 뇌경색을 신속히 진단하고, 재관류 요법의 적용 여부를 판단하여 재관류 요법을 한다.

## 1. 뇌졸중의 임상 증상

뇌졸중의 임상 증상은 가벼운 안면근육의 마비와 같이 대수롭지 않은 경우로부터 의식 소실 또는 급사와 같이 중증에 이르기까지 다양하다. 뇌졸중의 주요 임상 증상은 의식의 변화, 한쪽의 마비 또는 감각 이상, 언어 장애, 현기증, 시야 장애 또는 시력 상실, 실신, 보행장애 등이다. 뇌졸중의 임상 증상이 발생하였다가 사라지는 일과성 허혈 발작(transient ischemic attack: TIA)으로 나타나는 예도 있다. 일과성 허혈 발작은 뇌졸중의 임상 증상이 발생한 후 24시간 이내에 임상 증상이 없어지는 경우를 말한다. 보통 일과성 허혈 발작은 15분 이내에 임상 증상이 사라지며, 일과성 허혈 발작이 발생하였던 환자는 뇌경색이 발생할 가능성이 크다.

## 2. 뇌졸중의 응급치료 과정

뇌졸중의 응급치료에서 가장 중요한 것은 뇌졸중을 조기에 진단하여 뇌졸중 치료가 가능한 병원으로 이송하고, 재관류 요법을 함으로써 뇌졸중에 의한 사망과 신경학적 후유증을 줄이는 것이다. 뇌졸중의 치료에 있어서 시간 경과를 줄이기 위하여 심장정지 환자의 치료에서 '생존사슬'과 같은 '뇌졸중 생존사슬(stroke chain of survival)'이라는 개념이 도입되었다. 뇌졸중 생존사슬은 지역 사회, 응급의료체계, 응급의료기관이 뇌졸중 환자의 효율적인 치료를 위해 해야 할 개념을 담고 있다. 즉, 뇌졸중의 조기 발견, 응급의료체계의 신속한 반응, 신속한 환자이송 및 환자 발생 사실의 병원 도착 전 통지, 응급실에서의 신속한 뇌졸중 진단 및 혈전용해치료 등 뇌졸중 환자의 신속한 치료에 필요한 모든 과정이 유기적으로 연결되어야 뇌졸중 환자의 사망을 줄일 수 있다는 개념이다.

병원 전 단계는 환자 발견(detection), 구급차 출동(dispatch), 환자 이송(delivery)의 세 단계로 나눌 수 있다. 환자 발견 단계는 환자의 임상 증상을 목격한 가족 등 일반인이 환자에게 뇌졸중이 생겼다는 사실을 인지하여 응급의료체계에 연락하는 단계이다. 구급차 출동 단계는 뇌졸중이 의심되는 환자가 신고 되었을 때, 응급의료체계에서는 우선하여 구급차를 현장에 출동시킴으로써 소요시간을 단축할 수 있다. 뇌졸중이 의심되는 환자를 위하여 출동한 응급의료종사자는 Face Arm Speech Test (FAST), Cincinnati Prehospital Stroke Scale (CPSS) 또는 Los Angeles Prehospital Stroke Scale (LAPSS) 등 현장 뇌졸중 평가 방법 중 한 가지를 사용하여 뇌졸중의 발생 가능성을 예측할 수 있어야 한다. 환자이송 단계는 구급차와 함께 출동한 응급의료인이 뇌졸중 환자가 재관류 요법을 받을 수 있는 의료기관으로 환자를 이송하는 단계이다. 뇌졸중이 의심되는 응급환자를 이송하는 응급의료종사자는 뇌졸중 치료가 가능한 의료기관으로 환자를 이송해야 하며, 해당 의료기관에 도착하기 전에 환자 발생 사실을 해당 의료기관에 알려주어 뇌졸중 팀이 치료를 준비할 수 있도록 해야 한다. 또한, 가능하면 환자를 목격한 사람을 의료기관으로 함께 데려감으로써, 병원 의료진이 뇌졸중 발생시간을 확인할 수 있도록 해야 한다. 이송 중에는 환자의 호흡을 자세히 관찰하고, 심전도 감시를 한다.

병원 내 단계는 접수 및 등록(door), 자료수집 및 진단(data), 치료 결정(decision), 혈전용해제 투여(drug), 뇌졸중 센터로의 이송(disposition)의 다섯 단계로 구분된다. 접수 및 등

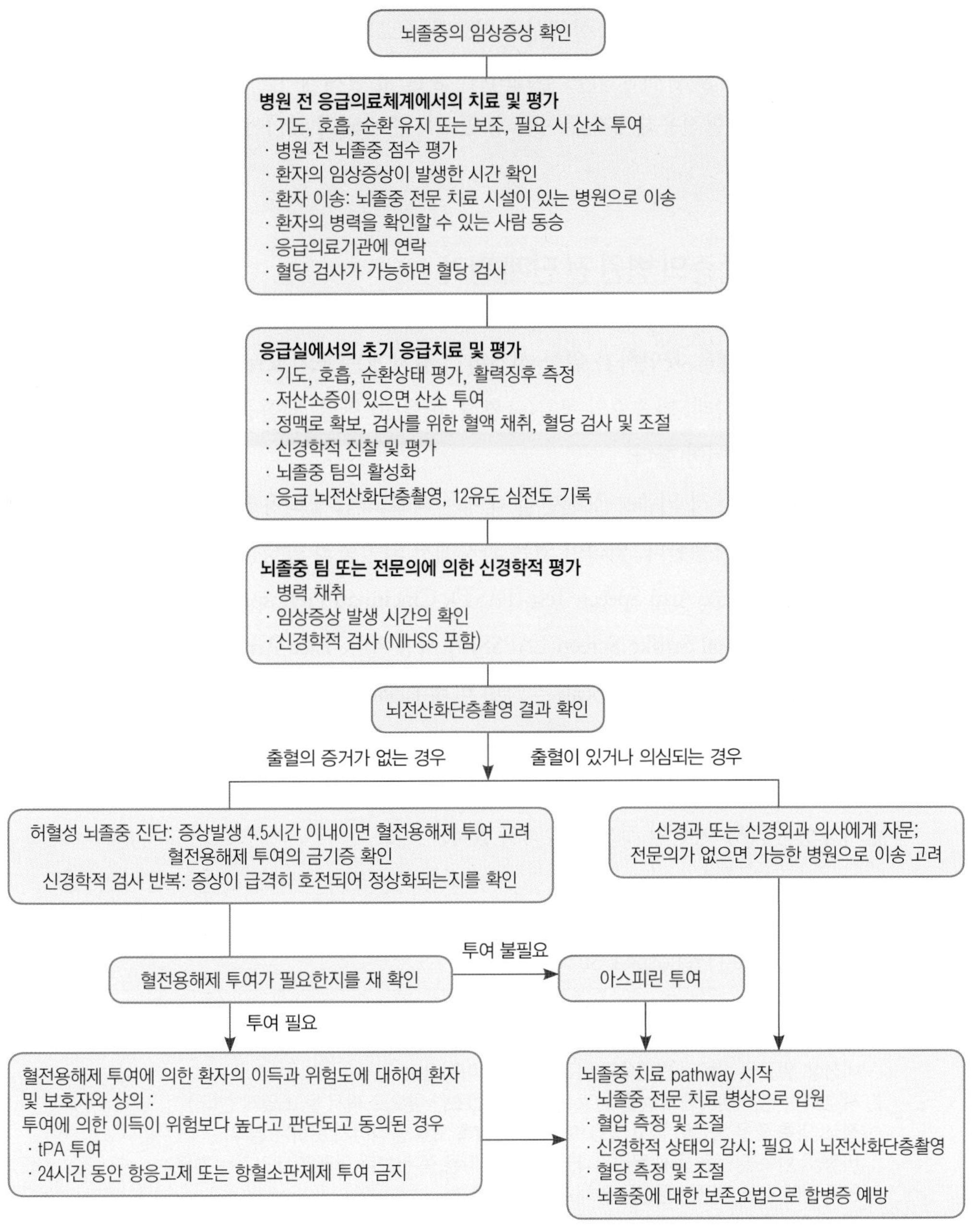


그림 24-1. 급성 뇌졸중의 응급치료 과정

록 단계는 환자가 응급실에 도착하여 의료인을 만나기까지의 시간으로서, 중증도 분류과정에서 뇌졸중 환자는 심근경색과 같은 치료 우선순위로 분류되어야 한다. 자료수집 단계는 의사가 환자를 진찰하고 뇌 전산화단층촬영을 하여 뇌졸중을 진단하는 단계이다. 치료 결정 단계는 환자의 상태가 혈전용해제 투여에 적합한지를 결정하는 단계이다. 혈전용해제 투여 단계에서는 혈전용해제 투여가 결정된 환자에게 약물을 투여하는 단계이다. 뇌졸중 센터로의 이송 단계는 응급실에서의 치료가 종료되면 뇌졸중 환자를 신속히 뇌졸중 센터로 이송하여 집중 감시를 하는 단계이다. 병원 내 단계에서는 환자가 응급실에 도착한 후 1시간 이내에 혈전용해제가 투여될 수 있도록 준비되어 있어야 한다 (그림 24-1).

## 3. 뇌졸중의 병원 전 단계 평가

뇌졸중의 발생을 확인하기 위한 신경학적 검사에는 초기 screening 검사, 임상 증상의 발생시간, 의식 상태, 뇌졸중의 종류(출혈성, 허혈성) 판별, 뇌졸중의 발생 위치, 뇌졸중의 중증도가 포함되어야 한다.

병원 전 단계에서 뇌졸중을 진단할 때에는 빠르고 쉽게 적용할 수 있는 간단한 신경학적 검사 방법을 사용한다. 의식이 있는 환자에서 뇌졸중의 발생을 알아낼 수 있는 신경학적 검사로서는 Face Arm Speech Test (FAST), Cincinnati Prehospital Stroke Scale 또는 Los Angeles Prehospital Stroke Screen(LAPSS)이 사용된다. Face Arm Speech Test (FAST)와 Cincinnati Prehospital Stroke Scale은 안면 마비(facial droop), 사지 마비(arm drift) 및 언어장애(abnormal speech)의 발생 여부로서 뇌졸중의 발생을 확인한다(표 24-1). 각 요소의 판정은 정상과 비정상으로 구분하며, 세 요소 중 한 가지라도 비정상이면 뇌졸중이 발생하였을 가능성은 70% 이상인 것으로 알려져 있다.

표 24-1. Cincinnati Prehospital Stroke Scale

| |
|---|
| 1. 안면 마비 검사(환자에게 치아를 보이도록 하거나 웃어보도록 한다)<br>정상: 얼굴 양측이 대칭으로 움직이는 경우.<br>비정상: 얼굴의 한쪽이 반대쪽과 비교하면 움직이지 않는 경우<br>2. 사지 마비 검사(환자에게 눈을 감고 양측 팔을 10초간 앞으로 펴서 들고 있게 한다.)<br>정상: 양측 팔을 똑같이 들고 있을 수 있거나, 양측 모두 움직이지 못하는 경우<br>비정상: 한쪽 팔만을 들지 못하거나, 한쪽 팔이 다른 쪽 팔보다 아래로 내려가는 경우<br>3. 언어 장애 검사(간단한 문장을 말해보도록 한다)<br>정상: 어눌함이 없이 또렷하게 따라 하는 경우<br>비정상: 단어를 말할 때 어눌하거나, 다른 단어를 말하는 경우, 환자가 말을 할 수 없는 경우 |

Los Angeles Prehospital Stroke Screen은 급성 신경학적 임상 증상이 발생한 의식이 있는 환자에서 뇌졸중의 발생 여부를 알아보는 검사이다. Los Angeles Prehospital Stroke Screen은 6개의 확인 항목으로 구성되어 있으며, 각 항목이 모두 있거나(yes) 알 수 없는 경우(unknown)에 해당하면 뇌졸중이 발생하였을 가능성이 90% 이상인 것으로 알려져 있다. Los Angeles Prehospital Stroke Screen의 조사 항목은 나이, 간질 또는 경련 발작의 병력, 임상 증상의 지속시간, 발병전환자의 상태, 혈당, 진찰 소견으로 구성되어 있다(표 24-2).

환자의 의식을 평가하기 위하여 Glasgow Coma Scale (GCS)을 적용하는 것이 도움이 된다. Glasgow Coma Scale은 음성 또는 통증에 대하여 눈의 반응(eye opening), 언어 반응(best verbal response), 운동 반응(best motor response)을 평가하여 판단한다(표 24-3). Glasgow Coma Scale은 모두 15점으로서, 15점이면 정상, 13, 14점이면 경도의 신경학적 장애, 11-13점일 경우 중증도의 신경학적 장애, 11점 미만이면 심각한 신경학적 장애가 있

표 24-2. Los Angeles Prehospital Stroke Screen의 조사 항목

| 조사 항목 | yes | unknown | no |
|---|---|---|---|
| 1. 나이가 45세 이상이다 | ( ) | ( ) | ( ) |
| 2. 임상 증상의 지속 시간이 24시간 이내이다. | ( ) | ( ) | ( ) |
| 3. 간질 또는 경련 발작의 과거력이 없다. | ( ) | ( ) | ( ) |
| 4. 발병 전 일상 생활이 가능하였다. | ( ) | ( ) | ( ) |
| 5. 혈당이 60 mg 이상이며 400 mg 이하이다. | ( ) | ( ) | ( ) |
| 6. 다음 세 가지 검사에서 한 가지라도 분명한 이상(비대칭)이 있다. | | | |
| (1) 안면 근육 | ( ) | ( ) | ( ) |
| (2) 손의 잡는 힘 | ( ) | ( ) | ( ) |
| (3) 팔의 힘 | ( ) | ( ) | ( ) |

표 24-3. Glasgow Coma Scale

| 점수 | 눈의 반응 | 언어 반응 | 운동 반응 |
|---|---|---|---|
| 6 | | | 음성 명령에 따라 사지를 움직인다 |
| 5 | | 대화가 가능하다 | 통증 자극을 준 곳의 사지를 움직인다 |
| 4 | 자발적으로 눈을 뜬다 | 대화가 가능하나 지남력 장애가 있다. | 통증 자극을 준 사지를 굽힌다 |
| 3 | 음성 자극으로 눈을 뜬다 | 부적절한 단어를 사용한다 | 통증을 주면 비정상적인 굴전 운동이 관찰된다 |
| 2 | 통증에 의하여 눈을 뜬다 | 알아들을 수 없는 말을 한다 | 통증을 주면 비정상적인 신전 운동이 관찰된다 |
| 1 | 음성 또는 통증에도 눈을 뜨지 않는다 | 반응이 없다. | 통증에도 움직이지 않는다 |

는 것으로 판단한다.

임상 증상의 발생 시기를 조사하는 것은 재관류 요법의 적응이 되는지를 판단하는 데 중요하다. 임상 증상 발생으로부터 가장 빨리 병원에 도착할 수 있도록 응급의료인은 최선을 다해야 하며, 병원에 도착하기 전에 환자의 도착 사실을 병원에 알려야 한다.

임상 증상과 진찰만으로 뇌졸중의 원인을 판단하기는 어렵다. 두통의 정도, 의식 상태, 국소 신경학적 장애의 발생 여부 등으로 개략적인 판단이 가능하지만, 신경학적 검사만으로 뇌출혈과 뇌경색을 구분하기는 어렵다. 뇌졸중의 원인을 판단하는 가장 좋은 방법은 뇌 영상 검사(전산화단층촬영 또는 자기공명촬영)를 하는 것이다. 뇌 영상검사는 환자가 병원에 도착한 후 20분 이내에 시행되어야 한다.

뇌졸중의 중증도는 뇌졸중의 위치 및 범위에 따라 다르게 나타난다. 따라서 뇌졸중의 중증도를 어느 한 가지의 인자만으로 판단할 수 없으므로, 몇 가지의 복합적인 요소를 평가함으로써 판단할 수 있다. 일반적으로 미국의 National Institute of Health(NIH)에서 제안한 NIH stroke scale (NIHSS)이 가장 널리 사용되고 있다. NIHSS 평가요소는 의식 수준(level of consciousness), 시력 기능(visual function), 운동 기능(motor function), 감각 기능(sensory and neglect), 소뇌 기능(cerebellar function)으로 구성되어 있다. NIHSS의 총 점수는 42점이며, 10점 이하이면 경증의 뇌졸중, 20점 이상이면 중증의 뇌졸중으로 판정한다.

## 4. 응급실에서의 진단 및 치료

응급실에서의 진단 및 치료 과정은 뇌졸중에 의하여 발생하는 임상 증상에 대한 응급치료(기도 유지, 인공호흡 등)를 시작하면서, 뇌졸중을 확인하여 재관류 요법을 신속히 시작할 수 있도록 하는 데 중점을 두어야 한다. 환자가 응급실에 내원하면 10분 이내에 간단한 평가와 치료(진찰, 혈압, 맥박수의 측정, 산소투여)를 하고, 60분 이내에 재관류 요법을 받을 수 있도록 한다(표 24-4).

표 24-4. 재관류 요법을 필요로 하는 뇌졸중 환자의 치료 과정에서 권장 시간

| 치료 과정 | 내원 후부터의 경과 시간(분) |
|---|---|
| 내원-의사 면담 | 10 |
| 내원-뇌 영상검사 | 평균 20분 이내 |
| 내원-뇌 영상검사 판독 | 45 |
| 내원-혈전용해제 투여 | 60 |

### 1) 뇌졸중의 영상진단

뇌졸중 진단의 가장 중요한 검사는 뇌 영상검사(전산화단층촬영 또는 자기공명영상검사)이다. 뇌 전산화단층촬영(brain computed tomography)은 뇌출혈과 뇌경색을 감별할 수 있는 가장 손쉬운 방법이다. 뇌졸중이 의심되면 우선 뇌출혈을 배제하기 위하여 비조영(non-contrast) 뇌 전산화단층촬영을 한다. 뇌 전산화단층촬영과 함께 관류스캔(perfusion scan) 또는 전산화 혈관조영술(CT angiography)을 함으로써, 뇌경색의 진단율을 높일 수도 있으나, 시간 소요 등을 고려하여 통상 비조영 뇌 전산화단층촬영을 한다. 뇌졸중의 임상 증상이 있으면서 뇌 전산화단층촬영에서 출혈이 관찰되지 않으면 재관류 요법의 대상인지 판단한다. 뇌 자기공명영상은 뇌 전산화단층촬영보다 뇌경색의 진단에 우수한 방법이다. 응급센터에 뇌 자기공명영상 촬영 장치를 갖추고 있으면서 24시간 영상진단의학과 의사의 판독이 가능한 의료기관에서는 뇌 자기공명영상을 뇌졸중의 최초 검사로 사용할 수 있다. 최근에는 뇌경색의 응급 진단을 위하여 자기공명영상 혈관조영술과 확산강조 영상(diffusion weighted image)이 함께 사용된다.

### 2) 뇌졸중의 응급실 치료

응급실에서의 치료는 뇌졸중에 의하여 발생한 임상 증상에 대한 치료와 재관류 요법에 중점을 두어야 한다.

#### (1) 응급실에서의 일반적인 치료

환자가 도착하면 환자의 의식을 확인하고 의식이 명료하지 않으면, 기도와 호흡 상태를 확인한다. 기도와 호흡 상태를 조절하거나 확인된 후에는 정맥로를 확보한다. 혈액을 채취하여 혈액검사, 혈액응고검사, 혈당 검사를 하며, 저혈당이 있으면 즉시 교정한다. 정

표 24-5. 응급실에서 뇌졸중 환자의 일반적인 치료

| |
|---|
| 1. 수액 투여(생리식염수 또는 링거액) |
| 2. 혈당검사 및 저혈당 치료 |
| 3. Thiamine 투여(알코올중독이 의심되는 경우) |
| 4. 산소 투여(산소포화도가 94% 미만인 경우) |
| 5. 체온 조절(고열 발생 시 acetaminophen 투여) |
| 6. 금식(의식장애 또는 삼킴장애가 동반된 경우) |
| 7. 심전도 감시 |

표 24-6. 응급실에서 뇌졸중이 의심되는 모든 환자에게 하여야 할 검사

| 뇌 전산화단층촬영 또는 뇌 자기공명검사 |
|---|
| 심전도 |
| 혈당 검사 |
| 혈청 전해질검사 |
| 신기능검사 |
| 혈액검사(혈소판 검사 포함) |
| 프로트롬빈 시간(INR 검사 포함) |
| 부분 트롬보플라스틴 시간 |

맥로를 통한 수액투여에는 생리식염수 또는 링거액이 사용된다. 저혈당이 의심되는 환자를 제외하고는 포도당이 함유된 수액은 투여하지 않는다. 환자가 저혈압이 있는 경우를 제외하고는 시간 당 75-100 mL의 속도로 수액을 투여한다. 동맥혈 산소포화도가 94% 미만이거나 동맥혈 산소포화도를 알 수 없는 환자에게는 산소를 투여한다(표 24-5).

뇌영상 검사와 함께 혈액검사, 혈당 검사 등을 하여 뇌 병변 이외의 원인이 있는지를 확인한다. 그러나 이러한 검사를 위하여 뇌 영상 검사를 지연시켜서는 안 된다. 뇌졸중 환자 중에는 뇌졸중과 심근경색이 함께 발생하거나 뇌졸중으로 심장 부정맥이 야기되는 경우가 있으므로, 심전도 감시를 한다(표 24-6).

### (2) 혈압조절

뇌졸중 환자에서 저혈압과 저혈량 혈증은 즉시 교정되어야 한다. 뇌졸중 환자에서는 뇌 관류압을 조절하기 위한 반사기전으로서 혈압이 상승한다. 뇌졸중에 의하여 상승하였던 혈압은 시간이 지남에 따라 정상화되는 경향을 보인다. 뇌졸중이 발생한 후에 관찰되는 고혈압을 치료하는 것에 대해서는 논란이 있다. 뇌졸중과 더불어 발생하는 고혈압을 치료할 경우 오히려 뇌 관류압을 감소시킴으로써 뇌의 손상을 초래할 수 있다는 것을 고려한다.

뇌졸중 후에 발생한 고혈압을 치료해야 하는 경우는 혈압을 조절하여야 하는 다른 질환(대동맥 박리, 심근경색, 심부전 등)이 있거나, 혈압이 지나치게 상승한 경우로 국한된다. 일반적으로 뇌졸중 후의 고혈압 치료의 지침은 뇌출혈과 뇌경색에서 각각 다르다. 또한, 혈전용해제를 투여하는 경우에 고혈압이 있는 환자에서는 뇌출혈의 가능성이 크므로, 수축기 혈압이 185 mmHg 이상이거나 이완기 혈압이 110 mmHg 이상인 환자에서는 혈전용해제를 투여할 수 없다. 뇌졸중 후 고혈압이 관찰되는 환자의 치료에는 labetalol, nitroprusside, nicardipine이 사용된다(표 24-7).

표 24-7. 뇌졸중 환자에서 고혈압의 치료

| 환자 구분 | 혈압(mmHg) | | 치료 | 참고 사항 |
|---|---|---|---|---|
| 혈전용해제 투여 대상이 아닌 경우 | 이완기 혈압: 140 이상 | | sodium nitroprusside (분당 0.5 ug/kg로 치료 시작) | 최초 혈압의 10-15% 하강을 목표로 치료 |
| | 수축기 혈압: 220 이상<br>이완기 혈압: 121-140<br>평균 동맥압: 130 이상 | | 10-20 mg의 labetalol을 1-2분에 걸쳐 정맥 주사(10분 간격으로 최고 300 mg까지 투여 가능)<br>또는 nicardipine을 5 mg/h로 투여(5분 간격으로 2.5 mg/h로 증량, 최대 용량 15 mg/h) | 최초 혈압의 10-15% 하강을 목표로 치료 |
| | 수축기 혈압: 220 미만<br>이완기 혈압: 120 미만<br>평균 동맥압: 130 미만 | | 다른 질환(대동맥 박리, 심근경색, 폐부종, 고혈압 뇌증)이 없으면 관찰 | |
| 혈전용해제 투여 대상인 경우 | 혈전용해제 투여 전 | 수축기 혈압: 185 이상<br>이완기 혈압: 110 이상 | labetalol 10-20 mg을 1-2분에 걸쳐 1 또는 2회 투여 | 투여 후에도 혈압이 185/110 mmHg 미만으로 하강하지 않으면 혈전용해제를 투여의 금기 |
| | 혈전용해제 투여 중 및 투여 후 | 이완기 혈압: 140 이상 | sodium nitroprusside(분당 0.5 ug/kg로 시작) 정맥투여 | 혈압감시: 첫 2시간은 15분 간격, 그 후 6시간 동안은 30분 간격, 그 후 16시간은 1시간 간격으로 측정 |
| | | 수축기 혈압: 230 이상<br>이완기 혈압: 121-140 | 1) labetalol(10 mg)을 1-2분 간격으로 투여(10분 간격으로 용량을 두 배로 증량, 총 300 mg까지 투여 가능)<br>2) 또는 labetalol (10-20 mg) 투여 후 분당 2-8 mg으로 정맥 주사<br>3) 또는 nicardipine을 5 mg/h로 투여(5분 간격으로 2.5 mg/h로 증량, 최대 용량 15 mg/h)<br>3) labetalol 투여 후에도 혈압이 조절되지 않으면 nitroprusside 투여 | |
| | | 수축기 혈압: 180-230<br>이완기 혈압: 105-120 | labetalol 10-20 mg 정맥 주사(10-20분 간격으로 최고 300 mg까지 투여 가능) 또는 labetalol(10-20 mg) 투여 후 분당 2-8 mg으로 정맥주사 | |

### (3) 뇌전증의 치료

뇌졸중과 연관되어 발생하는 뇌전증은 뇌졸중 발생 후 첫 24시간에 주로 발생한다. 일반적으로 뇌졸중과 연관되어 일시적으로 발생하는 뇌전증은 뇌졸중의 예후와 관련이 없다. 그러나 뇌졸중 환자에서 지속적인 뇌전증의 발생은 뇌 손상을 가중하는 가장 중요한 합병증이다. 뇌전증의 발생을 방지하기 위하여 예방적 목적으로 모든 환자에게 항뇌전증제를 투여하는 것은 권장되지 않는다.

Benzodiazepine 계열의 diazepam과 lorazepam이 뇌전증이 발생하였을 때 효과적인 약물이다. Diazepam은 2분 간격으로 5 mg을 투여하며, lorazepam은 1-4 mg을 2-10분에 걸쳐 정맥주사한다. Benzodiazepine 계열의 약물로 뇌전증이 조절되지 않으면, phenytoin, phenobarbital 등의 약물을 투여한다.

### (4) 뇌압 치료

뇌압 상승이 의심되는 환자에서는 뇌압을 하강시키고, 뇌 관류압을 유지하며, 뇌탈출(헤르니아, hernia)을 예방할 수 있도록 노력해야 한다.

뇌압 상승이 의심되는 환자는 머리의 높이를 침대에서 20-30도 정도 올려주고, 저산소증이 발생하지 않도록 산소를 공급하며, 통증 또는 뇌전증의 발생을 예방 또는 치료하여 뇌압 상승을 억제한다. 폐 환기량 조절을 통한 동맥혈 이산화탄소 분압의 조절이 초기 뇌압을 조절하는 데 중요하다. 동맥혈 이산화탄소 분압을 30-35 mmHg로 유지하여야 하며, 의식 상태가 급격히 변하는 환자에서는 25 mmHg 이하까지 급속히 동맥혈 이산화탄소 분압을 낮추어야 하는 때도 있다. 과환기(hyperventilation)는 뇌혈관을 수축시켜 일시적으로 뇌압을 하강시키는 방법이므로, 뇌압이 상승한 환자의 초기응급치료로써만 사용되어야 한다. 과호흡에 의한 뇌혈관 수축은 뇌의 허혈을 초래할 수 있으므로, 과환기로 뇌압을 조절할 때에는 혈압 하강에 의한 뇌 허혈이 발생하지 않도록 유의해야 한다.

고삼투액(hyperosmolar solution)을 투여하여 뇌압을 하강시킬 수 있다. 만니톨(mannitol)은 뇌용량을 감소시키고 뇌 관류압을 증가시킬 수 있는 유용한 고삼투액이다. 만니톨은 초기에 0.25-0.5 g/kg를 20분에 걸쳐 신속히 투여한 후 6시간 간격으로 반복 투여(일일 최대 2g/kg)한다. 이뇨제, 고농도 식염수 등도 뇌압을 하강시키는 데 사용될 수 있다.

고용량 바르비투르산염(barbiturates)을 투여하여 뇌압을 낮출 수 있다. 통상 티오펜탈(thiopental)이 사용되며 1-5 mg/kg를 투여한다. 고용량 바르비투르산염이 투여될 때에는 호흡을 보조하기 위하여 반드시 기계 호흡을 시행한다. 약물로서 뇌압 상승을 조절할 수 없을 때는 뇌실절개술 등의 수술 요법을 사용하기도 한다.

### (5) 혈당과 체온의 조절

고혈당이 있는 뇌졸중 환자는 정상 혈당인 뇌졸중 환자보다 예후가 불량하다고 알려졌다. 그러나 고혈당이 뇌졸중의 예후에 악영향을 미치는 기전은 알려지지 않았다. 혈중 Hemoglobin A1c가 높은 군과 정상인 군 사이에 뇌졸중의 예후는 차이가 없는 것으로 알려져 있다. 뇌졸중 환자에게 인슐린을 투여하여 고혈당을 조절하는 것에 대해서는 논란이 있다. 통상적으로 혈당이 185 mg/dl 이상인 고혈당이 있는 뇌졸중 환자에게는 인슐린을 투여하여 혈당을 조절한다. 혈당 범위는 140-180 mg/dl를 유지한다.

저혈당은 뇌졸중과 유사한 증상을 유발할 수 있으므로, 저혈당(60 mg/dl)이 발견되면 즉시 포도당을 투여하여 저혈당을 개선한 후 환자를 재평가한다.

고체온은 뇌졸중의 사망률을 증가시킨다. 따라서 38℃ 이상의 고열이 발생하면 해열제(아세트아미노펜 등)를 투여하여 적극적으로 체온을 낮춰야 한다. 심장정지로부터 소생된 환자와 같이 뇌졸중에서도 저체온 요법이 효과가 있는지는 알려지지 않았다.

### (6) 혈전용해치료

뇌경색 환자에서 임상 증상이 발생한 후 4.5시간 이내에 혈전용해제를 정맥 또는 경색 관련 동맥(infarct related artery)으로 투여하거나, 임상 증상 발생 후 24시간 이내에 전뇌 순환계(anterior circulation)의 경색 발생 동맥에 대한 중재술(혈전제거술)을 하면, 뇌경색에 의한 사망률과 장애율을 감소시킬 수 있다. NIH stroke scale이 22 이상인 중증의 뇌경색 환자에서는 혈전용해치료를 하더라도 사망률 및 신경학적 후유증의 개선 효과가 작다. 최근 연구에서는 임상 증상 발생시간이 명확하지 않으면서 임상 증상을 인지한 후 4.5시간 이상이 지나간 뇌경색 환자 중 확산강조 자기공명영상 검사상 중뇌 동맥 관류부위의 1/3 크기 이내의 뇌경색이 있는 경우, 혈전용해제 투여로 신경학적 치료결과를 호전시켰다고 알려졌다. 따라서 혈전용해치료를 포함한 재관류 요법의 결정은 임상 증상 발생으로부터의 경과 시간, 뇌경색 위치와 크기, 해당 의료기관의 인력, 시설을 고려하여 결정하는 것이 권장된다.

혈전용해치료에 관한 일반 지침은 뇌경색의 임상 증상이 발생한 지 4.5시간 이내이고 인 18세 이상의 환자에게 tPA(tissue plasminogen activator)를 투여하도록 권장하고 있다. 뇌경색 환자에서 tPA 혈전용해치료의 가장 중요한 합병증은 뇌출혈이다. tPA 혈전용해치료 후 뇌출혈의 발생률은 평균 5.2%(4.6-6.4%)에 이르는 것으로 알려졌다. 아스피린을 복용하는 것이 혈전용해치료 후 뇌출혈 발생률을 증가시키지는 않는다. tPA 투여 후 혈관부종이 발생하는 예도 있으며, 특히 안지오텐신 전환효소 차단제를 복용하고 있는 경우에 자주 발생한다. 급성 심근경색에서의 혈전용해치료 금기증과 같이 출혈성 경향이 있거나, 뇌출혈의 가능성이 큰 환자에서는 혈전용해제 투여를 하여서는 안 된다(표 24-8).

혈전용해치료의 적응이 되는 환자에게는 0.9 mg/kg의 tPA (최대 용량 90 mg)를 정맥으로 투여한다. 총투여량의 10%를 1분에 걸쳐 덩이 주사로 투여하고, 나머지 투여량은 1시간에 걸쳐서 투여한다.

표 24-8. 뇌경색 환자에서 혈전용해제(tPA) 투여의 금기증

**절대 금기증**
1. 뇌전산화단층촬영에서 뇌출혈이 의심되는 환자
2. 정상 뇌 전산화단층촬영 소견이 관찰되지만, 지주막하출혈이 의심되는 환자
3. 뇌 전산화단층촬영 상 뇌 반구의 1/3 이상을 차지하는 다엽성(multilobar) 뇌경색
4. 뇌출혈의 병력이 있는 경우
5. 조절되지 않는 고혈압(tPA를 투여하려 할 때의 수축기 혈압이 185 mmHg 이상이거나, 이완기 혈압이 110 mmHg 이상인 경우)
6. 두개 내 종양, 동정맥기형, 동맥류가 있는 경우
7. 내부 출혈이 있는 경우, 골절 등의 외상이 있는 경우
8. 3개월 이내에 두개 내 또는 척추 수술을 받은 경우, 두부 외상이 있었던 경우, 뇌졸중이 있었던 경우
9. 출혈 경향이 있는 경우(항응고제 사용으로 INR>1.7인 경우, 48시간 이내에 헤파린 투여로 aPTT가 정상 이상으로 연장된 경우, 혈소판수가 10만 미만인 경우)
10. 최근 7일 이내에 압박할 수 없는 부위의 동맥을 천자 한 경우
11. 저혈당(<50 mg)이 확인된 경우

**상대 금기증**
1. 임상 증상이 가볍거나 회복되는 뇌졸중
2. 14일 이내에 수술 또는 중증 외상이 있었던 경우
3. 최근 3주 이내에 소화기 또는 요로계 출혈이 있었던 경우
4. 최근 3개월 이내에 급성 심근경색이 있었던 경우
5. 전간 발작과 함께 발작 후 신경학적 장애가 있는 경우

### (6) 항응고 치료

뇌경색이 발생한 환자에서 헤파린을 투여하는 것이 환자의 생존율을 증가시킨다는 증거는 없다. 뇌경색 초기에 헤파린을 투여하면 뇌출혈의 가능성이 증가한다. 따라서 헤파린을 모든 뇌경색 환자에게 투여하는 것은 권장되지 않는다. 일시적 뇌 허혈(transient ischemic attack: TIA)이 발생하였던 환자에게 아스피린(일일 160-320 mg)을 투여하면 재발률을 감소시키는 것으로 알려졌다.

뇌경색 환자에서 tPA로 혈전용해치료를 한 후 24시간 이내에는 헤파린이나 아스피린을 투여하지 않는다.

# Index

# Index

## 국문 찾아보기

### ㄱ

## ㄴ



## ㄷ

## ㄹ



## ㅁ



## ㅂ

ㅅ

## ㅇ

## ㅈ



## ㅊ

ㅋ



ㅌ



ㅍ



ㅎ

# 영문 찾아보기

## A



## B



## C



## D



## E

## F



## G



## H



## I



## J



## K



## L



## M

N



O



P



Q



R



S

## T



## U



## V



## W